사찰에서 만나는 벽화

사찰에서 만나는 벽화

지홍 법상

○○○

불교 벽화 책을 내면서

나모 따사 바가와또 아라하또 삼마삼붇다사

우리나라의 모든 사찰에는 사찰의 규모와 관계없이 거의 모두 벽화가 있다. 그러나 그 많은 벽화는 불자들에게 알게 모르게 등한시되어 하나의 장엄으로 여겨져 이미 화석처럼 굳어진 한낱 그림이 아닌가 싶을 정도다. 우리는 벽화에 대해서 너무 모르고 있어 별거 아닌 것처럼 터부시해 왔다. 마치 날지 못하는 박제된 새처럼 벽화는 생명력을 잃어버렸다고 보아도 크게 무리는 아닐 것이다.

벽화는 크게 부처님의 일대기나 경전 속의 줄거리를 그림으로 나타낸 것이다. 그 외에도 불교와 관련된 전설, 그리고 고승의 일화를 담은 그림도 있다. 불교와 크게 관련이 없는 민속적인 내용, 그리고 도교의 설화도 벽화의 소재로 등장하곤 한다. 그런 점에서 우리나라 사찰의 벽화는 많은 문제점을 가지고 있다. 내용적인 측면에서 보면 전각(殿閣)의 내용과 일치하지 않는 경우가 허다하다. 예를 들면 극락전은 극락에 관한 내용이 거의 없으며, 대웅전은 석가모니 부처님에 관한 말씀을 전개하기보다는 심우도가 그려져 있는 곳이 대부분이다.

우리나라 사찰에서 제일 많이 볼 수 있는 벽화의 단골 소재는 심우도(尋牛圖)와 팔상도(八相圖)다. 그러나 여기에는 많은 문제점이 있다. 필자의 짧은 생각이지만 심우도는 선원(禪院)에 어울리는 벽화다.

경전의 내용을 그린 벽화도 자세히 보면 엉터리에 가까운 벽화가 아주 많다. 이는 벽화를 그리는 화공이 그만큼 경전을 보지 아니하고 벽화를 그렸기 때문이다. 이러한 연유에 대해서 누가 뭐라고 하여도 근본적인 책임은 화승(畫僧)의 명맥을 단절시킨 우리나라 불교에 있다. 그러한 빌미를 제공하였기 때문이다. 불교는 원래 다양성을 추구하여 구도하였다. 하지만 언제부터인가 (손꼽아 알 수 없을 시기부터) 선승(禪僧) 외에는 크게 환영받지 못하는 시대를 거치며 다양한 방면의 구도 행위를 모두 무너뜨리고 말았다. 그러므로 벽화, 단청, 불모 등이 거의 모두 속인의 손으로 넘어가면서 경전의 내용을 담기에 역부족인 환경이 되지 않았나 생각된다. 물론 이 책을 통해 잘못 전해진 벽화에 대해서 낱낱이 지적할 수 없음이 나로서도 안타깝다. 지금의 세상에는 잘못을 지적하면 이를 받아들여 고치려 하기보다는 오히려 자기만의 논리를 앞세워 이에 수긍하지 않으려고 하기 때문이다.

우리나라 사찰의 벽화는 중화사상(中華思想)에서 벗어나지 못한 경우가 비일비재하다. 우리나라에도 뼈를 깎는 구도의 길을 걸었던 스님들이 아주 많지만, 현실은 우리 스스로 이를 멀리하여 중국 스님들 일변도의 그림이 대부분이다. 복식(服飾) 또한 그러하다. 법문이나 벽화에서 이러한 중화사상으로부터 벗어나지 못하면 우리 자신의 정체성을 찾기가 점점 더 어려워질 수밖에 없다.

우리나라 벽화는 경전을 충실하게 나타내어 그려진 벽화가 거의 없을 정도다. 나라 안 전체의 벽화가 다양성을 나타내지 못하고 천편일률적으로 대동소이하다. 그만큼 우리나라 불교의 벽화가 정체되어 있다는 방증이기도 하다. 이에 따라 승속을 막론하고 벽화에 있어서 크게 주목받지 못하고 있다고 보아도 지나친 표현은 아닐 것이다.

벽화에 있어서 구름 문양을 그려 넣거나 도교풍의 산수화를 보는 듯한 벽화가 대부분인데, 그러한 것이 벽화의 가치를 현저히 떨어뜨리고 있는 것도 사실이다. 어떠한 내용을 불문하고 첩첩산중에 주인공을 끌어들여 벽화를 그리는 것은 크게 잘못된 것이다. 이러한 벽화가 없게 하려면 모든 불자의 지대한 관심이 필요하다.

애써 벽화를 수집하고 그에 따른 설명을 하였지만 많이 부족할 것이다. 이에 틀린 부분이나 오류가 있다면 눈 밝은 이가 나와 고치고 보완하여 주기를 바란다. 그리하여 다같이 더불어 공부하자는 마음을 낼 수 있기를 기원하는 마음으로 이 벽화 책을 정리하였다. 내용이 아주 미미하다는 것을 스스로 인정하노니 넓은 아량으로 보아주기를 바란다. 벽화에 따라 내용이 중복되어 전개되는 경우가 더러 있다. 하지만 이 또한 여러 사건들과 연계되어 전개되기에 반복해서 언급하게 되었음을 미리 밝혀두는 바다.

다음에는 편액(扁額)에 관한 내용을 정리해 내어놓고자 원을 세웠으니 이 모든 과정이 부처님의 은혜 갚는 일이라 여기고 정진하는 부족한 제자를 응원해 주시기를 바란다.

불기 2567년 12월
고목당(枯木堂)에서
지홍 법상 합장

○○○

차례

불교 벽화 책을 내면서 _ 5

부처님 일대기 _ 11

경전 속에 나타난 벽화 _ 171

불교의 여러 가지 설화 _ 561

고승(高僧)과 선사(禪師) _ 707

불교의 호법신장(護法神將) _ 1085

그 외 벽화 이야기 _ 1111

벽화 찾아보기 _ 1186

벽화에 등장하는 사찰 _ 1203

벽화 책을 마무리하면서 _ 1212

부처님 일대기

선혜[수메다]와 연등 부처님

전남 광주 증심사

석가모니 부처님이 이 세상에 오시기 전에 선혜[수메다]라는 수행자가 있었다. 그는 연등 부처님께 우담발화(優曇鉢華, udumbara)를 올렸다. 법문이 끝나고 연등 부처님이 떠날 때가 되자 마침 비가 오다가 그쳐서 땅이 질퍽하였다. 수행자 선혜는 연등 부처님의 발이 더럽혀질까 진흙 위에 머리를 풀고 엎드려서 '부처님 제 머리카락을 밟고 지나시옵소서!'라고 말하였다. 여기서 수메다(Sumeda)를 한역하여 선혜(善慧)라고 부르며, 연등 부처님(Deepankara Buddha)을 정광여래(錠光如來)라 한다.

이 광경을 본 연등 부처님은 제자와 대중에게 말씀하셨다. 견디기 힘든 고행을 하는 이 수행자를 보라. 그는 지금으로부터 무량한 세월이 지난 후 세상에 출현하여 부처님이 될 것이니라. 견줄 사람 없는 큰 성인의 말씀을 듣고 천인(天人)과 인간들은 크게 기뻐하며 외쳤다. 수행자 수메다는 분명 부처님이 될 씨앗이요, 부처님이 될 싹이로다. 그는 그렇게 연등 부처님으로부터 수기를 얻었다.

모든 이가 지나간 뒤 엎드려 있던 수메다는 몸을 일으켜 앉아 스스로 생각했다.

내가 지금껏 쌓아온 수행을 생각하자마자 온 세계가 크게 진동하였고, 그 진동에 놀라는 사람들에게 연등 부처님은 현자 수메다가 부처님이 되기 위한 근본적인 덕목을 모두 깊이 사유하고 있는 까닭에 이 대지와 세계(世界)가 진동하고 있는 것이라고 그 연유를 밝히셨다.

이때 시방세계에 사는 사람들은 큰소리로 외쳤다. 당신은 기필코 부처님이 되실 것이옵니다. 흔들림 없이 정진하여 주소서. 멈추시거나 물러나서는 안 되나이다. 저희도 당신이 기필코 깨닫게 될 것임을 잘 알고 있나이다.

수메다는 모든 부처님이 이루신 깨달음의 근본적 덕목인 십바라밀의 수행을 남김없이 수행하고 난 후 한량없는 세월 동안 보살행을 닦은 뒤 도솔천에 머물게 되었다.

연등불에게 꽃을 공양하는 수메다[Sumeda]

경남 김해 정암사

석가모니 부처님은 전생 선혜(善慧, 수메다)이다. 과거 전생에 과거불인 연등불(燃燈佛)로부터 수기를 받아 현생에 부처가 되어 설법하였다. 불교에서 부처[佛陀, Buddha]란 깨달은 자를 말하며 불(佛)이라고도 한다. 불교의 삼세불(三世佛) 사상이란 과거, 현재, 미래의 삼세(三世)에 오시는 부처를 말한다.

과거불은 석가모니불의 전생에 수기를 주었다는 연등불(燃燈佛)을 말하며, 현재불은 석가모니불을 말한다. 미래불은 아일다(阿逸多, 미륵보살)가 석가모니불로부터 수기를 받고 도솔천에 올라가 미륵보살로 계시다가 말법 시대에 고해에 빠진 중생을 구제하기 위해 하생(下生)한다는 미륵불(彌勒佛)을 말한다.

과거불의 수기로 현재불이 왔고, 현재불의 수기를 받은 미래불이 와야 하는 인연은 부처가 세상 사람들에게 한 약속이다. 그러므로 중생들은 미래의 부처를 간절히 기다려 왔다.

석가모니불의 전생에 관한 이야기를 기록한 본생경(本生經)에는 과거 십만 겁의 옛날에 연등(燃燈)이라는 부처가 세상에 출현하였을 때 선혜(善慧)가 살고 있었다. 선혜가 있는 마을로 연등불(燃燈佛)이 오신다는 이야기를 들은 선혜는 무엇을 연등 부처님께 공양 올릴까 하고 궁리하다가 마침 꽃을 들고 가는 구이(俱夷)라는 처녀를 만나 말하였다. 그 꽃을 연등 부처님께 공양하고 싶으니 나에게 팔라. 그에 처녀는 꽃을 주는 대신 원하는 것이 있는데 태어날 때마다 그대의 아내가 되고 싶다고 말한다.

선혜는 그 꽃을 얻어 부처님께 보시만 할 수 있다면 너의 원을 따르겠다고 대답한다. 이에 감탄한 구이는 꽃을 선혜에게 주었고 선혜는 연등불에게 그 꽃을 공양하고 배례(拜禮)하였다. 그러자 연등 부처님은 내세에 너는 부처가 되어서 많은 중생을 제도할 것이라고 수기(授記)하였다.

선혜(善慧)는 곧 수메다(Sumeda)를 말하며 또 다른 표현으로는 유동(儒童)보살이라고 한다. 수기(授記)는 훗날에 부처가 될 것이라고 알려주는 것을 말한다. 이러한 내용을 매화헌불(買花獻佛)이라 한다. 과거현재인과경에 여기에 관한 말씀이 수록되어 있다.

연등불에게 머리카락을 풀어서 공양하다

경북 청도 운문사

본생경(本生經)에 잘 설명되어 있는 내용이다. 과거 4아승지, 10겁의 옛날에 연등(燃燈)이라는 부처가 세상에 출현하였다. 이 무렵 무마성(無魔城) 혹은 불사성(不死城)이라는 도시에 선혜(善慧)라고 부르는 바라문[1]이 살고 있었다. 선혜의 부

[1] 인도 특유의 신분제도 가운데 브라만(Brahman)은 최상위 계급으로 제사 의식을 거행하는 계급이다. 의역하면 사제(司祭), 성직자(聖職者)이다. 그 밑으로 정치와 군사를 담당하는 귀족, 무사 계급인 크샤트리아, 납세의 의무를 진 평민 바이샤, 이어서 최하위 계급인 천민(賤民), 노예 계급인 수드라가 있다. 그러나 북방불교에서는 브라만이라 하지 아니하고 이를 음사(音

친은 무마성의 호족인 바라문으로 대단한 재력을 가진 부호였으나 선혜가 어릴 때 수많은 재산을 남긴 채 세상을 떠났다.

선혜는 그의 부친이 많은 재산을 모으느라 말할 수 없는 수고를 하고도 한 푼도 가져가지 못하는 것을 보았다. 그리하여 죽음으로도 빼앗을 수 없는 복락(福樂)의 종자를 심으리라는 뜻을 일으켰으며, 정진 끝에 여덟 가지 선정(禪定)과 다섯 가지의 신통력을 얻었다.

이 무렵 선혜 행자가 있는 마을로 연등불(燃燈佛)이 오신다는 이야기를 듣고 선혜는 친견하러 나갔다. 법문이 끝나고 연등불이 지나실 길에 진흙탕이 있는 걸 보자 선혜는 곧 입고 있던 사슴가죽 옷을 벗어 진흙탕에 깔고 그것도 부족해 보이자 머리를 풀어 진흙 위를 덮고 엎드려 부처님을 우러러보며 사뢰었다.

부처님이시여, 진흙을 밟지 마시고 부디 제 머리털과 몸을 밟고 지나십시오. 마치 마니(摩尼) 구슬의 판자로 된 다리를 밟는다 생각하시고 사십만의 아라한과 함께 저의 등을 밟고 걸어가십시오. 그러면 그것은 저에게 영원한 복이 되고 즐거움이 될 것입니다.

그리고 선혜는 진흙 위에 엎드린 채 열 가지 힘을 가진 존엄한 연등불을 우러러보면서 지극한 마음으로 큰 행원을 일으켰다. 만일 수행자에게 어떤 희망이 있다면 그것은 승단의 수행자가 되어 온갖 번뇌를 불살라 버리고 열반에 드는 일일 것이다. 이 세상에는 고통받는 중생이 끝없이 많으니 나는 연등불처럼 최상의 진리를 깨달은 부처가 되어 마지막 한 생명까지 법의 배에 싣고 윤회의 바다에서

寫)한 바라문(婆羅門)으로 통용되고 있어 이에 따라 표현하였다. 참고로 불교 사전에도 바라문으로 수록되어 있으며 브라만이라는 표현은 수록되지 않고 있다.

기필코 구제한 뒤에야 비로소 열반에 들리라.

이때 연등불은 선혜를 향하여 찬탄하였다. 아~ 장하다, 선혜여! 그대의 보리심은 참으로 갸륵하구나. 이같이 지극한 공덕으로 그대는 오는 세상에 반드시 부처가 되리니, 그 이름을 석가모니(釋迦牟尼)라 부르리라. 그리고 연등불은 선혜 행자에게 꽃을 공양하고 오른쪽으로 세 번 돌며 예를 마치신 뒤에 떠났다. 또 사십만의 비구들도 이처럼 예를 마친 뒤에 연등불을 따라 자리를 떠났으며, 일만 큰 세계의 천인들도 다같이 예물을 바치고 그와 같이 하였다. 이처럼 석가모니불은 자신의 전생, 즉 선혜(善慧) 행자 시절에 과거불인 연등불로부터 수기를 받음으로써 현생에 태어나 부처가 되었다고 설법하였다.

연등 부처님과 선혜

경북 김천 계림사

욕지전생사 금생수자시 욕지내생사 금생작자시(欲知前生事 今生受者是 欲知來生事 今生作者是)라는 말씀이 있다. 그 의미는 만약 전생의 일을 알고자 하면 이승에 받는 것이 바로 그것이며, 다음 생을 알고자 하면 이승에 행하고 있는 그것이 바로 다음 생의 모습이라는 가르침이다.

석가모니 부처님은 전생에는 선혜(善慧)였다. 선혜라는 이름을 가지고 살던 시절에 연등불(燃燈佛)로부터 수기를 받고 부처가 되었다. 우리가 아는 미륵 부처님은 아일다(阿逸多, ajita)가 석가모니 부처님께 수기를 받고 도솔천에 올라가 미륵보살로 있다가 말법시(末法時) 고해에 빠진 중생을 구제하기 위하여 미륵 부처로 사바세계에 강림한다고 하신 부처님이다. 연등 부처님을 정광(定光)여래 · 등광(燈光)여래 · 보광(寶光)여래 · 정광(錠光)여래라 하기도 한다.

스리랑카 벽화에는 연등 부처님과 머리를 풀어헤친 선혜, 그리고 선혜에게 꽃을 팔았던 구이 여인을 더욱 사실감 있게 나타내었다. 구이는 밝은 여자라는 뜻이다. 중국 간쑤성[감숙성, 甘肅省] 둔황 벽화에는 연등 부처님이 선혜가 올린 꽃을 들고 계신다. 연등불은 산스크리트어로 디팡카라(Dipamkara)이며, 이를 음역(音譯)하여 제화갈라(提和渴羅)라고 나타낸다. 연등 부처님의 과거에 보살로 수행하실 때를 제화갈라보살이라고 한다. 대승불교에서 예의를 표할 때 합장을 한다. 합장으로 한 송이 연꽃을 만들어 부처님께 올리는 예법이다.

合掌以爲花 身爲供養具 誠心眞實相 讚嘆香煙覆

합장이위화 신위공양구 성심진실상 찬탄향연복

두 손 모아 합장으로써 꽃을 만들고 청정한 몸으로써 공양구로 삼나이다.
성심을 다 바치는 진실한 모습으로 찬탄의 향기를 가득 채우겠나이다.

불자는 선혜가 연등 부처님께 연꽃을 올렸던 그 마음으로 합장 인사를 하여야 한다.

선혜와 연등 부처님의 말씀은 하나로 묶지 아니하고 공부자의 편리를 위하여 4장의 벽화 사진으로 설명하였다.

호명보살로 도솔천에 머무르시다

경남 창원 마산합포구 의림사

연등 부처님으로부터 다음 세상에 장차 석가모니불이 되어서 많은 중생을 제도할 것이라는 수기를 얻은 선혜는 이로부터 바야흐로 도솔천에 머물게 되었으니 그때의 이름은 호명(護明)보살이다.

도솔천(兜率天)은 욕계육천(欲界六天)의 네 번째 하늘이며, 세 번째 하늘인 야마천과 다섯 번째 하늘인 낙변화천 사이에 있는 천국이다. 이곳은 즐거움과 기쁨이 가득하여 그 생활필수품에 대하여 스스로 만족하나 팔정도에 대해서는 스스로 만족할 줄 모르고 수행하므로 도솔천이라고 한다.

호명보살이 십바라밀 수행을 닦고 도솔천에 머물고 있던 어느 날 모든 하늘 세계의 천인(天人)들이 보살의 처소에 모여들었다. 존귀하신 스승이시여, 당신이 십바라밀을 행하심은 제석천(帝釋天)이나 마왕(魔王), 범천(梵天), 전륜왕(轉輪王)의 영광을 위해 이룬 것이 아니옵고, 오직 세상의 중생을 제도하고자 일체지(一切智)를 추구함으로써 이루신 것이나이다. 스승이시여, 바야흐로 부처님이 되기 위한 때가 왔습니다. 존귀하신 스승이시여, 부처님이 될 때이옵니다. 많은 범천이 와서 사바세계로 내려가서 많은 중생을 제도할 것을 간청하였다. 여기서 호명보살이라는 이름은 깨달음의 길을 가고자 하는 모든 중생을 보호하고 그 길을 항상 밝혀주므로 호명보살(護明菩薩)이라 하는 것이다.

불교에는 일생보처보살(一生補處菩薩)이라는 표현이 있다. 이는 부처가 되기 바로 전의 보살을 말한다. 현재 비어 있는 부처의 자리를 메운다는 뜻으로 보처(補處)를 사용하여 일생보처보살이라 하는 것이다. 그러므로 호명보살은 석가모니불이 사바세계에 내려오기 전 도솔천에 머물렀을 때의 이름이다.

호명보살은 천인들의 간청을 받아들여 중생을 구제하기 위해 자신이 태어날 때와 지방(地方), 가계(家系)와 생모에 대해 살핀 뒤 석가족의 마을에 있는 마야부인의 태중에 드시리라 결정하셨다. 그리고 나서 호명보살은 바로 깊은 선정 속에서 마야부인의 태에 들었다.

본생담 태몽을 꾸시는 마야부인 [1]

경남 양산 통도사 안양암

카필라(Kapila)국은 히말라야 남쪽 기슭에 자리잡은 왕국이다. 이웃에는 코살라와 마가다와 같은 큰 나라들이 있었으나 비교적 풍요롭고 평화로운 생활을 누리고 있었다. 카필라국의 정반왕(淨飯王)은 석가족의 후예로서 용감하고 지혜로운 왕이었으나 마야 왕비가 늦도록 슬하에 왕자가 없었다. 그러던 어느 날 왕비는 이상한 꿈을 꾸었다. 커다란 흰 코끼리가 도솔천(兜率天)에서 내려오는데, 하얗게 빛나는 여섯 개의 상아를 가진 흰 코끼리는 마야 왕비에게 다가와 엎드려 절을 하고는 왕비의 옆구리 속으로 들어오는 것이었다.

꿈 이야기를 들은 예언가들은 성인이 태어나실 꿈이다, 왕자님이 태어나실 꿈이다고 하였다. 온 나라 백성들도 장차 태어날 왕자를 생각하면서 기뻐하였다.

과거현재인과경(過去現在因果經)에 보면, 어느 날 오후 마야부인은 잠깐 잠이 들었는데 보살인 부처님이 여섯 개의 상아를 가진 흰 코끼리를 타고 허공에서 내려와 오른쪽 옆구리로 들어가더니 마치 유리 안에 있는 것처럼 그 모습이 밖에도 나타나는 것을 보았다. 마야부인의 몸은 감로수를 먹은 듯이 편안하고 즐거웠으며, 해와 달이 비추는 것과 같이 자기 몸을 돌아볼 수가 있어서 마음이 크게 환희에 차 한량없이 뛰어올랐다고 전하고 있다.

미얀마 인레 파옹도우(Phaungdawoo) 사원

태자서응본기경(太子瑞應本起經)에 보면, 보살이 흰 코끼리를 타고 일정관(日精冠)을 쓰고 도솔궁을 나서자 제천이 좌우로 벌려 뒤따르는 모습이 허공에 가득하였다. 이들은 기악을 연주하며 꽃을 흩뿌리니 큰 광명이 널리 비추어 보살이 어머니 태 안으로 내려왔다. 이에 도솔천의 무리는 우리도 인간 세상에 내려가 보살께서 깨달음을 이루시면 반드시 설법을 들어야겠다고 생각하였다. 그러고 나서 여러 나라의 왕과 신하와 바라문, 그리고 장자와 거사 등에 의탁하니 그 수가 무릇 99억이었다. 이때 부인은 꿈에 사람이 코끼리를 타고 품안으로 들어오는 것을 보고 꿈에서 깨어난 뒤 몸이 무거워졌음을 알았다.

이 부분을 팔상도(八相圖)에서는 도솔래의상(兜率來儀相)이라고 한다. 마야부인(摩耶夫人)에서 마야(摩耶, Maya)는 마하마야(摩訶摩耶, Maha Maya)를 줄여서 부르는 표현이다.

본생담 태몽을 꾸시는 마야부인 [2]

경남 통영 미래사

남방불교 사람들은 코끼리에 보살이 탄 벽화를 보면 잘못된 벽화라고 지적한다. 왜냐하면 경전에는 여섯 개의 이빨을 가진 흰 코끼리가 마야부인 태에 들어오는 태몽을 꾸었다고 하였으므로 보살이 타고 있는 모습은 잘못되었다는 것이다. 마야부인의 태몽에 관한 이야기는 본생담(本生譚)에 근거하고 있는데 이는 육아백상본생담(六牙白象本生譚) 등에 그 뿌리를 두고 있다.

경북 영덕 장육사

본생담(本生譚)에 따르면 카필라성은 추제(秋祭)가 시작되어 많은 사람이 축제 분위기에 들떠 있었다. 마야부인도 보름이 되기 이레 전부터 화환(花環)과 향(香)으로 몸을 꾸미고 가을 축제를 즐기고 있었다.

이레째가 되던 날 아침에 향수로 목욕하고 40만 냥의 금을 보시한 뒤 갖은 꾸미개로 몸을 장식한 후 맛난 음식을 먹으면서 팔재계(八齋戒)를 지켰다. 그리고는 침전(寢殿)에 들어 꿈을 꾸었다.

사천왕이 마야부인이 누워 있는 침대를 들고 설산(雪山)으로 운반하여 너비가 60유순(由旬)이나 되는 열의석(悅意石)이라는 들판으로 가서 7유순이나 되는 사라나무 아래에 두고는 한쪽으로 물러나 있었다. 그러자 천왕들의 왕비가 와서 마야부인에게 가까이 아누달(阿耨達)이라는 못이 있으니 인간의 때를 씻기 위하여 목욕하기를 권하였다.

천왕의 왕비들이 하늘 사람들의 옷으로 갈아입히고 향을 바른 뒤에 천상의 꽃으로 몸을 꾸몄다. 가까이 백은(白銀)으로 된 산이 있고 가운데는 황금의 궁전이 있는데 그곳에서 베개를 동쪽으로 향하게 하고 천상의 침대를 마련하여 왕비를 눕혀드렸다.

그때 흰 코끼리가 황금산 위를 거닐다가 내려와 백은산(白銀山)에 올라갔다가 다시 북쪽으로 내려왔다. 은(銀)으로 꼰 새끼 모양의 코로 흰 연꽃을 휘감아 잡고 한소리를 외치고는 황금으로 된 궁전으로 들어가 마야부인의 침대를 오른쪽으로 세 번 돌고 난 뒤에 마야부인의 오른쪽 갈비뼈를 헤치고 태 안으로 들어가는 꿈을 꾸었다. 이리하여 보살은 추제(秋祭)의 마지막 날에 마야부인의 태 안으로 드셨다.

강원 태백 장명사

이튿날 잠에서 깬 왕비는 왕에게 꿈 이야기를 하였고, 왕은 이름난 64명의 바라문을 불러 맛난 음식을 올리고 새로 지은 의복 등을 보시하고 난 뒤에 꿈 이야기를 하였다. 모두 경하(慶賀)하며 왕자를 얻으실 꿈이라고 하면서 만일 집에 있으면 전륜성왕(轉輪聖王)이 될 것이며, 출가하면 세상의 번뇌를 없애 주는 부처가 될 것이라고 하였다.

2~3세기 인도 간다라(Gandhara) 부조, 일본 선양밀사(善養密寺)

보살이 마야부인 태에 들자 동시에 1만 세계가 진동하고 서른두 가지 상서로운 징조가 나타났으니 1만의 세계는 광명이 충만하고 이러한 영광을 보려는 것처럼 봉사는 앞을 보고, 귀머거리는 소리가 들리고, 벙어리는 말을 하고, 곱사는 허리가 펴지고, 절름발이는 바로 걷고, 불은 모두 꺼지고, 아귀들은 기갈이 없어지고, 축생은 두려움이 없고, 중생들의 병이 없어지고, 시원한 바람에 말과 코끼리는 소리치고, 모든 악기는 스스로 소리 내고, 산들바람이 불어와 중생들이 즐거운 마음을 일으키고, 갑자기 비가 내리고, 새는 공중에서 날고, 시냇물은 멈추고, 바닷물은 단맛이 나고, 사방에 연꽃이 비 내리듯 내리고, 하늘에는 천상의 음악이 울리고, 이우(犛牛)의 꼬리로 만든 불자(拂子)가 흔들리는 등 모두 아름다움의 극치를 나타내었다고 하였다.

이렇듯 여섯 개의 이빨을 가진 흰 코끼리가 마야부인 태 안에 들어가는 태몽을 꾸었지, 흰 코끼리 위에 누가 올라탔다는 표현은 없다. 우리나라에는 흰 코끼리가 태 안으로 들어가는 것을 표현한 벽화를 보기가 힘들다.

본생담 룸비니 동산에서 탄생하시다 [1]

울산 울주 고헌사

태자를 잉태한 후 마야 왕비의 신상에는 변화가 일어났다. 예전에 몰랐던 지식이나 사실을 저절로 알게 되는 신통한 일이 일어났으며, 말을 하는데 막힘이 없이 자재하고 논리는 정연해지고, 하여 모든 사람이 참으로 기이한 일이라고 입을 모았다. 그리고 여러 달이 흘러 따스한 봄날이 되자 왕비의 해산달이 되었다.

마야부인은 해산일이 다가오자 당시의 관습에 따라 해산하기 위해 친정인 코올리 성(城)을 향해 길을 떠났다. 화창한 봄날 왕비를 태운 가마 행렬이 룸비니 동산에 이르자, 때마침 예쁜 꽃들이 피어 있고 온갖 새들이 지저귀며 왕비를 맞았다. 이때 마야 왕비는 무우수(無憂樹)나무의 신비스러운 향기에 끌리어 나무 가까이 다가서자 갑자기 산기를 느꼈다. 왕비는 침착하게 장막을 치도록 시녀들에게 이른 뒤 오른손을 뻗어 무우수나무의 동쪽 가지를 잡고 아기 왕자를 낳았다. 그날이 바로 음력 사월 초파일이다. 팔상도에서는 이 부분을 비람강생상(毘藍降生相)이라고 한다. 여기서 비람(毘藍)은 룸비니 동산을 말한다.

불본행집경(佛本行集經)에서는 이렇게 전하고 있다. 그때 보살은 어머니 마야부인이 땅에 선 채 손으로 나뭇가지를 잡은 것을 알고는 모태(母胎)에서 정념(正念)에 들었다가 자리로부터 일어났다. 다른 모든 중생들의 어머니들은 자식을 낳고자 할 때 오만가지로 고통스럽다. 또 이 고통스러운 인연으로 큰 고뇌를 받아 앉았다 일어나기를 자주 반복하여 편안할 수 없는 법이다. 그러나 보살의 어머니는 기쁘고 평안하며 고요히 가라앉아 평안함을 느끼면서 몸 전체에서 큰 즐거움을 누렸다. 이때 마야부인은 땅에서 선 채로 바라차수의 가지를 잡고 난 다음 보살을 출산하였다. 이것은 바로 보살의 희이(稀異)한 일이며 일찍이 없었던 법이라고 하였다.

근본설일체유부비내야잡사(根本說一切有部毘柰耶雜事) 권제20에서는 열 달이 차니 룸비니 숲에 가서 무우수 가지를 잡고 잠시 머물렀을 때 문득 오른쪽 겨드랑이로 보살을 낳으니, 그때 대지가 여섯 가지로 진동하고 큰 광명을 놓으니 잉태할 때와 다름이 없었다. 보살을 낳았을 때 제석이 친히 자기 손으로 받들어서 연꽃 위에 놓으니, 붙들어 모시지 않아도 발로 일곱 송이의 꽃을 밟고 일곱 걸음을 걸었다. 그러고는 사방을 둘러보고 손으로 위와 아래를 가리키면서 이렇게 말하였다.

此卽是我 最後生身 天上天下 唯我獨尊
차즉시아 최후생신 천상천하 유아독존

이것이 곧 나의 최후생(最後生)의 몸이다.
하늘 위에도 하늘 밑에도 오직 나만이 존엄하다.

범왕은 일산을 받들고 천제(天帝)는 불자를 잡았으며, 허공에서 용왕은 물을 대되 하나는 따뜻하고 하나는 차게 하여 보살을 목욕시켰다.

우리가 흔히 말하는 부처님의 탄생지를 룸비니라고 한다. 그렇지만 사전에서는 룸비니가 아니고 람비니(Lumbini, 嵐毘尼) 혹은 람비니(嵐毗尼), 람비니(嵐鞞尼) 등으로 나타낸다. 그리고 람비니는 화원의 이름이기 때문에 람비니원(嵐毘尼園)이라고 불리며, 불교의 사대 성지 가운데 하나다. 람비니는 부처님 당시에는 중인도에 있는 구리(拘利)와 가비라성(迦毘羅城) 사이에 있었는데 지금은 네팔 남부 타라이 지방에 해당하며 룸민데이(Rummindei)라고 불리고 있다.

본생담 룸비니 동산에서 탄생하시다 [2]

전남 광주 증심사

본생담(本生譚)에 따르면 보살이 태에 들자 천자들이 항상 마야부인을 수호하였다. 마음은 늘 평안하고 몸에는 피로가 전혀 없었으며 태 안의 보살도 역시 그러하였다. 마야부인은 태자가 태어난 지 이레 만에 세상을 떠나 도솔천에 태어났다.

여자가 임신하면 열 달을 채우고 누워서 출산하지만, 마야부인은 선 채로 출산하였는데 이것은 보살의 어머니로서 떳떳한 도리를 나타낸 것이다.

마야부인은 그릇에 기름을 담은 것처럼 열 달 동안 보살을 보호하다가 달이 차자 친정인 천비성(天臂城)으로 가고자 하였다. 이에 정반왕이 기꺼이 허락하고 수레를 준비하여 주었다.

친정으로 가는 도중 룸비니라고 불리는 사라수 동산에 다다르자 온갖 나무들이 꽃을 피우고 벌이 날아들며, 새들은 아름다운 소리를 내는 등 룸비니 전체가 제석천의 유원지인 도달라달(闍達羅達) 동산과 같았으며 위력이 대단한 왕이 벌려놓은 잔치와 같았다.

마야부인은 사라수 숲속을 유희(遊戲)하고 싶은 생각이 일어나 사라수 나뭇가지를 잡고 싶어 그 나뭇가지를 잡았더니 산기가 일었고, 사람들이 휘장으로 가리자 마야부인은 선 채로 태자를 출산하였다. 그와 동시에 대범천의 네 사람이 황금그물로 보살을 받았다. 그러자 보살과 마야부인에게 경의를 표하고자 하늘에서 두 줄기 물이 내려와 마야부인 몸에 기력을 불어넣어 주었다.

보살은 그물에서 내려와 동방을 바라보다가 큰 걸음으로 일곱 걸음을 걸으시자 대범천은 흰 일산으로 받들고 선시분천(善時分天)은 이우(犛牛)의 꼬리로 만든 불자(拂子)를 들고, 다른 하늘 사람들은 왕의 표시가 될 만한 물건들을 들고 보살을 따라왔다.

보살이 일곱 걸음을 걸으시고는 '나는 세계의 제일인자(第一人者)다'라고 엄숙한 소리로 사자후(獅子吼)를 하였다.

그러나 부처님이 태어나셔서 동서남북으로 일곱 걸음을 걸으셨다고 하는 말씀과 천상천하 유아독존(天上天下 唯我獨尊)이라고 하셨다는 말씀은 어느 경전에도 실려 있지 않다.

사방 칠보(七步)를 걸으시다

부산 부산진구 삼광사

인천(人天)의 스승이시며 중생의 어버이이신 석가모니 부처님은 이렇게 이 세상에 오셨다. 부처님은 태어나자마자 동서남북으로 일곱 걸음을 걸으시고 사방을 둘러보며 한 손으로 하늘을, 한 손으로 땅을 가리키며 말씀하셨다.

天上天下 唯我獨尊 三界皆苦 我當安之

천상천하 유아독존 삼계개고 아당안지

하늘 위와 하늘 아래
오직 나 홀로 존귀하도다.
모든 세상이 고통 속에 잠겨 있으니
내 마땅히 이를 편안케 하리라.

여기서 태자가 외친 '천상천하 유아독존'이라는 말은 잘못 해석되어 '하늘과 땅 사이에 오직 내가 최고다'라고 번역되어 전해지고 있다. 그러나 이 말의 본래 의미는 태자가 도솔천에서 내려온 일생보처보살로서 부처님을 제외하고는 가장 훌륭한 인간이라는 의미이며, 동시에 깨달음을 구하는 모든 중생 하나하나가 가장 존귀한 존재라는 지혜의 외침이며, 생명의 존엄성을 선언하는 것이다.

강원 원주 영원사

태자의 발자국마다 연꽃이 피어나고 아홉 마리 용이 나타나 오색의 감로수(甘露水)로 태자의 몸을 씻어 주었다. 땅은 은은히 진동하고 하늘에서는 꽃비가 내리는 가운데 천신들이 내려와 예배드리며, 이 세상 가장 존귀한 분의 탄생을 축복하였다. 정반왕은 태자의 이름을 고타마 싯다르타라고 지었다. 왕자의 앞날이 만사형통하라는 축원이 깃든 이름이었다.

아홉 마리 용(龍)은 북방불교에서 나타나며, 남방불교에는 이런 설화는 아예 없다. 그리고 구룡토수(九龍吐水)에 관한 말씀은 어느 경전에도 없다. 중국불교에서 덧붙인 사족(蛇足)이다.

태자가 태어나자 서른두 가지의 서응(瑞應)이 생겨났는데 땅이 평평해지고, 길과 거리가 저절로 깨끗해졌으며, 마른나무에서 꽃과 잎이 피어나고, 저절로 기이하고 단 과일이 났으며, 땅속에 묻혀 있던 보배들이 저절로 튀어나오고, 해와 달과 별이 모두 멈추고, 온갖 질병이 모두 나으니, 이는 부처님의 탄생으로 인해 풍요롭고 맑은 세상이 이루어지고, 죽음의 존재가 생명을 회복하며, 감추어졌던 가치와 진리가 나타나고, 해와 달이 멈추었다. 이는 시간의 한계 즉, 무상(無常)을 초월하는 일대 전환이 시작되었음을 알리는 것이라고 할 수 있다.

또한 태자를 데리고 신묘(神廟)에 참배하자 신묘의 여러 신상(神像)이 모두 거꾸로 넘어지므로 모든 대중이 이에 놀라며 태자의 거룩한 덕에 천신(天神)들도 귀명(歸命)한다고 하면서 태자를 하늘 중의 하늘이라고 하였다. 이는 신들마저 조복(調伏)하게 하는 참된 인간 해방의 역사가 시작되었음을 의미한다. 그리고 일곱 발자국을 걸으셨다는 것은 여섯 발자국은 육바라밀(六波羅蜜)을 말하며, 일곱 발자국은 곧 피안을 말하는 것이다. 그러므로 중생은 육바라밀을 행하여만 해탈을 이루어 극락으로 갈 수 있다는 뜻으로 해석하고 있다.

여기까지 부처님의 탄생에 관한 말씀을 살펴보았다.

天上天下 唯我獨尊 三界皆苦 我當安之
천상천하 유아독존 삼계개고 아당안지

하늘 위와 하늘 아래
오직 나 홀로 존귀하도다.
모든 세상이 고통 속에 잠겨 있으니
내 마땅히 이를 편안케 하리라.

다시 한 번 언급하자면 한 손은 하늘을 가리키고 또 한 손은 땅을 가리키며 하였다는 이러한 말씀은 어느 경에도 실려 있지 않다. 다만 광홍명집(廣弘明集), 남명전화상송증도가사실(南明泉和尚頌證道歌事實), 선문염송집(禪門拈頌集), 조당집(祖堂集), 종경록(宗鏡錄) 등에 실려 있을 뿐이다. 또한 사방칠보(四方七步)를 걸으실 때 연꽃이 받들었다, 사방칠보를 걸으셨다, 아홉 마리 용이 나타나 목욕시켰다 등의 말씀도 경전에는 실리지 않은 내용이다.

불본행집경 아시타(Asita) 선인의 예언

서울 종로구 조계사

태자가 태어난 지 닷새가 되자 당시 유명한 수도자였던 아시타(阿斯陀) 선인이 태자를 뵙고자 했다. 백 살이 넘은 아시타 선인은 신선(神仙)의 모습으로 그의 눈은 지혜로 빛나고 있었다. 그런데 아시타 선인은 태자의 얼굴을 살펴보고 난 후 슬피 우는 것이었다. 불길하게 생각한 정반왕이 연유를 묻자 아시타 선인은 태자의 앞날에 대해서 다음과 같이 예언하였다.

왕자님은 보통 사람으로서는 가질 수 없는 훌륭한 상호를 갖추고 태어났습니다. 왕자님은 훗날 성장하셔서 전 인도(印度)를 통일하여 덕으로써 다스리는 이상적(理想的)인 제왕인 전륜성왕(轉輪聖王)이 될 것입니다. 그러나 만약 출가하여 수행자의 길을 걸으시면 진리를 깨달아 중생을 구제하는 부처님이 될 것입니다. 그러나 저는 늙어 부처님의 출현을 뵐 수 없는 것이 한스러워 눈물을 흘립니다.

정반왕은 싯다르타 태자가 출가하여 수행자가 되는 길보다는 장차 자신의 왕위(王位)를 계승하여 훌륭한 왕이 되기를 바랐다. 훌륭한 아들을 얻은 기쁨도 잠시의 일이었다. 태자를 낳은 지 7일 만에 어머니 마야부인이 세상을 떠나시니 어머니를 잃은 태자는 당시의 풍습에 따라 이모(姨母)인 마하파사파제의 양육을 받으면서 성장하였다. 그리고 정반왕은 아시타 선인의 예언에 따라 아들이 출가할지 모른다는 생각에 태자의 성(城) 밖 출입을 막고 궁궐에서만 머물게 하였다.

마야부인은 태자를 낳으신 지 7일 후 세상을 떠나서 욕계육천(欲界六天)의 두 번째인 도리천(忉利天)에 태어났다. 부처님은 도를 이루시고 난 후 일찍이 도리천에 올라가 어머니를 위해 설법하였다. 마하파사파제의 아들은 난타이며, 부처님의 이복동생이다. 그리고 부처님 재세시(在世時)에 마하파사파제는 아난다의 권유로 출가하여 불교 최초의 비구니가 되었다.

불본행집경 싯다르타 태자의 수학(受學)

경남 창원 마산합포구 의림사

싯다르타 태자는 왕궁에서 총명하고 건강하게 자랐다. 8세가 되자 부왕의 어명에 따라 태자에게 학문을 가르칠 스승을 구하게 하였다. 이에 대신들이 비사바밀다라(毗奢婆密多羅)라는 스승을 천거하였다. 태자는 비사바밀다라에게 여쭙기를 이 세상에 글이 몇 가지나 됩니까? 라고 하자 비사바밀다라가 범서(梵書), 카루서 등 49가지라고 답하였다. 태자가 말하기를 글이 64가지가 있거늘 어찌 49가지라 말씀하느냐고 되묻자 비사바밀다라가 다시 물었다. 64종이 있다면 그 글이 도대체 무엇입니까?

이에 태자가 답하기를 여순선서(驢唇仙書), 건달화서(乾撻和書), 수라서(修羅書), 용귀서(龍鬼書), 카루서(佉婁書) 등을 포함한 64종을 낱낱이 설명하였다. 그러자 비사바밀다라는 부왕을 찾아가 아뢰기를 태자는 천문(天文), 지리(地理), 공교(工巧), 기예(技藝) 등 모르는 것이 없사온데 소신이 어찌 감당하겠느냐고 하며 그만 물러나고 말았다.

비사바밀다라는 부처님께서 태자였을 때 문예를 가르쳤던 스승이다. 그는 태자가 여덟 살이 되자 아버지 정반왕이 당대에 가장 학식이 뛰어난 바라문을 공모하여 채용한 대신이다. 비사바밀다라는 한역하여 채광갑(彩光甲)이라고 한다.

불본행집경(佛本行集經) 권제12 유희관촉품(遊戲觀矚品)에 보면 태자가 왕궁에서 자라던 어린아이 때는 놀기만 하고 배우지 않다가 여덟 살이 되어서야 문을 나와 스승에게 가서 학당(學堂)에 들어갔다. 비사바밀다라와 인천(忍天, 찬제제바) 두 높은 스승 곁에서 모든 서적과 일체 논(論)과 병법과 온갖 잡술을 배워 익힌 지 4년이 지나 열두 살이 되자 갖가지 기능을 두루 다 섭렵하여 이미 통달했으며, 세간에 따라서 눈으로 즐기고 마음에 맞추어 뜻대로 노닐고 노래와 색(色)을 따라다녔다. 爾時太子生長王宮 孩童之時 遊戲未學 年滿八歲 出閤詣師 入於學堂 從毘奢蜜及忍天所 二大尊邊 受讀諸書 并一切論 兵戎雜術 經歷四年 至十二時 種種技能 遍皆涉獵 既通達已 隨順世間 悅目適心 縱情放蕩 馳逐聲色

과거현재인과경 싯다르타 태자의 관정례(灌頂禮)

경남 창원 마산합포구 의림사

어느 날 정반왕은 군신들을 불러모아 이제 때가 되었으니 태자의 의례를 치르는 관정례(灌頂禮)를 하기로 의논하였다. 군신들은 이를 이행하기 위하여 비단으로 번개(幡蓋)를 달고 향을 사르고 꽃을 흩으며 갖가지 기악으로 태자의 관정례를 축하하였다. 그리고 칠보로 만든 병에 사해(四海)의 물을 담아서 바라문에게 주고 바라문은 다시 대신에게 대신은 이를 국왕에게 바치거늘 왕은 이를 태자의 머리에 뿌림으로써 입태자식(入太子式)을 거행하였다. 이때 허공의 모든 신들이 기악을 울리며 한목소리로 선재선재(善哉善哉)라 하며 축하하였다.

관정(灌頂)이라는 것은 머리에 물을 뿌림으로써 일정한 지위로 승격하였음을 인정하는 의식이다. 그러므로 태자는 관정을 함으로써 나라의 모든 사람이 태자로서의 자격을 인정하는 것이다. 그러기에 정반왕은 관정례를 거행한 것이다.

이는 고대 인도에서 제왕의 즉위식이나 태자를 책봉할 때 행하던 의식으로 국사(國師)가 사해의 바닷물을 정수리에 뿌려서 이를 축복하였다.

현우경(賢愚經) 정생왕품에 보면 정생(頂生)이 왕위에 즉위할 때 사천이 보병에 향수를 가득 채워서 그 정수리에 뿌렸다는 기록이 있다. 이것이 불교에 유입되면서 불위수직(佛位受職)을 나타내는 의식이 되었고 그 후 밀교에서는 이러한 의식이 중요한 작법으로 자리를 잡게 되었다.

화엄경(華嚴經) 십지품에도 보살의 십지 중 제98 선혜지(善彗地)에서 제10 법운지(法雲地)로 들어갈 때 모든 부처님이 지수(智水)를 그 정수리에 뿌려서 법왕자직(法王子職)을 받았다고 증명한다. 이것을 수직관정(受職灌頂)이라 한다.

밀교에서 행하는 모든 관정을 비밀관정(秘密灌頂)이라고 하는데 이 작법을 통하여 대각위(大覺位)를 깨달아 얻을 수 있다고 여기고 있다.

불본행집경 세상사는 모습을 둘러보시다

부산 부산진구 삼광사

12세 되던 어느 봄날 태자는 부왕과 함께 농경제(農耕祭)에 참석해 다음과 같은 실상을 보았다. 농부들의 마르고 고단한 모습과 쟁기를 끄는 소들이 채찍에 맞아 고통받는 모습이었다. 또한 쟁기가 지나간 흙에서 나오는 작은 벌레를 새가 날아와 쪼아먹는 광경도 보았다.

농부는 낡은 옷을 입고 땀을 흘리며 일하고, 소는 농부의 채찍을 맞으며 힘들게 밭갈이를 하고, 쟁기에 의해 흙 밖으로 나온 벌레는 새들에게 잡아먹혔다. 이처럼 강한 자가 약한 자를 잡아먹고 사는 것이 과연 이 세상의 올바른 질서인가? 약육강식의 세상을 직접 목격하고 큰 충격을 받았다.

불본행집경(佛本行集經) 권제12 유희관촉품에 보면 또 어느 때 정반왕은 석가족 모든 동자와 함께 태자를 데리고 들에 나가 놀면서 밭갈이하는 것을 구경했다. 그때 들의 모든 농부는 벌거숭이로 온갖 고생을 하면서 소에 보습을 매어 밭을 가는데 소가 늦게 가면 때때로 고삐를 당겼다. 해가 길고 날이 뜨거워 헐떡거리고 땀을 흘리며 사람과 소가 다 고달프게 주리고 목말랐다. 게다가 몸이 수척하여 뼈만 남았으며 보습으로 흙을 뒤집자 그 밑에서 벌레들이 나왔고, 사람과 보습이 지나간 뒤에는 뭇새들이 다투어 날아와 그 벌레들을 쪼아먹었다.

태자는 보습을 끄는 소가 피로할 대로 피로한데 또 채찍에 얻어맞고 멍에에 목을 갈리고 고삐로 목이 졸려서 피가 흘러내리고 가죽과 살이 터지는 것을 보았다. 또 농부도 햇볕에 등이 타서 벌거숭이 몸에 먼지와 흙이 엉겨붙고 까마귀와 새가 날아와 다투어 벌레를 쪼아먹는 것을 보았다. 태자는 이것을 보고 나서 마치 자기 친족들이 얽매임을 당하였을 때 사람들이 크게 걱정하듯이 그것들을 불쌍히 여겼다. 그리고 큰 자비심을 내어 건척(犍陟)이라는 말에서 내려 조용히 거닐며 모든 중생에게 이런 일이 있음을 생각하고 다시 부르짖었다.

아, 세간의 중생들은 극심한 괴로움을 받는구나. 나고 늙고 병들고 죽으며, 갖가지 고뇌를 받으면서 그 속을 뱅뱅 돌며 떠나지 못하는구나. 어찌하여 이 모든 괴로움을 버리려 하지 않으며, 어찌해서 괴로움을 싫어하고 고요한 지혜를 구하지 않으며, 어찌해서 나고 늙고 병들고 죽는 괴로운 원인을 벗어나기를 생각지 않는가? 나는 이제 어느 고요하고 한가한 곳을 찾아서 이러한 모든 고뇌의 일을 생각할꼬?

태자가 염부(閻浮)나무 밑에서 그 고통의 해결 방법을 찾기 위한 깊은 명상에 잠겼을 때 태자는 이미 초선(初禪)의 경지에 들었다고 한다. 이를 지켜본 정반왕은 아시타 선인이 말한 것이 문득 떠올랐다. 출가하여 수행하면 부처님이 될 것이라는 예언이었다. 이에 태자의 출가를 막아보고자 노심초사(勞心焦思) 끝에 태자의 생활을 즐겁고 호화스럽게 보살펴서 출가의 길을 미리 막으려고 큰 노력을 하였다. 그러나 태자는 날이 갈수록 고뇌가 깊어만 갔다.

충남 천안 광덕사

그러던 어느 날 성년이 된 태자는 백성들이 사는 모습을 살피기 위해 부왕 몰래 성문 밖으로 나서게 되었다. 그리고 동문, 남문, 서문에서 각각 늙고, 병들고, 죽은 사람을 보게 되었다. 그리고 생각하기를 인간은 태어났다가 결국은 늙고 병들어 죽고 마는 것이구나! 이 세상에 태어나 늙고, 병들고, 죽는 괴로움, 이것이 인생이라면 허무하고 괴로운 것이다. 그 누구도 벗어날 수 없는 죽음이 기다리고 있다. 생명을 가진 모든 것은 이 고통에서 벗어날 수 없다는 것을 확인하고 번민하던 싯다르타 태자는 다음 날 북문(北門)으로 나갔다가 출가 수행자를 보았다. 수행자의 얼굴은 여유 있고 눈은 깊은 사색으로 지혜가 있어 보였다.

태자는 수레를 멈추고 물었다. 그대는 누구이며 무엇을 하는 사람인가? 지금껏 당신처럼 평화스러운 사람을 본 적이 없소. 저는 출가 사문(沙門)입니다. 사문이란 가정을 떠나 세상의 잡된 일을 모두 잊고 오직 인간의 괴로움을 해결할 수 있는 진리를 찾아서 수행하는 사람을 말합니다.

왕궁에서의 향락과 사치스러운 생활, 그리고 어떤 학문과 종교에서도 생로병사에서 벗어나는 길을 찾지 못했던 태자는 출가 수행자에게서 그 길을 찾았다. 이것을 사문유관(四門遊觀)이라고 부른다. 이때부터 태자는 생로병사의 괴로움을 벗어나고자 사유하기 시작하였다.

미얀마 인레 파옹도우(Phaungdawoo) 사원

방광대장엄경(方廣大莊嚴經) 권제6 출가품에 보면 이를 네 단계로 나누어 말씀하고 있다.

동문(東門)에서 노인을 만나다.

그때 태자는 동문을 나섰는데 그때에 정거천(淨居天)이 늙은 사람으로 변하였다. 머리칼은 희고 몸은 파리하며 바짝 마른데다 지팡이를 붙잡고 꼬부라져서 헐떡거리며 머리까지 숙이고 살가죽과 뼈는 달라붙어 근육조차 없으며, 어금니는 빠지고 눈물과 침을 질질 흘리는 모습이었다. 태자가 마부에게 이는 어떤 사람이냐고 묻자 늙은이라고 하였다.

남문(南門)에서 병든 사람을 만나다.

태자가 남문으로 나가 유람을 나서자 정거천이 변하여 병든 사람이 되었다. 기진맥진하고 상기된 얼굴에 헐떡거리며 뼈와 살은 바짝 말라 모습은 핼쑥하여 크게 괴로움을 받고 있는데 두 사람이 보살피며 곁에 있었다. 이에 또 마부에게 물었다. 이는 누구냐? 병든 사람입니다. 이 사람 혼자만 그러냐. 모든 사람이 겪게 되는 일입니다.

서문(西門)에서 죽은 사람을 만나다.

태자가 서문으로 나가자 정거천이 변하여 죽은 몸이 되었다. 상여 위에 그를 눕히고 향과 꽃을 널리 뿌리며 식구들이 울부짖으면서 따라가며 떠나보냈다. 태자는 마음으로 몹시 슬퍼하며 마부에게 물었다. 이는 무슨 일이냐? 죽은 사람을 장례 치르고 있습니다. 이 사람만이 죽는 것이냐, 모두가 그런 것이냐? 무릇 이 삶이 있는 것은 반드시 죽음이라는 것이 따릅니다.

북문(北門)에서 사문(沙門)을 만나다.

태자가 북문을 나서자 정거천이 변하여 사문이 되어 가사를 입고 수염과 머리칼을 깎아 없앴으며, 손에 석장(錫杖)을 짚고 땅을 보며 걸어갔다. 엄숙하고 위의가 올바른지라 태자는 멀리서 보고 이는 어떤 사람인가를 물었다. 이는 집을 떠나 수행하는 사문입니다. 태자는 수레에서 내려 사문에게 물었다. 사문은 어떠한 이익이 있느냐? 나는 집에 있으면서 나고, 늙고, 병들고, 죽으며 온갖 것이 무상하여 이는 모두 무너져 버리는 불안한 법임을 보고, 그 때문에 친족을 버리고 한적한 데 있으면서 애써 방편을 구하여 이 고통을 면하게 되었습니다. 내가 닦고 익히는 것은 샘이 없는 거룩한 도(道)요, 바른 법을 행하여 모든 감관(感官)을 조복하고 큰 자비를 일으켜 두려움이 없음을 잘 베풀며, 마음과 행이 평등하여 중생을 보호하고 생각하며, 세간에 물들지 않고 영원히 해탈을 얻나니, 그러므로 집을 떠나는 법이라 합니다.

이에 태자는 깊이 기쁨을 내며 찬탄하였다. 거룩합니다, 거룩합니다. 천상과 인간 안에서 이것만이 으뜸입니다. 나는 반드시 이런 도를 닦고 배워야겠습니다. 태자는 이를 본 뒤에 수레에 올라 왕궁으로 돌아왔다.

불본행집경 싯다르타 태자의 무술 시합

인도 몰라간다 꾸띠 비하르 사원

당시 관습에 따라 싯다르타는 야수다라 공주를 아내로 데려오기 위해 다른 왕족들과 무술 시합을 해야 했다. 불본행집경(佛本行集經) 권제13 각술쟁혼품(捔術爭婚品)에 보면 산술(算術) 시합에 이어 다시 제바달다 등과 무술에 대한 시합이 이루어졌다. 이를 살펴보면 활을 쏘아 맞히는 시합, 칼로 자르는 시합, 코끼리를 잘 다루는 시합, 말 위에서 기예(騎藝)를 겨루는 시합, 씨름으로 승부를 겨루는 시합 등 모든 시합에서 태자를 대적할 사람은 아무도 없었다. 일반 활이 쉽게 부러지자 태자의 조부이신 사자협왕(師子頰王)의 활을 가지고 시합을 하게 되었는데 아무도 그 활을 당기지 못하였으나 태자는 그 활을 다루었다. 태자가 활을 받고 나서 앉은 그대로 동요하지 않고 힘을 조금 들여 몸을 움직이지 않고 왼손으로 활을 잡고 오른손으로 줄을 잡은 채 손가락으로 당기자마자 퉁겨져 소리가 났으며, 그 소리는 가비라성에 두루 진동하였다고 한다. 이어서 칼로 다라수(多羅樹) 나무를 자르는 시합을 하였는데 다른 사람은 한 번에 한 그루의 나무를 끊었지만, 태자는 한 번에 일곱 그루의 나무를 끊었다.

그다음에는 코끼리를 다루는 시합이 이어졌는데 태자가 코끼리에 뛰어오를 때는 돌아서서 뒤로 달려 코끼리 어금니를 밟고 정수리에 올라 왼손으로 철봉이나 쇠바퀴나 창이나 긴 칼 등 갖가지 무기를 쥐었다. 왼쪽에 쥔 것을 오른쪽에 던지고 오른쪽에 쥔 것을 왼쪽에 던지다가 땅에 내어버렸는데, 석가족 동자 중에 아무도 태자를 따를 수 없었다.

다음에는 말 위에서 기예를 겨루는 시합을 하게 되지만 아무도 태자를 따를 수가 없었다. 이외에도 중화사상이 파고들어 태자의 우수함을 나타내기를 음성을 시합하기도 하고, 혹은 노래와 춤도 시험하며, 혹 서로 조롱하고, 혹은 만담 · 해학 · 재담도 시합하며, 혹은 옷에 물들이는 시합이며, 혹은 진기한 보배와 진주들을 만드는 시합이며, 풀잎 그리기며, 온갖 향을 화합하는 것이며, 장기 · 골패 · 바둑 · 쌍륙 · 창 잡기 · 병에 살 꽂기 · 메어치기 · 함정에서 뛰어넘기 등의 갖가지 기술을 빠짐없이 겨루었다. 이러한 기술 시합에서도 모든 것에 태자가 다 이겼다고 나타내고 있다.

불본행집경에 보면 태자가 마지막으로 시합을 한 것은 제바달다와 겨룬 씨름이다. 제바달다가 태자를 메어치려고 하자 태자는 급하지도 않고 느리지도 않게 편안히 마음을 써서 오른손으로 제바달다를 잡고 걸며 그 몸을 번쩍 들어 발이 땅에 닿지 않게 했다. 그리고 세 번 시합장을 돌고 공중에 세 번 돌렸는데, 그의 거만한 마음을 항복시키고자 했기 때문이다. 해칠 마음은 내지 않고 자비로운 마음을 내어 조용히 밀쳐 땅 위에 눕혀 그 몸을 손상치 않게 하였다.

이렇듯 갖가지 시합에서 싯다르타 태자는 제바달다를 이겼고, 승마 시합에서 다른 사촌 아누룻다를, 검술 시합에서 이복동생 난다를 이겼다. 이에 대중들의 우레와 같은 박수갈채로 환영받으며 정반왕의 명에 따라 흰 코끼리에 영락을 장엄하고 태자를 태우고자 성문에서 나왔다.

불본행집경 싯다르타와 제바달다

경남 김해 정암사

불교의 교조인 석가모니 부처님이 출가하여 깨닫기 이전에는 왕자의 신분으로 이름은 싯다르타(Siddhartha)이며 정반왕(淨飯王)의 아들이었기에 싯다르타 왕자라고 한다. 싯다르타는 친절하고 예의가 발랐으며 또한 연민의 마음으로 자비스러웠다. 그러므로 결코 다른 사람을 억압하지 아니하였으며 오히려 억압당하는 자가 있으면 이를 적극적으로 제지하여 도와주었다.

싯다르타에게는 사촌 형제가 있었는데 경전에 종종 인용되는 데바닷타(Devadatta)이며 이를 한역하여 흔히 조달(調達)이라고 한다. 중국 사람들은 싯다르타를 음사(音寫)하여 실달다(悉達多), 실달타(悉達陀), 실달라타(悉達羅他), 실다(悉多), 실단(悉檀) 등으로 나타내곤 한다. 제바달다(提婆達多)는 감로반왕(甘露飯王)의 아들이며 부처님의 사촌동생으로 부처님께 출가하여 제자가 되었다. 하지만 부처님께 승단을 물려줄 것을 간청하였다가 이를 거절하자 여기에 앙심을 품고 5백 명의 비구를 규합해 승단을 이탈하여 여러 번 부처님을 살해하려고 하였으나 그 뜻을 이루지 못하였다. 불교사에서 제바달다는 이단(異端)을 처음으로 만들었던 인물이다. 대부분 경전과 설화에서 싯다르타와 제바달다는 항상 상극될 만큼 대비하여 나타나며, 싯다르타가 선(善)의 상징이라면 제바달다는 악(惡)의 상징으로 표현한다.

불본행집경(佛本行集經) 권제12 유희관촉품에 보면 태자가 한번은 근구(勤劬) 동산에 있으면서 마음대로 놀며 활 쏘는 장난을 했다. 다른 석가족 동자 5백 명도 각각 자기들 동산 안에서 유유히 놀았다. 그때 마침 기러기 떼가 허공을 날아가는데, 동자 제바달다(提婆達多)가 활을 쏘아 기러기 한 마리를 맞혔다. 그 기러기는 화살이 꽂힌 채 실달다의 동산에 떨어졌다. 태자는 그 기러기가 화살에 맞아 상처를 입고 땅에 떨어진 것을 보고 두 손으로 곱게 받들어 가부좌한 무릎 위에 놓고는 묘하고 매끄럽고 부드러운 손, 물결무늬와 만자 무늬가 있는 복스럽고 파초의 연약한 잎같이 부드러운 손을 펴서 왼손에 받쳐들고 오른손으로 화살을 빼고 곧 소밀(酥蜜)로 그 상처를 봉하였다.

그때 제바달다 동자는 사람을 태자에게 보내어 말했다. 내가 기러기 한 마리를 쏘았는데 당신의 동산에 떨어졌으니 거기 두지 말고 빨리 보내 주시오. 태자는 그

심부름꾼에게 대답했다. 만약 기러기가 죽는다면 곧 너에게 돌려줄 것이나 죽지 않는다면 그렇게 할 수 없노라. 제바달다는 또 거듭 사람을 보내어 말했다. 죽었거나 살았거나 반드시 돌려주시오. 먼저 내 손으로 잘 쏘았는데 우연히 거기 떨어졌거늘 어째서 갑자기 거기에 두고자 합니까? 태자는 대답했다. 내가 먼저 이 기러기를 거두었노라. 그 까닭은 나는 스스로 보리심을 내어 일체중생을 다 섭수했기 때문이니, 하물며 이 기러기인들 나에게 속하지 않겠느냐? 이런 인연으로 서로 다투는지라 모든 석가족의 원로 중에 지혜로운 이들이 모여 이 일을 판결하게 되었다.

이때 한 정거천왕이 원로 장자로 자기 몸을 변화시켜 석가족이 회의하는 장소에 들어가 이런 말을 했다. 누구나 키우고 싶은 사람이면 거두어 두고, 쏘아 맞힌 이는 놓아주라. 그러자 모든 석가족 원로들은 동시에 옳다고 인정하여 큰소리로 말하였다. 그렇소, 어진 이의 말과 같소. 이것이 제바달다 동자와 태자가 처음으로 원수를 맺은 인연이었다.

부처님을 해치려는 제바달다(提婆達多)

경남 김해 정암사

불교 경전에서 항상 악의 축으로 등장하는 인물이라면 으레 데바닷타이다. 데바닷타를 산스크리트어로 표기하면 Devadatta로서 이를 중국 사람들은 소리 나는 대로 표기하여 제바달다(提婆達多)로 나타내었다. 다시 이를 한역하여 조달(調達)이라고 한다. 데바닷타는 감로반왕(甘露飯王)의 아들로 아난의 형이며 부처님

보다 20세 정도 어리다고 전해지는 인물로 부처님과는 사촌지간이다.

데바닷타는 언제나 부처님을 경쟁 상대로 여겼다. 그러기에 언제나 부처님을 시기하고 여러 사람과 도모하여 승단을 방해하려고 온갖 계략과 술책을 부렸던 인물로 묘사되고 있다. 그는 교단에 들어와 점차 세력을 넓히다가 빈비사라왕(頻鞞娑羅王)의 아들인 아자삿투의 측근이 되어서 조직을 더 확장하는 데 언제나 골몰하였다. 데바닷타는 아주 오만하고 불손하였는데 특히 석가족이 아닌 사리풋타와 목갈라나가 부처님의 상수 제자가 된 것을 아주 탐탁지 않게 여겼다. 그러다가 빈비사라왕의 태자인 아자삿투를 만나기 위하여 라자가하로 가서 아자삿투를 추켜세워 환심을 얻게 되었고 아자삿투는 라자가하 근교에 웅장한 사원을 만들어 오직 데바닷타만 거처로 사용하도록 하였다.

어느 때 부처님이 라자가하에 도착하자 부처님께 당돌하게 말하기를 부처님은 이미 늙으셨으니 물러나시고 교단을 저에게 양위하시고 세상 구경이나 하시면서 여생을 보내시라 종용하면서 교단을 물려줄 것을 청하였다. 그러나 부처님은 이를 한마디로 거절하시면서 말씀하시기를 이는 승단을 분열시키는 것으로 옳지 못하다고 오히려 그를 책망하셨다.

그러나 데바닷타는 이를 받아들이지 아니하고 부처님을 원망하면서 반역을 꾀하고자 늘 앙심을 품고 있었다. 데바닷타는 권력에 욕심이 많은 아자삿투를 유혹하여 말하기를 태자께서 부왕만 없으시면 국왕이 될 수 있다고 감언이설로 회유한다. 이에 태자는 부왕인 빈비사라왕을 유폐하고 음식을 제공하지 않아 빈비사라왕은 굶어죽게 된다. 이는 부처님께서 선도하신 지 37년이 지난 뒤에 발생한 사건이었다.

그리고 데바닷타는 부처님을 살해하려고 마음을 먹고 아사세(아자삿투, 빈비사라왕의 태자)에게 출중한 궁수(弓手)들을 뽑아달라고 하여 그들로 하여금 부처님을 죽이려고 하였으나 궁수들은 부처님을 멀리서 보았을 뿐인데 온유함과 정중함에 감명받아 자기 잘못을 뉘우치고 오히려 제자 되기를 청하였다.

그러자 다시 칼잡이를 시켜서 부처님께 칼을 던져 시해하려고 하였으나 번번이 실패하자 미쳐서 날뛰는 사나운 코끼리 다나팔라(Dhanapāla)를 부처님이 탁발하실 때 풀어놓았다. 하지만 부처님께서 한 손을 들어 코끼리를 제압하시자 이번에도 실패하고 말았다. 여기에 관해서는 벽화 책 목록에서 '제바달다와 술 취한 코끼리 다나팔라' 편을 참고하면 된다.

이외에도 데바닷타는 영축산(靈鷲山)에서 부처님이 지나가실 때 큰 돌을 굴려 떨어트려서 부처님을 살해하려고 하였지만 굴러떨어진 돌은 공중에서 산산조각이 났다. 그러나 작은 파편 하나가 부처님의 발등을 찔러 피가 나자 부처님은 사원으로 돌아와 유명한 의사인 지바카(Jivaka-komārabhacca)에게 치료를 받았다. 그러자 데바닷타는 5백 명의 밧지족 비구를 이끌고 교단을 벗어나 독립을 시도하였지만 5백 명의 비구는 사리불에 의하여 다시 교단으로 돌아오고 말았다. 낮잠에서 깨어난 데바닷타는 대중들이 모두 부처님 전으로 다시 떠남을 알고 가마를 타고 부처님을 만나러 갔다.

데바닷타가 분함을 이기지 못하고 부처님 계신 곳으로 오고 있다는 소식을 접하자 제자들은 부처님께 피신을 건의하였다. 그러나 부처님은 전혀 두려워하지 않으시며 사리불에게 말씀하시기를 '데바닷타는 붓다에게 아무런 해를 끼칠 수 없노라'고 하였다. 데바닷타는 오는 도중 가마꾼들이 잠깐 쉬는 사이에 그만 죽고 말았다고 한다. 또 다른 일설에는 그가 분함을 참지 못하고 죽자 대지(大地)가 갈라지는 변고가 일어나더니 그만 무간지옥으로 떨어지고 말았다고 한다.

데바닷타에 대해서 초기 불교에서는 여러 가지 각색을 더하여 언제나 부처님께 저항하는 악인으로 등장하지만, 현재 학자들은 이러한 경전의 묘사적인 내용을 분석하여 오히려 그는 실력 있는 비구로서 불교 내에 또 다른 무리를 이끌었다고 보는 견해도 있다. 또한 법화경(法華經) 제바달다품에서는 데바닷타는 선지식으로서 결국 부처님께 수기를 받게 되는 것으로 그 내용을 전개하고 있기도 하다.

그리고 동진(東晉) 시대에 법현(法顯) 스님이 저술한 고승법현전(高僧法顯傳)이나 당나라 시대에 현장(玄奘) 스님이 저술한 대당서역기(大唐西域記) 등에서도 데바닷타의 설(說)을 신봉하는 사람들이 있었다고 기록하고 있다.

태자서응본기경 야수다라 공주와 결혼하시다

경남 창원 마산합포구 의림사

수행자를 만난 후 태자는 마침내 부왕에게 출가하여 수도할 수 있도록 허락해 줄 것을 간청하였다. 정반왕은 출가를 막아보고자 온갖 회유를 하였지만, 태자의 결심은 변함이 없었다. 결국 부왕은 '태자는 왕위를 이을 왕손을 얻기 전에는 출가할 수 없다'고 생각하여 같은 석가족인 이웃 나라 콜리성의 야수다라(yaśodharā) 공주와 결혼시켰다. 결혼하면 마음이 돌아설 것이라는 부왕의 생각도 해탈의 길을 찾으려는 태자의 생각을 바꾸지는 못하였다.

태자서응본기경(太子瑞應本起經)에 보면 야수다라(yaśodharā)라는 의미는 꽃다운 모습이라는 뜻이다. 이를 한문으로 나타내면 화색(花色)이라고 한다. 이는 지난 세상에서 태자에게 꽃을 팔았던 구이라는 여인의 이름이었다. 그녀는 과거세에 세운 인연으로 지금 태자의 부인이 된 것이다.

마침내 아들이 태어나자 싯다르타는 '라후라(장애)가 생겼구나! 나를 속박할 이가 생겼구나(낫다나 가타).'라고 하였다. 그러므로 부처님의 아들은 라후라이며, 훗날에 출가하여 부처님의 제자가 되었다. 그러므로 야수다라는 석가족의 태자였던 싯다르타의 부인이자 라후라(羅睺羅)의 어머니가 되는 것이다. 그리고 야수다라는 싯다르타 태자가 출가하여 성도를 이루시고 5년이 지났을 때 양모(養母)이자 이모(姨母)인 마하파사파제와 더불어 출가하여 비구니가 되었다.

과거현재인과경(過去現在因果經)에는 다음과 같은 말씀이 있다.

석가족 바라문 중에 마하나마라는 이의 딸 야수다라는 얼굴 모습이 단정하고 또한 총명하고 지혜로우며 다른 사람보다 재주가 월등히 뛰어나며, 또한 예의를 갖추고 행동합니다. 이와 같은 덕성을 가지고 계시니 태자의 비(妃)가 될 만합니다.

태자의 출가를 만류하다

스리랑카 켈라니야 사원

부왕은 출가를 바라는 태자의 모습을 보고 아름다운 미희들이 시중을 들게 하고 악사를 시켜 노래를 부르고 무희들을 시켜 춤을 추게 하였다. 그러나 태자는 노래와 춤 따위를 즐거워하지 않고 잠이 들었다. 무희들도 피곤한 나머지 잠이 들고 말았다. 태자가 잠에서 깨어나 눈을 뜨자 그 아름답던 여인들이 입을 벌리고 코를 골고 잠꼬대를 하는 등의 모습들을 보고 욕망(慾望)의 생활은 실상(實相)이 아니라는 것을 알았다.

백마(白馬) 칸타카를 준비하다

스리랑카 켈라니야 사원

어느 날 태자는 모든 사람이 잠든 한밤중에 마부 찬나(Channa)를 깨워 애마(愛馬) 칸타카(Kanthaka)를 준비시키라고 한다. 태자는 결혼 후에도 사람이 이 세상에 태어났다가 늙고 병들고 죽어가는 무상함에 크게 번민하였다. 그리고 크게 느낀 바가 있어 출가를 결심한다. 시종이면서 마부인 찬나는 고요한 밤 안장을 얹은 칸다라에 태자를 태워 성 밖으로 나온다. 흔히 칸다라를 칸타카라고 하며, 한역(漢譯)하여 건척(健陟)이라 한다.

방광대장엄경 싯다르타 태자의 출가(出家)

충북 옥천 문수암

방광대장엄경(方廣大莊嚴經) 권제6 출가품(出家品)에 보면 다음과 같은 말씀이 있다.

그때 보살은 음악전에 앉아 깊은 생각에 잠기었다. 과거의 모든 부처님께서 네 가지의 미묘하고 큰 서원을 세우셨다.

첫째는 나는 미래에 스스로 법의 성품을 깨달아 얻어 법의 법왕이 되고, 정진과 지혜로써 온갖 애욕에 얽매여 고통받는 중생을 구원하여 모두 벗어나게 하리라.

둘째는 모든 중생이 이 생사의 캄캄하고 빽빽한 숲에서 어리석음과 무명으로 눈병을 앓으면, 공(空)과 무상(無相)과 무원(無願)으로써 등불이 되어 그 어둠을 깨뜨리고 무거운 업장을 없애며, 이와 같은 방편의 지혜 문을 성취하게 하리라.

셋째는 모든 중생이 교만의 당기를 세우고 나와 내 것[我所]임을 일으켜 마음의 헛된 소견으로 허망하게 집착하면 그들에게 법을 말하여 깨우치게 하리라.

넷째는 중생들이 고요하지 않은 데 있으면서 삼악도를 헤매는 것이 마치 불 바퀴 돌 듯하며 또한 엉클어진 실과 같이 자신이 얽매고 자신이 둘러쌈을 보면 그에게 법을 말하여 그들을 얽매임에서 벗어나게 하리라.

그때 보살은 궁중 안에 있는 미녀들의 모양이 변하여 못쓰게 됨을 보니 모두 추한 몰골이었다. 이와 같은 여러 가지 형상들을 보고 고요한 마음에서 생각하였다.

여인의 몸과 형상은 깨끗하지 못하며 폐가 되고 해가 된다. 범부는 여기에 망령되이 탐과 사랑을 내는구나. 보살은 크게 가엾이 여기는 마음을 일으켜서 말하기를 애달프다, 세간이여. 괴롭도다, 세간이여. 매우 두렵거늘 범부는 이를 모르고서 해탈을 구하지 않는구나.

오늘 밤이 고요하니 집 떠날 때가 이르렀구나. 곧 차익(車匿)에게 나아가 말하였다. 너는 나를 위하여 건척(乾陟)에게 안장을 얹어 오라.

여기에서 보살이 말을 타고 처음 걸음을 들어 올릴 때 시방의 대지는 여섯 가지로 진동하였으며, 허공을 올라서 갈 때는 사대천왕은 말의 발을 들었고 범왕과 제석천은 보배 길을 열어 보였다고 하였다.

태국 수완나폼 공항

그때 보살이 가비라성을 떠나 미니야(彌尼國) 나라에 닿자 날은 새었으며 지나온 길은 6유순(由旬)이었다. 보살은 그 옛날 선인이 고행하던 숲속에 닿자 말에서 내리며 차익을 위로하며 돌려보냈다. 여기서 찬타카(Chandaka)를 한역하여 차익(車匿)이라고 한다.

또 다른 말씀으로 태자는 카필라의 성벽을 뛰어넘어 동쪽을 향하여 어둠을 뚫고 단 하룻밤에 세 왕국을 지나 30요자나(10~15km)를 달려서 아노마(지금의 라프티) 강가에 도착했다. 찬타카여! 이 강의 이름이 무엇인가? 아노마입니다. 나의 출가도 아노마(최승, 最勝)가 되리라. 나는 하늘에 태어나기를 원치 않는다. 많은 중생이 삶과 죽음의 고통 속에 있지 아니한가. 나는 이를 구제하기 위하여 집을 나가는 것이니 위없는 깨달음을 얻기 전에는 절대 돌아오지 않으리라.

이 부분을 유성출가상(踰城出家相)이라 한다.

대집경 스스로 머리카락을 자르는 태자

울산 울주 고헌사

마부 찬타카(Chantaka)를 불러 말씀하셨다. 나의 장신구를 부왕에게 가지고 가서 출가하였노라고 알리거라. 그러나 찬타카도 왕자 옆에서 계속 시중들기를 요청하였다. 태자가 말씀하시기를 이 몸이 아무리 건강하여도 병이 들면 꺾이고, 기운이 왕성(旺盛)해도 늙음이 오면 쇠(衰)하고, 죽으면 살아서 이별하거늘 어찌하여 세간을 즐기겠느냐. 마부 찬타카를 돌려보내고 값비싼 옷을 벗어 사냥꾼의 낡은 옷과 바꾸어 입고 스스로 머리와 수염을 깎은 뒤 7일간 아노마 강가 아누피아 망고 숲에서 머물렀다.

라오스 탓루앙 사원

태자는 수행의 길로 접어들기 위하여 보석으로 치장된 보관(寶冠)을 벗고 머리카락과 수염을 깎았다. 그러고 나서 원을 세웠다. 이제 수염과 머리카락을 잘랐으니 바라건대 나의 모든 번뇌와 누적된 업장이 소멸하기를 원하노라.

過去諸佛 爲求菩提 捨棄飾好 剃除鬚髮 我今亦爾
과거제불 위구보리 사기식호 체제수발 아금역이

지난 세상에 모든 부처님 보리를 구하려고
좋은 장식을 모두 내버리고 수염과 머리를 깎았네.
나도 이제 또한 그와 같이 하노라.

그러고 나서 하루에 30요자나 거리를 걸어서 라자가하(왕사성)에 들어가셨다. 왕위의 자리도 버리고 사랑하는 아내 야수다라와 아들 라후라를 뒤로한 채 깨달음의 길로 나간 이 날이 태자 나이 29세 되던 해 음력 2월 8일이었다.

대집경(大集經)에 보면 태자는 출가하여 스스로 머리카락을 잘랐다. 그러자 머리카락이 땅에 떨어지기도 전에 제석천은 그것을 받들어 천상으로 올라갔고 성(城)의 동쪽에 있는 조명원(照明園) 안에 있는 불발탑(佛髮塔)에 봉안하였다고 한다.

방광대장엄경(方廣大莊嚴經) 권제6 출가품에 보면 다음과 같은 말씀이 있다.

만약 수염과 머리카락을 깎아 없애지 않으면 집을 떠난 이의 법이 아니로다. 그러고는 이에 차익으로부터 마니검(摩尼劒)을 가져다 몸소 머리를 깎았으며, 머리카락을 깎아서 공중으로 내던지매 이때에 제석천은 희유한 일을 보고 마음으로 크게 기뻐하며 곧 하늘 옷으로써 공중에서 받아 잡아서는 33천으로 돌아가 예배하여 섬기고 공양하였느니라. 그때 보살은 수염과 머리칼을 깎고 스스로 몸을 살펴 아직도 보배 옷을 입었음을 보고 집을 떠난 이의 옷으로는 마땅하지 않구나. 이때에 정거천은 사냥꾼으로 변하여 몸에 가사를 입고 손에 활과 화살을 가지고 보살 앞에 잠자코 서 있었으므로 서로 바꿔 입었다.

마가다국에서 수행하다

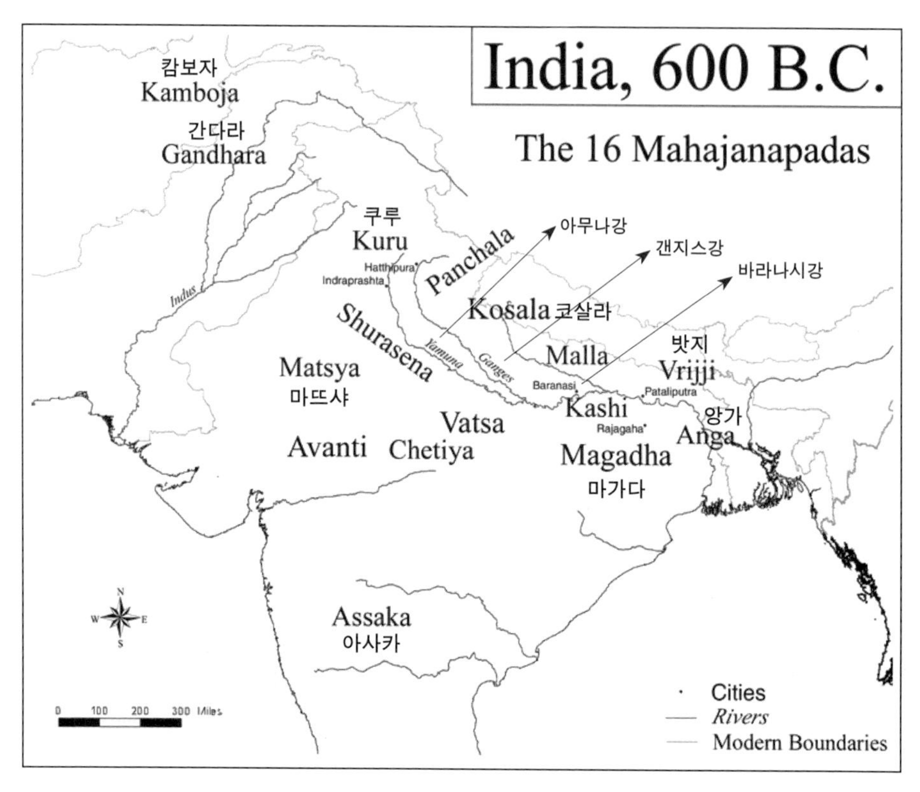

고대인도 16대국(Ancient_india, 위키백과)

태자는 결코 일시적인 감정의 충동에 의한 것이 아니라 오랜 세월 고심한 끝에 이 출가의 길을 선택하였다. 병듦의 고통이 없고, 늙음의 고통이 없고, 온갖 구속과 장애에서 벗어나 근심과 걱정과 번뇌가 없는, 평화롭고 행복한 삶을 구현할 수 있는 진리를 찾아서 출가한 것이다. 이때부터 싯다르타 태자는 수행자 고타마라고 불렸다.

고타마는 당시의 유명한 수도자들을 찾아 인도 남쪽의 신흥 공업 국가인 마가다국으로 향했다. 그곳에 훌륭한 종교가들이 있었기 때문이었다. 그는 당시 높은 명성을 얻고 있던 알라라 칼라마의 문하에서 그가 가르치는 무소유처정(無所有處定)이라는 수행을 배웠는데 곧 스승의 경지에 도달해 버렸다.

다시 그는 다른 스승인 웃다카 라마풋타에게 비상비비상처정(非想非非想處定)이라는 선정을 배웠지만, 그 경지 역시 곧 도달해 버렸다. 수행자 고타마는 스승에게서 배운 선정을 통해서는 괴로움에서 벗어나 영원한 행복과 평화를 얻을 수 없음을 알았다. 그래서 그들 곁을 떠나 독자적인 수행을 시작하였다.

마가다국(摩伽陀國)은 부처님 재세시 인도 16대국의 하나로 고대 중인도의 강국이었다. 마가다국이라는 표현은 산스크리트어의 Magadha를 음사한 표현이며, 이를 다시 한역하여 선승국(善勝國)이라고 한다. 당시 마가다국은 8만 개의 마을로 이루어졌다고 전하므로 그 규모를 가히 짐작할 수가 있다. 그리고 마가다국은 고대 인도 문화의 중심지였으며, 자이나교도 이곳에서 발생하였다.

부처님 재세시 마가다국은 경전에 흔히 등장하는 빈비사라왕(頻鞞娑羅王)과 그의 아들 아사세왕(阿闍世王)이 통치하고 있었다. 마가다국은 주위가 5천여 리나 되고 성 안에는 사람이 그다지 많지 않았다. 마을은 집집이 사립문이 있었으며, 땅은 비옥하고 여러 종류의 벼를 심어 수확하였다. 쌀알은 크고 향미가 있고 빛깔 또한 좋았다. 더불어 이곳의 사람들은 학자를 존경하고 불법을 신봉하며 가람이 50여 개나 되고 스님들은 1만여 명이나 되었고, 외도들도 아주 많아서 천사(天祠)가 수십 곳이나 있었다고 대당서역기(大唐西域記)에 기록하고 있다.

그러나 마가다국은 1197년 팔라왕조 때 이슬람교도들의 침공으로 그 지위를 완전히 상실하게 되었다. 현재 이곳 부다가야에는 나란타를 비롯한 많은 유적이 산재해 있다.

싯다르타와 어린양

경남 김해 정암사

어느 날 싯다르타는 라자그리하를 떠나 현자들이 수행하고 있는 산기슭으로 가는 여정 중에 갑자기 먼지를 일으키며 이동하는 동물들의 발굽 소리를 들었다. 이에 이를 자세히 들여다보니 양과 염소 무리가 무언가에 쫓기듯 이동하고 있었다. 그리고 맨 뒤에는 상처 난 새끼 양이 피를 흘리며 고통스럽게 절뚝거리며 무리를 따라가고 있었다. 앞선 어미 양이 자꾸 뒤를 돌아다보며 새끼 양에게 마음을 쓰고 있었지만 어쩔 도리가 없었다. 이를 알아차린 싯다르타는 맨 뒤에 따라가는 새끼 양을 두 팔로 안아주면서 쓰다듬었다. 싯다르타는 양치기들에게 물었다. 그대는 지금 어디로 양을 급히 몰고 가는가? 양치기가 말하였다. 오늘 여기를 다스리는 빈비사라왕이 큰 제사가 있으니 정오에 양과 염소 100마리를 성으로 몰아오라는 분부를 내렸기에 양들을 몰아가고 있습니다. 싯다르타는 그럼 그곳에 내가 함께 가겠노라 말하고 다친 새끼 양을 안고 성으로 들어갔다.

성안에서는 배화교(拜火教) 사제들이 의식을 진행하고자 양을 죽이려고 하였다. 곧이어 배화교 사제가 양의 목을 자르기 위하여 칼을 높이 들자 싯다르타는 이를 제지하고 왕과 배화교 제사장들에게 말했다. 누구나 생명은 소중한 것입니다. 생명은 한 번 끊어지면 다시 돌이킬 수 없는 법입니다. 또한 모든 생명은 우리처럼 애착을 두게 마련이거늘 어찌 저들의 생명을 해칠 수 있겠습니까. 가만 내버려두어도 생로병사로 생을 마칠 것입니다.

또다시 싯다르타는 말하기를 사람으로 자비를 기대한다면 마땅히 자비를 베풀어야 합니다. 왜냐하면 인과응보가 엄연히 있기에 저들을 해치는 자는 똑같이 해침을 당할 것입니다. 이후 빈비사라왕과 배화교 사제들은 싯다르타의 언설에 감동되어 다시는 동물들을 죽이지 아니하였다.

여기서 라자그리하는 산스크리트어의 Rajadatta를 말한다. 이는 고대 인도 마가다국의 수도를 말하며 중국 사람들은 이를 소리 나는 대로 표현하여 라열기(羅閱祇)라고 하였다. 다시 이를 한역하여 왕사성(王舍城)이라고 하였다. 지금의 인도 비하르주 파트나현 라지기르에 그 유적지가 남아 있다.

배화교(拜火教)는 기원전 6~7세기경 페르시아인 조로아스터(Zoroaster)가 창시

한 종교이다. 이원론적(二元論的) 일신교(一神教)로 사후의 세계로써 천국과 지옥을 설정하고 종말론을 전개하였다. 이들은 불을 주신으로 삼고 여기에 예배하였기에 배화교라고 한다. 또 다르게 표현하여 화현교(火祆教), 현교(祆教), 조로아스터교라고도 한다. 그렇다면 언제 배화교가 인도에 유입되었을까. 여러 학설이 있지만 기원전 327년 알렉산더 대왕이 북인도를 점령하였다가 퇴군할 당시에 그리스 문화와 더불어 페르시아 문화가 유입된 것으로 보고 있다. 배화교는 중국에까지 영향을 끼쳐서 631년에는 페르시아인 아록(衙祿)이 당나라 장안(長安)에 들어와 포교하면서 사원까지 건립하여 번창하였으나 무종(武宗, 840~846) 재위 연간에 쇠멸하여 다시는 일어나지 못하였다.

고행림(苦行林) 수도

경남 함양 법화사

싯다르타는 다시 길을 나서 마가다국을 거쳐 여기저기 방랑하다가 마침내 네란자라강 근처에 있는 우루벨라 마을에 도착하였다. 그는 이곳 마을 어귀 숲속에서 고행하고 있던 바라문(婆羅門)과 사문(沙門) 수행자들을 만났다. 그곳은 수행에 아주 적합한 곳이었다. 싯다르타는 거기에 자리를 잡고 고행을 시작하였다. 여기에서 그는 깊은 명상에 잠겨 순수하고 겸허한 마음을 찾았다. 그리고 두려움을 극복하였으며, 자신이 태어나고 존재하는 이유를 깨닫게 되었다. 그는 신체에 대한 집착과 정신적 속박, 탐욕을 버리고자 혹독하게 고행하였다.

라오스 탓루앙 사원

그래서 몸은 무척 수척해졌다. 볼기는 마치 낙타의 발 같았고 갈비뼈는 마치 오래 묵은 집의 서까래 같았다. 뱃가죽은 등뼈에 들러붙었기 때문에 일어서려고 하면 머리를 처박고 넘어졌다. 살갗은 오이가 말라비틀어진 것 같고 손바닥으로 몸을 만지면 몸의 털이 뽑혀 나갔다.

이를 보고 사람들은 말했다. 아! 싯다르타 태자는 곧 죽게 될 것이다. 이처럼 부처님은 그 누구도 할 수 없는 고행을 하였다. 그렇게 부처님은 과거의 어떤 수행자도, 미래의 어떤 수행자도 자신과 같은 고행을 할 수 없을 만큼 고행에 몰입하였다.

당시 인도 사람들은 고행함으로써 욕망을 억제하고 정신생활의 향상을 가져올 수 있다고 믿었다. 그리고 고행을 한 사람은 신비하고도 초인간적인 힘을 가지게 된다고 생각했다. 그러나 부처님은 6년에 걸친 극심한 고행을 통해서도 깨달을 수 없었고, 육체를 학대하는 것이 진정한 깨달음의 길이 아니라고 생각하여 고행을 포기했다.

이때 싯다르타는 이렇게 생각하였다. 세상에서 수행자가 피해야 할 두 가지 극단이 있다. 하나는 관능이 이끄는 대로 애욕에 탐닉하여 욕망과 쾌락에 빠지는 것이다. 이는 어리석은 범부(凡夫)들이 찬탄하는 것이며, 수행자의 숭고한 목적에 무익한 것이다.

다른 하나는 자기 육체를 스스로 괴롭히는 것에 열중하여 고행에 빠지는 것이다. 이는 목적과 수단이 전도(顚倒)된 것으로 수행자의 숭고한 목적을 위해서는 무모한 것이다. 이 두 가지는 스스로에게도 이익이 되지 못하고 다른 사람에게도 이익을 주지 못하는 것이므로 반드시 버려야 한다. 나는 이 두 가지 극단을 버리고 중도(中道)의 길을 찾았다. 중도는 곧 양극단에서 벗어나는 것이다. 또한 이것은 결코 양극단을 적당히 절충하는 것을 의미하는 것이 아니다.

경전에서 '중(中)이란 곧 바름이다(中者正也).'라고 하였듯이 중도란 곧 정도(正道)의 다른 말이다. 쾌락과 고행의 가운데가 아니라 진실로 바른길을 뜻한다. 따라서 고행의 포기는 출가 수행자들이 가지고 있던 사상이나 관습까지도 버린다는 것을 의미한다. 동시에 다른 수행자들로부터 비난을 감수해야 할 결정이다. 그리하여 부처님과 함께 수행하던 다섯 사람은 부처님이 타락하였다고 비난하며 떠났다. 그러나 부처님은 주저 없이 고행을 포기했다. 이것은 깨달음에 도움이 되지 않는 것은 그 어떤 것이라도 매달릴 필요가 없다는 것을 말한다.

부처님의 생애에는 위대한 포기가 몇 번이나 있다. 부귀와 영화가 보장된 왕위(王位)를 포기했고, 행복과 안락이 보장된 가정을 떠났으며, 모두가 믿는 당시 최고의 사상을 포기했다. 최고의 고행자라는 명예도 포기했다. 이것은 세상 전부가 자신을 외면할지라도 참된 것이라면 주저 없이 결단을 내리는 참된 수행자의 길을 보여준 것이다.

싯다르타의 고행 정진과 거문고 줄

경남 김해 정암사

싯다르타는 출가하였다. 당시 인도에는 오늘날과 마찬가지로 금욕과 금식 등 고행을 실천하는 다양한 종파가 있었다. 이에 싯다르타도 초기에는 다양한 방법으로 이들과 마찬가지로 수행하면 깨달음을 얻을 것으로 생각하였다. 그러므로 이를 실천하기 위하여 마가다국 우루벨라(uruvelā)에 도착하였을 때 물이 흐르고 무성한 나무 그늘이 있고 가까이에 세나니(Senani) 마을이 있어 탁발하기도 쉬웠기에 이 숲에 머물면서 엄격한 금욕을 하면서 수행하기로 마음을 먹었다.

그 무렵에 다섯 명의 비구들도 싯다르타를 뒤이어서 이곳에 도착하였다. 과연 싯다르타는 엄격한 수행을 하고 있었으므로 싯다르타가 만약에 깨달으면 자신들의 스승이 되어 줄 거라고 믿고 있었다. 싯다르타는 더욱 가행정진하여 금욕과 금식을 실천하다가 마침내 전혀 먹지 않는 상태에 이르러 온몸이 야위어서 뼈가 앙상하게 드러나도록 수행하다가 어느 날 기절을 하고 말았다. 이때 한 목동이 그 옆을 지나다가 수행자가 곧 죽을지도 모른다는 생각이 들어 곧바로 염소 떼가 있는 곳으로 급히 달려가서 어미 염소를 이끌고 와서 어미 염소의 젖을 먹여 의식을 회복하도록 도왔다. 의식을 회복한 싯다르타는 수행자가 굶는다는 것은 깨달음을 얻기도 전에 죽음을 맞게 되어 무위한 일이 되리라는 결론을 내렸다. 그리고 싯다르타는 나무 아래서 계속 수행을 이어 나갔다.

어느 날 해질녘이 다 되어가자 한 무리의 소녀들이 시내로 돌아가면서 노래 부르는 소리가 들려왔다. 줄이 너무 느슨하면 비파는 소리가 나지 않으며, 줄이 너무 팽팽하면 줄이 끊어지리라. 너무 느슨하지도 너무 팽팽하지도 않아야 비파는 훌륭한 소리를 내리라고 노래하였다.

이에 싯다르타는 이 노랫소리에 깊이 감동하였다. 아, 육체를 괴롭히는 수행은 올바른 수행이 아니다. 그리하여 금욕 생활을 그만두고 오직 정신을 오롯이 하는 수행에 전념하기로 결심하고 그때부터 싯다르타는 아침마다 탁발하면서 정진을 이어 나갔다.

참고로 이러한 가르침은 사십이장경(四十二章經) 가운데 제34장에 등장한다. 이를 소개하면 다음과 같다.

第34장 중도(中道)를 지켜라.

어떤 사문이 밤에 가섭 부처님의 유교경(遺教經)을 외우는데 그 소리가 슬프고 빠르며 꾸준히 나아가지 못하고 뒤로 물러설 생각을 품고 있었다. 부처님께서 사문에게 물으셨다. 너는 옛날에 집에 있으면서 무슨 일을 했느냐? 사문이 대답하되, 거문고 뜯기를 좋아했습니다.

부처님께서 말씀하셨다. 거문고 줄이 느슨하면 어떠하던가? 대답하기를, 소리가 나지 않습니다. 거문고 줄이 팽팽하면 어떠하던가? 대답하기를, 소리가 끊어집니다. 팽팽하거나 느슨하지 않고 거문고 줄이 알맞으면 어떠한가? 대답하기를, 모든 소리가 고르게 납니다. 부처님께서 말씀하셨다. 사문이 도를 배우는 것도 또한 이와 같다. 마음이 고르고 알맞으면 도를 얻을 수 있다. 도에 대해서 너무 급한 생각을 내면 몸이 피로해지고 몸이 피로해지면 마음에 번뇌가 생기고 [마음에 싫증이 나고] 마음에 번뇌가 생기면 수행이 뒤로 물러서는 것이다. 수행이 이미 뒤로 물러서게 되면 죄만 반드시 더해지리니 오로지 마음을 맑게 하고 편안하게 해야 도를 잃어버리지 아니할 것이다.

고려 시대에 진각국사(眞覺國寺)로 널리 알려진 혜심(慧諶) 스님이 편찬한 선문공안집(禪門公案集)인 선문염송(禪門拈頌) 제28칙에도 이러한 말씀이 있다. 부처님께서 한 사미에게 물었다. 너는 출가하기 이전에 무엇을 하였느냐? 거문고를 즐겨 뜯었습니다. 그렇다면 거문고 줄이 느슨하면 어떠하냐? 울리지 않습니다. 그렇다면 줄이 너무 팽팽하면 어떠하냐? 소리가 끊어집니다. 그럼 느슨하지도 않고 팽팽하지도 않고 적당하다면 어떠하냐? 맑은 음향이 고루 퍼집니다.

부처님께서 말씀하시기를 도를 배움에도 또한 그러하다고 하셨다. 여기에 대하여 지비자(知非子)는 다음과 같이 송(頌)하였다.

緩卽無聲急卽促 子期云亡伯牙哭 爭似無絃彈一曲 宮商角徵諸音足
완즉무성급즉촉 자기운망백아곡 쟁사무현탄일곡 궁상각징제음족

느슨하면 소리 없고 팽팽하면 급하나니
종자기의 죽음을 알고 백아는 통곡하였네.
그러나 줄이 없는 거문고 한 곡조 소리에
궁상각치우 다섯 음을 갖추는 것과 같으랴?

잡아함경(雜阿含經) 가운데 이십억이경(二十億耳經)에 보면 부처님께서 이 세상에 계실 때 큰 부자인 어느 장자의 아들인 억이(億耳)라는 이가 출가를 하여 도를 구함에 있어서 애써 고행하니, 발바닥에 피가 나기까지 하였으나 별다른 소득을 얻지 못하자 그만두기로 마음을 먹었다. 그러자 부처님께서 억이의 의중을 알아차리시고 거문고 줄을 비유하여 중도를 설명하셨다.

설산수도(雪山修道)

전남 무안 법천사

북방불교에서는 부처님 일대기를 여덟 폭의 그림으로 엮어내어 이것을 팔상도(八相圖)라고 한다. 여기서 네 번째에 해당하는 부분이 설산수도상(雪山修道相)이다. 그러나 부처님은 단 한 번도 설산에 가신 적이 없다. 다시 말해 이는 잘못된 표현이다. 그러므로 고행수도상(苦行修道相)이 맞는 표현이다.

경전에서 설산수도에 대한 말씀은 찾아보기 힘들다. 다만 오성론(悟性論)에는 설산성도(雪山成道)에 대한 간략한 표현이 있다. 이를 살펴보면 다음과 같다. 미혹을 끊고 선근을 수행하여 설산에서 성도한 것은 보신불(報身佛)에 해당함이라.
若斷惑卽是 雪山成道 報身佛也

수능엄의소주경(首楞嚴義疏注經)에도 아주 간략하게 나오지만 그 근거가 미약하다. 우리나라에서는 부처님의 일대기를 여덟 장면으로 표현한 팔상도(八相圖) 가운데 설산수도상이 다섯 번째다.

경남 산청 정각사

석문의범(釋門儀範) 가운데 대예참례(大禮懺禮)에 다음과 같은 표현이 있다.

처음에는 가란(迦蘭)과 선인들에게서 무상으로 인하여 슬퍼하는 것을 보고 마침내 나찰과 짐승들 속에서 참된 즐거움을 느끼시기까지 눈 덮인 바위를 집으로 삼고 숲속의 새들을 벗으로 삼으셨으니 설산에서 수도하시는 모습은 우리 스승 석가모니 부처님뿐이시라. 始悲無常於迦蘭之仙 竟欣眞樂於羅刹之獸 雪巖爲家 林鳥作侶 雪山修道相 我本師 釋迦牟尼佛

불본행집경 수자타가 공양을 올리다

경북 예천 원명사

태자가 출가한 후 정반왕은 교진여(橋陳如) 등 다섯 명의 신하들을 보내어 궁궐로 돌아갈 것을 간청하였으나 환궁(還宮)을 거절하였다. 머리 위에 새가 둥지를 틀 정도로 움직이지 않고 열심히 수행하는 태자에게 천녀(天女)들이 공양을 올렸으며, 제석천왕은 연못을 만들어 목욕하게 하였다. 출가 후 6년간의 고행으로 심신이 쇠약해진 태자가 중도(中道)의 진리를 깨닫고 고행을 멈추면서 나이란자나 강[니련선하]에 들어가 몸을 씻은 후 우루벨라 촌장인 세사니의 딸 수자타가 바치는 우유죽 공양을 받으시고 기력을 다시 회복하셨다. 그러자 다른 수행자들은 태자가 타락하였다며 태자를 버리고 바라나시 교외인 녹야원으로 가 계속 수행하였다.

본생경(本生經)에 보면 수자타(Sujata)는 우루벨라 숲에 있는 마을의 거사인 세사니(Sesani)의 딸이다. 그녀는 니그로다(nigrodha) 나무에 제사를 지내며 좋은 가문에 시집가서 아들을 낳게 해 달라고 빌었고 그 소원이 이루어지자 다시 나무에 제사를 지냈다. 그때 푼나(Punna)나무 아래서 좌선하고 있던 부처님을 보고 목신(木神)이라 여겨 공양을 올렸다고 한다. 그러므로 수자타는 목신을 섬기던 여인이었다. 그러나 이 같은 내용은 경전마다 약간의 차이를 보인다.

불본행집경(佛本行集經) 제25권 정진고행품(精進苦行品)에 보면 다음과 같은 말씀이 있다.

이때 양치기가 보살의 몸에 양젖을 발라주고 보살이 음용할 것도 공양 올렸다.
時彼羊子 卽爲菩薩 塗摩身體 將羊乳汁 奉上菩薩 以用爲食

마명보살(馬鳴菩薩)이 지은 불소행찬(佛所行讚) 아나람울두람품(阿羅藍鬱頭藍品)에 보면 다음과 같은 말씀이 있다.

그때 산림 가까이에는 소먹이는 한 어른이 있었는데 그 맏딸의 이름은 난타였다. 정거천은 그녀에게 와서 말하기를 보살이 숲속에 있으니 너는 그리로 가서 마땅히 공양을 올려라. 난타발라아는 환희한 마음으로 그곳에 이르렀다. 손목에는 흰 구슬 팔찌를 끼고 몸에는 푸른색 옷을 입었다. 푸르고 흰빛은 서로 어울려서 맑은 물에 꽃다발을 담근 것 같았다. 신심은 증장하여 용약하고 보살의 발에 머리 숙여 예를 올리며 경건하게 향기로운 우유죽을 바치면서 오직 저를 가엾이 여겨 받아 주기를 원하였다. 時彼山林側 有一牧牛長 長女名難陀 淨居天來告 菩薩在林中 汝應往供養 難陀婆羅闍 歡喜到其所 手貫白珂釧 身服青染衣 青白相映發 如水淨沈漫 信心增踴躍 稽首菩薩足 敬奉香乳糜 惟垂哀愍受

한역 경전에서는 수자타라는 이름보다는 이를 음사하여 난타(難陀), 난나(難那) 또는 난타바라(難陀波羅)라고 하는 경우가 더 많다. 그러나 함께 수행하였던 다섯 명의 비구는 고타마 싯다르타가 여인에게 공양을 받았다고 이를 비난하며 떠났다.

출요경 소띠야(Sotthiya)가 건초를 공양하다

경남 김해 정암사

수행자 고타마는 고행을 포기한 뒤 수자타가 올리는 우유죽을 공양받아 기운을 회복하고 다시 고행림의 팝필라 나무 근처로 들어가시기 위해 걸어가셨다. 목동(牧童) 소띠야(길상)가 근처에서 풀을 베다가 고타마가 지나가는 것을 보고 마른 풀을 공양하였다. 풀을 올린 소띠야는 길상(吉祥)이라는 뜻이 있어서 부처님께 올린 풀을 길상초(吉祥草)라고 한다. 고타마는 소띠야가 올린 부드럽고 향기로운 풀을 보리수(菩提樹) 아래에 깔고 그 위에 앉아서 굳은 다짐을 하였다.

출요경 방일품(出曜經 放逸品)에 보면 다음과 같은 표현이 있다.

부처님께서 기력을 회복하시고 니련선수(尼連禪水)를 건너실 때 물가에서 길상(吉祥)이라는 이름을 가진 이가 칼로 풀을 베고 있다가 그 풀을 부처님께 공양하니 부처님께서 몸소 그 풀을 펼쳐 깔고 결가부좌하여 위없는 정각을 이루기 전에는 자리에서 절대로 일어나지 않으리라고 말씀하셨다. 菩薩氣力充體 渡尼連禪水 是時 水側有一人 名曰吉祥 執劍刈草 菩薩直前語吉祥曰 見與少草敷地結跏趺坐 吉祥奉上草 往詣樹下躬自敷草 結跏趺坐 發大弘誓 我今已坐此樹下終不壞坐 要成無上等正覺道乃起于座

수행본기경(修行本起經)에 보면 내 여기서 위없는 깨달음을 얻지 못한다면 차라리 이 몸이 부서지는 한이 있더라도 마침내 이 자리에서 일어서지 않으리라 하시며 굳은 서원을 세우시고 정진하셨다.

길상초(吉祥草)를 다르게 표현하여 상모(上茅), 묘초(茆草), 희생초(犧牲草), 길상모(吉祥茅), 향모(香茅), 상초(祥草) 등으로 말한다. 그러니 고타마가 보리수 아래에서 정진하시는 모습을 풀방석 대신 연꽃으로 그려 놓은 것은 잘못된 표현이다.

부처님께 건초를 보시한 목동의 이름을 팔리어로 나타내면 소띠야(Sotthiya)이며, 산스크리트어로 나타내면 스바스티카(Svastika)다. 이를 다시 한역하여 길상(吉祥) 또는 길안(吉安), 길리(吉利)라고 한다. 그리고 길상초를 바친 소띠야를 제석천의 화신으로 보기도 한다.

싯다르타를 힐난하며 떠나는 다섯 명의 비구들

경북 청도 죽림사

고행림에서 함께 수행하던 다섯 명의 도반이었던 콘단냐(Kondanna, 悰蓮如), 아사지(Assaji, 阿說示), 마하나마(Mahanama, 摩訶男), 밧디야(Bhaddhiya, 婆提), 바파(Vappa, 婆頗) 등은 싯다르타가 고행하지 아니하고 수자타 여인에게 음식 공양을 받으며, 더군다나 소띠야에게 길상초(吉祥草)까지 받는 것을 보았다. 이에 그들은 싯다르타는 타락한 수행자라 비난하며 자리를 떠나 바라나시 교외의 녹야원(鹿野苑)으로 가서 수행하였다.

이들 다섯 명은 원래 우다카(Uddaka) 교단의 수행자들이다. 부처님도 수행할 때 우다카 교단의 우두머리인 우다카 라마푸타라는 수행자를 찾아가 가르침을 받았다. 그러나 이내 실망하고 이 교단을 떠날 때 함께 따라나온 수행자이다. 그러나 싯다르타 태자가 성도하여 부처님이 되셨을 때 이들을 위하여 제일 먼저 법을 펼쳤다. 이를 초전법륜(初轉法輪)이라고 한다. 이로써 그들은 처음으로 부처님 제자가 되어 다섯 비구가 태어났다.

태자의 성불을 방해하는 무리들

강원 춘천 삼운사

금강석(金剛石)보다 굳센 의지 때문인지 부처님은 그 자리에서 깨달으셨다. 그 자리를 훗날 금강보좌(金剛寶座)라 부른다. 바야흐로 수행자 고타마가 선정에 들어 깨달음을 얻으려 하자 가장 다급해진 자가 있었으니, 그가 바로 중생을 욕망에 사로잡히게 하고 세상을 어둡게 만드는 마왕(魔王) 파순이었다. 마왕 파순은 사문 고타마가 보리수 아래에서 정각을 이루려 한다. 그가 깨달음을 성취하면 일체중생을 제도할 것이다. 그 깨달음의 경지는 나의 능력을 초월하는 것이다. 그가 깨닫는 것을 막아야 한다. 그렇게 생각한 마왕 파순은 먼저 자신의 세 딸을 보내 고타마를 유혹하도록 하였다. 마왕의 세 딸은 온갖 교태를 부리며 유혹하였으나 고타마는 수미산(須彌山)처럼 미동도 하지 않았다.

너희들의 몸은 비록 아름답지만 모든 악이 가득해 견고하지 않고 부정이 흘러 생로병사가 항상 따른다. 손에는 팔찌, 귀에는 귀고리를 흔들면서 교태 섞인 웃음으로 탐욕의 화살을 쏘지만 지혜로운 사람은 그대들의 욕망을 독약으로 안다. 칼날에 발린 꿀은 혀를 상하게 하고 사악한 욕정은 독사의 머리와 같으니 내 이미 모든 유혹을 뛰어넘었다. 너희들은 모두 본래 모습을 드러내고 물러가거라.

마왕은 화가 나서 수행자 고타마를 향해 태풍, 폭우(暴雨)를 보내고 창칼, 불화살, 돌을 던지며 악귀를 동원하여 수행을 방해했다. 그러나 수행자 앞에서 그것은 모두 꽃으로 변하여 흩날릴 뿐이었다. 유혹과 폭력으로도 수행을 막지 못한 마왕은 직접 고타마 앞에 나타나 이야기하기 시작하였다. 석가족의 아들 고타마여! 그대는 속히 일어나 이곳을 떠나라. 그대에게는 전륜성왕의 지위가 보장되어 있지 않은가? 이제 곧 가서 세간을 다스리는 위대한 왕이 되어 그들을 지배하고 오감의 쾌락이 주는 미묘한 맛을 마음껏 즐기라. 석가족의 아들이여! 그대가 추구하는 도는 얻을 수 있는 것이 아니다. 단지 피로만 더할 뿐임을 어찌 알지 못하는가?

고타마는 회유하는 마왕을 향해 다음과 같은 준엄한 사자후를 한다. 게으른 자의 무리여, 사악한 자여! 그대가 여기에 온 목적은 무엇인가? 그대가 말하는 그 좋은 공덕이란, 그것이 아무리 좋다 하더라도 나에게는 더이상 쓸모가 없다. 그런 것은 그것을 구하는 사람들에게 가서 말해 주어라. 나는 이렇게 극심한 고통을 묵묵히 감수하고 있다. 그러므로 내 마음은 어떤 욕망에도 끌려가지 않는다.

숫다니파타에 보면 다음과 같은 말씀이 있다.

보라, 내 존재의 이 순수를. 그대의 제1군대(軍隊)는 욕망이며, 제2군대는 혐오(嫌惡)이며, 제3군대는 기갈이며, 제4군대는 집착이다. 그리고 그대의 제5군대는 피로와 수면이며, 제6군대는 공포심이요, 제7군대는 의혹이다. 제8군대는 위선과 고집, 그리고 그릇된 방법으로 얻은 이익과 명성이며 자신을 칭찬하고 남을 경멸하는 것이다. 이것이 바로 그대의 병력이며 검은 마군이다. 그러므로 용감한 자가 아니면 너를 이겨낼 수 없으리. 그러나 용감한 사람은 그대의 공격을 이렇게 잘 막아내고 있다. 악마여, 사람들도 저 신들마저도 그대의 군대를 격파할 수 없지만 나는 지혜의 힘으로 그대의 군대를 쳐부수리라. 굽지 않은 질그릇을 돌로 쳐 깨뜨리듯이 하리라.

그리고 수행자 고타마는 머나먼 과거세부터 한량없는 세월 동안 선근 공덕을 쌓아왔기에 악마의 군대를 물리치고 깨달음을 얻을 수 있다고 말하였다. 그러자 마왕 파순은 그것을 누가 증명할 수 있는지 말해 보라고 외쳤다. 수행자 고타마는 오른손을 내밀어 땅을 가리키며 '이 땅은 능히 모든 물건을 내어 차별이 없는 평등한 행을 하도다. 바라건대, 지금 진실을 말하라.'고 했다. 이때 땅을 지키고 있던 지신(地神)이 '가장 큰 대장부시여, 내 당신을 증명하리다. 제가 안다.'고 외치자 대지와 삼천 대천세계의 국토가 두루 크게 진동하였다. 마왕은 이 우렁찬 소리에 혼비백산하여 도망치고 말았다.

성도를 방해하는 마왕 파순(魔王波旬)

전남 무안 원갑사

보리수 아래에서 깊은 선정에 들었던 싯다르타는 마지막으로 마왕의 방해에 부딪히게 된다. 태자가 마왕의 온갖 방해를 물리치고 깨달음을 얻는 장면을 그림으로 나타낸 것이 수하항마상(樹下降魔相)이다.

마왕 파순(波旬, pāpīyas)은 싯다르타의 깨달음을 방해하기 위하여 군대를 보내 위협하거나 자신의 아리따운 딸들을 보내 유혹하게 하였다. 싯다르타가 이러한 수작에 대해서 미동도 하지 않자 직접 그를 찾아가 깨달음을 뒤로 미루라고 통사정하게 된다. 그래도 통하지 않자, 그러면 싯다르타 당신은 깨달음을 얻었다고 하였는데 성불을 증명해 보라고 억지를 부린다. 그러자 싯다르타가 오른손으로 땅을 가리키자 땅의 신들과 과거 일곱 부처님이 나타나 이를 증명하신다. 이때 부처님께서 성도하실 때 취한 손 모양을 선정인(禪定印)이라 하며, 마왕을 항복 받을 때 취하신 손 모양은 항마촉지인(降魔觸地印)이라 한다. 석가모니 부처님의 수인 형태는 바로 이 내용을 나타낸 것이다.

불소행찬(佛所行讚) 제13 파마품(破魔品)에 보면 파순의 첫째 딸의 이름은 욕염(欲染)이며, 둘째 딸의 이름은 능열인(能悅人)이며, 셋째 딸의 이름은 가애락(可愛樂)이라고 하였다. 그리고 마왕 파순(魔王波旬)은 욕계 제6천인 타화자재천(他化自在天) 임금이다. 파순을 파비야(波卑夜) 또는 천마파순(天魔波旬)이라고도 표현하며, 항상 권속과 무리를 지어 다니면서 정법과 불도 이룸을 방해하는 마왕이다.

경전에 따라 파순의 딸 이름은 다르게 나타난다. 출태경(出胎經)에서는 악마에게 네 딸이 있다. 첫째는 욕비(慾妃), 둘째는 열피(悅彼), 셋째는 쾌관(快觀), 넷째는 견종(見從)이다. 그들은 보살에게 나아가 비단결 같은 말로 아양을 떨며 서른두 가지의 어여쁜 자태와 달콤한 말로 애교를 부리며 실눈을 뜨고 보살을 유혹하였다. 魔有四女 一名欲妃 二名悅彼 三名快觀 四名見從 往詣菩薩 綺語作媚 三十二種姿幷脣舌嘗嬪細視

능엄경(楞嚴經)에서는 네가 삼매를 수행한 것은 본래 망상에서 벗어나려고 함인데 음란한 마음을 제거하지 못하면 번뇌 망상에서 벗어날 수가 없다. 설령 지혜가 많고 선정이 현전하더라도 음심(婬心)을 없애지 못하면 반드시 마도(魔道)에 떨어져 상품은 마왕(魔王)이 되고, 중품은 악마의 백성(魔民)이 되며, 하품은 마녀(魔女)가 될 것이라고 하셨다. 汝修三昧 本出塵勞 婬心不除 塵不可出 縱有多智 禪定現前 如不斷婬 必落魔道 上品魔王 中品魔民 下品魔女

마왕의 온갖 방해에도 불구하고 깨달음을 얻은 부처님처럼 참다운 불자가 되려면 항상 수행이 뒤따라야 한다. 말로만 수행하는 껍데기 불자는 상승의 인연을 맺지 못한다. 우리에게 주어진 시간은 많지 않다. 마(魔)는 범어의 마라(Māra, 魔羅)를 줄인 말로, 마(魔)가 성도를 방해하는 것으로 집약되듯이 모든 착한 공덕의 증장과 성장을 방해하는 무리를 말함이다.

방광대장엄경 물병을 움직이려는 마군(魔軍)

전남 광주 증심사

보리수(菩提樹) 아래 가부좌를 틀고 앉으신 싯다르타는 나는 도를 깨치기 전에는 결코 이 자리를 뜨지 않으리라 하는 굳은 서원을 세우시고 용맹정진을 이어가셨다. 성도의 시기가 점점 다가오자 마왕은 이를 방해하려고 온갖 수작과 안간힘을 쓰기 시작하였다. 6년간의 수도 끝에 드디어 싯다르타가 깨달음을 얻으려 하자 마왕 파순(波旬, Māra-pāpīyas)은 성도를 방해하기 위하여 싯다르타의 정신을 산만하게 만들고자 마군(魔軍)을 보내 공격하도록 했다.

그러자 싯다르타는 작은 물병 하나를 무릎 앞에 세워 놓고 이 물병을 움직일 수 있다면 너희들의 뜻에 따라 성도를 포기할 것이라고 하였다. 마군은 그까짓 물병 하나쯤이야! 하면서 서로 달려들어 손으로 움직이려 했으나 물병은 꼼짝도 하지 않았다. 그래서 이번에는 물병에 밧줄을 걸고 수많은 마군이 일제히 당겨 보았으나 물병은 여전히 꼼짝하지 않았다. 싯다르타는 금강석과 같은 태도로 끄떡도 하지 않고 마군을 물리쳤다. 1차 방해 공작에 실패한 파순은 이번에는 부하들을 아름다운 여인으로 둔갑시켜 싯다르타의 곁으로 보내 피리를 불고 비파를 타고 온갖 교태를 부리며 노래와 춤으로 마음을 산란하게 하였다. 싯다르타의 주변을 빙빙 돌며 소란을 피우는 미녀들은 마귀의 부하들이므로 그들이 들고 있는 거울 속에 본모습인 흉측한 마귀의 얼굴이 나타나고 있었다. 그러자 마왕과 마군은 싯다르타에게 결국 항복하고 말았다.

방광대장엄경(方廣大莊嚴經) 성정각품 제22에 보면 그때 천녀들이 게송을 읊어 찬탄하기를 다음과 같이 하였다.

於此菩提樹王下 降伏一切大魔軍 安住不動如須彌 身心堅固無驚畏
어차보리수왕하 항복일체대마군 안주부동여수미 신심견고무경외

이 큰 보리수 아래서
온갖 큰 악마 군사 항복시키고
편안히 머물러 움직이지 않음이 수미산 같아
몸과 마음 굳건하여 두려워함 없으시네.

북방불교에서는 그러던 어느 날 새벽이 되어 샛별이 나오자 싯다르타의 마음은 밝아지고 무상정등정각(無上正等正覺)의 깨달음을 얻어 드디어 부처가 되었다고 한다. 참고로 우리나라에서 전하는 입산게(入山偈)에 보면 '세존께서 설산에 들어

가셔서 6년간 수행하시다가 밝은 별을 보시고 깨달으시니 그 말씀 그 소식은 삼천세계에 가득하여라.' 하는 말씀이 있다. 世尊當入雪山中 一坐不知經六年 因見明星云悟道 言詮消息遍三千

수행본기경 보리수 아래서 고타마의 깨달음

경남 하동 칠불사

수행자 고타마는 마왕의 항복을 받고 아무런 방해 없이 깊은 선정에 들었다. 일반적으로 절에서 석가모니 부처님을 모신 대웅전(大雄殿) 불상을 보면 왼손은 가부좌(跏趺坐)한 발 위에 올려놓고 오른손은 무릎 위에서 아래로 땅을 향하는 항마촉지인(降魔觸地印)을 취하고 있다. 이것은 부처님께서 마왕에게 항복 받으신 장면을 나타낸 것이다.

이제 수행자 고타마에게 어떤 장애도 없게 되었다. 깨달음을 끝까지 가로막고 있던 악마가 사라졌기 때문이다. 모든 구속이 사라진 수행자 앞에 세상의 이치가 확연히 드러난 것이다. 그 이치는 모든 것이 서로 의지하여 일어나고, 이것이 있기에 저것이 있고, 이것이 멸하기에 저것도 멸하는 것이라는 연기(緣起)의 진리이다. 수행자 고타마는 바로 이 연기의 진리를 깨달은 것이다.

한편 고타마의 깨달음을 방해한 악마들의 면면을 다시 살펴보면, 이들은 수행자 고타마가 마지막까지 버리지 못한 세간에 대한 애착을 보여준다. 끝까지 그를 붙들고 있던 욕망 가운데 가장 먼저 끊을 수 있었던 것은 바로 육체의 욕망 즉, 색욕(色慾)이었다. 이 세 딸의 이름이 첫째는 은애(恩愛), 둘째는 상락(常樂), 셋째는 대락(大樂)임을 보아도 성적(性的) 쾌락을 은유적으로 나타낸 것임을 알 수 있다.

그리고 마왕의 여덟 가지 군대라고 표현된 것은 욕망, 혐오, 기갈, 집착 등 마음속의 온갖 번뇌를 뜻하는 것이다. 그리고 마왕이 마지막으로 제시한 것은 전륜성왕의 자리였다. 이것은 곧 권력의 욕심을 뜻한다. 즉, 권력욕은 색욕과 공포보다도 더 질기고 뿌리가 깊다는 것을 역설적으로 말해 주는 것이다. 권력욕은 한 개인이나 한 가정을 파멸시키는 데 그치지 않고 한 국가와 민족, 세계를 파멸로 몰아갈 수 있는 가장 무서운 욕망이다.

수행본기경(修行本起經)에 보면 부처님께서 마왕의 항복을 받은 후에 이런 말씀을 하셨다. 세상에선 무기를 써서 사람의 마음을 움직이나 나는 중생을 평등하게 여기는 까닭에 무기를 사용하지 않고 평등한 행과 인자한 마음으로 악마를 물리쳤나니 결국 이 세 가지 욕망을 극복한다는 것은 다시 말해 육체적, 정신적, 제도적 속박에서 벗어났다는 것을 말한다.

마왕의 온갖 유혹과 물리적 위협, 그리고 회유를 극복하는 이 장면은 우리가 가져야 할 불퇴전의 수행 자세가 어떠한 것인지 잘 말해 주고 있다.

마왕의 항복을 받은 수행자 고타마는 부다가야의 보리수 아래에서 깨달음을 얻어 부처님이 되셨다. 이때가 부처님이 35세 되던 해 음력 12월 8일 새벽이었다. 이날은 사실상 불교가 시작된 역사적인 날이며 불교에서는 성도절(成道節)이라 하여 뜻깊은 날로 삼고 있다. 성도절은 수많은 마왕의 군대를 항복 받고 깨달은 날이며, 인간의 몸으로 신의 세계를 뛰어넘어 대자유인의 시대를 연 날이다.

부처님은 우리가 모두 성불할 수 있다는 것을 스스로 보여주셨다. 온갖 번뇌와 고통의 수렁에서 허덕이는 중생들도 사실은 모두 부처가 될 수 있다는 것을 이 세상에 알려주신 것이다. 부처님의 성불 이후 새로운 인간의 역사가 시작되었다 해도 과언이 아니다. 이때까지 인간은 고통과 혼돈, 무명 속에서 신과 제도와 욕망에 사로잡힌 노예에 불과하였다. 그러나 부처님께서 성불하심으로 중생도 대자유, 대자재한 존재가 될 수 있음을 알게 되었다.

성도(成道)는 곧 도를 이루었다는 뜻이므로 성불과 같은 표현이다. 이는 불도를 완성하는 것을 의미하기에 깨달음을 얻은 것을 말한다. 잡아함경(雜阿含經)에 보면 다음과 같은 말씀이 있다.

29세에 비로소 출가하여 선도(善道)를 수행하시고 깨달음을 얻으신 후 지금까지 50여 년이 지났다. 始年二十九 出家修善道 成道至於今 經五十餘年

제6 선정처 무칠린다 연못의 사왕(蛇王)

경남 김해 정암사

부처님께서 보드가야[부다가야, Buddhagayā]에 있는 보리수 아래에서 깨달음을 얻으신 후에 법열을 즐기고자 일곱 곳에서 선정에 드셨는데 이를 북방불교에서는 칠선처(七仙處)라고 한다. 이를 살펴보면 다음과 같다.

제1 선정처 부다가야 보리수(菩提樹) : Bodhi Pallanka에서 7일간.

제2 선정처 아미니샤로차나탑 : 대탑 옆 작은 정안탑(正眼塔)에서 7일간.

제3 선정처 경행처(經行處) : Cankamana에서 7일간.

제4 선정처 라트나그라하 사당 : Ratanaghara에서 7일간.

제5 선정처 반얀나무가 있던 곳 : Ajapala Nigrodha Tree에서 7일간.

제6 선정처 무칠린다 연못 : Mucalinda Lake에서 7일간.

제7 선정처 라자야타나 나무 : Rajayatana tree에서 7일간.

무칠린다 연못은 부처님께서 깨달음을 얻으신 금강좌에서 동남쪽에 있으며 이 연못에는 무칠린다 사왕(蛇王)이 살고 있었다. 무칠린다(Mucalinda) 연못의 사왕(蛇王)을 중국 사람들은 음사하여 목지린다용왕(目支隣陀龍王)으로 표현하였다. 이를 한역하여 해탈(解脫) 또는 해탈처(解脫處)라 하고 무칠린다 연못은 한역하여 연화지(蓮花池)라고 한다. 이를 중국 사람들은 용(龍)으로 부르고 있지만 엄격히 말하면 용은 아니다.

이 뱀은 부처님께서 성도를 하신 곳인 보드가야 보리수에서 동남쪽에 있는 무칠린다 연못에 살고 있었다. 부처님께서 정각을 이루시고 이곳에서 7일 동안 선정에 들었을 당시에 비바람이나 독충으로부터 부처님을 호위하였다고 한다. 그러고 나서 부처님으로부터 진리의 말씀을 듣고 뱀의 고통에서 벗어나게 되었다고 한다.

여기에 대해서 당나라 현장(玄奘) 스님이 16년간 구법을 위해 순례하였던 기행문인 대당서역기(大唐西域記) 제8권에 보면 다음과 같은 내용이 있다.

제석천이 못을 만든 곳으로부터 동쪽의 숲속에는 목지린다용지(目支隣陀龍池)가 있다. 그 물은 검푸른데 물맛이 감미롭다. 못의 서쪽 기슭에는 작은 정사가 있는데 그 속에 불상이 있다. 옛날 여래께서 처음으로 정각을 이루신 뒤 이곳에서 좌선하시며 7일 동안 선정에 잠기신 채 지내셨다. 이때 용왕이 여래를 호위하였는데 자기 몸으로 부처님을 일곱 겹 감고 여러 개의 머리를 만들어 아래로 숙여서 덮개를 만들어 드렸다. 옛 못의 동쪽 기슭에는 부처님께서 선정에 드셨던 방이 있다. 帝釋化池東林中 有目支隣陀龍王池 其水淸黑 其味甘美 西岸有小精舍 中作佛像 昔 如來初成正覺 於此宴坐 七日入定 時此龍王警衛如來 卽以其身 繞佛七匝 化出多頭 俯垂爲蓋 故池東岸有其室焉

참고로 북방불교의 경전에서는 사왕을 용왕이라고 하였으나 이는 어디까지나 중국 사람들의 관점에서 보는 견해이니 곧 용왕을 사왕(蛇王)이라고 보면 된다. 무칠린다는 일체경음의(一切經音義) 등에서도 나타나고 있다.

처음으로 우바새가 탄생하다

경남 김해 정암사

마침내 싯다르타는 35세 때 깨달음을 얻어서 드디어 붓다(Buddha)가 되었다. 우리는 붓다를 한문으로 음사하여 불타(佛陀) 또는 불타(佛馱)라고 표현하지만 대부분 불타(佛陀)로 굳어져 표현되고 있다. 그리고 불타를 줄여서 불(佛)이라 하며 이를 다시 한역하여 각자(覺者), 지자(知者), 각(覺) 등으로 표현한다. 붓다(Buddha)에서 budh는 산스크리트어로 '눈뜨다' 혹은 '깨어나다'라는 동사의 과거분사형으로 곧 '깨달은 사람'이라는 뜻이다.

부처가 된 싯다르타는 법열의 즐거움을 만끽하며 반얀나무 아래에 좌정하고 있었다. 그때 한 브라만이 찾아와 '고타마여! 진실한 브라만이 되려면 어떻게 수행해야 하느냐?'고 당돌하게 물었다. 그가 부처라는 칭호 대신 자신의 옛 이름을 부르면서 무례한 행동을 하였지만, 부처님은 진실하게 가르침을 주었다. 그러자 브라만은 자신의 무례함을 깊이 뉘우쳤다.

여러 날이 지난 후 부처님이 보리수 아래서 좌정(坐靜)하고 있을 때였다. 북인도의 상인(商人)이었던 발리가(跋梨迦)와 제리부사(帝梨富娑) 두 형제가 마침 이곳을 지나다가 너무나 평온하고 기쁨에 가득 찬 모습으로 앉아 있는 모습을 보고서는 자신들의 조촐한 음식을 부처님께 공양 올렸다. 그리고 두 사람은 자신들도 제자로 삼아 줄 것을 간청하였다.

발리가(跋梨迦)는 산스크리트어로 Bhailika이다. 이를 음사하여 바리가(婆梨迦), 발리(跋梨), 바리(鉢里), 파리(波利) 등으로 나타낸다. 다시 이를 한역하여 금정(金挺), 촌락(村落), 삼과(三果) 등으로 나타내지만 대부분 사람은 이러한 사실을 잘 모른다.

또 한 사람은 발리가의 형인 제리부사(帝梨富娑)이며 산스크리트어로는 Trapusa이다. 이를 제위(提謂)라고 나타내기도 한다. 두 형제는 북인도(北印度) 출신의 상인으로 중인도(中印度)에서 많은 돈을 벌어 본국으로 돌아가던 중 보리수 아래에서 법열삼매에 든 부처님을 만났다. 음식을 공양한 후 설법을 듣고 곧바로 부처님께 귀의하였으니 불교사에서 최초로 우바새가 생겨난 것이다. 발리가는 나중에 출가하여 비구가 되었다.

이를 불본행집경(佛本行集經) 제32권 이상봉식품(二商奉食品)편을 통하여 살펴보면 다음과 같다.

그때 북천축(北天竺)에서 상인 두 사람이 그곳으로 왔는데 한 사람은 이름을 제리부사(帝梨富娑)[수나라 말로는 호과(胡瓜)라고 함]라 했고, 다른 한 사람은 발리가(跋梨迦)[수나라 말로는 금정(金挺)이라 함]라 했다. 그 두 상인은 지혜가 많고 마음이 세밀하고 뜻이 반듯하였다. 그들은 중천축국에서 산출된 갖가지 물건들을 5백 대의 수레에 가득 실어 큰 이익을 얻게 되자 북천축으로 돌아가는 길이었다.

그리하여 마침 그 차리니가(差梨尼迦) 숲에서 멀지 않은 곳을 서서히 지나게 되었다. 그들 상인에게는 길이 아주 잘 든 소가 한 마리씩 있었는데 항상 앞장서서 갔으며, 만약 앞에 두려운 곳이 있으면 그 소는 말뚝에 매인 것처럼 멈춰 서고 나아가지 않았다. 그때 그곳에는 차리니가 숲을 수호하는 나무 신이 살고 있었는데, 그 신이 몸을 감추고 가만히 이 길이 잘 든 소 두 마리를 잡아 앞으로 나아가지 못하게 하였다. 그 두 상인은 각각 우발라(優鉢羅, utpala) 꽃줄기를 들고 길들인 소 두 마리를 때렸으나 소들은 가려 하지 않았다. 그 밖의 5백 대의 수레를 끌던 소들도 모두 따라서 움직이지 않았고, 그 모든 수레바퀴가 굴러가지 않았으며, 가죽 고삐가 모두 저절로 끊어지고, 그 밖에 멍에 · 채 · 바퀴 심대 · 바퀴 비녀장 · 바퀴통 · 바큇살 · 수레 판 · 걸 바퀴 · 난간 판자며 가슴걸이 등이 어떤 것은 깨지고 어떤 것은 꺾이고 어떤 것은 부서지고 어떤 것은 찢어지는 등 이렇게 온갖 괴상하고 상서로운 변고가 일어났다.

이때 제리부사와 발리가는 두려움이 솟고 근심 걱정이 사무치자 온몸의 털이 모조리 곤두섰다. 그들은 서로 말하였다. 우리는 이제 무슨 괴변을 만나고 무슨 재앙을 만났는가? 그들은 각각 수레에서 서너 걸음 물러나서 머리 위로 합장하고 모든 하늘과 신들에게 정례하고 지극한 마음으로 서서 이렇게 빌었다. 비옵나니 우리가 지금 만난 재앙과 괴변의 두려움을 빨리 사라지게 하시고 편안하고 행복하게 하여 주소서.

그러자 그 숲의 수호신이 곧 색신(色身)을 나타내어 상인들을 위로하였다. 그대들 상인은 두려워 말라. 이곳에는 아무런 재난도 없다. 단 하나의 재앙도 없으니 겁내지 말라. 모든 상인아, 여기는 오직 여래 · 세존 · 아라하(阿羅呵) · 삼먁삼불타께서 처음으로 위없는 보리를 성취하시고 지금 이 숲속에 계실 뿐이다. 다만 여래께서 도를 이루시고 지금 49일이 지나도록 아직 음식을 들지 못하셨다. 그대들 상인이 만약 때를 안다면 함께 저 세존 · 다타아가도 · 아라하 · 삼먁삼불타께서 계신 곳으로 나아가서 제일 먼저 보릿가루와 우유와 꿀경단을 그에게 받드는 것이 어떻겠는가? 그리하면 그대들은 오랜 밤에 편안하고 안락하여 큰 이익을 얻을 것이다.

그때 두 상인은 그 숲의 신이 하는 말을 듣고 곧 신에게 대답하였다. 당신이 일러주신 대로 우리는 어기지 않고 하겠습니다. 그리고 그 두 상인은 곧 각각 보릿가루, 우유, 꿀경단을 가지고 모든 상인과 함께 부처님 계신 곳으로 나아갔다.

그곳에 이르러 그 두 상인은 멀리서 세존을 보니 단정하고 훌륭하여 세간에 비길 데 없으며, 나아가 마치 허공의 뭇별과 같이 몸의 모든 특징이 장엄되어 있었다. 그들은 이와 같은 세존을 보고 마음으로 크게 공경하고 청정한 믿음으로 세존 앞으로 나아갔다. 그리하여 부처님 발에 정례하고 물러나 한쪽에 섰다. 그들은 함께 부처님께 아뢰었다. 세존이시여, 원하옵건대 저희를 위하여 이 청정한 보릿가루 · 우유 · 꿀경단을 받아 주십시오. 부디 저희를 가엾게 여겨 주십시오.

증일아함경(增壹阿含經) 청신사품(清信士品)에는 다음과 같은 말씀이 있다.

내 제자 가운데 제일가는 우바새로서 처음으로 법의 약(藥)을 얻고 성현의 진리를 깨달은 이는 바로 삼과(三果)의 장사꾼이니라. 我弟子中 初聞法藥 成賢聖證 三果商客是

여기서 장사꾼이라고 하면 제리부사(帝梨富娑)와 발리가(跋梨迦) 두 형제를 말함이다. 이들 두 형제는 처음으로 부처님께 꿀 공양을 올리고 귀의하게 된 최초의 재가 신자인 우바새가 되는 것이다.

현우경 범천이 법문을 권청하다

경남 창원 마산합포구 의림사

현우경(賢愚經) 가운데 범천청법육사품(梵天請法六事品)에 보면 다음과 같은 말씀이 있다.

어느 때 부처님께서 마갈국 선승도량에서 비로소 깨달음을 얻어 성불하신 후에 생각하셨다. 중생들은 미혹의 그물에 얽히고 삿된 소견에 빠져서 교화하기가 어렵구나. 내가 이제 이 세상에 오래 살더라도 아무런 이익이 없을 것이다. 차라리 무여열반(無餘涅槃)에 드는 것만 못하리라. 그때 범천(梵天, Brahma)이 부처님의 의중을 알고 곧 하늘에서 내려와 부처님 전에 나아가 땅에 엎드려 발을 향해 예배하고 꿇어앉아 합장하고 청하였다. 부처님이시여, 법륜을 굴리시고 열반에 들지 마시옵소서!

세존께서 답하셨다. 범천이여, 중생들은 미혹의 번뇌에 덮이어 세상의 쾌락을 즐기려고 하므로 지혜로운 마음이 없다. 비록 내가 세상에 살더라도 그 공만 헛될 것이다. 내 생각 같아서는 열반만이 즐거울 것 같다.

범천이 다시 땅에 엎드려 아뢰었다. 세존이시여, 지금 법의 바다는 이미 가득 찼고 법의 깃대는 이미 섰나이다. 중생을 인도하여 건지실 때는 바로 이때이옵니다. 또 중생들 중에 제도할 만한 이도 적지 않사온데 어찌 세존께서는 열반에 드시어 저 중생들로 하여금 영원히 그 보호를 잃게 하시려 하옵니까?

세존께서는 과거 무수한 겁 전에 항상 중생을 위하여 법약(法藥)을 캐서 모으실 적에 한 구절의 게송을 얻으시려고 자신의 몸을 버리고 처와 자식도 버리고 출가하여 도를 구하셨나이다. 그러하시거늘 어찌하여 그것을 생각하지 않으시고 버리려고 하시나이까?

이어서 나오는 범천청법육사품 마무리 부분을 살펴보면 다음과 같은 말씀이 이어진다. 부처님께서 보리수 아래에서 성도를 이루시자 범천의 청을 받아들이시고 곧 바라나국의 녹야원(鹿野苑)으로 가시어 법륜을 굴리시니 그로 말미암아 삼보가 이 세상에 처음으로 나타나게 되었다.

방광대장엄경 사천왕이 발우(鉢盂)를 바치다

경남 창원 마산합포구 의림사

부처님은 성도를 이루신 후 보리수 아래에서 7일 동안 법열(法悅)을 느끼셨다. 마침 천축에서 장사하는 미얀마 상인(商人) 타뿌사(Tapussa)와 발리까(Bhallika)라는 두 상인이 부처님이 계시는 곳을 지나다가 부처님이 계시는 것을 보고는 먹을거리를 공양하였다. 이때 부처님은 생각하시기를 과거의 모든 부처님은 모두 발우(鉢盂)를 지니셨는데 나도 이제 어떤 그릇으로 공양물을 받을까? 라고 생각하시었다. 여기서 타뿌샤는 한역하여 제위(提謂)라 하고 발리까는 바리가(婆梨迦)라고 한다.

방광대장엄경(方廣大莊嚴經)에 보면 이때 사천왕이 각기 자기 나라로 돌아가 금으로 된 발우를 올렸는데 부처님께서 출가 사문은 금발우가 합당치 못하다고 하시며 거절하시자 다시 자기의 궁전으로 돌아가서 돌발우를 가져다가 부처님께 올렸다. 그러자 부처님께서는 사천왕들이 청정한 신심으로 발우를 올렸지만 4개의 발우를 받는다는 것은 온당치 못하다고 하시면서 이르시기를, 만약 1개만 받고 다른 3개는 받지를 않는다면 다른 천왕들이 나를 원망할 것이므로 사천왕들이 올리는 발우를 모두 받아야 하겠다고 하시었다.

그러므로 발우공양(鉢盂供養) 때 발우가 4개인 것은 사천왕을 의미하는 것이다. 이로써 부처님은 두 상인이 올린 밀수(蜜水) 공양을 받으셨다. 그리고 부처님은 두 상인에게 삼계(三戒)와 오계(五戒)의 법을 설하셨다.

발우에서 발(鉢)은 응당 공양받을 수 있는 그릇이라는 뜻으로 응량기(應量器)라고 하며, 우(盂)는 밥그릇이라는 표현이다. 이 두 가지 뜻을 합하여 발우라고 한다. 발우의 구성은 제일 큰 것으로부터 어시발우, 국발우, 청수발우, 찬발우로 구성되어 있다. 또한 발우는 불법을 전승하는 상징물이기도 하다. 이는 스승이 제자에게 법을 전해 줄 때 법과 함께 의발(衣鉢), 다시 말해서 가사와 발우를 전하기 때문이다.

발우공양 과정은 하발게(下鉢偈)로 시작하여 회발게(回鉢偈)-전발게(展鉢偈)-창식게(唱食偈)-수식게(受食偈)-봉반게(奉飯偈)-오관게(五觀偈)-생반게(生飯偈)-정식게(淨食偈)-절수게(絶水偈)-수발게(收鉢偈)로 마무리하여 마치게 된다.

녹야원(鹿野苑)에서 최초로 설법하시다

경북 영천 은해사

부처님께서는 녹야원(鹿野苑) 고행림에서 다섯 비구에게 최초로 설법하셨다. 수자타 여인에게 우유죽 공양을 받으시자 고타마는 타락하였다며 부처님 곁을 떠났던 이들이다. 이렇게 최초로 승가(僧伽)의 구성원이 되었으며 이것을 팔상도(八相圖)에서는 녹원전법상(鹿苑傳法相)이라고 한다. 녹야원은 부처님께서 최초로 법을 설하셔서 다섯 비구를 제도하시어 제자로 삼으신 초전법륜지(初轉法輪地)로 불교의 4대 성지 가운데 하나다. 녹야원은 산스크리트어의 mṛgadāva를 한역한 표현이다. 대체로 녹야(鹿野), 녹원(鹿苑), 선원(仙苑), 선인원(仙人園) 등으로도 나타내며 주로 녹야원으로 굳어져 있다.

녹야원은 북인도 바라나시의 북쪽인 사르나트에 있는 지명이다. 잡아함경(雜阿含經)에서는 이곳은 선인들이 사는 동산이며 녹야원이라고 한다. 여래께서 이곳에서 다섯 비구에게 3전 12행의 법문을 하셨다고 전하고 있다. 출요경(出曜經) 도품에서는 지난날 부처님께서 바라나국 선인녹야원에 계셨으니 강 이름이 바리였으므로 바라나국이라고 함이다. 선인녹야원이란 모든 신선과 다섯 가지 신통력을 얻은 이들과 학자들이 머무르는 곳이지 일반 범부들이 머무는 것은 아니라고 하셨다.

범천이 설법을 간청해 옴에 따라 부처님께서 그 청을 받고서 바라나국 녹야원(鹿野苑)에 이르러 아야교진여(阿若憍陳如) · 아설시(阿說示) · 마하남(摩訶男) · 바제(婆提) · 바부(婆敷) 등 다섯 사람에게 고집멸도(苦集滅道) 사제법문을 설하시어 제도하였으니 이로부터 다섯 비구가 탄생하는 것이다. 아야교진여는 요본제(了本際) · 지본제(知本際)라고 번역하며 아야(阿若)는 이름이고 교진여(憍陳如)는 성(姓)이다. 아설시는 마사(馬師) · 마승(馬勝)이라 번역하며, 마하남은 대명(大名) · 대호(大號)라고 번역한다. 바제는 인현(仁賢) · 소현(小賢) · 현선(賢善)이라 번역하며, 바부는 기식(氣息) · 장기(長氣)로 번역한다. 그러나 여기에 대해서는 경전마다 약간 다른 면을 보이고 있어 도표로 나타내고자 한다.

	아야교진여	아설시	마하남	바제	바부 · 십력가섭
무량수경 梵	Ajnata-Kaundinya	Aśvajit	Mahānāma	Bhadrika	Baspa
불본행집경	교진여	아사유시	마하나마	발제리가	바사바
중본기경	구련(拘憐)	알폐(頞陛)	마남구리	발제(拔提)	십력가섭
최승왕경	아야교진여	아설시다아비	마하나마	비제리가	바습바
사분율	교진여	아습비	마하나남	바제	바부
불소행찬	교진여	아습바서	십력가섭	발다라	바삽바
무량수경	요본제 (了本際)	정원(正願)	대호(大號)	인현(仁賢)	정어(正語)
번역명의집	화기(火器)	마사(馬師)	마하남	소현(小賢)	십력가섭

이외에도 과거현재인과경(過去現在因果經)서는 교진여, 발타나도, 마가나마, 발파, 아사파도라고 하였다. 참고로 천태지의(天台智顗) 스님의 법화문구(法華文句)와 현장(玄奘) 스님이 한역한 아비달마대비바사론(阿毘達磨大毘婆沙論)에서는 교진여, 발제, 마하남, 바부, 알비라고 하였다.

이때 지신(地神)이 환희용약하여 말하였다. 오늘 이곳에서 부처님께서 묘법을 처음으로 설하심에 삼보(三寶)의 이름이 생겼으니 세존께서는 불보(佛寶)가 되고 사제 법은 법보(法寶)가 되고 다섯 비구는 아라한의 승보(僧寶)가 되는 것이라. 이 삼보의 이름은 천상 인간의 복전(福田)이 될 것이다. 부처님은 녹야원에서 다섯 명을 제도하고 다음에는 부루나(富樓那)와 가전연(迦旃延) 두 제자와 야사장자(耶

舍長者)의 문도 50인을 귀의케 하였다.

마갈타국에 우루빈나가섭 3형제가 화룡(火龍)을 섬기자 그들을 교화(敎化)하여 제자로 삼으시니 먼저 우루빈나가섭과 그를 따르던 500인이 함께 부처님께 귀의하였다. 뒤이어 둘째 나제가섭, 셋째 가야가섭이 그들을 따르던 무리 500인과 함께 귀의하였다.

그때 부처님께서 야사의 문도 50명과 가섭 3형제의 문도 1,000명을 거느리고 왕사성으로 향할 때 빈비사라왕(頻鞞娑羅王)이 친히 마중을 나와 왕과 대중들이 부처님 법문을 듣고 죽원정사(竹園精舍)를 지어 머무르게 하였다. 이때 지혜가 뛰어난 두 바라문이 있었으니 사리불과 목건련이었다. 이 바라문은 서로 친구 사이였다. 이 두 사람도 아사바사 스님의 인도로 부처님께 귀의했으니 두 사람을 각각 따르던 제자 100명씩을 데리고 함께 귀의했다. 이로써 부처님 제자가 1,250명이 되었다. 부처님은 다시 대중들과 함께 마갈타국으로 향하였다.

부처님의 십대제자(十大弟子)

부처님의 십대제자는 열 가지 분야에서 가장 뛰어난 제자로 이를 석가십성(釋迦十聖)이라 하며 그 분야에서 가장 뛰어나 제일(第一)이라는 칭호를 붙인다.

사리불(舍利弗)은 지혜가 출중하여 온갖 의문을 해결하는 능력이 뛰어났기에 지혜제일(智慧第一)이라는 칭호가 따른다. 사리불은 육사외도(六師外道)와 논쟁을 벌여 그들을 물리치기도 하였다.

목건련(目犍連)은 신족통을 얻어서 어느 곳이든 마음대로 갈 수 있었기에 신통제일(神通第一)이라고 한다. 원래는 육사외도를 따랐으나 사리불과 친분이 있어 사리불의 인도로 불문에 귀의하였다. 지옥에 빠진 어머니를 구제하고자 부처님의 가르침을 따라 우란분공(盂蘭盆供)을 마련하기도 하였다. 제바달다가 승단을 파괴하고 가야산(伽倻山)에 있을 때 사리불과 함께 가서 5백의 무리를 부처님께 복귀하도록 하였다.

가섭(迦葉)은 흔히 마하가섭(摩訶迦葉)이라고 한다. 12두타(頭陀)를 실천하면서 온갖 고행을 감내하였기에 두타제일(頭陀第一)로 칭송받는다. 그는 발다라가비리야를 부인으로 맞이하였지만 욕락을 즐기지 아니하고 함께 출가하였다. 선종에서 내세우는 삼처전심(三處傳心)의 주인공이기도 하다. 대승불교에서는 부처님의 정법안장(正法眼藏)을 가섭에게 부촉하였다고 믿고 있다.

아나율(阿那律)은 천안(天眼)을 얻어 시방세계를 모두 볼 수 있었기에 천안제일(天眼第一)이라고 한다. 아나율은 잠이 많아 부처님께 호되게 질책을 받았는데 후에는 잠을 자지 않고 수행하여 그만 실명하고 말았다. 비록 육안(肉眼)은 잃었지만 천안을 얻은 제자다.

수보리(須菩提)는 공(空)의 이치를 통달하였기에 해공제일(解空第一)이라고 한다. 북방불교에서 널리 전파된 금강경(金剛經)에서 부처님과의 문답 상대자가 바로 수보리다. 금강경은 공(空)을 말하는 경전이다.

부루나(富樓那)는 널리 법을 설하는 법력을 얻었기에 설법제일(說法第一)이라고 한다. 부루나가 설법할 때는 모든 사람이 그의 언변에 기뻐하였기에 포교에 있어서 타의 추종을 불허할 정도였다.

가전연(迦旃延)은 심오한 도리를 잘 분별하고 또한 그것을 자세히 풀어주는 능력이 있었기에 논의제일(論義第一)로 칭송받는다. 그는 아반제국(阿般提國)에 머물면서 수많은 사람에게 부처님의 가르침을 포교하였다.

아난다(阿難陀)는 만물의 이치를 밝힐 줄 알고 가는 곳마다 장애가 없었으며 한 번 들은 것은 잊지 아니하고 기억하는 능력이 있어 다문제일(多聞第一)로 칭송받는다. 아난다는 부처님의 사촌동생이다. 아난다는 부처님께 석가족 여인들이 출가를 할 수 있도록 간청하여 석가족 여인들이 출가할 수 있는 길을 터주었다.

우파리(優波離)는 출가 전에 궁중의 이발사였지만 여러 왕자와 더불어 출가하였다. 이는 부처님께서 사성 계급을 타파한 결과였다. 부처님 입멸 후 제1차 경전 결집 당시에 아나율이 경을 송출하였고 우파리는 율(律)을 송출하였다. 언제나 계행을 지킴에 있어서 철저하였기에 지율제일(持律第一)로 칭송받는다.

라후라(羅睺羅)는 부처님의 아들로 15세에 출가하였으나 구족계를 받지 못하여 비구들과 잘 수 없었기에 측간(廁間)에서 잠을 잤다는 일화가 있다. 사리불과 함께 걸식을 나갔다가 길에서 박해 받았지만, 자비심으로 이를 참아내었다. 금계를 어김없이 지키고 게으름을 철저히 경계하며 수행하였기에 밀행제일(密行第一)로 칭송받는다. 또한 수식관(數息觀)으로 성과(聖果)를 깨달아 얻어 16인의 아라한 가운데 제11위의 서열에 배정받았다.

부처님의 십대제자들은 부처님께서 이미 체득한 열 가지 덕을 심수(心數)하였기에 이를 십대제자즉불십심수(十大弟子卽佛十心數)라고 한다. 이는 부처님의 덕을 제자들을 통하여 다양하게 드러내는 상징이기도 하다. 그러므로 부처님은 심왕(心王)과 상응(相應)하고 십대제자는 열 가지 심수(心數)에 해당하는 것이다.

부처님의 여섯 번째 제자 야사(耶舍)

경남 김해 정암사

부처님께서 중인도 마가다국에 계셨을 때 백만장자 선각(善覺)의 아들인 야사(耶舍)라는 젊은 청년이 있었다. 그는 많은 여인과 유희를 즐기며 탐욕에 빠져 살았다. 어느 날 밤중에 곤히 잠들어 있는 기녀들의 모습을 보고 문득 이러한 생활에 신물이 나서 집을 몰래 빠져나와 방황하다가 녹야원에서 우연히 부처님을 뵙고는 진리의 가르침을 듣게 되었다.

부처님의 가르침을 들은 야사는 크게 환희로운 마음이 일어나 출가의 길을 걷게 되어 다섯 비구에 이어 여섯 번째 제자가 되었다. 그 후에 야사의 아버지와 어머니, 그리고 부인까지 야사를 찾기 위해 돌아다니다가 부처님을 만나서 설법을 들은 후 마음으로부터 기쁨이 넘쳐나서 세 사람 모두 출가하여 최초로 재가신도가 되었다. 이 소식을 들은 야사의 친구 네 명도 출가하였다고 전하지만 이들의 이름은 전함에 있어서 일정치가 않다. 이쯤에서 야사(耶舍, yaśas)에 대해서 알고 넘어가야 한다. 야사는 부처님 초기의 제자다. yaśas를 음사하여 야사(耶舍), 야수다(耶輸陀), 야수가(耶輸伽), 지도야사(智度耶舍) 등으로 부르지만 대체적으로 야사(耶舍)로 통용되고 있다. 이를 한역하여 명문(名聞), 명칭(名稱), 선칭(善稱) 등으로 부른다.

불소행찬(佛所行讚) 제3권 병사왕제제자품(甁沙王諸弟子品) 제16에 보면 그때 저 구시성(鳩尸城)에 있는 장자(長者)의 아들 야사(耶舍)가 밤에 갑자기 잠에서 깨어 그 권속인 남자와 여자들이 모두 알몸으로 누워 있는 것을 보고 곧 싫어져 떠날 마음이 생겼다. 이것은 모든 번뇌의 근본으로 어리석은 범부를 속여 유혹한다 생각하고 곧 옷을 장식하고 영락을 차고 집을 나와 숲으로 나아갔다. 길을 따라가면서 높이 외치길 아~ 괴롭다, 괴로워 미치겠다고 하자 여래께서 밤에 나와 거니시다가 괴롭다고 외치는 소리를 들으셨다. 그리고 곧 명령하여 말씀하셨다. 그대들 잘 왔다. 여기 안온한 곳 있으니 열반은 지극히 맑고 시원하며 적멸은 모든 번뇌 여의느니라. 야사는 부처님의 가르침을 듣고 마음속으로 못내 기뻐하며, 본래부터 나는 이런 것을 싫어하기에 그곳을 벗어나려는 마음 더하여 곧 거룩한 슬기 활짝 열렸노라고 하였다.

또한 과거현재인과경(過去現在因果經) 4권에 보면 여래께서 곧바로 그의 근기에 맞게 법을 설해 주셨다. 야사여, 색 · 수 · 상 · 행 · 식의 오온은 무상하고 괴로움의 대상이며 공(空)이고 무아다. 너는 이 뜻을 알겠느냐? 이때 야사는 부처님께서 설하신 말씀을 듣고 바로 모든 법에 대한 번뇌를 멀리 여의고 청정한 법안을 얻었다는 말씀이 있다.

다시 과거현재인과경 4권에 보면 이때 야사는 여래께서 설하신 게송을 듣고 나서 마음속으로 말하기를, 세존께서 이 게송을 설하는 까닭은 내가 아직도 칠보로 장엄한 옷을 입고 있기 때문이다. 나는 이제 이 옷을 벗으리라. 그리고는 부처님께 예를 올리고 말하기를, 오직 원하옵건대 세존이시여! 저의 출가하고자 하는 청을 들어주십시오. 부처님이 말씀하시기를 잘 왔구나, 비구여. 그러자 야사의 수염과 머리카락이 저절로 떨어졌으며 가사를 수하고 사문이 되었다는 말씀이 있다.

계율(戒律)을 정하시다

경남 창원 마산합포구 의림사

부처님께서 깨달음을 얻은 뒤 말씀하셨다. 삼계는 윤회의 근본이라. 중생들은 모두 오온(五蘊)에 얽매여 무명에 의한 12인연으로 생로병사를 벗어나지 못하고 괴로움을 받는 것이니, 이제 내가 정각을 이루었음에 기필코 반드시 모든 중생을 교화하겠다. 부처님은 정각을 이룬 뒤 처음으로 화엄경(華嚴經)을 말씀하시니 칠처구회(七處九會)에 39품이 있다. 비유하면 햇빛이 온 세상을 비추듯이 부처님의 지혜 광명도 그와 같았다. 그다음으로 부처님은 대승의 계법을 제정하시니 사미십계(沙彌十戒)는 다음과 같다. 이는 모든 불교도가 지켜야 하니 십선계(十善戒)라고도 한다.

불살생(不殺生): 살아 있는 것을 죽여서는 안 된다.
불투도(不偸盜): 도둑질해서는 안 된다.
불사음(不邪淫): 남녀의 도를 문란케 해서는 안 된다.
불망어(不妄語): 거짓말을 해서는 안 된다.
불기어(不綺語): 교묘하게 꾸며대는 말을 해서는 안 된다.
불악구(不惡口): 험담해서는 안 된다.
불양설(不兩舌): 이간질해서는 안 된다.
불탐욕(不貪欲): 탐욕스러운 짓을 해서는 안 된다.
부진에(不瞋恚): 화를 내서는 안 된다.
불사견(不邪見): 그릇된 견해를 가져서는 안 된다.

보살이 지켜야 할 가장 무거운 열 가지 계율을 십중금계(十重禁戒)라고 한다.

불살계(不殺戒): 살아 있는 것을 죽이지 말라.
부도계(不盜戒): 훔치지 말라.
불음계(不婬戒): 음란한 짓을 하지 말라.
불망어계(不妄語戒): 거짓말하지 말라.
불고주계(不酤酒戒): 술을 팔지 말라.
불설사중과계(不說四衆過戒): 사부대중의 허물을 말하지 말라.
부자찬훼타계(不自讚毁他戒): 자기를 칭찬하고 남을 헐뜯지 말라.
불간석가훼계(不慳惜加毁戒): 자기 것을 아끼려고 남을 헐뜯지 말라.

부진심불수회(不瞋心不受悔): 성내어 남이 참회하는 것을 거부하지 말라.
불방삼보계(不謗三寶戒): 삼보를 비방하지 말라.

오계(五戒)가 있으니 이는 재가자나 출가자(出家者) 모두가 지켜야 하는 가장 기본적인 생활 규범이다.

불살생(不殺生): 살생하지 말라.
불투도(不偸盜): 도둑질하지 말라.
불사음(不邪婬): 음행하지 말라.
불망어(不妄語): 거짓말을 하지 말라.
불음주(不飮酒): 술을 마시지 말라.

계법을 설하심을 마치시고 욕계(欲界), 색계(色界) 모든 천자가 향수(香水)를 보시하여 목욕을 마치시니 그들도 그 향탕수로 보리심을 내게 되었다. 그때 보화(普花)라는 천자가 여쭈었다. 세존이시여, 이레 동안 삼매에 드셨는데 어떤 삼매이옵니까? 여래는 희열삼매(喜悅三昧)로써 음식으로 삼았기에 이 정력(定力)으로 말미암아 7일 동안 자리에서 일어나지 않았다고 하셨다.

그 후 며칠이 지나서 목진린타(目眞鄰陁) 용왕의 청을 받아 용왕에게 삼귀의와 오계 법문을 하셨다.

부처님께서 환궁(還宮)하시다

경북 청도 운문사

이때 부왕께서는 아들이 성불하였다는 소식을 들은 지가 6년이 되는지라 하루는 우다이에게 분부를 내려 아들을 청하자 부처님은 아버지를 제도할 시기가 왔음을 알고 궐내로 들어가셨다. 아버지 정반왕이 귀의하고 아우 난타, 난타의 하인 우바리도 귀의하여 부처님 제자가 되었다. 그러나 난타가 자신의 하인이었던 우바리를 못마땅하게 여기자 부처님은 불법은 바다와 같아 사방으로 들어오는 물이 바다에 이르면 모두 다 짠맛을 내는 것이거늘 계를 받은 이가 빈부귀천을 따진다는 것은 어리석은 일이라고 말씀하셨다. 아들 라후라는 9세 때 출가하였다.

사위국 왕에게 보상대신이 있었으니 그 이름이 수달로 부처님께 처소를 마련해 드려 그의 난폭한 며느리 옥야를 제도하시도록 하였다. 부처님은 비사리성으로 가시다가 고기 잡는 어부를 제도하셨고, 외도(外道) 육사를 섬기던 신일장자(申日長者)는 부처님 공양에 독약을 넣었으나 그를 자비로써 제도하셨다.

구미국이라는 나라에 가셨을 때는 칼을 들고 부처님을 해치려는 보상(輔相) 바라문을 제도하시고 육사외도(六師外道)를 신봉하는 니건자를 제도하셨다. 가비라국에 계실 때는 이모(姨母)인 마하파사파제를 출가하게 하셨으며 이후로 많은 중생들을 제도하셨다.

신일(申日)은 왕사성에 살던 장자의 이름이며 그의 아들은 월광동자(月光童子)라고 한다. 그는 육사외도와 함께 부처님을 해칠 목적으로 부처님께 공양을 올리겠다고 거짓으로 청하였다. 그리고 어둠 속에서 불구덩이를 파놓고 또한 독인 든 공양을 마련하여 부처님을 살해하려고 하였다. 부처님께서는 그의 이러한 모략을 이미 알고 계셨지만 어리석음을 연민하여 허락하셨다. 부처님께서 신일의 집에 이르시어 신통력으로 불구덩이를 목욕물로 만들어버리자 신일은 놀라서 참회하고 부처님께 귀의하게 된다. 그 후 그는 수행을 열심히 하여 불퇴전법인(不退轉法忍)을 얻었다고 한다. 이러한 내용을 다룬 경전은 신일경(申日經), 월광동자경(月光童子經), 덕호장자경(德護長者經) 등이 있으나 내용은 모두 대동소이하다.

잡보장경 제바달다와 술 취한 코끼리 다나팔라

경북 경산 경흥사

어느 날 조달(調達)이 아사세왕과 더불어 부처님을 훼방하고자 술 취한 코끼리 다나팔라(Dhanapāla)를 풀어놓았다. 다나팔라는 코끼리의 이름이며 이를 한역하여 호재(護財) 또는 수재(守財)라고 표현한다. 그러므로 이를 풀이하면 재보(財寶), 부(富)를 뜻하고 팔라는 감시자, 보호자, 주(主) 등을 뜻하는 표현이다. 잡보장경(雜寶藏經) 8권에 보면 데바닷타는 술 취한 코끼리 다나팔라를 풀어놓아 부처님을 해치려고 하였다. 그러자 5백 명의 아라한이 모두 허공으로 날아올라서 피신하였으나 오직 아난만이 부처님과 함께 있었다. 이때 부처님께서 오른손을 들어 올리시자 호재 흰 코끼리는 5백 마리의 사자를 보고 곧 조복 당하여 온순해졌다.

라오스 왓시므왕(Wat Si Muang) 사원

제바달다와 부처님은 혈족 관계로 제바달다는 부처님의 사촌동생이다. 제바달다의 할아버지는 석가족에서 활을 가장 잘 쏘기로 유명한 사자협왕(師子頰王)이다. 이 사자협왕에게는 네 명의 아들이 있는데 정반왕(淨飯王), 백반왕(白飯王), 곡반왕(斛飯王), 감로반왕(甘露飯王)이다. 그러므로 부처님의 아버지인 정반왕은 제바달다에게는 큰아버지가 되는 관계이며 제바달다는 감로반왕의 아들이다. 제바달다의 친형제로서는 동생 아난(阿難)이 있다. 아난은 부처님께 귀의하여 20여 년간 부처님을 직접 모신 부처님의 사촌동생이며 제자다.

아사세(阿闍世)는 부처님 재세시 마가다국(摩伽陀國)의 국왕인 빈비사라왕(頻鞞娑羅王)과 왕비인 위제희(韋提希) 사이에서 태어난 태자다. 그의 부왕은 아주 독실한 불자였으나 아사세는 그러하질 못하였다. 위제희가 그를 잉태했을 때 점술가를 불러 점을 쳤더니 이 아이가 태어나면 부친을 시해할 것이라고 하였다. 이에 빈비사라왕은 그를 누각에 던졌지만 죽지 아니하고 손가락만 절단되었기에 바라류지(婆羅留支)라고 부르기도 하였다.

그는 성장하여 제바달다의 꼬임에 넘어가 부왕을 감옥에 가두어 죽이고 스스로 왕위에 올랐다. 그는 부왕을 시해한 인과응보로 온몸에 부스럼이 생겼는데 기바(耆婆)의 권유로 부처님 전에 참회한 뒤 치유되어 부처님께 귀의하였던 인물이다. 그 후 부처님께서 열반에 드시자 왕사성에 사리탑을 세우고 공양하였으며, 마하가섭을 비롯한 부처님 제자들이 칠엽굴(七葉窟)에서 1차 경전 결집을 할 때 큰 단월이 되어 불교 교단을 외호(外護)하였다.

술 취한 코끼리를 흔히 날라기리(Nāḷāgiri)라 한다.

마가다국 빈비사라왕(頻鞞娑羅王)의 귀의

경남 김해 정암사

부처님은 마가다국의 백성들을 일깨우기 위하여 여러 아라한의 제자들과 함께 라자가하(Rajagrha)에 도착하여 종려나무 동산에 머물렀다. 경전에 자주 등장하는 마가다(摩伽陀, Magadha)국은 부처님 재세시(在世時) 인도 16개국 가운데 하나로 중인도의 강국이었다. 마가다(Magadha)를 음사하여 마갈다국(摩竭陀國), 마갈제국(摩竭提國), 묵갈제국(黙竭提國), 묵갈다국(黙竭陀國), 마갈국(摩竭國) 등으로 표현하지만 대부분은 마가다국으로 나타내고 있다. 이를 중국에서 무뇌해국(無惱

害國), 무해국(無害國), 성처국(星處國), 불악처국(不惡處國), 치감로처국(致甘露處國), 선승국(善勝國) 등으로 한역하였지만 거의 쓰이질 않고 있다.

마가다국은 강국(强國)인 만큼 8만 개의 마을로 이루어져 있었고, 그 크기만 300요자나의 둘레를 가지고 있었다고 한다. 동으로는 참파강이 흐르고, 남으로는 빈드야산이 있으며, 서로는 소나강이 있으며, 북으로는 갠지스강을 경계로 하고 있었다고 한다. 지금의 비하르주의 가야와 파트나를 중심으로 하는 갠지스강 남쪽 지역이 여기에 해당하는 곳이다. 땅이 비옥하고 인구가 많았던 만큼, 이 지역은 문화가 흥성하였으며 불교와 자이나교의 발생지이기도 하다.

마가다국은 부처님 재세시에는 빈비사라왕(頻鞞娑羅王)과 그의 아들인 아사세(阿闍世)왕의 통치하에 있었으며 수도는 왕사성(王舍城)이다. 경전에 마가다국, 빈비사라왕, 아사세 등이 자주 등장하는 배경이 되며 왕사성은 지금의 라지기르(Rajgir)에 해당하는 지역이다.

부처님 초기에는 주로 마가다국에서 포교하셨으며 부처님께서 열반하신 뒤에도 마가다국은 불교의 중심지가 되었다. 마가다국에는 영축산도 있고 죽림정사(竹林精舍)도 있어 이 지역에 많이 머무셨다. 지금도 이곳은 불교 성지에서 빼놓을 수 없는 장소다.

마가다국은 왕조에 따라 부침을 거듭하였으나 1197년 팔라왕조가 이슬람교도들에 의해 무너지면서 그만 역사의 그늘 속에 가려지게 되었다. 불교는 예전부터 이슬람교의 탄압을 받아왔다. 물론 지금도 그러하다.

벽화의 주인공은 부처님과 빈비사라왕이다. 빈비사라왕(bimbisāra)은 음사하여 빈파사라(頻婆娑羅), 빈비사라(頻鞞娑羅), 빈두사라(賓頭沙羅), 빈부바(頻孚婆), 민

미사라(民彌沙囉) 등으로 나타내지만 주로 빈파사라(頻婆娑羅) 아니면 빈비사라(頻鞞娑羅)로 통용되고 있다. 이를 한역하여 병사왕(甁沙王), 영승왕(影勝王), 영견왕(影堅王), 안모단정왕(顔貌端正王), 제실왕(諦實王), 광택제일왕(光澤第一王), 호안색왕(好顔色王), 형뢰왕(形牢王)이라고 하지만 이 역시도 사문화되어 거의 사용하지 않고 있다.

빈비사라왕의 비(妃)는 위제희(韋提希)다. 왕과 왕비는 부처님께 귀의하여 가란다에 죽림정사(竹林精舍)를 지어서 헌납하였는데 이는 불교 역사상 최초의 승원(僧院)이 된다. 빈비사라왕은 만년에 궁전 안에 탑을 세우고 부처님의 모발과 손톱 등을 봉안하고 예배하였다. 그러나 아들인 아사세가 왕위를 찬탈하고 유폐(幽閉)되는 신세를 겪었으나 감옥에서도 지극 정성으로 기도하고 수행하여 아나함과(阿那含果)를 증득하고 세상을 하직하였다. 빈비사라왕에 대해서는 여러 경전에 등장하는데 빈파사라왕경(頻婆娑羅王經), 대승본생심지관경(大乘本生心地觀經), 대반열반경(大般涅槃經), 비나야잡사(毘奈耶雜事), 대지도론(大智度論) 등이다.

빈비사라왕이 부처님께 귀의한 모습을 표현한 부조는 인도네시아 족자카르타[Yogyakarta]에 있는 보로부두르 박물관에 가면 볼 수 있다. 그리고 빈비사라왕이 교단의 분열을 선몽하는 꿈을 꾸었는데 꿈에서 천이 18조각으로 찢어지고 금장(禁杖)이 18토막으로 부러졌다. 이 꿈을 꾸고 곧 두려운 생각이 들었는데, 부처님은 당신이 열반하고 나며 100년 후에는 교단이 18갈래로 나누어질 것이니 그리 염려하지 말라고 하셨다. 여기에 관한 고사가 바로 빈비사라몽(頻鞞娑羅夢)이다.

부처님의 아들 라후라 최초의 사미가 되다

경남 김해 정암사

대부분 사람은 불교를 자신도 모르게 유교나 도교의 관념에 묶어두는 경향이 있다. 이로써 비추어 본다면 도교의 도사(道士)나 상제(上帝)가 결혼하여 부인이 있다는 소리를 별로 들어보지 못했을 것이다. 그리고 도사 하면 나이가 많고 백발 수염에 지팡이를 짚고 있거나 부채를 들고 있는 모습으로 흔히 나타낸다. 그러기에 중국 불교도 여기에 물이 들어서 부처님은 당연히 결혼하지 않았다고 짐작하거나, 스님 하면 나이가 지긋하게 많거나, 아니면 도교의 선동(仙童)처럼 동자승을 떠올리게 된다. 그리고 부처님이나 수행자는 가족을 아주 멀리했다고 생각하지만, 사실 이와는 반대다. 부처님이 정각을 이루어 지금은 라자가하에 머물고 있다는 소식을 접한 카필라성에 있던 부왕 정반왕은 부처님이 싯다르타의 시절 친구인 칼로다인을 사신으로 보내 부처님을 초청하였다. 부처님께서 어느 날 제자들을 데리고 카필라성에 도착하였다는 소식에 정반왕은 숙소를 마련하여 주었지만, 부처님은 왕궁에 들어가지 아니하고 성 밖에 있는 니그로다 숲에 머무셨다. 다음 날 부처님께서 걸식을 위하여 제자들과 저자로 나갔다는 소식을 듣고 정반왕은 왕자의 신분이었던 부처님께 아주 분노하고 실망하였지만, 부처님은 오히려 탁발에 대해 설명하고 감화를 시키셨다.

부처님께서 왕궁으로 들어가 법을 설하시자 정반왕도 부처님께 귀의하였다. 그러나 출가 이전에 부처님의 아내였던 야수다라가 부처님의 설법을 듣지 못하여 크게 슬퍼한다는 소식을 듣고는 몇 명의 제자들과 함께 야수다라를 찾아가 진리를 설하여 주셨다. 그때 부처님의 아들인 라후라는 일곱 살이었다고 기록에는 전하고 있다.

라후라는 산스크리트어로 Rahula이며 음사하여 라후라(羅睺羅 · 羅吼羅 · 羅喉羅 · 囉侯囉), 라호라(羅護羅 · 羅護羅 · 囉怙羅), 갈라호라(曷羅怙羅), 하라고라(何羅怙羅), 라운(羅云.羅雲) 등으로 표현한다. 이를 한역하여 부장(覆障), 장월(障月), 집일(執日) 등으로 나타낸다. 라후라는 부처님과 부인인 야수다라 사이에서 태어난 아들이다.

석가모니 부처님만 결혼하셨을까? 이를 장아함경(長阿含經) 1권에 실려 있는 대본경(大本經)을 통하여 살펴보면 다음과 같다. 비바시 부처님께 아들이 있었으니 방응(方膺)이라 하고, 시기 부처님께 아들이 있었으니 무량이라 이름하고, 비사바 부처님께 아들이 있었으니 묘각(妙覺)이라 이름하며, 구류손 부처님께 아들이 있었으니 상승(上勝)이라 이름하고, 구나함 부처님께 아들이 있었으니 도사(導師)라고 이름하며, 가섭 부처님께 아들이 있었으니 집군(集軍)이라 이름하고, 지금 나에게 아들이 있으니 라후라(羅睺羅)라고 이름한다고 하셨다. 毗婆尸佛有子 名曰方膺 尸棄佛有子 名曰無量 毗舍婆佛有子 名曰妙覺 拘樓孫佛有子 名曰上勝 拘那含佛有子 名曰導師 迦葉佛有子 名曰集軍 今我有子 名曰羅睺羅

라후라의 태어난 시기와 그 이름에 대한 유래에 대해서는 경전마다 다양하게 나타나지만 분명한 것은 실존 인물이라는 점이다. 불본행집경(佛本行集經)의 라후라 인연품 그리고 중허마하제경(衆許摩訶帝經), 유부율(有部律) 등에는 태내(胎內)에 6년 동안 머물다가 부처님이 성도하시던 날 태어났다고 실려 있다. 불소행찬(佛所行讚)에는 부처님께서 출가하시기 전에 태어났다고 실려 있다. 또 불본행집경 권제55에는 출가하시기 2년 전에 태어났다는 설을 기록하고 있으며, 태자서응본기경(太子瑞應本起經)에는 결혼한 지 6년 뒤에 태어났다고 설하고 있으며, 그 외 결혼 후 10년 만에 태어났다는 설 등이 있다.

이름에 대해서도 라후라가 태어나던 날 월식이 있어 붙여진 이름이라 하기도 하며, 태내(胎內)에서 6년 동안 머물러 있었기에 가려져 있었다는 뜻으로 라후라(羅睺羅)로 하였다는 설도 있다. 또한 출가에 장애가 된다는 뜻으로 싯다르타가 붙인 이름이라는 설도 있다.

라후라는 언제 출가하였을까? 부처님께서 정각을 이루신 지 6년(혹은 7년)이 지나서 처음으로 고향을 순방하였는데 이때 부처님은 사리불을 화상(和尙)으로 목건련을 아사리(阿闍梨)로 하여 라후라를 출가시켰다. 그러나 나이가 아직 만 20세 전이라 정식으로 비구계는 받지 못하고 사미로서 출가하였는데 이로써 불교사에 처음으로 사미가 태어나는 효시(嚆矢)가 되었다. 참고로 불본행집경(佛本行集經)에는 15세에 출가를 하였다고 전한다.

라후라는 출가 후에도 웃음이 많고, 남을 비방하는 등 잘못을 자주 저지르고 거짓말을 하였으나 부처님께 호되게 꾸지람을 듣고는 발심하여 아라한과를 얻었다고 한다. 증일아함경(增壹阿含經)에서는 라후라는 계율을 어기지 아니하고 독송함에 있어 게으르지 아니하다고 하였다. 不毁禁戒 誦讀不懈 所謂羅雲比丘是

라후라는 부처님의 십대제자 가운데 한 분으로 밀행제일(密行第一)로 칭송받았다. 밀행이라는 말은 계율을 잘 지키는 것을 말한다. 유마의기(維摩義記)에 보면 라후라는 출가하여 웃음이 아주 많고, 입이 거칠었으며, 다른 사람들의 겉모습을 보고 희롱하였다. 어느 날 부처님께서 이를 보시고 계율로써 훈계하여 계율을 지킬 것을 약속받았다. 그로부터 라후라는 다른 사람을 비방하거나 성내는 것을 영원히 단절하였다. 그러자 부처님께서는 라후라의 인욕과 지계를 찬탄하며 밀행제일이라 하였다. 出家之後喜多暴口形名他人 佛於一時以法誡約 於斯永斷打罵不瞋 佛嘆其人忍辱持戒 密行第一

라후라는 사미 시절에 잠을 이기지 못하여 부처님이 사용하시던 변소에 숨어서 잠을 잤다는 일화가 있다. 이는 십송율(十誦律)에 실려 있다. 그러나 변소에는 뱀들이 살고 있었으므로 부처님은 삼매에 들어 라후라를 깨우고 말씀하시기를, 너는 빈궁하기 때문도 아니고 부귀를 잃었기 때문도 아니며 다만 도를 구하기 위하여 출가하였다면 마땅히 모든 고통을 감내해야 한다고 하셨는데 이를 라후라숙불측(羅睺羅宿佛厠)이라 한다.

라후라의 생모에 대해서는 여러 가지 이설이 있지만 여기서는 법화경과 대반열반경을 들어 소개하고자 한다. 법화경(法華經) 서품(序品)에 보면 라후라의 어머

니인 야수다라 비구니 또한 권속들과 더불어 앉아 있었다는 말씀이 있다. 羅睺羅母 耶輸多羅比丘尼 亦與眷屬俱

대반열반경(大般涅槃經) 4권에 보면 만약 부처님께서 이미 번뇌의 바다를 건너가셨으면 무슨 인연으로 다시 야수다라 부인과 함께 라후라를 낳으신 것이냐고 질문하는 말씀이 있다. 若佛已度煩惱海者 何緣復共耶輸陀羅生羅睺羅

또한 라후라는 부처님으로부터 수기를 받게 되는데 법화경(法華經) 수학무학인기품에 보면 그때 부처님은 라후라에게 말씀하시기를 너는 오는 세상에 부처가 되어 이름은 도칠보화여래 · 응공 · 정변지 · 명행족 · 선서 · 세간해 · 무상사 · 조어장부 · 천인사 · 불세존이라 할 것이라고 하셨다.

라후라 이외도 부처님은 이복형제인 난타를 불문에 귀의케 하였다. 그 후 부처님이 카필라성을 떠나시자 여섯 명의 다른 왕자들도 출가를 권청하였으니 그들의 이름은 바드리카, 아니룻다, 바구, 킴발라, 아난다, 데바닷타였다.

중본기경 마하파사파제 최초의 비구니가 되다

경남 김해 정암사

마하파사파제는 천비성(天臂城)을 다스리는 선각왕(善覺王)의 딸로 마하마야의 동생이다. 석가모니 부처님이 태어나신 지 7일 만에 마야부인이 돌아가시자 부처님의 어머니를 대신하여 부처님을 양육하였다.

태자서응본기경(太子瑞應本起經)에 보면 마야부인께서 태자를 출산하신 지 7일 만에 목숨을 다하였지만, 마야부인은 보살을 임신한 공덕이 실로 크기에 도리천에 태어났다고 밝히고 있다.

방광대장엄경(方廣大莊嚴經) 승족품(勝族品)에 보면 왕의 왕후는 마야이며 선각왕의 딸이다. 나이가 어렸으나 성숙하여 상호를 갖추었고 일찍이 아기를 낳아 기른 적이 없었으니 단정하기는 비교할 사람이 없고 자색(姿色)의 아름다움은 마치 그림과 같았다는 말씀이 있다. 王之聖后名曰摩耶 善覺王女 年少盛滿具足相好 未嘗孕育 端正無雙姿色姸美猶如彩畫

세월이 흘러 부처님께서 정각을 이룬 지 5년이 지나 부왕인 정반왕이 세상을 떠나자 마하파사파제는 야수다라와 석가족 여인 500명을 거느리고 부처님을 찾아가 출가하여 사문이 될 것을 청하였다. 중본기경(中本起經)에 보면 아난이 부처님 계신 곳을 찾아가 부처님께 예를 올린 다음에 간청하기를 저는 부처님께 여인들도 정진하면 사문의 사과(四果)를 얻을 수 있다고 들었습니다. 지금 대애도께서 지극한 마음으로 가르침과 계율을 받고자 한다고 사뢰었다. 그러니 대애도 부인의 출가를 허락하시어 사문의 길을 걷게 해 달라고 하였다. 그러자 부처님이 말씀하시기를 그만두어라. 여인들은 나의 가르침과 계율을 받아서 사문이 되는 것을 좋아하지 않는다. 비유하자면 족성의 가문에 여자가 많고 남자가 적으면 이 집이 쇠약해져서 크게 강성할 수 없는 것과 같다. 지금 여인들로 하여금 나의 가르침과 계율에 들어오게 하면 반드시 청정한 범행을 오래 유지할 수가 없으니, 마치 논에 벼를 심어 잘 익었으나 이슬이 많이 내리고 더운 날씨가 이어지면 좋은 열매를 얻을 수 없는 것과 같다. 그러기에 나의 가르침과 계율에 들어오게 하면 청정한 대도가 흥성하지 못할 것이다고 하시면서 아난의 청을 거절하였다.

부처님은 카필라성을 떠나 베살리국으로 가서 마하바나 승원(僧院)에 머무르셨다. 그러자 마하파사파제는 자신을 따르던 여인들과 함께 여러 날을 걸쳐서 부처님이 계신 곳에 도착하였다. 발은 부어올라 통증이 있었으며 여러 날을 지새우고 걸었기에 몸은 파리하였다. 그러나 부처님이 계신 승원을 보자 주체할 수 없는 감격의 눈물을 흘렸다. 이를 목격한 아난다가 그 이유를 묻자 마하파사파제는 오직 출가하기를 원하고 있었다. 이를 알고 아난다는 부처님을 만나 남자들과 마찬가지로 여인들도 출가할 수 있도록 자비를 베풀어 달라고 간청하였다. 그러나 부처님은 또 거절하였다.

그러자 아난다는 부처님께 다시 간청하기를 부처님이시여, 만약 여인들도 부처님의 가르침에 따라 수행한다면 니르바나를 얻을 수 있느냐고 여쭙자 부처님은 그들 역시 아라한과를 얻어 니르바나의 단계에 다다를 수 있다고 하셨다. 이에 아난다는 또다시 마하파사파제의 출가를 세 번이나 간청하였고, 부처님은 팔존중법(八尊重法)을 엄격하게 지킬 것을 설하시면서 출가를 허락하셨다. 팔존중법을 구역(舊譯)에서는 팔경법(八敬法)이라고 표현한다. 부처님으로부터 허락을 얻어낸 아난다는 마하파사파제에게 이러한 사실을 알려주었다. 이로써 교단에 최초의 비구니가 되었다. 아난다는 부처님과는 사촌지간이다. 물론 제바달다도 사촌이지만 품성은 정반대였다. 이에 대해서는 중본기경(中本起經) 제9 구담미래작비구니품(瞿曇彌來作比丘尼品)에 자세하게 언급되어 있다.

우리가 흔히 말하는 마하파사파제를 갖추어 말하면 마하파라사발제구담미(摩訶簸邏闍鉢提瞿曇彌)이다. 이를 산스크리트어로 나타내면 Mahaprajapati-Gotami이다. 음사하여 마하파사파제, 마하발랄사복지, 마하발랄사발지, 마하비야화제 등으로 표현한다. 또 이를 줄여 파사파제(波闍波提)로 거의 쓰임이 없고, 주로 마하파사파제로 쓰이며 다시 의역하여 대애도(大愛道), 대승생주(大勝生主), 대생주(大生主) 등으로 한역한다. 이외에도 파제부인, 대애도구담미, 구담미대애, 구담미 등으로 나타내기도 한다.

중아함경(中阿含經)에는 구담미경(瞿曇彌經)이 있는데 여기에 보면 마하파라사 발제구담미가 금실로 수놓은 가사를 부처님께 공양 올리는 내용이 있다. 하여튼 마하파사파제는 석가족 여인들을 이끌어서 출가해 열반에 들기까지 비구니 교단을 이끈 인물이다.

구사론기(俱舍論記) 14권에 보면 마하파사파제는 원래 범천왕(梵天王)의 이름으로 범천인 인간을 창조하기에 이로 말미암아 이 이름이 지어졌다는 말씀이 있다.

불교 교단에서 최초의 비구니가 된 마하파사파제는 나이가 많았음에도 항상 계율을 지켜 다른 비구니들의 모범이 되었다. 초기 경전에 따르면 부처님이 열반에 들기 전에 찾아가 먼저 열반에 들 것을 승낙받고 허공에 올라가 신변을 나타내고는 바이살리에서 열반에 들었다고 전한다.

대반니원경 순타(純陀)에게 최후의 공양을 받다

경북 영주 동천사

대반니원경(大般泥洹經) 권제1 장자순타품(長者純陀品)을 줄여서 순타후공(純陀後供)이라고 하며, 이는 순타가 부처님께 최후의 공양을 올렸다는 표현이다.

여러 대중 가운데 구이성(拘夷城)의 순타(純陀) 장자가 슬피 울면서 부처님, 저의 마지막 공양을 받아 주소서라며 청하였다. 부처님은 이를 수락하시며 순타야, 부처가 세상에 나는 것을 만나기는 매우 어려워서 마치 바닷가 모래 속에 하나의 금강알[金剛粟]과 같다. 인간의 몸을 얻기도 어려우며 또 이보다 어려운 것이 부처를 만나는 것이며, 신심을 갖추기도 또한 다시 어려우니, 마치 눈먼 거북이 뜬 나무 구멍 만나는 것과 같다. 여래께서 열반에 들려 할 때 마지막 공양을 올리는 보시바라밀을 만나기는 다시 저것들보다 어려우니, 우담발화(優曇鉢華)가 한 번 나타나는 때와 같다. 순타야, 여래가 길이 이 세상에 머물기를 청하지 말고 마땅히 세상이 모두 다 무상한 줄 관하여라. 일체행(一切行)의 성질도 무상할 뿐이라.

부처님께서 순타에게 말씀하셨다. 여래가 잠시 후 열반에 들 것이다. 네가 스님들께 공양 올리려는 것은 지금이 바로 때이다. 이처럼 두 번 세 번을 말하자 순타는 슬퍼서 소리를 높여 탄식하며 말했다. 어찌 이리 괴이합니까? 세상이 텅 비려 합니다. 여래께서 가시다니. 슬피 울부짖으며 눈물을 흘리면서 오래 머무시기를 애원하고 청했다.

순타야, 너는 울지 말고 스스로 마음을 어지럽게 하지 말라. 마땅히 바르게 사유하여 유위(有爲) 행법의 성품이 아지랑이와 같으며 파초와 꿈 · 허깨비 · 번갯불 · 굽지 않은 그릇과 같아 견실하지 않음을 관찰하여라. 함이 있는 것들은 재앙과 환난의 집인 줄 알아야 하느니라.

여래께서 세상에 계시지 않으려 하시니 세상이 텅 비는 것 같습니다. 저희가 어찌 울지 않을 수 있겠습니까? 나는 이 몸이 재앙과 환난이라는 게송을 말했으며, 물 위에 거품이 생겼다 없어지는 것과 같다고 말했느니라. 평범한 사람의 법과 같이 슬퍼하지 말라.

저는 진실로 부처님께서 방편으로 열반하심을 알겠습니다. 저는 짐짓 슬퍼하거나 괴로워하지 않겠습니다. 순타야, 너는 여래가 방편으로 열반함을 아는구나. 부처가 가는 길은 큰 바다를 건너는 것과 같아서 오래 살며, 오래 살지 못하며, 일어나는 법이며, 소멸하는 법이며, 허깨비 같은 법이며, 방편의 법이며, 때와 때 아니며, 성(性)이며 성 아닌 이러한 것들을 모두 건너버린 줄 알아야 하느니라.

그때 순타와 그의 권속들이 일체중생을 제도하기 위하여 부처님 발에 절하고 오른쪽으로 돌고 나서 향을 사르고 꽃을 흩어 부처님께 공양 올리고 아울러 음식을 마련하여 공양하고 그의 집으로 돌아갔다.

부처님의 마지막 가르침

제주 제주시 금붕사

부처님께서 카필라국 정반왕궁에서 태어나신 지 80년이고, 29세에 출가하셨으며 설산에서 6년 동안 고행을 하셨다. 그러다가 35세인 납월 초파일에 새벽녘 동쪽으로 떠오르는 샛별을 보시고 도를 이루신 후 46년 동안 설법하시어 중생 제도를 위해 온 힘을 다하셨다.

세존께서 어느 날 3개월 뒤에 열반에 들 것을 말씀하시자 아난이 몹시 슬퍼하거늘 세존께서는 '아난아! 마땅히 알라! 모든 행이 그러함이라.'고 말씀하셨다. 하루는 부처님이 발제하(히란야바티강)라는 물가에서 목욕을 마치시고 아난에게 이르시기를 '너는 나의 자마금색(紫磨金色)의 장엄함과 32상의 몸을 보라. 지금부터 석 달만 지나면 내가 열반에 들리라.'고 하셨다.

이때 아난이 부처님 열반 후 사리(舍利) 공양에 대한 의식을 여쭙자, '아난아, 내가 열반에 들어 다비하면 8섬 4말의 사리가 나올 것이니 이를 4등분해서 1분은 천상(天上)에, 용궁(龍宮)으로 1분을, 야차 세계에 1분을 보내고 염부제에 1분을 두라.'고 말씀하셨다. 열반에 드신 지 100년 만에 아육왕(阿育王)이 사리를 공양하기 위해 8만 4천 보탑을 조성하고 공양을 올렸다. 하루는 국왕에게 부촉하시고자 16개국의 왕과 바사익왕 등을 위하여 반야바라밀경을 설하시고 용왕에게 부촉하여 불법을 수호하여 단절됨이 없도록 하라는 부촉을 남기셨다. 세존께서 천상, 용궁, 국왕 등에게 부촉을 마치시고 구시나성 발제하 강가 사라쌍수 사이에 머무시었다. 이후 열반하실 때가 점점 다가오고 있었다.

그때 쿠시나가라국의 순타라는 장자가 최후의 공양을 받으실 것을 청하자 기꺼이 받으시고는 '순타야, 너무 슬퍼하지 말라. 이 세간에는 하나도 견고함이 없는 것이니 슬퍼하지 마라. 한갓 마음만 산란할 뿐이다.' 하시고 순타를 제도하셨다. 또한 부처님은 금강신으로 변화하여 나계범왕을 제도하시고 대원만다라니를 설하셨다. 열반에 이르러 제자들에게 내가 멸도 후에 계를 가진 자는 어두운 곳에서 등불을 얻음과 같고, 가난한 사람은 보배를 얻음과 같고, 계를 지키지 않는 자는 무량 세월을 나와 같이 있어도 아무 이익이 없을 것이다. 무릇 수행자는 오계와 삼계를 철저히 지켜야 할 것이다. 내가 임종에 이르러 너희들에게 당부하노니 가슴에 깊이 새겨들으라고 말씀하셨다.

- 장사를 하지 마라.
- 부동산을 하지 마라.
- 노비를 두지 마라.
- 축생을 기르지 마라.
- 재물을 멀리하라.
- 의원인 체 행세하지 마라.
- 점치지 마라.
- 세상일에 집착하지 마라.
- 중매하지 마라.
- 신분이 높은 이와 교제하려 하지 마라.

열반경후분 부처님의 마지막 제자 수발다라

경남 김해 정암사

수발다라(須跋陀羅)는 산스크리트어로 Subhadra를 음사한 표현이며 수발다(須跋陀)라 하기도 한다. 수발다라는 부처님의 마지막 제자이다. 외도의 무리를 따라다녔던 수발다라가 쿠시나가라에 머물렀을 때 부처님께서 사라쌍수 아래에서 곧 입멸한다는 소식을 듣고는 그동안 자신의 의문을 해결하기 위하여 부처님을 황급히 찾아가서 만나려고 하였다. 부처님의 제자 아난다(阿難陀) 등이 이를 거절하고 만류하면서 말하기를, 지금은 부처님께서 매우 피로하시니 돌아가라고 하였다. 수발다라가 계속 만나기를 요청하자 부처님은 이를 아시고 수발다라를 맞이하여 모든 의문을 눈 녹듯이 모두 해결해 주셨다. 이에 수발다라는 아라한과를 증득하였다. 크게 감동한 수발다라가 사문이 될 것을 간청하자 부처님은 이를 기꺼이 허락하셨다. 이때 수발다라 나이가 벌써 120세였다.

수발다라는 부처님이 열반에 드신다고 하자 너무 슬픈 나머지 자기 몸에 불을 붙여 스스로 다비하였으니 부처님보다 먼저 입멸하였다. 수발다라는 호현(好賢) 또는 선현(善賢)으로 한역한다.

선견율비바사(善見律毘婆娑) 1권에 보면 부처님께서 처음 성도를 하시고 녹야원에서 사제(四諦)의 법문을 설하였으며 최후로 설법하여 수발다라를 제도하셨다. 부처님은 해야 할 일을 모두 마치시고 구시나말라왕림의 사라쌍수(娑羅雙樹) 아래에서 2월 15일 동틀 무렵에 무여열반에 드셨다고 하였다. 說曰 律本初說 爾時 佛在毘蘭若 優波離爲說之首 時 集五百大比丘衆 何以故 如來初成道 於鹿野苑 轉四諦法輪 最後說法 度須跋陀羅 所應作者已訖 於俱尸那末羅王林娑羅雙樹間 二月十五日平旦時 入無餘涅槃

수발다라는 부처님이 열반에 드시기 전날 밤에 괴이한 꿈을 꾸고 부처님께 달려가 최후의 가르침을 받고 출가 득도하였다. 이를 수발다범지몽(須跋陀梵志夢)이라고 한다. 이에 대해서는 대지도론(大智度論) 3권에 잘 나와 있다.

대지도론에 보면 수발다범지는 120세에 오신통을 얻었으며 아나발달다 호숫가에 살고 있었다. 어느 날 밤 꿈에 모든 사람이 눈이 멀고 벌거벗은 채 암흑 속에서 있고 해는 떨어지고 땅은 깨지고 대해(大海)는 마르고 대풍(大風)이 불어와 수미산이 무너지는 악몽을 꾸었다. 이에 자신의 목숨이 다한 것인가 천지의 주인이 떨어지려고 하는 것인가 하고 두려움에 떨었다. 이때 이전부터 선지식이었던 신(神)이 하늘에서 내려와 수발다라에게 이는 부처님이 곧 입멸하시려는 징조라고 일러주었다. 수발다라는 곧 사라쌍수로 달려가 부처님을 친견하고 마지막 제자가 된 것이다.

부처님께서 열반(涅槃)에 드시다

전남 광주 증심사

그때 부처님은 사라쌍수 아래에서 '나는 지금 때가 이르렀다.' 말씀하시며 열반에 드시었으니 천상에서는 꽃비가 내렸다. 준비된 자리에서 붓다는 머리를 북쪽으로 두고 얼굴은 서쪽을 향하고 오른쪽 옆구리를 침상에 붙이신 채 발을 포개고 고요히 누우시자 양옆 두 그루의 사라나무에서는 때아닌 꽃이 피었으며, 사라 나뭇잎도 가장자리가 하얗게 변하여 마치 눈처럼 쏟아져 내렸다.

부처님께서 80세가 되시던 해 2월 15일 저녁에 사라수 두 그루가 있는 나무 그늘에서 제자들에게 '자등명(自燈明)하여 법등명(法燈明)하라.'는 마지막 말씀을 남기셨다. 열반에 드시자 금관(金棺)에 모시고 다비할 준비를 하고 기다리는데, 부처님 법을 이어받은 가섭존자가 포교를 나갔다가 부처님이 열반에 드신 지 무려 열흘이나 늦게 도착하였다. 그리하여 금관을 오른쪽으로 세 바퀴 돈 후, 부처님의 발 쪽의 관 아래로 오체투지하며 삼배로써 예를 올리자 부처님이 관 밖으로 두 발을 내어놓으셨다. 가섭존자가 그 부처님의 발에 예를 올린 후 입을 맞추어서 답례(答禮)했으니, 부처님의 마지막 말 없는 전법이셨다.

전남 광주 문빈정사

사라쌍수(沙羅雙樹)는 두 그루의 사라(沙羅)나무를 말하는 것이다. 부처님께서 열반에서 드실 때 이 사라수나무 아래에서 열반에 드셨으며 산스크리트어로는 살라(sala)라고 한다. 이는 '견고하다', '높고 멀다'라는 뜻이 있다. 한역하여 견고수(堅固樹) 또는 고원수(高遠樹)라 한다.

미얀마 인레 파옹도우(Phaungdawoo) 사원

여러 경전에 기록된 내용을 보면 부처님께서 쿠시나가라성 외곽 사라쌍수 아래에서 열반에 드실 때 그 침상 둘레의 사방으로 한 뿌리에서 줄기가 둘로 뻗어나

중국 돈황 유림굴(楡林窟) 제3호굴

가 자랐기에 사라쌍수라 한다고 하였다. 이들 네 쌍의 나무마다 한 쌍 가운데 한 그루는 슬픔으로 인하여 흰색으로 변하고 나뭇잎과 열매, 그리고 껍질 줄기 모두는 고사(枯死)하였는데 나머지 한 그루만 그대로 남아 있었다. 이 사라쌍수를 사고사영수(四枯四榮樹) 또는 비고비영수(非枯非榮樹)라 하기도 한다.

이를 다시 살펴보면 그대로 남은 나무와 말라 죽은 나무에 대하여 동방의 경우는 상(常)과 무상(無常), 서방의 경우는 아(我)와 무아(無我), 남방의 경우는 락(樂)과 무락(無樂), 북방의 경우는 정(淨)과 부정(不淨)을 비유하여 나타내고 있다.

또한 나무가 하얗게 말라 죽은 것이 마치 백학(白鶴)이 모여 있는 것과 같다고 하여 이 숲을 학림(鶴林)이라고 하였다. 여기에 대하여 대반열반경(大般涅槃經)에 보면 다음과 같은 말씀이 있다.

그때 구시나성 사라수림은 그 숲이 마치 흰 학처럼 하얗게 변했다. 爾時 拘尸那城沙羅樹林 其林變白 猶如白鶴

다비 후 사리(舍利)를 분배하다

전남 광주 증심사

세존의 입멸 후 쿠시나가라의 말라족들은 세존에게 향과 꽃으로 예배를 올리고 이런저런 준비로 하루를 보내고 다시 하루를 보내길 7일이 되었다. 그날은 말라족의 무리가 다비해야겠다고 마음을 먹고 힘센 말라족 남자 8명이 목욕하고 붓다의 관을 들고 다비할 장소로 옮겨갔다. 그러나 불이 붙지 않다가 마하가섭 존자가 500명의 제자를 거느리고 부처님의 관에 예배하자 저절로 불이 붙어 타올랐다.

다비가 끝나자 하늘에서 물이 쏟아져 남은 불을 끄고, 땅에서도 물이 솟구쳐 남은 불을 끄고, 말라족도 향유를 녹인 물로 남은 불을 껐다.

부처님의 몸에서 남은 성스러운 사리를 모아 병에 담아 놓고 말라족은 자신들의 공회당(公會堂)에 모셔 놓고 향과 꽃을 올리며 예배하였다. 그때 마가다국의 왕인 아자타삿투가 사신을 말라족에 보내 다음과 같은 말을 전하였다. 붓다는 크샤트리아 신분이었고, 나도 그와 같다. 나는 사리의 일부분을 받을 자격이 있다. 나는 사리탑을 우리나라에 세우고 공양을 올릴 것이니 우리나라로 보내라.

그때 붓다와 인연이 깊은 여덟 나라 왕들이 각각 붓다의 사리에 대하여 연고권을 주장하니 전쟁이 일어날 지경이었다. 그러자 도나 바라문이 여덟 등분으로 나누어 여러 곳에 탑을 세우면 온 세상 사람들이 불법을 믿게 될 거라며 중재(仲裁)를 하자 모두 받아들인다. 도나의 중재로 전쟁을 피하고 사리는 여덟 개 나라로 나누어지며 이들이 각각 탑을 세워 공양하게 된다. 도나는 중재한 덕택에 사리를 담은 병을 가지고 가서 탑(塔)을 세우고 늦게 도착한 핍팔리바나의 모리야족은 전단나무 재(灰)를 가지고 가서 탑을 세우니 세상에는 8개의 사리탑과 1개의 병탑(甁塔), 1개의 재탑(灰塔)이 생기는데 이것을 '근본팔탑(根本八塔)'이라 한다.

1. 마가다국 아자타삿투왕 - 라자그리하 탑.
2. 바이살리 릿차비족 - 바이살리 탑.
3. 카필라바스투 샤카족 - 카필라바스투 탑.
4. 알라캇파 부리족 - 알라캇파 탑.
5. 라마마을 콜리족 - 라마 탑.
6. 베타디파 바라문 - 베타디파 탑.
7. 파바마을 말리족 - 피바 탑.
8. 쿠시나가라 말라족 - 쿠시나가르 탑.

병(甁)탑, 재(灰)탑 각 1개.

도나 바라문, 사리를 담았던 항아리(甁) 탑 - 병탑(甁塔).

핍발리바나 모리야족이 가져간 다비한 전단나무 재(灰) 탑 - 회탑(灰塔).

경전을 결집(結集)하다

경남 양산 하북면 불광사

불교에 있어서 경전(經典)은 석가모니 부처님께서 깨달음을 얻으시고 난 후에 설하신 모든 말씀을 기록한 것을 말한다. 부처님의 말씀은 부처님께서 입멸하시고 난 후 처음에는 구전으로 전하여 오다가 제자들이 회의하여 아난(阿難)존자 등이 결집한 것으로 이를 경전이라고 한다.

왕사성 교외에 있는 칠엽굴(七葉窟)에서 행해진 결집은 문자로 이루어진 것이 아니라 부처님께 법문을 들은 제자들이 암송하여 전하고 또다시 그다음 제자에게 전하는 구전(口傳)의 형식이었다.

이후 제2차 경전 결집부터 문자화가 되었다. 결집이라고 하는 것은 합송(合誦)이라는 의미가 있다. 본래의 의미는 기억하고 있었던 부처님의 교법(教法)을 함께 소리 내어 암송한다는 것이었지만 후대에 이르러서는 성전을 편집하는 것을 의미하게 되었다.

제1 결집은 부처님 열반 후 가섭을 중심으로 하여 왕사성 칠엽굴에서 5백 대중이 모여 결집을 하였다. 이를 오백결집(五白結集) 또는 왕사성 결집이라 하기도 한다. 이때 아난이 교법을 독송하고, 우파리가 율법을 독송하면 다른 대중들이 모두 검토하여 이의가 없을 때 비로소 경전을 결집하였다.

제2 결집은 부처님 열반 후 100여 년경에 이루어졌으며, 불교는 진보파와 보수파로 양분되는 내홍을 겪었다. 이때의 결집을 칠백결집 또는 비사리결집이라고 한다.

제3 결집은 부처님 열반 후 330년경 아소카(阿育王)의 지원 아래 천인(千人)의 비구가 모여 마우리아왕조의 수도인 피탈라푸트라에서 행해진 결집이다. 이때 처음 논장(論藏)이 결집되었다. 이 결집을 흔히 일천결집(一千結集)이라고 한다.

제4 결집은 부처님 열반 후 600년경 건타라국(乾陀羅國)의 제3대 왕인 가니색가왕(迦膩色迦王)이 가습미라에서 5백 명의 비구를 모아서 협존자(脇尊者), 세우 등 두 스님을 상좌(上座)로 하여 삼장(三藏)을 결집하고 이에 주석을 붙였다. 이때 대비바사론(大毘婆沙論) 200권이 완성되었으므로 이를 두고 파사결집이라고 한다. 흔히 결집을 말할 때는 흔히 제3 결집까지를 말하나 제4 결집까지 나누는 경우도 있다. 제4 결집을 가습미라결집(迦濕彌羅結集)이라고 한다. 그러나 이는 자학파(自學派)의 권위를 높이기 위한 수단이라고 하여 일반적인 결집에서는 큰 의미가 없다고 주장하는 학자도 있다.

경전 속에 나타난

벽
화

법화경 비유품 화택유(火宅喩)

제주 제주시 문강사

법화경에서는 일곱 가지 비유를 들어 우리를 일승(一乘)으로 인도하고 있다. 이를 흔히 법화칠유(法華七喩)라고 한다. 일곱 가지 비유를 간략하게 살펴보자.

1. 화택비유(火宅譬喩): 불타는 집에서 놀고 있는 아이들을 그들이 좋아하는 물건

으로 구제를 한다. 이는 삼승(三乘)인 성문(聲門) · 독성(獨聖) · 보살(菩薩)을 말한다.

2. **궁자비유**(窮子比喩): 아들이 어려서 가출하여 아버지도 몰라본다. 그런 아들을 노동시켜가며 제 아들임을 밝혀 재산을 상속하는 비유다. 여기서 아들인 궁자는 이승(二乘)이며, 재물과 보배는 대승(大乘)임을 비유한다. 궁자는 빈궁한 자식이라는 뜻이다.

3. **약초비유**(藥草比喩): 같은 비를 맞으면서도 자라나는 크기가 각양각색이다. 부처가 되는 길도 각자의 근기와 노력에 따라 다르다는 비유다.

4. **화성비유**(化城比喩): 험난한 길을 따라 보물을 찾으러 떠나가는 이들이 중도에 포기할까 봐 환상의 성(城)을 만들어 고달픔을 잊게 하여 목적지에 도달하게 만든다는 비유다.

5. **의주비유**(衣珠比喩): 친한 친구가 소매 속에 값지고 귀한 보물을 넣어 두었지만, 그 사실을 모르고 가난하고 구차하게 살아간다는 비유다.

6. **정주비유**(頂珠比喩): 전륜성왕의 상투 속에 감추어져 있는 보석은 누구에게도 주어지지 않는다는 의미로 이는 세상 사람들이 법화경을 다 믿지 않는다는 비유다.

7. **의자비유**(醫子比喩): 독이 들어 있는 음식을 먹고 고통을 당하는 아이에게 약을 마시게 하는 방편을 비유한 것이다.

화택비유는 법화경 제3 비유품에 나오는 말씀이다. 어떤 나라의 한 마을에 장자가 살고 있었다. 그는 나이는 들었으나 재물이 한량없고 많은 전답과 더불어 가옥, 그리고 고용인과 시중들도 많았다. 그 집은 매우 크지만 이미 퇴락하고 대들보는 기울어졌는데 출입문은 하나밖에 없었다.

집안에는 장자의 아들들이 놀고 있었는데 갑자기 사면으로 동시에 불길이 일어서 순식간에 화마에 휩싸였다. 아이들은 노는 데 정신이 팔려 나오려고 하지 않았다. 장자는 큰소리로 집에 불이 났으니 빨리 나오라고 소리를 쳤지만, 아이들은 거들떠보지도 않았다. 그러자 장자는 이대로는 안 되겠다 싶어서 꾀를 내어 말하였다. 여기에 너희들이 좋아하는 장난감이 있으니 양이 끄는 수레, 사슴이 끄는 수레, 소가 끄는 수레가 있다. 그러니 빨리 나와서 장난감을 하나씩 가지라. 아이들은 장난감에 현혹되어 재빨리 뛰쳐나왔으므로 불길의 화를 면할 수가 있었다. 이것이 비유품에 나오는 화택유(火宅譬)의 줄거리다. 여기서 불난 집은 우리가 사

제주 서귀포 선덕사

는 세상을 말한다. 사바세계는 온전한 세상이 아니다. 불이 난 줄도 모르고 노는 데 정신이 팔린 상태인 철부지 아이들은 곧 우리들의 모습이다. 장자는 아버지라고도 표현을 하였으나 이는 부처님을 말하는 것이다.

세 가지 수레가 있다고 말한 것은 세 가지 방편이 있다는 말씀이다. 양이 끄는 수레인 양거(羊車)는 성문승을 비유함이며, 사슴이 끄는 수레인 녹거(鹿車)는 연각승을 비유함이며, 소가 끄는 수레인 우거(牛車)는 보살승을 비유함이다. 이러한 장난감은 어리석은 중생들을 깨달음으로 인도하려는 방편일 따름이며, 우리가 타야 할 수레는 대백우거(大白牛車)이다. 그러므로 이를 일승이라고 한다.

법화경 신해품 궁자유(窮子喩)

강원 동해 만리사

궁자비유는 법화경 제4 신해품에 나오는 비유다. 궁자(窮子)는 빈궁한 자식 혹은 가난한 아들이라는 뜻이다. 그러기에 여기서 궁(窮)이라는 뜻은 가난하다는 의미로 쓰인 글자다.

법화경 신해품에 보면 어떤 사람이 어린 시절에 아버지를 버리고 도망하여 다른 지방에서 오십여 년을 살았다. 그러다 나이는 들어가고 의식이 곤궁하여 먹을 것을 구하기 위해 이곳저곳을 돌아다니다가 우연히 고향으로 향하게 되었다. 하지만 정작 자신은 이곳이 자기 고향인지도 모르고 있었다.

빈궁한 아들이 이곳에서 품팔이를 구하고자 돌아다니자 아버지(장자)는 바로 그가 제 아들임을 알아차렸다. 그러나 아버지 집은 부유하여 재물이 넘쳐나고 노비와 시종, 그리고 청지기 등 많은 관리가 있었다. 이를 보고 아들은 그 위세에 눌려 두려운 마음이 생겨서 장자가 아버지인 줄도 모르고 그만 이곳을 부리나케 도망쳐 버리고 말았다.

장자는 다시 사람을 보내어 붙잡았으나 궁자는 더더욱 놀라서 기절을 하게 되자 그만 궁자를 놓아주고 말았다. 그리고 다시 집안의 하인 가운데 얼굴이 초췌하고 의복이 남루한 사람을 골라서 궁자를 뒤쫓게 해 유인하여 그들과 더불어 품팔이하도록 장자의 집으로 데려왔다. 그리고 궁자는 똥거름 치는 일을 하며 허름한 거처에 기거하였다.

이후 장자는 일부러 남루한 옷으로 갈아입고 궁자에게 접근하여 서로 일하면서 말하기를 그대는 항상 여기서만 일하고 다른 곳으로 가지 말도록 하여라. 그러면 임금도 차츰 올려 줄 것이고 먹을 것도 제공할 것이다. 그리고 나는 너의 아버지와 같으니 아무런 염려를 하지 말라고 하였다. 그러면서 장자는 궁자에게 다시 이름을 지어 주고 제 아들처럼 대했다. 궁자는 이러한 대우를 받는 것이 은근히 좋았으나 여전히 머슴살이를 자처하였다.

그러는 동안 세월이 흘러 궁자는 점점 관리인으로 성장하게 되었다. 장자는 임종에 이르러서 궁자와 더불어 친족 왕과 대신들을 불러놓고 말하기를 이 사람은 바로 예전에 잃어버린 나의 아들이니 지금 내가 소유하고 있는 모든 재산을 궁자에게 넘겨준다고 유언하였다.

여기서 궁자는 이승(二乘)에 비유함이며, 재물과 보배는 대승(大乘)을 말함이고, 장자는 곧 부처님을 비유하여 말함이다.

법화경 약초유품 약초유(藥草喩)

경남 김해 오륜사

법화경 제4품은 신해품(信解品)이다. 신해품 가운데 장자(長子)와 궁자(窮子)가 등장한다. 어떤 사람이 어린 시절에 아버지를 잃어버리고 다른 지방에서 곤궁하게 살다가 우연히 고향으로 향하게 되었다. 그는 의식주를 해결하기 위하여 일자리를 찾아다니다 어느 날 아버지가 사는 집에 들렀다. 그러나 자기 자신보다 훌륭한 의식주를 하는 것을 보고 두려워서 떠나야겠다는 생각을 굳히게 된다.

그때 부호인 장자는 사자좌에서 아들임을 알아보고 크게 기뻐하며 말하였다.

너는 내 아들이다. 창고에 있는 수많은 금은보화를 너에게 다 줄 것이다. 그러자 궁자는 놀라서 기절하고 만다. 그래서 장자는 시종을 시켜서 아들을 다시 유인하여 허드렛일을 시키게 된다. 그리고 궁자는 차츰차츰 장자가 아버지임을 알게 되고 재산을 물려받는다. 이것이 신해품의 큰 줄거리다. 이어서 제5품 약초유품이 이어진다. 부처님께서는 앞서서 궁자를 비유하면서 중생을 깨달음에 이르게 하고, 약초유품에는 초목이나 약초 등에 비유하여 성불에 이르게 한다. 하늘에서 한날한시에 다 같은 비가 내리지만, 초목과 약초들은 각기 다른 특성으로 인해 각각 다른 꽃을 피우고 다른 열매를 맺는다. 이처럼 부처님의 가르침은 한 맛으로 언제나 평등하고 차별이 없건만 중생들은 근기가 달라서 믿음과 이해의 정도에 차이가 있음을 내리는 비와 초목과 약초에 비유하여 설명하셨다.

佛平等說 如一味雨 隨衆生性 所受不同 如彼草木 所稟各異
불평등설 여일미우 수중생성 소수부동 여피초목 소품각이

부처님의 평등한 설법은
한날한시에 내리는 비와 같고
중생들이 성품에 따라서
받아들이는 것이 다른 것은
저 모든 초목이
각각 다르게 비를 맞는 것과 같으니라.

벽화의 내용은 법화경의 약초유품을 바탕으로 그려진 불화다. 하늘은 온통 먹구름이 뒤덮여 비가 내리기 시작한다. 만약 농부가 밭에서 씨를 뿌리고 있다면 다 같은 비를 맞아도 자라는 속도가 다를 것이다. 모든 것은 다 방편으로 비유를 하신 것이다. 부처님께서 가섭에게 이르시는 말씀을 읽어 보면 약초유품을 이해하는 데 한층 도움이 될 것이다.

가섭아, 비유컨대 삼천 대천세계 속의 산천, 계곡, 토지에 난 초목과 숲과 여러 약초, 그 종류 약간에다 이름이 각기 다르다고 해도, 짙은 구름 가득히 펴 삼천 대천세계를 덮어, 일시에 한가지로 비를 퍼부어서 그 적심이 두루 미치고 보면, 초목과 숲과 여러 약초의 작은 뿌리 · 작은 줄기 · 작은 가지 · 작은 잎과 중간 뿌리 · 중간 줄기 · 중간 가지 · 중간 잎과 큰 뿌리 · 큰 줄기에 큰 가지 · 큰 잎들과 크고 작은 여러 나무 상 · 중 · 하 등급에 따라 제가끔 비를 받아, 한 구름의 비를 그 종자에 각기 맞아 성장해 꽃이 피고 열매 여나니, 한 땅에 나며 한 비(雨)의 적시움을 받는다고 해도 여러 초목은 각각 차별이 있느니라.

법화경 화성유품 화성유(化城喩)

경남 김해 오륜사

법화경(法華經)에서 화성유품은 멀고도 험난한 길을 따라 보물을 찾으러 떠나가는 자들이 피곤하고 지쳐 있을 때 길을 인도하는 사람이 임시방편으로 변화하여 만든 성에 관한 비유다. 물론 이것은 방편법이다. 법화경은 일곱 가지 비유로써 우리에게 가르침을 준다. 그래서 법화칠유(法華七喩)라고 한다.

부처님은 참으로 자상한 분이시다. 낮은 근기를 가진 우리를 진리의 세계로 이끌기 위해 비유와 예를 들어 불국(佛國)으로 인도하시기 때문이다.

벽화에 나오는 화성유품(化城喻品)을 좀 더 살펴보자. 500유순이라는 길고도 먼 험난한 여정을 따라 보배가 있는 곳에 도달할 때쯤 대중들이 피로하고 지쳐서 중도에 포기하려고 한다. 그때 300유순이 되는 지점쯤에 임시로 하나의 성을 만들어 그곳에서 휴식을 취하게 하고 편안한 마음을 가지게 하여 목적지에 거의 다 도달했다는 마음을 일으키게 한다. 이후 대중을 이끌던 인도자는 임시로 만든 화성(化城)을 사라지게 하고 다시 목적지를 향해 출발하여 도달하게 된다.

중국 돈황 막고굴 제217호굴

여기서 화성(化城)이 나타내는 뜻은 무엇일까? 성문(聲門), 연각(緣覺)의 이승(二乘)을 말하는 것이다. 다시 말하면 이승은 믿음과 신심이 약한 자들이다. 그러므로 화성을 나타내어 목적지로 이끌게 하지만 화성은 참다운 열반의 장소가 아니다. 화성 역시 방편으로 베푸신 비유다.

世雄無等倫 百福自莊嚴 得無上智慧 願爲世間說

세웅무등륜 백복자장엄 득무상지혜 원위세간설

세상의 영웅이시며 짝할 사람 없으사
온갖 복으로 지혜를 장엄하시고
가장 높은 지혜를 얻으셨으니
세상 사람들을 위하여 법을 말씀해 주십시오.

度脫於我等 及諸衆生類 爲分別顯示 令得是智慧

도탈어아등 급제중생류 위분별현시 영득시지혜

저희와 모든 중생을 제도하여
해탈케 하시고
분별하여 보여주시며
지혜를 얻게 하십시오.

법화경 오백제자수기품 의주유(衣珠喩)

강원 동해 만리사

법화경 오백제자수기품에 보면 오백아라한이 부처님으로부터 수기를 받고 아주 크게 기뻐하는 장면이 있다. 이어서 비유하는 장면이 의리계주(衣裏繫珠)다.

세존이시여, 비유하자면 마치 어떤 사람이 친구의 집에 갔다가 술에 취해 누워

자는데 친구는 관청의 일로 길을 떠나게 되었습니다. 그래서 값을 치를 수 없는 보배를 친구 옷 속에 매어주고 갔습니다. 그 사람은 술에 취해 누워서 전혀 알지 못하였습니다. 깨어난 뒤에는 길을 떠나 다른 지방으로 두루 다니면서 의식(衣食)을 위하여 부지런히 애써 돈을 버느라고 갖은 고생을 하였습니다. 만약 조금이라도 소득이 있으면 곧 만족스럽게 생각하였습니다.

그 후에 친구가 그를 다시 만났습니다. 그리고 이렇게 말하였습니다. 애석하구나. 이 사람아, 어찌하여 의식을 구하기 위하여 이 지경이 되었는가? 내가 예전에 그대에게 편안하게 살면서 마음대로 오욕락(五慾樂)을 누리게 하려고 어느 해 어느 날에 값을 치를 수 없는 보배를 그대의 옷 속에 매어주지 않았던가. 지금도 그대로 있는데 그대가 알지 못하고 이렇게 고생하고 근심하면서 궁색한 생활을 하고 있으니 매우 어리석구나. 그대는 이제라도 이 보배를 팔아서 필요한 물품을 산다면 무엇이든 마음껏 할 수 있어서 부족함이 없으리라 하였습니다.

석가모니 부처님은 가섭을 통해서 이 모임에 없는 일체의 성문에게도 수기를 설하였으며 수기를 얻은 500명의 성문(聲聞)들이 환희용약(歡喜踊躍)하자 빈인계주(貧人繫珠)의 비유를 말씀하셨다.

여기서 궁핍하게 사는 친구가 무명 속에 갇혀서 허우적거리고 살고 있는 우리들의 모습이며, 잘살고 있는 친구는 바로 부처님이며, 소매 끝에 감추어 두었던 구슬은 바로 모든 중생이 가지고 있는 불성(佛性)이라는 보물로 그 사실을 인식하여 대승의 길로 나아가게 하려고 비유하신 것이다.

이러한 내용은 소매 속에 구슬을 감추어 두었다고 하여 의리계주(衣裏繫珠)라 하기도 하고, 가난한 사람에게 준 구슬이라고 하여 빈인계주(貧人繫珠)라 하기도 한다.

법화경 안락행품 계주유(髻珠喩)

강원 동해 만리사

계주비유는 법화경 안락행품(安樂行品)에 나오는 말씀의 내용이다. 법화칠유(法華七喩) 가운데 하나이며, 상투 가운데 있는 보배 구슬을 말한다. 부처님께서 문수보살에게 말씀하셨다. 어떤 힘이 센 전륜성왕이 위력으로 모든 제국을 토벌하면서 싸움에 공이 있는 자에게 상급(賞給)을 줌에 있어서 집과 전답, 마을을 주기도 하고, 또는 의복과 몸을 치장할 수 있는 것을 주기도 하며, 또는 가지가지 보물이나 코끼리, 말, 수레, 노비들을 주기도 하였다.

그러나 상투에 꽂아 놓은 밝은 구슬인 계명주(髻明珠)는 주지 아니하였다. 왜냐하면 이는 오직 전륜성왕의 정수리에만 있는 것으로 만일 이것을 주면 반드시 왕의 권속들이 놀라고 괴이하게 여기기 때문이다.

부처님께서 다시 문수보살에게 말씀하셨다. 여래도 그와 같아서 선정과 지혜의 힘으로 불법의 국토를 얻어 삼계의 왕이 되었는데 마왕들이 순종하여 항복하지 아니하면 여래의 현성(賢聖) 장군들이 함께 싸우나니 이에 공이 있는 자를 보고 기뻐하면서 사부대중에게 여러 경전을 설하며 마음을 기쁘게 해주고 선정, 해탈, 무루의 오근과 오력 등 모든 불법의 재물을 주기도 하였다.

또한 열반의 성(城)을 주어 멸도를 하였다 일러주어 그 마음을 인도하여 그들을 환희케 하되 이 법화경은 설하지 아니하였다. 문수보살이여, 전륜성왕의 모든 군병 가운데 큰 공이 있는 자를 보고 마음이 몹시 기뻐서 믿기 어려운 명주(明珠)를 오랫동안 상투 속에 두고서 함부로 사람들에게 주지 않다가 이제 선뜻 내어줌과 같으니 여래도 또한 이와 같으니라.

여래도 또한 그와 같아서 삼계의 대법왕으로서 정법으로 모든 중생을 교화하다가 현인 성인의 군사가 오음마(五陰魔), 번뇌마(煩惱魔), 사마(死魔)와 싸워서 큰 공을 세워서 삼독을 멸하고 삼계에서 벗어나 마군의 그물을 파(破)함을 보고 여래 또한 크게 환희하였느니라.

지금까지 법화경을 설하지 아니하였던 것은 세간의 중생들이 믿지 않았기 때문이다. 그러므로 법화경은 여래께서 베푸신 말씀 가운데 가장 뛰어난 말씀이니 맨 마지막에 설하는 것은 마치 힘이 센 전륜성왕이 오랫동안 간직했던 명주를 이제야 주는 것과 같은 것이라.

이는 일불승을 전륜성왕의 상투 속에 감추어진 계명주(髻明珠)에 비유하여서 좀처럼 내어주지 않다가 마지막에 내어주듯이 여래의 실상(實相)인 일불승의 비밀장(秘密藏)도 그와 같아서 함부로 내어놓지 아니하시다가 마지막에 법화경을 설하시는 것을 계명주에 비유한 설법이다.

법화경 여래수량품 의자유(醫子喩)

강원 동해 만리사

의사비유(醫師譬喩)는 법화경(法華經) 제16 여래수량품에 나오는 비유다. 여기에 보면 다음과 같은 말씀이 있다.

훌륭한 의사가 있는데 지혜가 있고 총명하여 약을 잘 지어 모든 병을 잘 치료하였느니라. 그리고 그 의사에게는 아들이 많아 열, 스물, 백이나 되었는데 볼일이 있어서 다른 나라에 갔다가 잘못하여 독약을 먹고 발작하여 정신이 없고 혼미하여 땅바닥에 뒹굴고 있었느니라.

여기서 양의(良醫)는 석가세존을 비유한 것이며, 의사의 자녀는 모두 이승의 제자인 중생들이다. 그리고 잘못 마신 독약이라고 하는 것은 탐진치(貪瞋癡) 삼독을 말하는 것이며, 좋은 약은 법화경을 비유한 것이다.

그러나 자식이 많다 보니 약을 받아먹는 자식이 있는가 하면 좋은 약을 받아먹지 않는 자식들도 있었다. 여기서 좋은 약을 받아먹은 자식들은 부처님 생존시 제자들이며, 명약(名藥)을 받아먹지 않은 아이들은 부처님 열반 이후의 중생들이다. 부처님께서 중생들을 위하여 방편으로 열반에 드셨다 함은 방편으로 열반상(涅槃相)을 보이신 것이다. 그리고 자식들이 명약을 받아먹고 병고에서 회복되었다는 것은 곧 부처님을 믿음으로 인하여 구원을 성취하였다는 비유다.

여래수량품을 보면 뛰어난 의사인 아버지만 믿고 약을 먹지 않는 자식들을 위하여 아버지는 방편으로 말하기를, 아버지는 타국에 가서 머물다가 죽었다고 전하라 한다. 그러면 자식들이 약을 먹는 것처럼 부처님께서도 방편으로 열반을 보이시지만 여래의 수량(壽量)은 한량이 없다는 것이다.

다만 여래는 중생들을 위하여 이 땅에 화신(化身)의 모습으로 오신 것이지 실상은 오고 감도 없는 것이다.

법화칠유(法華七喩)에 대해서 세친(世親) 스님은 묘법연화경우파제사(妙法蓮華經優波提舍)에서 일곱 가지의 증상만심(增上慢心)으로 해석해 밝히고 있다. 화택유(火宅喩)는 전도된 마음으로 모든 공덕을 구하는 증상만심이며, 궁자유(窮子喩)는 성문의 교설이 여래승과 차별 없이 한결같이 결정되어 있다고 하는 증상만심이며, 약초유(藥草喩)는 대승이 궁극적인 교설로 한결같이 결정되어 있다는 증상만심이며, 화성유(化城喩)는 실제로 없는 것을 있다고 말하는 증상만심이며, 의주유(衣珠喩)는 산란한 증상만심이며, 계주유(髻珠喩)는 실제로 공덕이 있다고 여기는 증상만심이며, 의자유(醫子喩)는 실제로 공덕이 없다고 여기는 증상만심으로 대치해 해석하였다.

법화경 법사품 착정유(鑿井喩)

제주 제주시 문강사

법화경 법사품(法師品)에 보면 어떤 사람이 고원(高原)에서 물을 구하기 위해 우물을 판다. 그 비유를 착정유(鑿井喩)라고 한다. 그러므로 여기에 관한 말씀을 경전을 통하여 살펴보면 다음과 같다.

약왕이여, 비유하자면 마치 어떤 사람이 목이 말라 물을 구하려고 저 높은 언덕에서 우물을 팔 적에 마른 흙이 나오는 것을 보고는 물이 아직 먼 줄을 아느니라. 땅 파기를 쉬지 아니하여 젖은 흙을 보게 되고, 점점 더 파서 진흙이 나오게 되면 마음속으로 물이 분명히 가까이 있는 줄을 아느니라. 보살도 또한 그와 같아서 만약 이 묘법연화경을 듣지도 못하고 이해하지도 못하고 닦아 익히지도 못한다면 마땅히 알아라. 이 사람은 최상의 깨달음에 이르기가 아직 멀었느니라. 藥王 譬如有人渴乏須水 於彼高原穿鑿求之 猶見乾土 知水尚遠 施功不已 轉見濕土 遂漸至泥 其心決定 知水必近 菩薩亦復如是 若未聞 未解 未能修習是法華經者 當知是人去阿耨多羅三藐三菩提尚遠 若得聞解

착정(鑿井)은 우물을 판다는 뜻이다. 그러므로 우물을 파 내려감에 있어서 깊이에 따라 마른 흙에서 젖은 흙으로 차츰차츰 바뀌면 조금만 더 내려가면 물이 있음을 알게 되는 것과 같이 수행에 있어서도 그러하면 곧 일승에 이르게 된다는 가르침이다.

다시 말하면 이와 같은 내용을 고원착정(高原鑿井)이라고 한다. 여기서 고원(高原)은 번뇌에 휘둘리고 얽어매인 범부중생을 말하고, 물은 불성(佛性)을 말함이다. 우물을 파도 마른 흙만 나오면 아직 멀었다는 것을 알고, 습기가 있는 흙이 나오면 물이 가까이 있는 것을 아는 것처럼 법화경을 받들고 펴는 사람은 성불이 가까워졌음을 알 수 있다는 내용이다.

착정비유는 법화칠유에는 포함되지 않지만, 법화경은 이외에도 약초유품에 나오는 맹인비유(盲人譬喩)와 종지용출품의 부소비유(父少譬喩)가 있다.

또한 착정유(鑿井喩)를 관문(觀門)의 입장에서 보면 고원은 중생의 마음이 모든 번뇌를 갖추고 있음을 말하고, 땅을 판다고 하는 것은 관지(觀智)를 수행하여 익히는 것을 말하고, 맑은 샘물을 얻는다고 하는 것은 진리를 깨닫는 것을 말함이다. 이를 다시 교문(教門)으로 본다면 흙은 경교(經教)를 말함이고, 물은 중도를 말함이다. 그러하니 법화경의 가르침이 중도를 나타내는 것은 흙이 물을 머금고 있는 것과 마찬가지라고 하였다.

삼장교(三藏教)의 가르침은 아직 중도를 나타내지 못함이니 고원의 마른 흙과 같고, 방등경(方等經) · 반야경(般若經)은 방편을 설하여 중도의 도리를 말씀하시니 축축한 진흙을 보는 것과 같고, 법화경의 가르침은 문사수(聞思修)로 인하여 중도를 깨닫게 하니 참으로 불성을 얻는 것과 같아 맑은 물을 얻는 것과 같다고 하였다.

화엄경에서는 십주(十住)보살이 지닌 혜신(慧身)은 남으로 인하여 깨닫는 것이 아니라고 하셨다. 十住菩薩 所有慧身 不由他悟

법화경 견보탑품(見寶塔品)

경남 양산 통도사

이 불화는 법화경 견보탑품(見寶塔品)을 바탕으로 보탑 안에 두 분의 부처님이 계시는 불화다. 법화경의 견보탑품을 토대로 하여 불국사 석가탑(釋迦塔)과 다보탑(多寶塔)이 세워졌다. 그러면 무슨 연유로 금당(金堂)을 중심으로 하여 쌍탑(雙塔)이 세워졌는가를 불자들은 알아둘 필요가 있다. 석가탑은 석가여래의 상주설법(常住說法)을 상징화하고, 다보탑은 상주증명(常住證明)을 상징화하여 두 개의 탑이 생겨나게 된 것이다.

견보탑품은 법화경 제11품이다. 다보여래가 보탑 속에서 큰소리를 내어 찬탄하기를 훌륭하여라, 훌륭하여라. 석가모니불 세존께서 평등한 큰 지혜로써 보살들을 가르치는 법이며, 부처님들이 호념하시는 묘법연화경을 대중들에게 말씀하십니다. 그렇습니다, 그렇습니다. 석가모니 세존께서 말씀하시는 것이 모두 진실입니다. 이는 다보여래가 석가여래의 설법을 증명하는 순간이다. 다보여래(多寶如來)는 동방보정세계(東方寶淨世界) 교주이시다. 다보여래는 석가모니 이전의 과거불로서 영원히 살아 있는 본체로서의 부처인 법신불이다. 다보여래가 보살로 있을 때, 내가 서원하기를 성불하여 멸도한 뒤에 시방세계에서 법화경을 설하는 곳에는 나의 보탑이 솟아나와 그 설법을 증명하리라 하였다. 그 후 석가여래가 영산회상에서 법화경을 설하실 때 땅속에서 다보여래의 탑이 솟아났으며, 그 탑 가운데서 소리가 나와 석가여래의 설법이 참됨이라고 증명하였다.

중국 감숙성 병령사(甘肅省 炳靈寺) 제169굴에 서진(西秦) 시대의 벽화가 있다. 이 벽화의 기문(記文)을 잘 살펴보면 왼쪽에는 다보여래, 오른쪽에는 석가모니불이라는 기문이 남아 있다. 그리고 두 분의 부처님은 보탑(寶塔) 안의 의자에 앉아 계시는 모습으로 그려져 있다.

우리나라에도 벽화는 아니지만 경북 군위군 군위읍 동부리 동림사(東林寺), 청주시 상당구 용암동 보살사(菩薩寺), 충북 괴산군 연풍면 원풍리에 있는 마애불에

중국 돈황 막고굴 제23호굴

도 다보여래와 석가여래가 병립(竝立)되어 있는 석불이 있다. 견보탑품은 법화경이 이 세상에 오래오래 남아 있어 우둔한 중생들이 이 경전을 믿고 수지하여 법화경을 유통하기를 간절하게 권하는 품이라 하여도 과언이 아니다.

若以大地 置足甲上 昇於梵天 亦未爲難
약이대지 치족갑상 승어범천 역미위난

佛滅度後 於惡世中 暫讀此經 是則爲難
불멸도후 어악세중 잠독차경 시즉위난

만일 누가 땅덩어리를 발톱 위에 올려놓고
범천까지 올라가기도 어려운 일이 아니지만

부처님이 열반한 뒤에 나쁜 세상 가운데서
이 경전을 잠깐 읽는 일 이것이 가장 어려우니라.

사람들은 살다가 어려우면 별의별 것에 다 의지한다. 나무를 믿고, 돌에 의지하고, 부적을 쓰고, 소금을 뿌리고, 별 해괴망측한 일들을 다 한다. 어렵고 힘들 때 위의 작은 게송 하나라도 신문지 쪼가리에 써서 다니며 보는 것이 진정한 호신불이다. 어려운 세상만 탓하지 말고 열심히 기도하자. 부처님 말씀을 대하는 순간 이미 무량한 큰 복을 받은 것이다.

경주 불국사에 가면 다보탑과 석가탑이 있다. 이 두 탑은 우리나라의 법화 신앙을 보여주는 대표적인 탑이다. 그러므로 불국사는 법화경 사상으로 지어진 도량이다.

법화경 제11품 견보탑품을 살펴보면 다보여래의 칠보탑이 땅속으로부터 솟아나 허공중에 머무르게 된다. 그때 부처님께서 이 칠보탑에 대한 다보여래의 숙원을 말씀하시고 시방에 분신(分身)한 모든 부처님을 모아 보탑을 열어 다보여래의 옆에 앉으시어 여래가 열반에 든 후 이 경을 지닌 사람의 공덕을 찬탄하게 된다. 게송 가운데 몇 구절을 살펴보면 다음과 같다.

其有能護 此經法者 則爲供養 我及多寶
기유능호 차경법자 즉위공양 아급다보

此多寶佛 處於寶塔 常遊十方 爲是經故
차다보불 처어보탑 상유시방 위시경고

누구든지 능히 이 경전을 보호하고 지키는 사람은

곧 석가모니와 다보여래에게 공양하는 것이다.
이 다보 부처님이 보탑 속에 계시면서
항상 시방에 다니시는 것은 이 법화경을 위해서이다.

亦復供養 諸來化佛 莊嚴光飾 諸世界者
역부공양 제래화불 장엄광식 제세계자

若說此經 則爲見我 多寶如來 及諸化佛
약설차경 즉위견아 다보여래 급제화불

또한 다시 여러 곳에서 온 화신 부처님의
광명으로 장엄한 여러 세계를 공양하기 위한 것이다.
만약에 이 법화경을 설하면 곧 나를 보는 것이 되고
다보여래와 석가여래의 화신 부처님을 보는 것이 된다.

견보탑품의 주된 내용은 '법화경은 참된 진리'라는 말씀이다. 견보탑품부터 제22품 촉루품까지는 허공에서의 설법으로 이어지게 된다. 그러므로 이것을 허공회(虛空會) 의식이라고 한다.

벽화를 하나하나 잘 살펴서 세밀하게 보면 참 흥미롭고, 지혜롭다는 생각이 저절로 든다. 요즈음은 이러한 불화를 만나기가 참으로 어렵다. 경전의 내용을 이해하지 못하는 화공이 손재주로만 그리는 경우가 많기 때문이다. 예전에는 불화를 그리는 스님인 화승(畵僧)이 있었지만, 지금은 거의 명맥만 이어가고 있는 실정이다. 다시 한번 불화를 찬찬히 보면 신심이 저절로 날 것이다.

법화경 보문품 풍랑을 만났을 때

전남 구례 연곡사

법화경 관세음보살보문품(觀世音菩薩普門品)을 줄여서 보문품(普門品) 혹은 관음경(觀音經)이라고 한다. 이 품(品)이 하나의 경전이라고 생각하는 이가 많을 정도로 우리에게는 아주 익숙한 보살이 바로 관세음보살이다. 우리나라 사찰 어디를 가든지 관세음보살이 없는 데가 없을 정도다. 관세음보살은 자비로 중생을 구제하여 왕생의 길로 인도하는 보살로 잘 알려져 있다. 관(觀)은 관자재(觀自在)한다는 말로 중생의 고통에 걸림 없이 자유자재하게 본다는 뜻이며, 보문(普門)은 널리 그 소리를 들어 부처의 길로 인도한다는 뜻이다.

보문품에 보면 무진의보살이 자리에서 일어나 부처님께 여쭈었다. 관세음보살은 무슨 이유로 관세음보살이라고 합니까! 이에 부처님께서는 중생들이 어렵고 힘들 때 관세음보살을 염불하면 관세음보살은 그 소리를 듣고 괴로움에서 구제를 할 것이라고 관세음보살의 위신력을 말씀하셨다. 그러시면서 아래와 같은 처지에 있으면서 일심으로 관세음보살을 부르는 자는 일곱 가지 재난에서 벗어나게 된다고 하셨다.

중국 감숙성 난주 병령사

1. 불 속에 갇히게 되었을 때.

2. 큰물에 떠내려가게 되었을 때.

3. 바다에 들어가서 폭풍우나 나찰을 만났을 때.

4. 나쁜 사람에게 해침을 당하려고 할 때.

5. 귀신들이 나를 괴롭힐 때.

6. 억울한 일을 당하였을 때.

7. 보배를 지니고 험난한 산길을 걸어갈 때.

관세음보살은 서른두 가지로 몸을 나투어 중생들을 제도하므로 32응신(應身)이라고 하며, 벽화에서 나타내는 내용을 보문품의 게송으로 보면 다음과 같다.

중국 돈황 막고굴 제45호굴

或漂或巨海 龍魚諸鬼難 念彼觀音力 波浪不能沒

혹표혹거해 룡어제귀난 염피관음력 파랑불능몰

혹 큰 바다에 빠져 떠내려가서

용과 고기와 귀신의 난을 만나더라도

관세음보살을 생각하는 거룩한 힘으로

파도가 빠트리지 못하게 되리라.

그러나 여기서 우리는 위 게송을 그냥 글로써만 읽으면 안 된다는 것을 기억해야 한다. 만약 삼천 대천세계에 도적이 가득 차 있다고 하자. 그리고 한 사람의 우두머리가 귀중한 보물을 가진 장사꾼을 데리고 험난한 길을 갈 때 그중에 한 사람이 이 같이 말한다. 여러분 무서워하지 말고 그대들은 일심으로 관세음보살의 이름을 부르시오. 그러면 능히 중생의 두려움을 없애 주며, 도적의 난에서 벗어날 수가 있습니다.

이 대목만 잠시 살펴보면 우두머리 상인(商人)은 곧 심왕(心王)을 비유한 것이며, 귀중한 보물은 다름 아닌 불성(佛性)을 지닌 것을 비유하는 방편의 표현이다. 그리고 험난한 길이란 곧 생사의 길을 비유하여 말하는 것이며, 도적은 마음속의 삼독을 포괄하여 표현하는 것이다. 그렇다면 진정으로 부처님이 우리에게 하고 싶은 말씀의 속심은 무엇일까? 이것을 알아차리는 것이 경전을 제대로 보는 것이다.

법화경 보문품 관세음보살 염불 공덕

경북 구미 자비사

법화경 제25 보문품에 나오는 내용이다. 무진의보살(無盡意菩薩)이 부처님께 여쭙기를 관세음보살은 무슨 인연으로 관세음이라고 부릅니까 하자, 부처님께서 말씀하시기를 만일 한량없는 백천 만억 중생들이 온갖 괴로움을 당할 적에 관세음보살의 이름을 듣고 일심으로 관세음보살을 일컬어 염불한다면 관세음보살이 곧 음성을 관하시어 살펴보시고 모든 괴로움에서 벗어나게 한다고 하셨다.

이어서 부처님께서 말씀하시기를 무진의보살이여! 관세음보살은 이와 같은 힘이 있느니라. 만약 어떤 중생들이라 할지라도 관세음보살을 공경하고 예배하면 그 복이 헛되지 아니하니라. 그러므로 중생들은 모두 관세음보살의 이름을 받아 지니라고 당부하셨다. 게송에 보면 다음과 같은 내용이 있다.

或在須彌峰 爲人所推墮 念彼觀音力 如日虛空住
혹재수미봉 위인소추타 염피관음력 여일허공주

혹여 수미산 봉우리에 서 있을 때
어떤 이가 밀어서 떨어트려도
관세음보살을 염송하는 거룩한 힘으로
해와 같이 허공중에 떠 있게 하리라.

或被惡人逐 墮落金剛山 念彼觀音力 不能損一毛
혹피악인축 타락금강산 염피관음력 불능손일모

혹여 어떤 흉악한 악인에게 쫓겨가다가
금강산에 떨어져 굴러내려도
관세음보살을 염송하는 거룩한 힘으로
털끝 하나 손상치 못하게 하리라.

여기서 금강산(金剛山)은 곧 철위산(鐵圍山)을 말한다. 철위산은 수미산을 중심으로 하여 가장 바깥쪽에 있는 쇠로 된 산이다. 고대 인도의 우주관에는 구산팔해(九山八海)가 있다고 여기고 있다. 수미산(須彌山) 위에는 도리천(忉利天)이 있으며 수미산 아래에 사주(四洲)가 있으니 동승신주(東勝身洲) · 서우화주(西牛貨洲) · 남섬부주(南贍部洲) · 북구로주(北俱盧洲)이다. 여기서 우리가 사는 곳은 남섬부주이며, 바다로 말하면 짠물이 있는 염수해(鹽水海)가 되는 것이다. 참고로 구산팔해는 다음과 같다.

구산(九山) : 수미산 · 지쌍산 · 지축산 · 첨목산 · 선견산 · 마이산
상이산 · 지산 · 철위산.

팔해(八海) : 수미해 · 지쌍해 · 지축해 · 첨목해 · 선견해 · 마이해
상이해[향수해] · 염수해.

법화경 보문품 화난(火難)에서 구제하시다

전남 구례 연곡사

법화경 제25 관세음보살보문품에서 칠난(七難) 가운데 첫 번째인 화난(火難)에 대한 말씀을 보면 다음과 같다.

假使興害意 推落大火坑 念彼觀音力 火坑變成池

가사흥해의 추락대화갱 염피관음력 화갱변성지

가령 어떤 사람이 해치려는 생각을 품고
불구덩이에 밀어서 떨어뜨려도
관세음보살을 생각하는 거룩한 힘으로
불구덩이는 연못으로 변하게 되리라.

화재의 재난은 관례로 세 가지를 제시하고 있다. 첫째는 과보의 불로 지옥 이상 초선(初禪) 이하는 다 기용(起用)을 논하고, 둘째는 악업의 불이니 지옥 이상 비상(非想) 이하는 다 기용을 논하고, 셋째는 번뇌의 불이니 지옥 이상 등각(等覺) 이하는 다 기용을 논하게 된다.

여기서 주목해야 될 것은 번뇌의 불이다. 천수경(千手經)에 보면 '아약향화탕 화탕자소멸(我若向火湯 火湯自消滅)'이라고 하였다. 여기서 불지옥은 성냄, 화냄, 열받고 뿔따귀 내고 하는 것을 비유한 것이다. 이는 곧 번뇌의 불이다.

중국 감숙성 난주 병령사

금강경(金剛經) 수달(須達) 장자

서울 종로구 조계사

불자라면 누구나 금강경을 한 번쯤은 봉독하였을 것이다. 법화경은 영축산에서 설법하셨지만, 금강경은 기원정사(祇園精舍)에서 설법하셨다. 기원정사를 다른 표현으로 기수급고독원(祈樹給孤獨園)이라고 한다. 이 기원정사는 부처님 재세시(在世時)에 가장 큰 사원이었다. 여기서 하나를 더 살펴보면 불교 최초의 사원은 죽림정사(竹林精舍)다.

그러면 기원정사가 세워진 배경 한 편을 살펴보자. 코살라국의 수도인 사위성(舍衛城) 밖에 있었는데 절이 지어진 연유가 참으로 감동적이다. 이 땅은 절이 지어지기 이전에는 파사익(波斯匿)왕의 태자인 기타(祇陀)가 소유하였던 원림(園林)이었다. 그 당시에 수달장자는 사원을 지을 터를 물색하다가 기타태자의 원림이 마음에 들어 태자에게 연유를 설명하고 이 땅을 사고 싶다고 하였으나 거절당하게 된다. 기타태자가 조건을 내세우기를 만약 장자가 이 땅을 사고 싶으면 돈도 필요가 없으니 땅 위에 모두 금을 깔아 덮으면 팔겠노라고 억지를 부리게 된다.

그러자 수달장자는 금을 사서 원림(園林)의 땅에 금을 깔기 시작한다. 이러한 장면을 지켜본 태자는 감동하여 그 땅과 원림을 기증하게 되어 절을 지었으므로 기수급고독원(祈樹給孤獨園)이라는 아란야(阿蘭若)가 생기게 되었다. 아란야는 '고요한 수행처'라는 뜻으로 곧 절을 말한다.

기수급고독원에서 기수(祈樹)는 기타태자의 원림이라는 뜻이고, 급고독원은 수달장자가 외롭고 불쌍한 사람들을 돌보는 자선 사업가이므로 함께 붙여진 이름이다. 이 일로 인하여 파사익왕도 부처님의 가르침에 귀의하게 된다. 앞의 벽화는 능엄경(楞嚴經)에도 나와 있는 부처님과 파사익왕이 대화하는 장면이다.

기원정사에서 부처님은 금강경(金剛經)을 말씀하셨다. 그리고 죽림정사(竹林精舍)는 중인도 마가다국에 있었던 불교 최초의 정사(精舍)다. 죽림정사는 가란타

(迦蘭陀) 장자(長者)가 소유하고 있던 죽림(竹林)을 보시하고, 마가다국 빈비사라 왕이 건립하여 부처님 교단에 보시한 사원이다.

이러한 내용은 현우경 수달기정사품(賢愚經 須達起精舍品)에도 나온다. 한때 부처님께서 왕사성 죽림원에 계실 때 사위국 파사익왕에게 수달이라는 대신이 있었다. 그는 큰 부호로서 가난하고 고독한 노인들에게 보시하기를 즐겨하였기 때문에 사람들은 그의 행실을 따라서 외로운 사람을 돕는 사람이라는 표현으로 급고독장자(給孤獨長子)라고 하였다.

중국 돈황 막고굴 제419호굴

수달장자는 아들 일곱이 있었다. 막내아들만 장가를 들지 못하여 혼처를 구하지 못하자 바라문들에게 말하기를 내 아들을 위하여 좋은 혼처를 구해보라고 하였다. 그러자 한 바라문이 좋은 처녀를 구하려고 행걸(行乞)을 하면서 왕사성에 이르렀다. 그때 성안에 호미(護彌)라는 장자가 있었는데 그 장자의 딸이 음식을 가지고 나와 바라문에게 공양을 올렸다.

그러자 바라문은 처녀의 아버지를 만나서 사위국왕의 대신임을 밝히고 수달장자에게 왕자가 있으니 장자의 딸이 혼인하여 줄 것을 청혼하여 허락받았다. 마침 사위국으로 가는 상인을 만나 자세한 내용의 편지를 써서 수달에게 전하였다. 이에 수달은 매우 기뻐하였다.

수달은 그날 밤 호미장자의 집에서 자게 되었는데 밖에서는 음식을 만들기 위해 상당히 부산하였다. 이에 궁금하여 생각하기를 저 많은 음식을 어디에 쓰려고 하는 것일까? 혹시 국왕이나 태자 아니면 대신을 초청하는 것일까, 아니면 혼인에 친척을 초청하는 것일까? 수달은 의문이 들어 여쭈었고 다름 아닌 부처님과 스님들을 청하기 위해 음식 만드는 것임을 알자 자신도 모르게 큰 환희심이 일어났다.

이어 호미장자는 부처님과 스님에 대해서 자세하게 설명하여 주었다. 그러자 수달은 부처님 전에 내가 절을 하나 지어서 보시하겠다고 맹세하였다. 수달은 집으로 돌아와 사리불과 함께 절 지을 자리를 물색하다가 좋은 자리를 보았다. 이 자리가 기타태자의 소유인지라 수달은 태자에게 나아가 이 땅을 사고 싶다고 하였으나 태자는 거절하였다. 수달은 계속 간청을 이어 나갔고 이에 태자가 말하였다. 이 동산에 황금을 깔면 그냥 동산을 주겠다. 수달은 곧 코끼리에 금을 싣고 와서 금을 깔기 시작하였고 이에 감동한 태자는 동산을 수달에게 보시하였다.

금강경 인욕선인(忍辱仙人)

경북 구미 자비사

과거세 석가모니 부처님께서 남인도 후단나국의 산중에서 인욕선인으로 수행 정진하고 계실 때 그 나라 국왕 가리왕(歌利王)이 후궁들과 함께 꽃구경을 나왔다. 점심을 먹고 나서 국왕은 노곤하여 이내 잠이 들게 되었다. 그러자 후궁들은 지천으로 널려 있는 꽃을 따라 배회하다가 산중에서 고요하게 선정에 잠긴 인욕선인을 발견하고 법을 청하여 설법을 듣게 되었다. 한참 후 잠에서 깨어난 가리왕은 자신의 주변에 아무도 없음을 알았다. 불같이 화를 내며 이곳저곳을 살펴 헤매다가 저 멀리서 후궁들이 어떤 수행자에게 법문을 듣고 있음을 발견하고 분노가 일어나서 성이 가득 난 목소리로 선인에게 물었다.

그대는 여기서 무엇을 하는 사람이냐? 저는 인욕을 수행하는 선인입니다. 보아하니 그대는 인욕이 아니라 나의 후궁을 모아놓고 떠벌리고 있으니 인욕이 아니라 탐욕을 닦고 있는 것이지 무슨 인욕을 수행한다고 하느냐. 내가 너의 인욕 수행을 시험해 볼 것이니 그래 얼마나 잘 참는가 두고 보자. 가리왕은 선인의 귀를 먼저 잘랐으나 선인은 두려워하지도 아니하고 성내지도 아니하며 또한 억지로 참는 기미도 보이지 않았다. 가리왕은 다시 분노하며 말하기를 이놈이 나를 무시하고 깔보는 놈이구나! 그러면서 두 팔과 두 다리, 그리고 코를 베어 버리면서 말하였다. 이놈아, 이래도 나를 원망하고 두려운 마음이 일어나지 않느냐? 선인이 말하기를 내가 본래 있지 아니하고 남 또한 없는데 무엇이 아프고 또한 누구를 원망하겠소.

그때 하늘에서 사천왕들이 모래와 돌 등을 던지자 그토록 잔악하던 가리왕도 하늘의 노여움이 두려워 무릎을 꿇고 진심으로 참회하였다. 선인이시여, 저의 참회를 부디 받아 주시오. 선인이 말하기를 왕이시여, 나에게는 탐욕도 노여움도 없습니다. 왕이 다시 말하기를 선인의 그 마음을 저희가 어찌 알 수 있겠습니까. 이에 선인이 말하기를 만일 나의 마음이 참되고 진실하여 거짓이 없다면 나의 잘린 손발과 귀와 코가 스스로 본래대로 붙을 것입니다. 그 말이 끝나자마자 모든 것이 제자리에 붙게 되자 왕은 더욱 참회하였고 후궁들은 더 깊이 선인에게 귀의하였다.

금강경(金剛經) 제14 이상적멸분(離相寂滅分)에 여래께서 말씀하셨다.

수보리야, 인욕바라밀도 여래는 말하기를 인욕바라밀이 아니고 그 이름이 다만 인욕바라밀이라고 한다. 왜냐하면 수보리야, 내가 옛적에 가리왕에게 몸을 베이고 찢길 적에 내가 그때는 나라는 상이 없었으며, 남이라는 상도 없었으며, 중생이라는 상도 없었으며, 수명에 대한 상도 없었느니라.

왜냐하면 수보리야, 내가 옛날 팔과 다리가 마디마디 찢어지고 무너질 때 그때 만약 나에게 아상 · 인상 · 중생상 · 수자상이 있었더라면 성내고 원망하는 마음이 생겼을 것이기 때문이니라. 수보리야, 여래가 과거 오백생(五百生) 동안 인욕선인으로 있을 때를 생각해 보니 저세상에서도 아상 · 인상 · 중생상 · 수자상이 없었느니라.

아육왕경 흙을 보시한 어린이

전북 군산 은적사

흙장난하고 놀던 어린아이들이 부처님께 흙을 쌀로 생각하고 보시하자 부처님께서 이것을 기꺼이 받으시어 탑으로 바꾸는 벽화이다. 우리나라 양산 통도사 팔상전의 벽화인 녹원전법상(鹿苑轉法相)에도 이러한 내용이 아주 작게 그려져 있다. 그렇다면 이 불화는 어느 경을 근거하여 벽화로 나타내었을까? 우리에게는 조금 생소한 잡아함경 가운데에 있는 아육왕경(阿育王經)이다. 아육왕(阿育王)은 전생에 부처님께 흙을 보시한 인연으로 후세에 왕으로 태어나는 과보를 받았다. 아육왕경(阿育王經)을 살펴보자.

옛날 부처님께서 세간에 계실 적에 모든 비구와 아난에게 앞뒤로 둘러싸인 채 왕사성(王舍城)에 들어가서 걸식하고 계셨다. 거리 안에 이르러서 어린 두 아이를 만났는데 한 아이의 이름은 덕승(德勝)이요, 또 한 아이의 이름은 무승(無勝)이었다. 흙을 만지면서 장난하고 놀았는데 흙으로 성(城)과 집, 그리고 창고를 만들어 놓고는 흙을 곡물가루라 하면서 창고 안에 넣었다. 이 두 아이는 부처님의 상호와 금빛 광명이 성안을 두루 비추는 것을 보았는데, 그중 덕승이 기뻐하면서 창고 안에 있는 흙 한 움큼을 집어 곡물가루라 하면서 세존께 바치며 원을 세웠다. 오는 세상에는 제가 천지를 덮을 만큼 널리 공양을 베풀게 하소서!

이렇게 선근(善根)을 발원한 공덕으로 부처님께서 열반하신 지 1백년 후에 전륜왕으로 염부제의 왕이 되었는데 화씨성(華氏城)에 살면서 바른 법으로 세간을 다스리니 그 이름이 아수가왕(阿輸迦王)이었다. 그는 부처님의 사리를 나누어서 8만 4천의 보배탑을 만들었으며 돈독한 신심으로 항상 스님들을 궁중에 청하여 공양하였다. 아육왕은 아소카왕을 한역하여 나타낸 표현이다.

우리나라 사원의 벽화는 주로 대승경전이나 선(禪)을 주된 내용으로 삼았다. 그러므로 이러한 벽화는 아주 보기가 힘든 벽화다. 모든 경전은 보시를 강조하고 있다. 힘든 가족에게 건네는 따뜻한 말 한마디도 보시이며, 내 집 앞 골목을 빗자루로 청소하는 것도 보시이다. 보시는 남을 즐겁게 하고 나로 하여금 기쁘게 하는 것이다.

참고로 대장엄론경(大莊嚴論經) 제4권에 보면 걸식하던 어떤 여인이 주암산(晝闇山)에 이르러 사원에서 반차회(般遮會)가 열리는 것을 보고 보시하고 싶었으나 가진 것이 전혀 없었다. 그러다가 생각해 보니 먼젓번에 분뇨 더미에서 동전 두 닢을 주운 생각이 나서 이를 여러 스님들께 보시하였다. 그러자 대중 가운데 아라한과를 얻은 어느 스님이 이 여인의 마음을 알아보고 주원(呪願)을 해 주었다는 말씀이 있다. 여기에 나오는 게송을 보면 다음과 같다.

所施物雖小 心意勝廣大 以是故未來 得報亦無量
소시물수소 심의승광대 이시고미래 득보역무량

보시하는 물건이 비록 적더라도 마음이 수승하고 광대하다면 그 마음 때문에 미래세에는 무량한 과보를 받을 것이니, 저 아수가왕(阿輸迦王)이 청정한 마음으로 흙을 보시함과 같고 또한 사위성(舍衛城)의 가난하고 천한 계급의 여인이 쌀뜨물을 가섭에게 보시함과도 같아서 흙을 보시하여 국토를 얻었고 쌀뜨물을 보시하여 천상의 쾌락을 받았네.

증일아함경 가섭전의(迦葉傳衣)

경북 김천 계림사

가섭존자가 부처님으로부터 가사(袈裟)를 받은 뒤 계족산(雞足山)에서 입적할 때 그 가사를 미륵 부처님께 전하기로 했다는 말씀을 나타낸 벽화다. 이를 가섭전의(迦葉傳衣)라 하기도 하고 가섭전의미륵(迦葉傳衣彌勒) 또는 계족수의(雞足守衣)라 하기도 한다.

계족산은 중인도 마가다국의 가야 지방 북동쪽에 있는 산이다. 이 산에는 세 개의 봉우리가 있는데 마치 닭의 발톱처럼 생겼다고 하여 붙여진 이름이며 현재의 이름은 쿨키하르이다.

부처님의 십대제자 가운데 한 명인 가섭존자가 미륵불이 출현할 때까지 수행하다가 미륵불이 출현하면 부처님의 금란가사를 전해 주라는 부처님의 부촉을 받고 입정하여 미륵불을 기다리고 있는 산이다.

아육왕전(阿育王傳)에 보면 부처님의 상수제자인 마하가섭이 이곳에서 부처님의 의발을 지키면서 미륵이 이 땅에 오기를 기다린다고 하였다. 그래서 이를 계족수의(雞足守衣)라 하기도 한다. 이러한 말씀은 유부율잡사(有部律雜事), 대당서역기(大唐西域記), 경덕전등록(景德傳燈錄), 증일아함경(增壹阿含經), 대지도론(大智度論), 부법장인연전(付法藏因緣傳) 등에도 다양하게 나타나고 있다.

증일아함경(增壹阿含經)에 보면 다음과 같은 말씀이 있다.

그때 미륵 부처님은 가섭의 승가리를 받을 것이며, 그 순간 가섭의 몸은 별처럼 홀연히 흩어질 것이다. 그러면 미륵 부처님은 갖가지 향과 꽃으로 가섭을 공양할 것이다. 왜냐하면 모든 부처님은 바른 법을 공경하는 마음을 가졌기 때문이다. 미륵 부처님 역시 내게서 바른 법의 교화를 받아 위없이 바르고 참된 깨달음을 이루었기 때문이니라. 彌勒如來當取迦葉僧伽梨著之 是時 迦葉身體奄然星散 是時 彌勒復取種種香華 供養迦葉 所以然者 諸佛世尊有恭敬心於正法故 彌勒亦由我所受正法化 得成無上正眞之道

경덕전등록(景德傳燈錄)에도 다음과 같은 말씀이 있다.

부처님께서 가섭에게 이르기를 나에게 정법안장(正法眼藏)이 있으니 너에게 부촉하노라. 너는 이것을 끊어짐이 없도록 하여라. 그리고 금실로 짠 승가리를 전해주셨다. 이에 가섭이 승가리를 받아서 계족산에 들어감에 그 산이 합쳐 몸을 숨겨주니 미륵 부처님이 하생함을 기다려 이 법을 전하여 부촉하기 위해서 기다리는 것이다. 佛告迦葉 吾有正法眼藏 分付於汝 汝可流布 無令斷絕 仍授金縷僧伽梨衣 入雞足山 其山乃合藏身 候彌勒佛下生傳付也

부산 강서구 흥국사

불교에서는 이 몸은 죽어서 없어지지만 과보에 따라 다음 생이 결정된다고 믿고 있다. 과보의 결과는 선악(善惡)의 차이로 결정지어지는데 이것을 인과(因果)라고 한다. 이러한 생각에서 사후 심판받는다는 사상이 나오게 된다. 이는 장생불사를 믿는 중국의 도교 사상에서 시왕 신앙이 이루어지게 되지만 정작 불교하고는 아무런 관련이 없는 신앙이다. 시왕 신앙은 당나라 대성자사(大聖慈寺)에 머무르던 장천(藏川) 스님이 찬술한 예수시왕생칠경(預修十王生七經)에 그 근거를 두고 있지만 이건 어디까지나 위경이다. 그리고 시왕 사상은 도교의 옥력보초(玉歷寶鈔)라는 책에서 출발한다. 지장과 시왕은 어디까지나 별개이지 하나가 아니다.

시왕(十王)은 명부(冥府)에서 망자의 행업을 심판하는 열 명의 왕을 말한다. 이를 순서대로 나열해 보면 제1 진광대왕(秦廣大王), 제2 초강대왕(初江大王), 제3 송제대왕(宋帝大王), 제4 오관대왕(五官大王), 제5 염라대왕(閻羅大王), 제6 변성대왕(變成大王), 제7 태산대왕(泰山大王), 제8 평등대왕(平等大王), 제9 도시대왕(都市大王), 제10 오도전륜대왕(五道轉輪大王) 등이다. 여기서 대왕은 시왕을 또다시 격상시켜 부르는 표현이다. 이를 예로 들어보면 진광왕(秦廣王)을 격상시켜서 진광대왕이라고 부르는 것이다.

이러한 시왕 사상은 동아시아에 포괄적으로 넓게 펼쳐진 명부신앙 사상과 불교의 윤회관(輪迴觀)이 서로 결합하여 만들어진 사상이다. 그러므로 시왕은 신앙의 대상이 아니다.

제1전 진광대왕(秦廣大王)

경북 칠곡 송림사

진광대왕(秦廣大王)은 지옥의 첫 번째 재판관으로 십전(十殿) 가운데 제1전(殿)의 대왕이다. 진광대왕이 주로 맡은 임무는 남의 생명을 해쳤는가에 대한 여부를 판단하여 천당으로 보내거나 재판관에게 넘긴다. 재판관에게 넘기는 이유는 억울한 사람을 구제하기 위함도 있지만 극악무도한 인간들은 여죄를 추궁하기 위해서다. 위경(僞經)인 시왕경(十王經)에서는 진광대왕을 부동명왕(不動明王)에 대비하고 있다.

진광대왕이 다스리는 지옥은 도산지옥(刀山地獄)이라 하는 칼산 지옥이다. 나쁜 짓을 한 사람은 일단 도산지옥을 거쳐서 다음 재판관으로 넘어가는데 옥졸들에 의하여 지은 죄에 따라서 갖은 고통을 당하게 되는 지옥이다. 세기경(世紀經)에는 상(想)지옥에 사는 중생들은 해칠 생각을 가지고 부딪치면 손에 저절로 도검이 잡힌다. 그 칼날은 날카로워 서로 찌르고 베며 피부는 벗겨지고 살은 찢어져 몸이 조각나 땅에 떨어진다. 이러기를 헤아릴 수 없이 반복한다고 하였다.

산보집(刪補集)에서 진광대왕의 가영(歌詠)은 다음과 같다.

普天寒氣振陰綱 正令全提第一場
보천한기진음강 정령전제제일장

鍛鐵錬金重下手 始知良匠意難量
단철간금중하수 시지양장의난량

드넓은 하늘의 싸늘한 기운은 음계(陰界)에 그 기강 떨치고
바르게 명령하여 제일 도량을 제시하시네.
쇠를 단련하여 금을 만들려고 거듭 손을 쓰시기에
비로소 알겠도다, 솜씨 좋은 장인의 뜻을 헤아리기가 어렵다는 것을.

제2전 초강대왕(初江大王)

경북 칠곡 송림사

죽은 자가 이칠일(14일) 만에 만난다는 두 번째 명부(冥府) 대왕을 초강대왕이라고 한다. 초강대왕 옆에는 신장(神將)들이 있는데, 왼쪽에 있는 대산부군(大山府君)은 모든 사람의 죄업을 기록한 것을 가지고 있으며, 오른쪽은 흑암천녀(黑暗天女)라고 하는데 모든 선행의 기록을 가지고 있다고 한다. 화탕지옥(火蕩地獄)은 초강대왕이 다스리는 지옥으로 불과 끓는 물 지옥이다. 옥졸들은 죄인들을 펄펄 끓는 물 속에 집어넣는다. 시왕경에서는 초강대왕을 석가여래에 대비하고 있다.

이러한 상황을 세기경(世紀經) 지옥품에서 보면 일동복(一銅鍑) 지옥에 이른다. 그 지옥에 이르면 옥졸들은 눈을 부릅뜨고 죄인의 발을 잡아 가마솥에 거꾸로 던진다. 끓는 물 따라 위아래로 오르락내리락하면서 솥에서 몸이 문드러진다. 이는 마치 콩을 삶을 때 물이 끓어오르는 것처럼 용솟음치는데 죄인의 몸도 끓는 물 속에서 이렇게 된다. 슬피 울며 통곡하지만 남은 죄가 아직 다하지 않아 죽지는 않는다.

산보집(刪補集)에서 초강대왕의 가영(歌詠)은 다음과 같다.

沃焦山作陷人機 上下烘窰火四支

옥초산작함인기 상하홍요화사지

忍見忍聞經幾刼 外威還似不慈悲

인견인문경기겁 외위환사불자비

옥초산(沃焦山)은 사람을 빠뜨리는 실마리가 되니
위아래 이글대는 활활 타는 가마에 사지를 태우는구나.
차마 보고 듣지 못 할 일이 몇 겁이던가?
바깥에 위엄 있어 도리어 자비하지 못한 듯하네.

제3전 송제대왕(宋帝大王)

경북 칠곡 송림사

시왕 가운데 세 번째 왕은 송제대왕(宋帝大王)이며, 사음한 죄를 다스린다. 큰 바다 밑 동남쪽 옥초석(沃焦石) 아래에 있는 흑승지옥(黑繩地獄)을 관장한다. 사람이 죽어서 삼칠일(21일)이 되면 송제대왕 앞에서 자신의 지은 바 업에 대한 판결을 받는데 악한 고양이 떼가 모여들고 커다란 뱀이 나와 사람의 유방을 가르고 또한 뱀은 그 몸을 칭칭 감아서 고통을 준다고 한다. 시왕경에는 송제대왕을 문수보살에 대비하고 있다.

장아함경에는 한빙(寒氷)지옥은 가로 세로가 각각 500유순이다. 죄인이 들어가면 찬바람이 크게 일어나 그 몸에 불어닥치고 온몸이 얼고 터져 가죽과 살이 떨어져 나간다. 고통과 쓰라림으로 울부짖다가 그 뒤에 목숨을 마치게 된다고 하였다. 지장보살발심인연시왕경(地藏菩薩發心因緣十王經)에서는 두 번째 강 언덕 위의 관청 앞에서 악한 고양이 떼가 모여들고 커다란 뱀이 나와서 죽은 사람의 유방을 가르고 몸을 칭칭 감을 때 염마왕의 시자가 죽은 사람을 꾸짖는다고 하였다.

산보집(刪補集)에서 송제대왕의 가영(歌詠)은 다음과 같다.

四面刀山萬仞危 突然狂漢透重圍
사면도산만인위 돌연광한투중위

丈夫不在羅籠裡 但向人間辨是非
장부부재나롱리 단향인간변시비

사면의 칼산이 만 길 절벽 이루었고
돌연히 미친놈이 겹겹의 포위망을 뚫네.
장부는 그물 속에 갇혀 있지 않고
다만 사람과 하늘 향해 옳고 그름을 가려내네.

제4전 오관대왕(五官大王)

경북 칠곡 송림사

오관대왕은 명부에서 다섯 가지 형벌을 주관하는 대왕으로 죽은 자의 네 번째인 28일 만에 만나는 대왕이며 검수지옥(劍樹地獄)을 관장한다. 오관대왕도 원래는 도교 안의 인물로 염라대왕 밑에서 지옥의 여러 일을 맡아보았으나 후에 불교 체계 안에 흡수되어 시왕 중 네 번째 왕이 되었다고 한다. 시왕경(十王經)에서는 오관대왕을 보현보살에 대비하고 있다.

오관대왕은 저울을 가지고 죄인을 문초(問招)하는데 저울은 죄인의 죄업을 근량(斤量)하기 위함이다. 이 저울을 업칭(業秤)이라고 한다. 망자가 저울에 올라서면 생전에 지은 죄업과 공덕이 고스란히 저울질당하기 때문에 죄인들이 다음으로 갈 곳이 육도 가운데 어디일지 어느 정도 드러난다고 말하고 있다.

장아함경(長阿含經) 제19 세기경(世紀經) 지옥품에서 보면 죄인은 잿물에 데고 날카로운 가시에 찔리고 구리물을 마시고 승냥이에게 먹힌 뒤에는 곧바로 달려가 칼나무를 올라간다. 칼나무를 올라갈 때는 칼날이 밑으로 향하고 칼나무에서 내려올 때는 칼날이 위로 향하므로 손으로 잡으면 손이 끊어지고 발로 밟으면 발이 끊어진다. 칼날은 몸을 찔러 안팎을 꿰뚫어 가죽과 살이 떨어지고 고름과 피가 흘러나와 마침내는 백골과 힘줄만 남아서 서로 이어져 있게 된다. 그때 칼나무 위에 철취충(鐵嘴蟲)이 있어 그의 머리뼈를 깨트려 골수를 뽑아 먹는다. 고통과 쓰라림에 울부짖지만, 아직 죄가 다하지 않아 죽지는 않는다.

산보집(刪補集)에서 오관대왕의 가영(歌詠)은 다음과 같다.

淸白家風直似衡 豈隨高下落人情
청백가풍직사형 기수고하낙인정

秤頭不許蒼蠅坐 些子傾時失正平
칭두불허창승좌 사자경시실정평

오관왕의 청백한 가풍은 치우치지 않기에 저울 같은데
어찌 지위가 높고 낮음이 인정에 따르겠는가?
저울 머리에는 파리가 앉는 것도 허락하지 않으니
조금이라도 기울어지면 정평(正平)을 잃어버리기 때문이네.

칭두(秤頭)는 저울 머리를, 창승(蒼蠅)은 파리를 말하므로 여기서는 보잘것없는 하찮은 것을 말하여 오관대왕의 청백가풍(淸白家風)을 비유하고 있다.

제5전 염라대왕(閻羅大王)

전남 화순 쌍봉사

염라대왕은 우리나라에 제일 많이 알려진 시왕 가운데 하나이다. 불교가 중국으로 들어오면서 도교와 융합이 되어 시왕(十王)이 지장 신앙과 어우러져서 마치 불교인 것처럼 둔갑하였다. 염라대왕은 다섯 번째 대왕으로 발설지옥(拔舌地獄)을 관장한다. 발설지옥은 죄인의 혀를 집게로 뽑아내거나 이와 다른 방법을 동원하여 혹독한 고초를 겪게 한다고 한다. 시왕경에서는 염라대왕을 지장보살에 대비하고 있다.

당나라 도세(道世) 스님이 편찬한 불교 유서(類書)인 법원주림(法苑珠林)에 보면 말에 자애가 없어 중상모략하고 헐뜯고 욕되게 하며 입을 추하게 놀리고 조리가 없이 아무렇게나 말하면 죽자마자 혀를 길게 뽑아서 뜨거운 구리를 입에 물게 하며 쟁기로 혀를 갈도록 하는 지옥에 떨어진다고 하였다. 불명경(佛名經)에도 발설지옥은 옥졸과 야차들이 죄인의 혀를 빼내서 보습으로 갈아 넘기고 쟁기가 지나간 곳에는 피가 철철 흐른다고 하였다.

산보집(刪補集)에서 염라대왕의 가영(歌詠)은 다음과 같다.

冥威獨出十王中 五道奔波盡向風
명위독출시왕중 오도분파진향풍

聖化包容如遠比 人間無水不朝東
성화포용여원비 인간무수불조동

명부 세계의 위엄은 시왕 중에서도 뛰어나니
오도를 향하여 분주하게 바쁨이 다함없는 바람 같네.
이를테면 성인의 교화와 포용함은 먼 곳에 비유한다면
인간세상의 물은 동해로 흐르지 않는 것이 없다네.

제6전 변성대왕(變成大王)

경북 칠곡 송림사

망자가 명도에 들어선 뒤 육칠일인 42일이 되면 명부 시왕(十王) 중 여섯 번째 대왕으로 알려진 변성대왕 전에 이르러 생전에 지었던 업에 대하여 심판받는다고 한다. 망자를 관리하는 직책을 맡아 선을 권장하고 악을 징벌하는 명관(冥官)이다. 시왕경에서는 변성대왕을 미륵보살에 대비하고 있다.

시왕경에 나오는 변성대왕 게송을 보면 다음과 같다.

亡人六七滯冥途 切怕坐人警意愚
망인육칠체명도 절파좌인경의우

日日只看功德力 天堂地獄在須臾
일일지간공덕력 천당지옥재수유

망인이 육칠일에 어두운 길에 막혀 있어서
앉은 사람의 잡은 뜻에 어리석음이 절박하였더라.
날마다 날마다 공덕의 힘을 모아두니
천당과 지옥이 잠깐 사이에 있더라.

정북방의 옥초석(沃焦石) 아래에 있는 대규환지옥(大叫喚地獄)을 관장하며, 전하는 말에 의하면 망자가 제6전 앞에 도달하려면 철환소(鐵丸所)라는 험난한 곳을 지나야 한다. 생전에 악행을 많이 저지른 자는 옥졸들에게 이곳에 끌려와 오체(五體)를 바닥에 붙인 채로 큰 돌에 맞아서 죽었다가 살아나기를 반복하고 칠일 밤낮으로 계속 맞으며 온갖 고초를 겪으면서 제6전에 도착한다고 한다.

또한 변성대왕은 그 이전의 두 전각(殿閣)에 있었던 저울과 거울을 심판하는 표준으로 삼아 망자의 죄와 복이 어느 정도 되는지 가늠한다고도 한다.

변성대왕의 찬(讚)은 다음과 같다.

罪案堆渠所作因 口中甘蛆幾雙親

죄안퇴거소작인 구중감저기쌍친

大王尙作慈悲父 火獄門開放此人

대왕상작자비부 화옥문개방차인

네가 지은 죄업의 기록은 언덕처럼 쌓였으니
입속에 구더기 부모님을 얼마나 불렀나.
변성대왕은 오히려 자비로운 아비가 되어서
지옥문을 개방하여 이 사람을 풀어주도다.

산보집(刪補集)에서 변성대왕 가영(歌詠)은 다음과 같다.

用議淸平在得賢 共評公道奏王前

용의청평재득현 공평공도주왕전

寧將勝氣凌孤弱 哀念貧兒一紙錢

영장승기능고약 애념빈아일지전

용의가 맑으면 태평한 세상이 되어 어진 신하 얻는다.
공평하고 떳떳한 도를 변성왕에게 주청하네.
어찌 이길 수 있다 하여 외롭고 약한 이 능멸하리.
가난한 아이의 한 지전(紙錢)을 불쌍히 생각하네.

제7전 태산대왕(泰山大王)

경북 칠곡 송림사

태산대왕 역시 인간의 수명을 관장하던 도교의 신 중 하나인 태산부군에서 유래되어 불교와 융합하여 제7전 대왕으로 나타난다. 태산대왕은 명부에서 거해(鋸解)지옥을 담당하고 있다. 여기서 거(鋸)는 톱을 말한다.

시왕찬탄초(十王讚歎抄)라는 책에 보면 태산대왕 앞에서 모든 죄인은 다음에 태어날 곳을 지정받기 때문에 대왕 앞에는 여섯 기둥이 있다. 이는 육도(六道)를 말하므로 지옥, 아귀, 축생, 아수라, 인간, 천상을 말한다. 시왕경에서는 태산대왕을 약사여래에 대비하고 있다.

태산대왕 앞으로 가려면 암철소(暗鐵所)라는 곳을 통과하게 된다. 이곳은 캄캄하고 길며, 또한 사방을 분간하기도 어렵고 험악하며 길이 좁을 뿐만 아니라 양쪽 벽면에는 칼날 같은 쇠꼬챙이가 돋아나 있다. 이곳을 통과할 때는 이루 말할 수 없는 고통을 받는다고 한다.

산보집(刪補集)에서 태산대왕의 가영(歌詠)은 다음과 같다.

人顧耳目禮雖違 稍順冥規敬向歸
인고이목예수위 초순명규경향귀

智不責愚言可採 一毫微善捨前非
지불책우언가채 일호미선사전비

사람을 뒤돌아보아 듣고 봄에 예(禮)가 비록 어긋나도
점점 명부의 법에 순종하여 공경 다해 귀의하네.
지혜가 없으면 꾸짖고 어리석은 말을 가히 말로써 가리지 못하니
한 터럭만 한 선행만 있어도 앞의 죄는 용서하네.

제8전 평등대왕(平等大王)

경북 칠곡 송림사

평등대왕은 죽은 지 100일 만에 만난다는 명부 대왕이다. 평등대왕을 만나러 가는 길은 철빙산(鐵氷山)이 있는데 이 산은 너비가 5백 리나 되는 큰 산으로 온통 얼음에 뒤덮여 있다. 얼음의 두께는 4백 리며 땅으로 솟아오른 얼음은 송곳처럼 날카롭다. 매서운 바람에 얼음이 부서지면서 칼날 같은 얼음 비가 내리기도 한다. 지나가는 사람은 살을 에는 듯한 추위에 온몸을 사시나무 떨 듯하면서 한 걸음 한 걸음 천천히 발을 내딛지만, 그마저도 평탄한 길은 아니어서 곳곳에 얼음구멍이 있어 발을 헛디디면 깊은 얼음구덩이에 빠지고 만다고 한다.

옆의 벽화는 철상(鐵床)지옥이다. 철상은 쇠로 만든 상(床)으로 날카로운 쇠못을 박아 고통을 준다는 지옥으로 부정하게 모은 재물로 향락을 누렸던 죄인들이 간다는 지옥이다. 시왕경에서는 평등대왕을 관세음보살에 대비하고 있다.

산보집(刪補集)에서 평등대왕의 가영(歌詠)은 다음과 같다.

明鏡當臺照膽肝 物逃研媸也應難
명경당대조담간 물도연치야응난

諒哉入妙皆神決 鑑與王心一處安
양재입묘개신결 감여왕심일처안

명경대는 마땅히 간담(肝膽)까지 비추어 보니
중생들은 곱고 미움마저도 감추기 어렵다네.
진실하도다, 미묘한 데 들어가서 모두 신통으로 판결하니
밝은 거울 같은 평등왕의 마음 어느 곳이라도 편안케 하네.

제9전 도시대왕(都市大王)

경북 칠곡 송림사

도시대왕은 시왕의 하나로 도제왕(都帝王) 혹은 도조왕(都弔王)으로도 불리며 명부 세계에서 죽은 자를 한 돌 만에 그가 살아서 지은 업을 심판한다는 왕이며, 풍도(風塗)지옥을 관장하고 있다. 죽은 자가 이곳에 모이는 것이 마치 도시에 사람이 모이는 것과 같다고 하여 도시대왕(都市大王)으로 불리게 되었다고 한다. 도시왕을 아촉여래(阿閦如來) 혹은 대세지보살(大勢至菩薩) 화신이라고 여기나 이건 믿을 바가 되지 못한다. 또한 지장보살발심인연시왕경(地藏菩薩發心因緣十王經)이라는 위경(僞經)에 보면 아홉 번째 도시왕청에서는 망인들을 불쌍히 여겨 말하되 모든 경전에서 법화경을 사경하면 용녀(龍女)가 바다를 나와 때가 없이 도를 이룬다. 그리고 모든 부처님 가운데 특히 아미타불을 조성하면 광명이 두루 비추어 더위와 추위의 고통에서 벗어난다. 인연 있는 남녀가 망인을 구하고자 하여 오늘 선행을 닦고 팔재계를 받으면 복력이 수승하고 남녀가 성내는 일이 없으면 능히 망인의 고통을 구할 수 있다고 기술하고 있다.

도시대왕이 관장한다는 풍도(風塗)지옥은 바람의 지옥으로 살을 에는 듯한 광풍(狂風)이 죽은 죄인에게 혹독한 고통을 준다는 지옥이다. 시왕경에서는 도시대왕을 아촉여래(阿閦如來)에 대비하고 있으며 다음과 같은 게송이 있다.

一年過此轉苦辛 男女修齋福業因 六道輪回仍未定 造經造佛出迷津

일년과차전고신 남녀수제복업인 육도윤회잉미정 조경조불출미진

일 년(小祥)이 되어 신고를 겪으니
남녀 간에 재(齋) 올리고 복을 닦은 인연이라.
육도에 윤회도 아직 정하지 않았으니,
경도 짓고, 부처도 조성하여 어두운 나루를 벗어나세.

도시대왕의 찬(讚)은 다음과 같다.

火爲孤魂長旱魃 佛因三難絶慈雲

화위고혼장한발 불인삼난절자운

乾坤盡入烘爐裡 幾望吾王雨露恩

건곤진입홍노리 기망오왕우로은

불이 고혼(孤魂)되어 오랫동안 가뭄이 길어지고

부처님은 삼난(三難)으로 말미암아 자운(慈雲)마저 단절시켰네.

건곤이 모두 활활 타는 화로로 들어가니

우리 도시대왕께서 이슬비의 은혜를 얼마나 기대하는지.

산보집(刪補集)에서 도시대왕의 가영(歌詠)은 다음과 같다.

鐵杖金鎚響似雷 劒牙蛇口向人開

철장금추향사뢰 검아사구향인개

此方不是安身處 寧貧誡言去復來

차방불시안신처 영빈계언거부래

철 몽둥이와 쇠망치 소리가 우레 소리 같고

칼날 같은 이에 뱀의 아가리는 사람을 향해 벌리네.

이곳은 정녕 몸이 편안한 곳 아니니

어찌 경계의 말씀 저버리고 다시 이곳에 오리.

제10전 오도전륜대왕(五道轉輪大王)

경북 칠곡 송림사

제10 오도전륜대왕(五道轉輪大王)은 죽은 지 3년째 되는 해에 재심을 하는 대왕이다. 여기서 오도(五道)는 육도에서 천상을 제외하고 나머지 다섯인 인간, 아수라(阿修羅), 축생, 아귀, 지옥을 말하는 것이다. 전륜(轉輪)은 바퀴를 돌리듯이 지은 죄에 따라 이곳저곳으로 보내진다는 말이다. 오도전륜대왕을 줄여서 전륜왕(轉輪王)이라 하기도 한다. 시왕경에서는 오도전륜대왕을 아미타불에 대비하고 있다.

오도전륜대왕이 담당하는 지옥은 흑암(黑暗)지옥이다. 흑암지옥은 암실같이 컴컴하고 아무것도 볼 수도 들을 수도 없는 지옥을 말한다. 흑암은 어둠으로 인하여 눈과 귀를 못 쓰게 하는 지옥이다. 인간은 빛이 없으면 두려움과 큰 공포에 떨게 된다. 사람이 죽으면 3년 만에 마지막 판결을 받고 끝없는 지옥 생활을 시작한다고 여겼던 논리로 마치 유가(儒家)에서 사람이 죽으면 삼년상(三年喪)을 하듯이 시왕을 통해 이루어지는 재판의 전개 과정도 이와 비슷하다. 시왕의 이야기는 오도전륜대왕에게 마지막 판결을 받아야 죄의 값을 다하는 것으로 되어 있다.

산보집(刪補集)에서 오도전륜대왕의 가영(歌詠)은 다음과 같다.

古聖興悲作此身 逢場降迹現冥因
고성흥비작차신 봉장강적현명인

棒杈若不橫交用 覺地猶難見一人
봉차약불횡교용 각지유난견일인

옛 성현이 슬픈 마음을 내어 전륜왕이 되었으니
만나는 장소마다 그 자취를 드러내니 명부의 업인(業因)이 나타나네.
만약 몽둥이와 작살을 번갈아 쓰지 않는다면
깨달음의 자리에서 한 사람도 만나기 어려우리라.

시왕(十王) 신앙은 불교와 하등의 관련이 없다. 이는 도교의 명부 세계를 주재하는 염라대왕을 믿는 신앙이 좀 더 발전되고 확대되어 이루어진 것이다. 인간은 죽은 날로부터 7일에 1번씩 7번, 그리고 100일, 1년, 3년 되는 날에 걸쳐 시왕에게 심판받는다는 논리다. 이로부터 나온 위경(僞經)이 있으니 예수시왕경(豫修十王生經), 지장시왕경(地藏十王經) 등이다.

시왕은 서역(西域)과 중국에서 유행하였던 명부 세계를 믿는 신앙과 도교, 그리고 민속신앙까지 어우러지고 합쳐져서 당나라 말기에 형성된 신앙이다. 이러한 시왕을 믿는 신앙은 지옥 중생을 구제한다는 지장보살과 다시 한번 습화(習化)되어 우리나라 및 일본 등에까지 퍼져 나가게 되었다. 그러나 유독 우리나라만 아직도 명부시왕을 크게 옹호하고 믿는 경향이 강하다.

시왕을 봉안한 전각을 이름하여 시왕전(十王殿)이라 하며 혹은 지장전(地藏殿) 또는 명부전(冥府殿)에 함께 봉안하는 예도 있다. 그러면 불자가 시왕을 믿고 예경을 해야 하는가! 그렇지 아니하다. 다시 말하지만 시왕은 불교하고는 하등의 관련이 없다. 부처님은 시왕에 대해서 단 한 번도 말씀하신 적이 없다.

출요경 도산지옥(刀山地獄)

경기 파주 검단사

도산지옥(刀山地獄)은 칼산 지옥을 말한다. 시왕전 첫 번째 대왕인 진광대왕(秦廣大王)이 이 지옥을 관장한다고 믿고 있다. 도산지옥은 날카롭고 예리(銳利)한 칼산이 있는 지옥으로 죄인들은 온몸을 칼에 베이는 고통을 당하게 된다. 이러한 고통을 당하는 것은 생전에 칼이나 몽둥이로 남을 괴롭혔던 자들이 그 업보로 인하여 죽어서 받는 지옥의 고통이다.

이러한 지옥을 도산지옥이라 하기도 하고 칼산지옥이라 하기도 한다. 성인들께서 아무리 지옥에 대해서 말씀하여도 중생들은 여기에 별 관심이 없다. 이는 눈앞의 이익에만 급급하기 때문이다.

천수경(千手經)에도 내가 만약 도산지옥으로 향하면 도산이 저절로 무너져서 도산의 고통에서 벗어나게 해 달라는 말씀이 있다. 我若向刀山 刀山自催折

출요경(出曜經)에 보면 혹은 지옥과 축생 아귀에 떨어져 도산(刀山)과 검수(劍樹), 화차(火車)와 노탄(爐炭) 등에 의하여 아주 오랜 세월 동안 고통을 받는다는 말씀이 있다. 或在泥梨地獄 畜生餓鬼 長夜受苦 刀山劍樹 火車爐炭

관불삼매해경 관불심품(觀佛三昧海經 觀佛心品)에는 이보다 더 엄중한 고초에 대해서 말씀하고 있다. 죄인은 죽어서 도륜(刀輪)지옥에 태어나는데 마치 술 취한 코끼리가 달리듯이 도산지옥 가운데에 떨어진다. 이때 사면의 산이 일시에 합쳐져서 그 몸을 베어 버린다. 죄인이 이를 참지 못하고 기절을 하게 되면 옥졸들은 죄인을 재촉하여 도산지옥에 오르게 한다. 산꼭대기에 오르기 전에 칼이 발목에서 심장까지 상하게 하며, 옥졸이 무서워 기어서 산꼭대기에 오르면 이미 산꼭대기에는 옥졸들이 손에 칼을 들고 기다리다가 죄인을 박살낸다. 氣絶命終 生刀輪上 如醉象走 墮刀山間 是時四山 一時俱合 四種刀山 割切其身 不自勝持 悶絕而死 獄卒羅剎 驅蹙罪人 令登刀山 來至山頂 刀傷足下 乃至于心 畏獄卒故 匍匐而上 既至山頂 獄卒手執 一切刀樹 撲殺罪人

도산검수(刀山劍樹)라는 표현이 있다. 이는 지옥에 있는 칼로 된 나무가 숲을 이루어 산처럼 된 것을 말한다. 그러므로 도산지옥(刀山地獄)이나 도륜지옥(刀輪地獄)은 거의 같은 표현이다.

화탕지옥(火湯地獄)

전남 광주 증심사

화탕지옥은 불지옥을 말한다. 시왕에 있어서 두 번째에 해당하는 초강대왕(初江大王)이 담당하는 지옥이다. 초강대왕(初江大王)은 죽은 사람의 둘째 칠일(14일)의 일을 맡는다. 망자(亡者)가 죽은 지 14일이 되면 건너게 되는 나하(奈河)라는 큰 강의 초입에 관청을 세우고 강을 건너는 것을 감시하므로 초강대왕(初江大王)이라 부른다.

화탕지옥(火湯地獄)이 불지옥을 말한다면 죄인을 펄펄 끓는 가마솥에 집어넣어 죄를 다스리기 때문에 가마솥이라는 표현을 써서 확탕지옥(鑊湯地獄)이라 하기도 한다. 세기경(世紀經)에서는 옥졸들은 죄인을 잡아다 큰 쇠 가마솥에 삶는다. 죄인들이 울고 부르짖으며 고통당하기에 규환(叫喚)지옥이라 하기도 한다.

아귀지옥(餓鬼地獄)

부산 부산진구 삼광사

아귀(餓鬼)는 항상 굶주림과 갈증으로 괴로워하는 귀신을 말하며 염치없이 먹을 것을 탐한다는 뜻이다. 욕망이 충족되지 않아 남의 것을 훔치거나 가지지 못하여 괴로워서 일어난다. 아귀지옥(餓鬼地獄)은 사람이 죽어서 늘 굶주려 욕망의 노예가 되는데 항상 배는 고프지만, 목구멍이 바늘만 하고 그나마 음식이 입안으로 들어가면 뜨거운 불이 되어서 먹지도 못하고 도로 뱉어내야 하는 고통이 이어지는 지옥이다. 그래서 음식을 아주 다급하게 먹는 사람들을 보고 걸신(乞神)들렸다고 하기도 한다.

정법염처경 아귀품(正法念處經 餓鬼品)에 보면 아귀가 머무르는 곳을 말하고 있다. 사람의 세계에 머무는 아귀, 염부제 지하 500유순에 머무는 아귀. 그리고 아귀의 이름에 대해서도 가바리, 건타, 바라바차, 마라가야 등 36가지로 나누어 나열하고 있다.

경북 영주 부석사

대지도론(大智度論)에 보면 귀신에게는 폐귀(弊鬼)와 아귀(餓鬼) 등 두 종류가 있다. 폐귀는 천계에 사는 것처럼 즐거움을 누리지만 아귀와 함께 거주하며 그 주인이 된다. 아귀의 배는 산 모양처럼 크게 부르지만, 목구멍은 마치 바늘구멍처럼 작으며, 몸에는 검은 피부와 힘줄과 뼈 등 세 가지 요소밖에 없다. 이들은 헤아릴 수 없는 세월을 거치지만 음식이라는 이름조차도 들어보지 못했거늘 하물며 본 일도 없다고 말하고 있다.

아귀가 거주하는 아귀계(餓鬼界)는 십계(十界) 가운데 하나다. 이는 사람 몸을 받았을 때 아주 인색하면서도 탐욕을 구하는 이가 태어나는 세계다. 여기에 대해서 복력태자인연경(福力太子因緣經)에 보면 다음과 같이 말하고 있다.

우리는 숙세에 내 것을 아끼고 남에게 베풀지 않은 인색함으로 인하여 목숨을 마치면서 아귀 세계에 떨어져 천년의 세월이 지나도 물 한 모금조차 얻어 마시지 못했거늘 하물며 무슨 먹거리를 또 보기나 했겠느냐.

독사지옥(毒蛇地獄)

전남 장흥 보림사

독사는 독이 있는 뱀을 말한다. 시왕의 기준에서 보면 망자가 죽으면 여섯 번째로 만나는 대왕이 변성대왕이다. 변성대왕을 그림으로 나타낼 때는 뱀과 고양이로 나타내기도 한다. 그러나 고양이가 그려진 불화는 만나기가 어렵다. 변성대왕은 간음과 사음, 그리고 간통을 저지른 죄인을 취조(取調)하는 대왕이다.

변성대왕 전에서 심문할 때 거짓말을 하게 되면 뱀과 고양이가 공격하는데 만일 죄인이 남자라면 고양이가, 여자라면 뱀이 공격한다고 한다. 또 다른 기록에 따르면 독사지옥은 살인자, 도둑, 강도 등이 간다고도 한다.

지옥을 표현할 때 자주 등장하는 독사는 독을 지닌 뱀을 통틀어서 말하는 것이다. 독사에게 물리면 그 독이 온몸에 퍼져 목숨을 잃는 경우가 허다하므로 이것은 아주 해로운 것이다. 경전에는 독사가 사람을 해치는 비유로 자주 등장한다.

대반열반경(大般涅槃經)에서도 해탈이라는 것은 네 가지 독사와 같은 사대(四大)에 의한 번뇌를 끊는 것을 말한다. 번뇌를 끊는 것이 참다운 해탈이라고 하였다. 경전에서는 사대(四大)를 독사에 비유하기도 한다.

또한 대장엄론경(大莊嚴論經)에 보면 사위국에서 부처님과 아난이 길을 걸어 밭둑을 지나가시다가 물건을 보고는 아난에게 큰 독사로구나 하자, 아난이 이를 다시 보고 말하기를 해로운 독사입니다라고 하였다. 때마침 농부가 이 소리를 듣고 밭으로 가보니 다름 아닌 금덩이가 있었다. 부처님은 이를 보고 독사라고 하였지만, 농부는 이를 탐하여 집으로 가지고 오자 변변치 않던 살림살이가 일시에 좋아져 부자가 되었다. 이러한 소문은 번져나가 왕의 귀에까지 들어가 왕가의 관리가 이를 규명하기 위하여 농부를 감옥에 가두었다. 그리고 밭에서 주운 금보다 더 많은 양의 형벌을 받게 되었는데 그때서야 농부는 왜 부처님께서 금덩이를 보고 독사라고 하였는지 깨닫게 되었다. 이처럼 경전에서는 황금을 독사에 비유하기도 한다.

발설지옥(拔舌地獄)

전남 광주 증심사

발설지옥은 혓바닥을 빼서 고통을 주는 지옥을 말한다. 망자는 온몸이 기둥에 묶인 채로 꼼짝하지 못한다. 옥졸들이 죄인의 혀를 빼내서 소를 몰아 채찍을 때려가며 쟁기로 혓바닥을 갈거나 커다란 집게로 죄인의 혓바닥을 늘어뜨리거나 빼내는 방법으로 고통을 주는 지옥이다. 혓바닥을 뺀다고 하여 발설지옥(拔舌地獄)이라 하기도 하고, 혓바닥을 쟁기로 간다고 하여 경설지옥(耕舌地獄)이라 하기도 한다.

이러한 고통을 받는 지옥은 살아생전에 남의 흉을 보거나 비방하며, 또한 욕설하며 입으로 온갖 나쁜 짓을 한 사람들이 가는 지옥이다. 그만큼 입으로 짓는 구업(口業)이 이토록 무서운 것이다. 지장경에도 철위산의 지옥을 열거하는 내용에 발설지옥이 나온다.

풍도지옥(風途地獄)

경북 칠곡 송림사

풍도지옥은 아주 사나운 광풍(狂風)으로 고통을 주는 지옥이다. 풍도지옥은 자기 남편을 놔두고 남의 남편과 음욕을 한 사람이나, 이와 반대로 자기 부인을 놔두고 다른 여인과 색정으로 놀아난 사람들이 가는 지옥이다. 풍도지옥에 떨어지면 사나운 바람이 몸을 갈기갈기 찢어 놓는다고 한다. 시왕경(十王經)에서는 아홉 번째 대왕인 도시대왕(都市大王)이 관장하는 지옥으로 묘사하고 있다.

우리가 사는 세상인 욕계(欲界)는 곧 무너뜨릴 듯 마군(魔軍)이 항상 다투어 일어나서 구주(九州)의 들판이 겁화(劫火)의 티끌로 자욱하고 사방의 바다가 광풍의 물결로 출렁이는 세상이다. 그래서 그만큼 선업이 중요한 것이다.

한빙지옥(寒氷地獄)

전남 화순 쌍봉사

한빙지옥(寒氷地獄)은 차가운 얼음 지옥을 말한다. 시왕경(十王經)에서는 제3 송제대왕(宋帝大王)이 한빙지옥을 관장한다고 말한다. 그러나 관불삼매경(觀佛三昧經)에서는 한빙지옥은 얼음산이다. 자비로운 마음이 없는 자가 겁탈(劫奪)하고 도적질하여 중생을 얼어 죽게 한 죄를 지으면 그 죄보(罪報)로 인하여 죽은 후에 얼음산에 태어난다고 하였다.

흑암지옥(黑暗地獄)

전남 화순 쌍봉사

흑암(黑暗)은 아주 어둡고 깜깜하여 빛이라곤 찾아볼 수 없는 지옥을 말한다. 어찌 보면 지옥과 극락의 차이는 빛의 차이일 수도 있다. 그만큼 인간에게는 빛이 아주 중요하기 때문이다. 시왕의 기준에서 보면 열 번째 대왕인 오도전륜대왕(五道轉輪大王)이 관장한다고 한다. 흑암지옥은 살아생전에 남녀 구별을 못하고 자식 하나 보지 못한 죄인들을 다스리는 지옥이며, 여기는 밤낮이 없고 오직 깜깜한 세상이어서 흑암지옥이라고 한다. 그러므로 흑암지옥은 암흑세계(暗黑世界)를 말하고 있다.

정철지옥(釘鐵地獄)

전남 화순 쌍봉사

철정(鐵釘)은 쇠못을 말한다. 그러므로 철정지옥은 쇠못으로 고통을 주는 지옥이다. 쇠로 만든 평상 위에 죄인을 눕히고 옥졸들이 사정없이 망치를 내리치며 망자의 몸에 못을 박아서 고통을 주는 형벌이 있는 지옥이다. 손과 발, 그리고 머리, 심지어는 마음에 이르기까지 남김없이 고통을 주는 지옥이다.

거해지옥(鋸解地獄)

전남 화순 쌍봉사

거해지옥(鋸解地獄)의 거(鋸)는 톱을 말한다. 그러므로 죄지은 자를 톱으로 잘라서 토막을 내는 지옥이다.

참고로 거해칭추(鋸解秤錘)라는 표현이 있다. 이는 쇠로 만든 저울추를 톱으로 자른다는 뜻이다. 여기서 거(鋸)는 톱을 말하며 칭추(秤錘)는 쇠로 만든 저울추를 말한다.

벽암록(碧巖錄)에 보면 어느 선객이 향림(香林) 선사에게 물었다. 달마대사가 서쪽에서 오신 뜻은 무엇입니까? 선사가 답하기를 오래 앉아 있으니 피곤하구나. 이 대목에서 본칙(本則)을 덧붙인 말을 보면 개 주둥이를 닥쳐라. 작가의 안목이나 톱으로 저울추를 자른다는 표현도 있다. 合取狗口好 作家眼目 鋸解秤錘

대애지옥(碓磑地獄)

전남 화순 쌍봉사

대애지옥(碓磑地獄)에서 대(碓)는 방아를 말함이고 애(磑)는 맷돌을 말함이다. 그러므로 지옥에 떨어진 죄인들을 방아와 맷돌로 찧고 가는 지옥을 말한다. 주로 제7 태산대왕(泰山大王)이 가하는 형벌로 묘사되고 있지만 특정 시왕이 꼭 정해져 있는 것은 아니다.

업경대(業鏡臺)

전남 장흥 보림사

업(業)은 산스크리트어로 Karman이라고 하며, 이를 음역하여 갈마(羯磨)라 한다. 불교에서 말하는 업은 신구의(身口意) 삼업(三業)으로 인하여 짓는 선악의 소행을 말한다. 혹은 전생에서 지은 선악의 소행으로 말미암아 현세에서 받는 응보를 말하기도 한다. 그러므로 업은 항상 삼업과 밀접한 관계를 유지한다.

업경대(業鏡臺)는 업을 비추는 거울이다. 업경(業鏡)이라 하기도 하고 업경륜(業

鏡輪)이라 하기도 하지만 보편적으로 업경대라고 한다. 능엄경(楞嚴經)에 다음과 같은 말씀들이 있다.

이렇게 두 습기가 서로 어울리기 때문에 죽은 뒤에 힐문[勘問]하고, 유도하여 사실을 심문[權詐考訊]하고, 고문[推鞫]하고 방문 조사로 증거를 대고[察訪], 숨긴 일을 드러내어 규명하고[披究], 업경대(業鏡臺)로 비춰 밝히고[照明], 선악동자(善惡童子)가 문부(文簿)로 변론하는 일들이 있느니라. 二習相交 故有勘問 權詐 考訊 推鞫 察訪 披究 照明 善惡童子 手執文簿 辭辯諸事

두 습기가 서로 펴서 늘어놓기 때문에 나쁜 벗과 업 거울과 불구슬로 지난 죄업을 들춰내고 증거를 대는 일들이 있느니라. 二習相陳 故有惡友 業鏡 火珠 披露宿業 對驗諸事

사분율행사초자지기(四分律行事鈔資持記) 1년에 3회 정월과 5월, 그리고 9월에 명계(冥界)의 업경륜이 남섬부주를 비추는데, 만약 선업과 악업이 있으면 거울에 모두 나타난다.

또 다른 경전인 지장보살발심인연시왕경(地藏菩薩發心因緣十王經)에는 사방팔방에 업경을 달아두어 전생에 지은 선과 복, 그리고 악과 죄업을 나타낸다. 모든 악업의 형상을 나타내는 것이 현세에서 목전에 보는 것과 같다고 하였다.

이 같은 경전의 말씀에 따라 지장전(地藏殿) 안에는 시왕(十王)을 봉안하고 업경대를 설치하는 경우가 더러 있다. 또 지장전(地藏殿)뿐만 아니라 일반 법당에 안치되기도 하는데 이는 권선징악(勸善懲惡)의 차원에서 악한 일을 그치게 하고 착한 일을 장려하는 뜻에서 설치하는 것이다.

지장보살과 지옥문전(地獄門前)

경남 진주 보경사

지장보살은 모든 중생을 지옥에서 구제하지 않고는 절대로 성불하지 않겠다는 원을 세우고 지옥문 앞에서 고통받는 중생을 구제하는 보살이다. 중생의 고통 받는 모습이 불쌍해서 항상 눈물이 마를 사이 없는 보살로 나타내며, 그러므로 항하사 끝없는 중생이 마지막으로 깨달음을 성취하는 그 날까지 성불을 미룬 보살이다. 지장보살은 다른 보살과 달리 화관(花冠)이 없다. 이는 지장십륜경(地藏十輪經)에 따라 삭발한 모양으로 나타내며, 좌우 협시로는 도명존자(道明尊者)와 무독귀왕(無毒鬼王)이다. 그리고 육도 중생을 제도한다는 의미로 육환장(六環杖)을 짚고 있다. 그 석장(錫杖)으로 지옥문을 깨트린다고 여기기에 육환장을 짚고 있는 모습으로 나타낸다.

산보집(刪補集)에서 지장보살 탄백(歎白)은 다음과 같다.

莫言地藏得閑遊 地獄門前淚不收
막언지장득한유 지옥문전누불수

造惡人多修善少 南方敎化幾時休
조악인다수선소 남방교화기시휴

지장보살 한가히 논다고 말하지 말라.
지옥문 앞에서 눈물을 거두지 못하신다네.
악을 짓는 사람 많고 선을 닦는 사람 적으니
사바세계 교화는 언제쯤 끝이 나려나.

육도왕환(六途往還)

경남 진주 보경사

육도(六道)는 망자가 죽어서 다시 태어나는 지옥, 아귀, 축생, 아수라, 인간, 천상 등 여섯 갈래 길을 말한다. 가장 나쁜 세 곳을 삼악도(三惡道)라고 한다. 이는 지옥, 아귀, 축생이고 이와 반대로 삼선도(三善道)는 수라, 인간, 천상도다. 불교에서는 중생은 집착으로 인하여 해탈하지 못하고 육도를 윤회하게 된다고 한다. 그러므로 중생은 지은 바 업보에 따라 윤회전생을 이어가고 있다. 이러한 내용이 가장 많이 나타나는 불화는 시왕도 혹은 감로도(甘露圖)로 흔히 찾아볼 수가 있다.

치문경훈주(緇門警訓註)에서 위산영우(潙山靈祐, 771~853) 선사의 경책에 보면 다음과 같은 말씀이 있다.

미혹에 빠짐이니 광음 세월이 애석하구나. 찰나도 고정됨이 없음이니 이승을 허송세월하면 내생에도 아득하고 막막하도다. 미혹을 좇다 미혹에 이를 뿐이니 이 모두 육적 때문에 육도를 돌고 돌아 삼계를 기어다니는도다. 根本無明 因茲被惑 光陰可惜 刹那不測 今生空過 來世窒塞 從迷至迷 皆因六賊 六途往還 三界匍匐

광홍명집(廣弘明集) 권제2에서는 그러므로 수행을 시작하는 마음은 불 · 법 · 승에 의지하는데, 이것을 삼귀의(三歸依)라고 한다. 이것은 군자의 삼외(三畏)와 같다. 또 오계(五戒)가 있어서 살생 · 절도 · 음행 · 망언 · 음주를 끊게 되는데, 큰 뜻은 인(仁) · 의(義) · 예(禮) · 지(智) · 신(信)과 같다. 이를 받들어 지키면 인간이나 하늘 세계의 좋은 곳에 태어나지만 어그러뜨리고 범하게 되면 귀신이나 축생 등의 여러 고통 속에 떨어지게 된다. 선악으로 태어나는 장소는 대체로 여섯 갈래[六道]로 나눈다고 하였다. 故其始脩心 則依佛法僧 謂之三歸 若君子之三畏也 又有五戒 去殺 盜 婬 妄言 飮酒 大意與仁 義 禮 信 智同 云奉持之則生天人勝處 虧犯則墜鬼畜諸苦 又善惡生處 凡有六道焉

심밀해탈경(深密解脫經) 권제1에 따르면 모든 여섯 갈래[六道]에 나고 죽는 가운데 여러 중생이 알로 나고, 태로 나고, 습기(濕氣)로 나고, 변화로 나서 몸을 받고 몸이 나오고 몸이 자란다. 처음에는 일체의 종자인 마음이 있어 차별된 것과 화합하여 차별되게 자라나서 널리 성취하되 두 가지 취(取)에 의지한다. 어떤 것이 두 가지인가? 첫째는 색(色) · 마음[心] · 근(根)에 의지하는 취(取)요, 둘째는 분별이 없는 모습과 언어(言語)와 희론에 훈습하고[薰] 모으는 것을 의지하는 취(取)이다. 광혜여, 색계에는 두 가지 취를 의지하여 나고 무색계에는 두 가지 취

(取)를 의지하지 않고 난다고 하였다. 諸六道生死之中 何等何等衆生 卵生 胎生 濕生 化生 受身 生身及增長身 初有一切種子心生 和合不同 差別增長 廣所成就 依二種取 何等二種 一者 謂依色心根取 二者 依於不分別相言語戱論熏集而取 廣惠 色界中依二種取生 無色界中非二種取生

부모은중경 여래정례(如來頂禮)

제주 제주시 월영사

석가세존께서 한 무더기 뼈에 예를 올리는 장면이다. 부모은중경(父母恩重經)에 보면 부처님께서 많은 비구와 사위국 왕사성 기수급고독원에 계셨다. 어느 때 수많은 대중을 거느리고 남쪽으로 가시다가 한 무더기의 뼈를 보고 부처님께서는 뼈에 예배하였다.

그러자 제자들은 의아하고 놀라서 여쭙기를 세존이시여, 삼계를 통틀어 으뜸가는 스승이시며, 온 중생의 자비하신 어버이십니다. 만중생(萬衆生)이 귀의하고 예배드리는 여래이신데, 어찌 저 마른 뼈에다 예배하십니까?

부처님께서 아난에게 이르시되, 그대는 비록 나의 상수 제자로서 출가한 지도 오래되었거늘 아직 널리 알지를 못하는구나. 이 한 무더기의 마른 뼈가 혹 전생에 나의 조상이었거나 여러 대에 걸쳐 나의 부모였을지도 모른다. 그래서 내가 지금 예배한 것이니라.

부처님께서는 다시 아난에게 이르셨다. 그대는 이 한 무더기의 뼈를 두 가지로 구분하여라. 만약 남자의 뼈라면 희고 무거울 것이며, 혹시 여자의 뼈라면 검고 가벼울 것이다. 이렇게 시작하는 것이 부모은중경(父母恩重經)이다.

그러나 부모은중경은 유교(儒敎)의 영향을 받아 중국에서 새로이 찬술(撰述)된 위경(僞經)으로 보는 견해가 지배적이다. 그러므로 부모은중경을 유교의 효경(孝經)하고 비유하기도 한다. 그러나 효경은 효도를 아주 많이 강조하고 있는 반면에 부모은중경은 부모님의 은혜를 강조하고 있기에 그 관점이 다르다.

부모은중경은 영국박물관에 소장되어 있는 중국 돈황(燉煌)에서 출토된 사본을 원본으로 한 경전의 이름으로, 이를 갖추어 말하면 불설부모은중경(佛說父母恩重經)이다. 이외에도 부모은중경이라고 불리는 경전이 있는데 이는 불설대부모은중경(佛說大父母恩重經)이다. 그러나 우리나라는 돈황본은 거의 유통되지 아니하고 또한 중국에서도 대부모은중경(大父母恩重經)은 민중 속으로 파고들지 못했다. 우리나라에서 부모은중경(父母恩重經)이라고 하면 대부모은중경(大父母恩重經)을 지칭한다고 보면 된다.

부모은중경 1 회탐수호은(懷躭守護恩)

경남 함안 장춘사

회탐수호은(懷躭守護恩)에서 회탐(懷耽)은 곧 회임(懷妊)을 말한다. 임신했을 때 고생하신 은혜를 말하며 회탐은 곧 회잉(懷孕)이라 하기도 한다.

부모은중경에는 부처님께서 아난에게 이르시길 어머니가 아이를 잉태하면 첫

달에는 태중의 아이가 마치 초로(草露)와 같아 아침에 있다가 저녁에는 없어지는 것과 같아서 이른 새벽이면 피가 모였다가 한낮이면 흩어지는 것이라고 하였다.

두 달째가 되면 태아는 마치 우유가 흩어져서 엉긴 것과 같으며, 셋째 달에는 태아의 기운이 마치 엉긴 피와 같고, 넷째 달이면 차츰 사람의 모양을 갖추게 되고, 다섯 달이 되면 오장육부가 생겨나고, 여섯 달이 되면 육정(六精)이 열리고, 일곱 달이 되면 360개의 뼈마디와 8만 4천 개의 털구멍이 생기고, 아홉 달이 되면 뱃속에서 무언가를 먹게 되고, 열 달이 되면 어머니의 몸을 1천 개의 칼로 휘젓고 1만 개의 송곳으로 가슴을 쑤시듯 하여 온갖 고통을 겪게 되니 그 은혜가 수미산보다도 더 높다고 하였다.

회탐수호은(懷耽守護恩)은 아이를 배어서 수호하여 주신 은혜를 말한다. 은중경(恩重經)에는 여인이 임신하면 복숭아, 배, 마늘 등을 먹지 못하게 하고 대신 오곡(五穀)을 먹으라고 말하고 있다.

부모은중경(父母恩重經)을 통하여 게송을 살펴보자.

累劫因緣重 今來託母胎 月逾生五臟 七七六精開
누겁인연중 금래탁모태 월유생오장 칠칠육정개

여러 겁의 세월에 인연이 지중하여
금생에 다시 와서 모태에 의탁했네.
한 달이 지남에 오장이 생기고
일곱 달이 접어들자 육정(六精)이 열리도다.

體重如山岳 動止怯風災 羅衣都不掛 裝鏡惹塵埃

체중여산악 동지겁풍재 나의도불괘 장경야진애

포태(胞胎)한 몸이 무겁기는 산과 같고

몸가짐에도 몹쓸 병날까 봐 겁이 나네!

좋고 고운 옷은 걸치지 않고

화장하던 거울에는 뽀얀 먼지만 쌓였네.

부모은중경 2 임산수고은(臨産受苦恩)

경북 성주 선석사

부모은중경 두 번째 내용으로 임산(臨産)은 곧 출산을 말하는데 이를 달리 표현하면 해산(解産)이다. 그러므로 임산수고은(臨産受苦恩)은 해산할 때 받는 고통을 감수하신 은혜를 말한다.

懷經十箇月 産難欲將臨 朝朝如重病 日日似惛沈
회경십개월 산난욕장림 조조여중병 일일사혼침

아이를 잉태한 지 열 달이 지나면
해산의 어려움과 고통이 다가오네.
아침마다 중병에 걸린 듯하고
나날이 정신도 혼미하여서

惶怖難成記 愁淚滿胸襟 含悲告親族 猶懼死來侵
황포난성기 수누만흉금 함비고친족 유구사래침

그 두려움 다 기억하기 어렵고
근심에 흐르는 눈물 옷깃을 적시네!
슬픔을 머금은 채 친족에게 이르기를
이러다 죽을까 두렵다 하네.

부모은중경(父母恩重經)에서는 자식이 태어날 때 만약 효순할 자식이면 손을 들어 합장하고 태어나므로 어머니 몸이 상하지 않고, 만약 오역(五逆)할 자식이면 어머니의 포태(胞胎)를 깨치고 손으로는 염통이나 간을 움켜쥐고 발로는 엉덩이 뼈를 밟아서 마치 1천 개의 칼로 배를 휘젓듯이 하고, 1만 개의 송곳으로 가슴을 쑤시듯이 하여서 어머니가 갖은 고통을 겪게 하면서 이 몸이 태어난다고 하였다.

여기서 오역(五逆)이란 다섯 가지 거스름이나 악행을 말한다. 소승불교에서는 아버지를 죽이는 일, 어머니를 죽이는 일, 아라한(阿羅漢)을 죽이거나 해하는 일, 승단의 화합을 깨뜨리는 일, 부처의 몸에 상처를 입히는 일 따위의 무간지옥에 떨어질 행위 등이다. 대승불교에서는 절이나 탑을 파괴하여 불경과 불상을 불태우고, 삼보(三寶)를 빼앗거나 그런 짓을 시키는 일, 성문(聲聞) 따위의 법을 비방하는 일, 출가자를 죽이거나 수행을 방해하는 일, 소승불교의 오역 가운데 하나를 범하는 일, 모든 업보는 없다고 생각하여 십악(十惡)을 행하고 다른 이에게 가르치는 일 등을 이른다.

부모은중경 3 생자망우은(生子忘憂恩)

전남 강진 금곡사

생자(生子)는 생남(生男)을 말하는 것이니 곧 자식을 위해 항상 근심하며 돌보시는 은혜를 말한다. 시경(詩經)에 다음의 말씀이 있다.

아버지 날 낳으시고, 어머니 날 기르시니, 아 슬프고 슬프구나! 부모님이시여, 나를 낳으시느라 애쓰고 수고하셨도다. 그 덕을 갚고자 하나 넓은 하늘같이 끝이

없구나! 父兮生我 母兮鞠我 哀哀父母 生我劬勞 欲報之德 昊天罔極

부모은중경 게송에는 다음과 같이 나타내고 있다.

慈母生君日 五臟摠開張 身心俱悶絶 流血似屠羊

자모생군일 오장총개장 신심구민절 유혈사도양

자비로운 어머니가 그대 낳던 날
오장육부 모두 열리고 벌어지는 듯
몸과 마음 모두가 까무러쳤고
피를 흘려 양을 잡은 듯하네.

生己聞兒健 歡喜倍加常 喜定悲還至 痛苦徹心腸

생기문아건 환희배가상 희정비환지 통고철심장

해산 후 아이가 건강하다 하면
그 기쁨 평소의 갑절이나 되었네.
기쁨이 가라앉자마자 슬픔이 되살아나
괴롭고 아픈 마음 사무쳐오네.

오장(五臟)은 간장(肝腸), 심장(心腸), 비장(脾腸), 폐장(肺腸), 신장(腎臟)을 말한다. 육부(六腑)는 대장(大腸), 소장(小腸), 쓸개, 위(胃), 삼초(三焦), 방광(膀胱) 등이다. 여기서 장(臟)은 내부가 충실한 것을 말하며, 부(腑)는 반대로 공허한 기관을 가리킨다. 그리고 삼초(三焦)는 해부학상의 기관은 아니며, 상초(上焦), 중초(中焦), 하초(下焦)로 나뉘어 각각 호흡기관, 소화기관, 비뇨생식기관을 가리킨다.

부모은중경 4 연고토감은(咽苦吐甘恩)

전남 순천 송광사

연고토감은(咽苦吐甘恩)은 쓴 음식은 삼키고 단 음식은 뱉어 먹여주신 은혜를 말함이다.

부모은중경에 나오는 게송은 다음과 같다.

父母恩深重 恩憐無失時 吐甘無所食 咽苦不嚬眉

부모은심중 은연무실시 토감무소식 연고불빈미

부모님 은혜는 무엇보다도 깊고 무거워

자식 사랑 변하지 않네!

단 것은 밭아 자식 먹이고

쓴 것을 자셔도 찌푸리지 않네.

愛重情難忍 恩深復倍悲 但令孩子飽 慈母不辭飢

애중정난인 은심부배비 단령해자포 자모불사기

사랑함이 두터우니 정을 참기 어렵고

은혜가 깊으니 슬픔만 더하네.

다만 아이만이라도 배불리 먹이려

어머니는 배고픔도 사양치 않네.

여기서 목구멍이라는 표현을 쓸 때는 인(咽)으로 쓰이고, 삼키다는 뜻으로 쓰일 때는 연(咽)으로 쓰인다. 또한 숨이 막히다, 목이 멘다는 뜻으로 쓰일 때는 열(咽)이라고 표현한다.

부모은중경 5 회건취습은(回乾就濕恩)

경북 김천 용화사

회건취습은(回乾就濕恩)은 마른자리 진자리를 보살펴 주신 은혜를 말한다. 여기서 건(乾)은 하늘이라는 뜻도 있고 임금, 군주, 굳세다, 부지런하다는 뜻도 있다. 여기서는 습기가 없이 마름의 뜻으로 쓰여 건조(乾燥)를 나타내고 있다.

母子身俱濕 將兒以就乾 兩乳充飢渴 羅袖掩風寒

모자신구습 장아이취건 양유충기갈 나수엄풍한

어머니 자신은 진자리 누우시고
아이는 마른자리 갈아 뉘시네.
두 젖으로 굶주림과 목마름 채워주고
고운 소맷자락 찬바람 막아주고

恩憐恒廢寢 寵弄盡能歡 但令孩子穩 慈母不求安
은련항폐침 총농진능환 단령해자온 자모불구안

사랑과 정성으로 잠마저 설치시고
아이의 재롱 기쁨으로 삼으시며
오로지 아이만을 평온케 하고
어머니는 편안함을 구하지 않네!

유교의 효도 관념에 대해서 효경(孝經)의 첫 장인 개종명의(開宗明義) 장(章)에 보면 신체와 터럭은 부모에게 받은 것이다. 그러므로 이를 소중히 여기는 것은 효의 시작이라 하였다. 다시 말해 이 몸은 부모로부터 물려받은 것이니 이를 잘 관리하여 건강을 지키는 것이 효의 시작이라고 여겼다. *身體髮膚 受之父母 不敢毁傷 孝之始也*

유교의 관점에서 보면 입신출세(立身出世)를 하는 것도 효도라고 명시하고 있다. 후세에 이름을 떨쳐 부모를 드러나게 하는 것이 곧 효도의 끝이라고 하였다. *揚名於後世 以顯父母 孝之終也*

그래서 그런지 우리나라 사람들은 유독 감투를 좋아하는 듯하다. 자신의 명함이 빽빽할 정도로 이력을 드러내고 있으니 말이다.

부모은중경 6 유포양육은(乳哺養育恩)

경남 함안 장춘사

유포양육은(乳哺養育恩)은 젖을 먹여 길러주신 은혜를 말한다.

慈母象於地 嚴父配於天 覆載恩將等 父孃意亦然

자모상어지 엄부배어천 복재은장등 부양의역연

자애로운 어머님 높은 은혜 땅에 비긴다면
엄하신 아버님 은혜 하늘과도 같네.
부모님 은혜는 하늘을 덮고 땅을 실은 듯
아버지와 어머니의 마음도 또한 그러하다네.

不憎無眼目 不嫌手足攣 誕腹親生子 終日惜兼憐
부증무안목 불혐수족련 탄복친생자 종일석겸련

두 눈이 없다고 한들 어찌 미워하며
손과 발이 없다고 한들 어찌 싫어하리.
내 배로 친히 낳은 자식이기에 날이 가고 세월 더해 가도
종일토록 아끼시며 사랑하시네!

자모(慈母)는 어머니가 자식에 대한 사랑이 아주 깊다는 표현이며, 엄부(嚴父)는 엄격한 법도를 지향하는 아버지를 말한다. 명심보감(明心寶鑑)에 보면 엄한 아버지 밑에 효자가 나고 엄한 어머니 밑에 효녀가 나온다고 하였다. 嚴父出孝子 嚴母出孝女

부모은중경 7 세탁부정은(洗濁不淨恩)

경남 함안 장춘사

세탁부정은(洗濯不淨恩)은 더러운 옷을 깨끗하게 빨아 입혀주신 은혜를 말한다. 빨래는 인류가 의복으로 몸뚱이를 가리면서부터 시작되었다. 빨래함으로써 위생적이고 외관상 보기도 좋아졌음은 물론이다. 그리고 옷의 수명도 연장하고 더불어 인간의 수명과도 밀접한 관계가 있게 되었다.

憶昔美容質 姿媚甚豊濃 眉分翠柳色 兩臉奪蓮紅

억석미용질 자미심풍농 미분취유색 양검탈련홍

생각하면 옛날엔 용모는 아름다웠고
아리따운 자태는 곱고도 풍염(豊艶)하였네.
양쪽의 눈썹은 버들잎 같았고
두 뺨은 붉은 연꽃조차 무색케 했네.

恩深摧玉貌 洗濯損盤龍 只爲憐男女 慈母改顔容
은심최옥모 세탁손반룡 지위련남녀 자모개안용

은혜가 깊을수록 옥같이 곱던 얼굴 여위어 가고
더러움을 씻어 주시기에 손발이 거칠어지셨네.
너무 많이 변하셨네. 한결같이 자식들을 귀여워하기에
자비롭던 어머니 얼굴 잔주름만 늘었네.

억석(憶昔)이라는 표현은 옛일을 돌이켜 생각한다는 표현으로 일종의 묵상(默想)을 말한다. 그러니 여기서는 옛날의 어머님 모습을 돌이켜보니 그 곱던 자태가 지금은 어디론가 사라지고 여윈 모습만 남아 있음에 큰 생각에 잠겼음을 표현하고 있다.

옷이 날개라는 말이 있다. 그러므로 어머님께서 깨끗하게 빨아 입힌 옷은 자식을 돋보이게 한다는 표현이다.

옥모(玉貌)는 옥같이 아름다운 얼굴이라는 표현이다. 이를 갖추어 말하면 옥모화용(玉貌花容)이라 하여서 옥같이 아름답고 꽃다운 용모를 말함이다. 이러한 표현은 여러 가지가 있다. 화용월태(花容月態)는 옥같이 아름답고 달같이 아리따운 자태라는 말이며, 또한 옥모경안(玉貌鏡顔)은 옥같이 아름답고 거울같이 맑은 얼굴을 표현한 말이다.

부모은중경 8 원행억념은(遠行憶念恩)

경북 성주 선석사

원행억념은(遠行憶念恩)은 먼 길 떠나는 자식을 항상 걱정하시는 은혜를 말한다.

부모은중경 게송에는 다음과 같이 송(頌)하고 있다.

死別誠難忘 生離實亦傷 子出關山外 母意在他鄉

사별성난망 생리실역상 자출관산외 모의재타향

죽어서도 이별은 정말로 잊기 어렵지만
살아생전 이별은 더욱더 마음 상한다네.
자식이 집을 떠나 먼 곳으로 갔으면
어머님의 마음도 타향 땅에 가서 있네.

日夜心相逐 流淚數千行 如猿泣愛子 憶念斷肝腸

일야심상축 유루삭천행 여원읍애자 억념단간장

밤낮 근심 걱정으로 자식 생각하는 마음에
흐르는 눈물 천 줄기나 되어 마를 새 없고
원숭이가 제 새끼를 사랑하여 울어대듯이
자식 생각에 애간장이 끊어지는 듯하네.

원행(遠行)은 먼 길을 나서는 것을 말한다. 그만큼 자식이 성장하였다는 표현이기도 하다. 그러나 자식이 타향에 있더라도 부모님은 항상 자식과 함께한다는 표현이다.

삭(數)이라는 표현은 '자주자주'의 의미로 쓰인 글자다. 그러나 셈으로 나타낼 때는 수효를 가리키는 단위이기에 수(數)로 쓰이는 것이다.

원숭이도 자식 사랑에 울어댄다고 하였으니 하물며 축생도 그러할진대 부모님 마음은 어떻겠냐고 하는 표현이다.

애간장이라는 표현은 창자가 끊어졌다는 표현이다. 중국 진나라 환온(桓溫, 312~373)이라는 사람이 촉(蜀)나라를 가던 도중에 환온을 모시고 가던 시종(侍從)이 양자강(揚子江)의 삼협(三峽)에서 원숭이 새끼를 발견하여 이를 싣고 갔는데 원숭이 어미가 새끼를 그리워하며 백 리를 따라오면서 구슬프게 울더니 그만 뱃머리에 뛰어들어 죽고 말았다. 사람들이 죽은 원숭이의 배를 갈라보니 창자가 마디마디 다 끊어져 있었다 하여 단장(斷腸)이라는 고사에서 비롯된 말이다. 후대에 이를 더 강조하기 위하여 애를 덧붙여서 애간장이 다 끊어진다, 또는 애간장을 다 태운다고 하였다. 여기서 애는 간(肝)을 말한다.

부모은중경 9 위조악업은(爲造惡業恩)

전남 순천 송광사

위조악업은(爲造惡業恩)은 자식을 위해 궂은일과 악한 일을 마다하지 않으신 은혜를 말한다. 악업은 사람의 도리에 어긋나는 일을 말하며, 선업(善業)의 반의어(反意語)이기도 하다. 악업은 현세는 물론이며 내세에도 좋지 않은 과보를 초래하는 신구의(身口意) 등으로 짓는 세 가지 악업을 말한다. 그러므로 악업으로 인하여 악업의 과보를 받는 것을 악업보(惡業報)라고 하며, 이로 인한 갖가지 장애를 악업장(惡業障)이라고 한다. 그러기에 부처님께서는 중생들에게 시시때때로 참회하라고 하는 것이다.

父母江山重 恩深報實難 子苦願代受 兒勞母不安
부모강산중 은심보실난 자고원대수 아로모불안

강과 산처럼 소중한 부모님 은혜
그 은혜 실로 갚기 어려워라.
자식의 괴로움 대신 받기를 원하시고
자식의 수고로움에 어머니 마음은 편하지 않네.

聞道遠行去 行遊夜臥寒 男女暫辛苦 長使母心酸
문도원행거 행유야와한 남녀잠신고 장사모심산

자식이 멀리 길 떠난다는 말을 들으면
밤이면 행여 차게 자지나 않을까 걱정하시네.
아들과 딸의 괴로움은 잠시이지만
어머님 마음은 오래도록 쓰라리네.

반포지효(反哺之孝)라는 말이 있다. 이밀(李密, 224~287)이 지은 진정표(陳情表)에 나오는 말이다. 진나라 초대 황제인 무제(武帝)가 이밀에게 태자세마(太子洗馬)라는 큰 벼슬을 내렸지만 이를 극구 사양하였다. 이밀은 조실부모하여 자신을 길러주신 조모를 봉양하기 위해 이를 물리친 것이다.

그러나 무제는 화가 치밀어 올라서 관직을 사양함은 불사이군(不事二君)의 마음이 있다고 하여 그를 벌하려 하였다. 이에 이밀은 말하기를 자신을 까마귀에 비유하면서 까마귀가 어미 새의 은혜를 봉양하고자 하오니 조모가 돌아가시는 날까지 조모를 봉양할 수 있게 해 달라고 하였다는 내용이다. 이와 비슷한 말로 반포지은(反哺之恩), 반포보덕(反哺報德), 자오반포(慈烏反哺) 또는 반의지희(班衣之戲)라는 표현도 있다. 이밀이 지은 진정표(陳情表)를 읽고 눈물을 흘리지 않는 자는 효심이 없는 사람이라는 말도 있다. 여기서 표(表)는 일종의 상소문(上疏文)이다.

부모은중경 10 구경연민은(究竟憐愍恩)

경남 함안 장춘사

구경연민은(究竟憐愍恩) 끝까지 자식을 어여삐 여기는 은혜다. 이것이 바로 극진한 부모님의 마음이다.

父母恩深重 恩憐無歇時 起坐心相逐 遠近意常隨
부모은심중 은연무헐시 기좌심상축 원근의상수

부모님 은혜는 깊고도 무거워
사랑하고 어여삐 여기는 마음 그칠 때 없네!
일어서나 앉으나 마음은 자식의 뒤를 따르고
멀거나 가깝거나 마음은 항상 자식 따라가 있네!

母年一百歲 常憂八十兒 欲知恩愛斷 命盡始分離
모년일백세 상우팔십아 욕지은애단 명진시분리

어머님 연세가 백 살이 되어도
팔십 된 자식을 늘 걱정하시네.
이러한 부모님의 은혜는 언제나 그치리까?
이 목숨 다한 후에야 비로소 떠나리.

부모은중경(父母恩重經)은 부모님의 은혜가 한없이 깊은 것을 부처님께서 설하고 있는 것처럼 그 내용을 펼치고 있다. 그러나 이 경은 대승경전과 유교의 영향을 받아 중국에서 찬술(撰述)된 위경(僞經)으로 유교적 논리가 다분하게 깔려있다. 그리고 도교의 태상노군설부모은중경(太上老君說父母恩重經)과 그 내용이 매우 흡사하다.

중국의 경전은 유교의 종주국인 만큼 중국적 사고를 바탕으로 하여 효를 선양한다. 이와 유사한 경전인 효자경(孝子經), 부모은난보경(父母恩難報經), 우란분경(盂蘭盆經) 등은 불교의 내용이 유교에 흡수되어 만들어진 경(經)이다.

다만 유교의 효경(孝經)이 부모에게 효도를 강조하는 면이 있다면 은중경(恩重經)은 부모님의 은혜를 강조하는 것이 다른 점이다. 지금까지 살펴본 부모은중경을 열 가지로 나타낸 그림을 십은변상도(十恩變相圖)라고 하며 또한 열 가지 은혜를 부모십종대은(父母十種大恩)이라고 한다.

'나실 적 괴로움 다 잊으시고 기르실 때 밤낮으로 애쓰는 마음'으로 시작되는 '어버이 은혜'는 양주동(梁柱東, 1903~1977) 박사가 부모은중경을 기반으로 하여 지은 노랫말이다.

부모은중경 주요수미(週遶須彌)

전남 순천 송광사

부모은중경에 보면 '이때 여래께서는 곧 여덟 가지의 깊고 정중한 범음(梵音)으로 여러 대중에게 이르시기를 너희들은 마땅히 알아야 할 것이니 내가 이제 너희들을 위해서 분별하여 설명하리라.' 하시면서 여덟 가지 비유를 들어 설명하시는데, 그 가운데 하나가 주요수미(週遶須彌)이다.

이를 살펴보면 다음과 같다. 가령 어떤 사람이 그 왼쪽 어깨에 아버지를 업고 오른쪽 어깨에는 어머니를 업고서 살갗이 닳아져 뼈가 드러나고 뼈가 닳아서 골수가 드러나도록 수미산(須彌山)을 백 천 번을 돌더라도 오히려 부모님의 깊은 은혜는 갚을 수 없는 것이다.

부모은중경 상계쾌락(上界快樂)

경북 영천 은해사

부모은중경(父母恩重經)에 나오는 내용을 벽화로 구성한 것이며, 상계(上界)는 곧 천상 세계이니 극락(極樂)을 말한다. 상계쾌락은 부모은중경을 펴내고 법을 보시하면 그들의 부모가 곧 극락세계로 갈 수 있다는 내용이다. 상계(上界)는 어떤 것을 기준으로 정했을 때 항상 그보다 위에 있는 세계를 말한다. 예를 들면 욕계(欲界)를 기준으로 한다면 색계(色界), 무색계(無色界)가 상계가 된다.

이때 여러 대중이 부처님께서 부모의 은덕을 말씀하시는 것을 듣고 눈물을 흘리며 슬피 울면서 부처님께 여쭙기를 저희가 이제 어떻게 해야 부모의 깊은 은혜에 보답할 수 있겠습니까? 이에 부처님이 제자들에게 다시 말씀하시기를 부모의 은혜를 갚고자 하거든 부모를 위하여 거듭 부모은중경 경전을 펴내도록 하라. 이것이 참으로 부모의 은혜에 보답하는 것이다.

능히 부모은중경(父母恩重經) 경전 한 권을 펴낸다면 한 부처님을 뵐 수 있을 것이요, 능히 10권을 펴낸다면 열 분의 부처님을 뵐 수 있을 것이요, 백 권을 펴낸다면 1백 분의 부처님을 뵐 수 있을 것이요, 천 권을 펴낸다면 1천 분의 부처님을 뵐 수 있을 것이요, 만 권을 펴낸다면 1만 분의 부처님을 뵐 수 있을 것이다.

이들이 경전을 펴낸 공덕으로 말미암아 모든 부처님이 언제나 오셔서 옹호하시기에 그 사람의 부모가 천상에 태어나서 모든 쾌락을 누리게 하고 영원히 지옥의 괴로움을 벗어나게 하는 것이라는 내용이다.

비유경 무상을 비유하는 안수정등(岸樹井藤)

전남 곡성 태안사 봉서암

비유경(譬喩經)에 보면 한 나그네가 망망한 광야의 길을 가는데 뒤에서 사나운 코끼리가 나타나 사람을 해치려고 쫓아오고 있었다. 생사를 눈앞에 두고 정신없이 달아나다 보니 언덕 밑에 우물이 있는데 등나무 덩굴이 있었다. 그 사람은 등나무 덩굴을 하나 붙들고 우물 속으로 내려갔다. 겨우 숨을 돌려 아래를 내려다보니 우물 밑에는 독룡(毒龍)이 있고 우물 중턱 사방에는 네 마리의 뱀이 있었다. 그는 등나무 덩굴을 생명줄로 삼아 공중에 매달려 있자니 두 팔이 아파오는데 등나무 위에는 흰쥐와 검은 쥐 두 마리가 나타나 그 덩굴을 쏠고 있었다. 만일 등나무 덩굴을 쥐가 갉아서 그냥 끊어진다든지 또는 두 팔의 힘이 다해 아래로 떨어진다면 그대로 독룡에게 잡아먹히는 신세였다. 그 경황 중에 얼핏 머리를 들어 위를 쳐다보니 등나무 위에 있는 벌집 속에서 달콤한 꿀물이 한 방울 두 방울 떨어져서 입속으로 들어왔다. 이 사람은 꿀을 받아먹는 동안에 자기의 위태로운 상황도 모두 잊어버렸다.

이 이야기는 인생을 묘사한 비유로써 나그네는 생사고해에서 헤매는 모든 중생의 모습을 말하는 것이요, 망망한 광야는 생사의 광야 곧 중생이 그 지은 업에 따라 윤회한다는 지옥, 아귀, 축생, 아수라, 인간, 하늘의 여섯 세계(六道)다. 쫓아오는 코끼리는 아무 예고도 없이 홀연히 목숨을 앗아가는 살귀(殺鬼)이며 우물은 이 세상이고 독룡은 지옥이다. 안수(岸樹)라는 것은 무상(無常)을 가르치기 위한 비유의 나무다.

위산경책주(潙山警策註)에 보면 위산(潙山) 스님은 대반열반경(大般涅槃經)의 내용을 인용하여 다음과 같이 경책하고 있다.

비유하자면 마치 물가의 험한 곳에서 자라고 있는 나무는 폭풍우를 만나면 틀림없이 뽑혀서 물에 떨어지게 되는 것과 같다. 사람도 이와 같아서 늙음이라는 험한 언덕에 자리잡고 있다가 죽음의 바람이 세차게 닥쳐오면 힘으로 도저히 버틸

수가 없다. 彼岸者 大涅槃云 譬如河邊 臨險之樹 若遇暴風 必當顚墜 人亦如是 臨老險岸 死風旣至 勢不得住

네 마리의 뱀은 몸의 네 가지 구성 요소인 흙, 물, 불, 바람이며 등나무는 괴로움의 열매를 맺는 중생의 어리석음(無明)을 가리킨다. 등나무 덩굴은 사람의 생명줄이고 흰쥐와 검은 쥐는 낮과 밤이며 벌집 속의 꿀은 소위 눈앞의 오욕락(五欲樂)으로 재욕, 색욕, 식욕, 수면욕, 명예욕이다. 이것이 바로 생사고해에서 헤매는 중생을 비유하여 말한 안수정등(岸樹井藤)이란 유명한 가르침이다.

대반열반경 설산동자(雪山童子)와 나찰

전북 김제 금산사

설산동자(雪山童子)는 석가모니가 설산(雪山)에서 도를 닦았을 때를 가리켜 부르는 명칭이다. 석가모니가 설산동자로서 수행하면서 두 글귀의 가르침을 얻으려고 나찰(羅刹)에게 자신의 몸을 던지며 구법을 얻는 장면이다. 그러므로 설산동자는 곧 석가모니의 전생담(前生譚)이다. 대반열반경(大般涅槃經)을 통하여 설산동자에 대해서 알아보자.

지나간 옛적에 부처님이 사바세계에 나시기 이전에 바라문(婆羅門)이 되어 보살행을 닦으면서 모든 외도의 경전을 통달하고, 고요한 행을 닦으면서 위의를 구족하고 마음이 깨끗하여 탐욕을 낼 만한 바깥 물건에 파괴되지 않을 만하였으며, 성내는 불을 소멸하여 항상하고 즐겁고 깨끗한 법을 받아 지니고서 여러 방면으로 대승경전을 구하여 끝내 방등경(方等經)의 이름도 듣지 못하였다. 내가 그때 설산에서 수행하면서 한량없는 세월을 지나면서 도를 구하자 제석천왕과 천상 사람들의 마음이 매우 놀라고 이상하게 여겨서 한곳에 모여 서로서로 말하면서 제석천은 게송을 읊었다.

各共相指示 清淨雪山中 寂靜離欲主 功德莊嚴王
각공상지시 청정설산중 적정이욕주 공덕장엄왕

번갈아 서로서로 가리키노니
맑고 깨끗한 설산 가운데
고요히 앉아 있어 욕심 벗은 님
공덕으로 장엄한 거룩한 이들

以離貪瞋慢 永斷諸愚癡 口初未曾說 麤惡等語言
이리탐진만 영단제우치 구초미증설 추악등어언

욕심 교만 성내는 일 다 여의었고
어리석은 무명을 아주 끊어서
추악하고 더러운 나쁜 소리가
입에서 나오는 일 보지 못했네.

이때 대중 가운데 환희(歡喜)라는 천인(天人)이 또 게송으로 말하였다.

如是離欲人 清淨勤精進 將不求帝釋 及以諸天耶
여시이욕인 청정근정진 장불구제석 급이제천야

저렇게 모든 욕심 떠난 사람이
깨끗하게 부지런히 정진하다가
장차 제석이나
천상 사람이 되기를 구하지나 아니할는지?

若是求道者 修行諸苦行 帝釋所坐處 是人多欲求
약시구도자 수행제고행 제석소좌처 시인다욕구

흔히 세상에서 도 닦는 사람
여러 가지 괴로운 일 닦아 행할제
제석천왕 앉아 있는 높은 자리를
외람되게 희망하는 욕심 있나니.

그때 어떤 신선이 곧 제석천왕이 되어 게송으로 말하였다.

天主憍尸迦 不應生此慮 外道修苦行 何必求帝處
천주교시가 불응생차려 외도수고행 하필구제처

이 하늘 임금이신 교시가시여,
행여나 그런 염려하지 마시오.
외도들이 고행을 닦아 행함이
하필이면 제석의 자리를 희망하려고.

제석천왕은 설산동자의 구도를 시험해 보려고 나찰이 되어 흉악한 형상으로 설산에 내려가서 멀지 아니한 곳에 계셨다. 그때 나찰은 두려운 마음이 없고 용맹하기 짝이 없으며, 조리 있는 변재와 맑은 음성으로 지난 세상의 부처님이 말씀한 계송의 절반을 말하였다.

諸行無常 是生滅法

제행무상 시생멸법

변천하는 모든 법이 떳떳지 않아

모두가 났다가 없어지는 법.

제주 제주시 제석사

이 반(半) 게송을 말하고 앞에 섰으니 얼굴이 험상궂고 눈을 두리번거리면서 사방을 노려보았다. 설산동자는 반 게송을 듣고 대단히 기뻤으니, 마치 장사치가 험난한 길에서 밤에 동행을 잃고 여러 곳으로 찾아다니다가 동무를 만나서는 기쁜 마음으로 한량없이 뛰어노는 듯하며, 또는 오래 앓은 이가 용한 의원과 간호할 사람과 좋은 약을 만나지 못하다가 나중에 만난 듯하며, 바다에 빠진 이가 배를 만난 듯, 목마른 이가 찬물을 만난 듯, 원수에 쫓기다가 벗어난 듯, 오래 갇혔던 사람이 놓임을 얻은 듯, 농사꾼이 오랜 가뭄에 비를 만나듯, 길 떠났던 사람이 집으로 돌아오자 가족들이 보고 기뻐하는 듯하였다.

그때 설산동자는 반 게송을 듣고 마음이 기쁘기가 그와 같아서 곧 자리에서 일어나 사방을 둘러보며 지금 게송을 들려준 이가 누구냐고 물었다. 그러나 다른 사람은 없고 나찰만이 보였다. 그래서 설산동자는 물었다.

누가 이러한 해탈의 문을 열었으며, 누가 능히 모든 부처님의 음성을 우레처럼 우렁차게 외치었는가? 나고 죽는 잠꼬대에서 누가 혼자 깨어서 이런 게송을 읊었는가? 생사의 흉년이 든 중생에게 누가 위없는 도의 맛을 보여주었는가? 한량없는 중생이 나고 죽는 바다에 헤매는데 누가 능히 뱃사공이 되었는가? 모든 중생이 중병에 걸렸는데 누가 용한 의원이 되는가? 이 반 게송을 말하여 나의 마음을 깨워주니, 마치 반쪽 달이 연꽃을 점점 피우게 하는 듯하구나!

그때 다시 보이는 이가 없고 오직 나찰만 보였다. 설산동자가 생각하기를 저 나찰이 게송을 말하였는가? 그러나 다시 의심하여 저 나찰이 이런 게송을 말하지 않았으리라. 왜냐하면 형상은 흉악하니 만일 이런 게송을 들었으면 모든 흉악하고 무서운 모양이 없어졌을 것이다. 어찌 저런 모양으로 이런 게송을 말할 수 있겠는가? 불 속에서 연꽃이 피어날 수 없으며 햇볕 아래에서 찬물이 생길 수가 없지 않겠는가? 이러한 생각이 문득 들었다.

그러다가 문득 다시 생각하기를 내가 지혜가 없구나! 나찰이 혹시나 지난 세상에서 부처님을 뵈옵고 부처님께 이런 게송을 들었을 줄도 알 수 없지 않은가? 내가 한번 물어보리라. 다시 설산동자는 나찰에게 물었다.

그대는 어디서 반 게송을 들었는가? 그러자 나찰이 답하기를 바라문이여! 그대는 나에게 이런 뜻을 묻지 마시오. 왜냐하면 저는 여러 날을 먹지도 못하여 기갈이 아주 심합니다. 지금은 배고프고 목말라서 헛소리한 것뿐이요. 그러므로 나의 본마음에서 나온 말이 아니요. 바라문인 설산동자는 나찰에게 말하기를 그대가 나머지 게송을 마저 일러준다면 나는 그대의 제자가 되겠소! 나찰이 말하기를 나는 지금 배가 고파서 말할 수가 없소. 그러자 그대는 무엇을 먹는가? 나찰이 말하기를 내가 먹는 것은 오직 더운 살이고 마시는 것은 사람의 끓는 피요. 설산동자가 말하기를 그대가 나머지 반 게송을 일러주면 나의 이 몸을 당신에게 공양하겠소. 나찰이 말하기를 누가 그대의 말을 믿는다 말이오. 나머지 여덟 글자의 게송을 위하여 당신의 몸을 공양한다는 그 말을 말이요. 설산동자가 말하기를 모든 부처님이 증명할 것이요. 그러자 나찰은 나머지 반 게송을 말하였다.

生滅滅已 寂滅爲樂
생멸멸이 적멸위락

났다, 없다 하는 법이 없어지면
그때가 고요하여 즐거우리라.

이 말을 마친 나찰이 말하기를 바라문이여! 그대는 나머지 게송을 들었으니, 나는 그대의 소원을 들어주었으므로 만일 중생을 이익하게 하려면 그대의 몸을 나에게 주어야 할 것이요.

그러자 설산동자는 각처에 있는 돌과 나무와 길에 이 게송을 써 놓고는 몸에 입었던 옷을 다시 정돈하여 죽은 뒤에라도 살이 드러나지 않게 하고 높은 나무 위로 올라갔다. 그리고는 훗날의 중생을 위하여 초개같이 나무에서 나찰을 향하여 몸을 던졌다. 이때 나찰은 다시 제석천왕의 몸으로 돌아가 나무에서 떨어지는 설산동자를 곱게 받아 내려놓고는 제석천왕과 여러 천인과 대범천왕이 설산동자의 발에 예배하였다.

선남자여, 내가 지난 세상에 반 게송을 위하여 이 몸을 버린 인연으로 12겁을 초월하여 미륵보살보다 먼저 아뇩다라삼먁삼보리를 이루었느니라. 선남자여, 내가 이러한 한량없는 공덕을 이룬 것은 여래의 바른 법에 공양한 까닭이니라. 선남자여, 그대들도 이와 같아서 아뇩다라삼먁삼보리에 마음을 내었으니 한량없고 그지없는 항하사 모래 수 보살들을 벌써 뛰어넘었느니라. 선남자여, 이것을 불러 '보살이 대승의 대반열반경에 머물러서 거룩한 행을 닦음이라' 하느니라.

지금까지 벽화를 통하여 대반열반경(大般涅槃經) 제14권에 성행품에 나오는 거룩한 행에 대하여 살펴보았다. 부처님이 전생에 설산동자로 수행할 때 반쪽의 게송을 얻기 위하여 몸을 공양하는 거룩한 행을 살펴본 것이다. 이 게송을 종합하면 다음과 같다.

諸行無常 是生滅法 生滅滅已 寂滅爲樂
제행무상 시생멸법 생멸멸이 적멸위락

변천하는 모든 법이 떳떳지 않아
모두가 났다가 없어지는 법.
났다, 없다 하는 법이 없어지면
그때가 고요하여 즐거우리라.

참고로 이 게송은 재의식(齋儀式)을 거행할 때 시식(施食)에도 등장한다. 이 게송이 끝나면 대부분 장엄염불(莊嚴念佛)로 이어지게 된다.

대반열반경 구명부대(救命浮袋)와 나찰

경북 청도 운문사

대반열반경 성행품(大般涅槃經 聖行品)에 나오는 말씀을 바탕으로 그려진 벽화다. 부처님께서 가섭에게 보살마하살들이 대반열반경에 마땅히 전념하는 다섯 가지 마음을 일러준 뒤 그것이 곧 여래의 행이며 곧 대승의 대열반경이라고 말씀하셨다.

대승을 구하기 위해서는 처자식은 물론 금은보화와 향락의 물건, 하인과 소, 양, 닭, 개, 돼지 등을 모두 버려야 한다고 말씀하셨다. 출가하고자 하면 천마(天魔)와 파순(波旬)이 고통을 느끼어 다시 나와 싸움을 일으키려 하나니, 그러므로 출가자는 계율을 지키고 위의(威儀) 있는 점잖은 행동을 하며, 죄를 지으면 두려워하고 계율을 수호하는 마음을 금강과 같이 하라 하였다.

선남자야, 비유하면 어떤 사람이 구명부대를 몸에 달고 바다를 건너려고 할 때 바다에 사는 나찰이 이 사람에게 구명부대를 달라고 하자 이를 주고 나면 바다에 빠져 죽을 것이므로 내가 차라리 너에게 죽더라도 이 구명부대는 줄 수가 없다고 하였다. 그러자 나찰이 그러하면 반이라도 달라고 하자 그래도 주지 않았다. 그러자 또 한 나찰이 그러면 손바닥만큼이라도 달라고 하자 또 이를 거절하였고, 그러면 티끌만큼이라도 달라고 하자 또 이를 거절하였다.

선남자야, 수행자가 계율을 수호하고 지니는 것도 이와 같다. 바다를 건너는 사람이 구명부대를 아끼고 수호하는 것과 같다. 또 다른 악한 나찰들이 수행자를 유혹하기를 그대는 마땅히 나의 말을 들어라. 속이지 않겠다. 네 가지 중대한 계율을 깨트려도 다른 계율을 보호하여 지니면 그대는 그 인연으로 편안하게 열반에 들 것이다.

그러나 바다를 건너는 사람들은 나는 계율을 지키다가 아비지옥에 떨어지더라도 계율을 깨트리고 천상에 나기를 원하지 않는다고 하였다. 나찰은 이런저런 유혹으로 파계를 유혹하였지만, 그들은 작은 계율 하나라도 견고하게 보호하고 지키려는 마음이 금강과 같았다.

부처님께서 말씀하시기를 가섭아, 수행자는 두 가지 계율이 있다. 첫째는 세상의 가르침을 받는 계율이며, 둘째는 바른 법을 얻는 계율이다. 또 두 가지 계율이 있으니, 그 첫째는 성품이 중요한 계율이며, 둘째는 세상의 원망과 의심을 일으키는 계율이다. 이어서 부처님은 계율의 중요성에 대해서 차근차근하게 법문을 펼치신다.

이 두 가지 계율을 표현해 이지계(二持戒)라고 하여 이것을 그림으로 나타낸 것을 흔히 여구부낭(如懼浮囊)이라고 한다. 부낭(浮囊)은 계율을 뜻한다. 나찰(羅刹)

은 우리 마음속의 번뇌 망상이며, 바다를 건넌다는 것은 곧 생사고해를 건너 열반의 언덕에 이르고자 하는 수행을 말한다.

잡보장경 귀자모신(鬼子母神)

경남 합천 해인사

귀자모신(鬼子母神)은 귀자모천(鬼子母天)으로도 한역한다. 귀신왕인 반사가(般闍迦, 波闍迦)의 부인으로 1만 명의 자식을 두어 귀자모(鬼子母) 혹은 귀모(鬼母)라고도 한다. 밀교에서는 가리제모(訶利帝母)라고 하며 이를 본존으로 하여 출산을 기원하는 수행법을 가리제모법(訶利帝母法)이라고 한다. 귀자모를 의역하여 환희모(歡喜母)라고도 한다.

잡보장경(雜寶藏經) 제9권에 귀자모실자연(鬼子母失子緣)편에 보면 귀자모는 늙은 귀신의 왕인 반사가(般闍迦)의 아내로 1만 명의 아들을 두었다. 이는 모두 그 역사의 힘이었으며 그녀의 막내아들의 이름은 빈가라(嬪伽羅)였다. 빈가라의 어머니는 성정(性情)이 흉악하고 요사하고 사나울 뿐만 아니라 아이들을 잡아먹었으므로 사람들은 이를 크게 걱정하며 부처님께 이러한 사실을 알렸다. 부처님은 그에 귀자모의 아들을 붙잡아서 발우 밑에 숨겨두었다. 그러자 귀자모는 아들을 찾기 위하여 이레 동안 헤맸으나 찾지를 못하자 근심과 번민에 휩싸였다. 어떤 여인이 귀자모에게 말하기를 부처님은 일체지를 구족하셨다고 말하자 귀자모는 부처님을 찾아가 자신의 아들의 행방을 여쭈었다. 부처님은 힐난하기를 너는 만 명의 아들 가운데 겨우 한 아들을 잃었는데 무엇 때문에 근심하면서 찾아다니느냐. 범부들은 대개 아들 한 명 혹은 셋 또는 다섯 명을 두었을 뿐인데 너는 그것을 잡아먹지 아니하였느냐?

귀자모가 만약 제 아들만 찾는다면 다시는 그러한 짓을 하지 않겠다고 말하자 부처님은 곧 발우 밑에 있는 '빈가라'를 보여주었다. 귀자모가 있는 힘을 다하였으나 발우를 들어내지 못하고 다시 부처님께 도움을 청하였다. 부처님께서 네가 삼귀의와 오계를 받아 지녀서 목숨이 다할 때까지 사람을 죽이지 않는다면 너의 아들을 돌려줄 것이다고 하자 귀자모는 이를 받아들이고 부처님께 귀의하였다.

이에 부처님은 빈가라를 돌려주면서 말씀하시기를 너는 지금 부처님의 계율을 잘 받아 지녀라. 너는 전세에 카아샤파 부처님 때 갈니왕(羯膩王)의 일곱째 공주로 있을 당시 계율을 어겼기 때문에 지금 귀신의 형상을 받은 것이라고 하셨다. 마하마야경(摩訶摩耶經) 게송에 보면 귀자모에 대한 게송 두 구절이 있는데 그 가운데 하나는 다음과 같다.

又彼鬼子母 恒噉於人兒 以佛憐愍故 藏其子不現

우피귀자모 항담어인아 이불련민고 장기자불현

그리고 또 저 귀자모(鬼子母)는
아이들을 항상 잡아먹었지만
부처님께서는 이를 불쌍히 여기시고
그의 자식을 감추어 버렸다네.

아난존자(阿難尊者)의 교족(翹足)정진

대구 동구 반야정사

아난존자(阿難尊者, Ananda)는 부처님의 십대제자이며 또한 부처님의 사촌 동생이다. 부처님께서 성도를 이루시어 환궁(還宮)하였을 때 난타(難陀), 아나율(阿那律) 등과 함께 출가하여 부처님의 제자가 되었다. 아난존자는 부처님의 시자로 부처님이 쿠시나가라에서 열반에 들 때까지 가장 오랫동안 보필하였으며, 설법 또한 가장 많이 들었기에 다문제일(多聞第一)로 널리 알려져 있다. 부처님 열반

후 제1차 경전을 결집할 당시에 아난존자도 참석하려고 하였다. 그러나 가섭존자는 아난존자가 기억력이 뛰어나고 총기만 있다고 하여 경전 결집에 참여할 수는 없다고 하였다. 대신 아라한과(阿羅漢果)를 증득한 뒤에 참석하라는 통지(通知)를 받았다. 그러나 가장 오랫동안 부처님을 따르며, 가장 많은 설법을 들은 아난존자를 배제하고 경전을 결집한다는 것도 문제가 되었다.

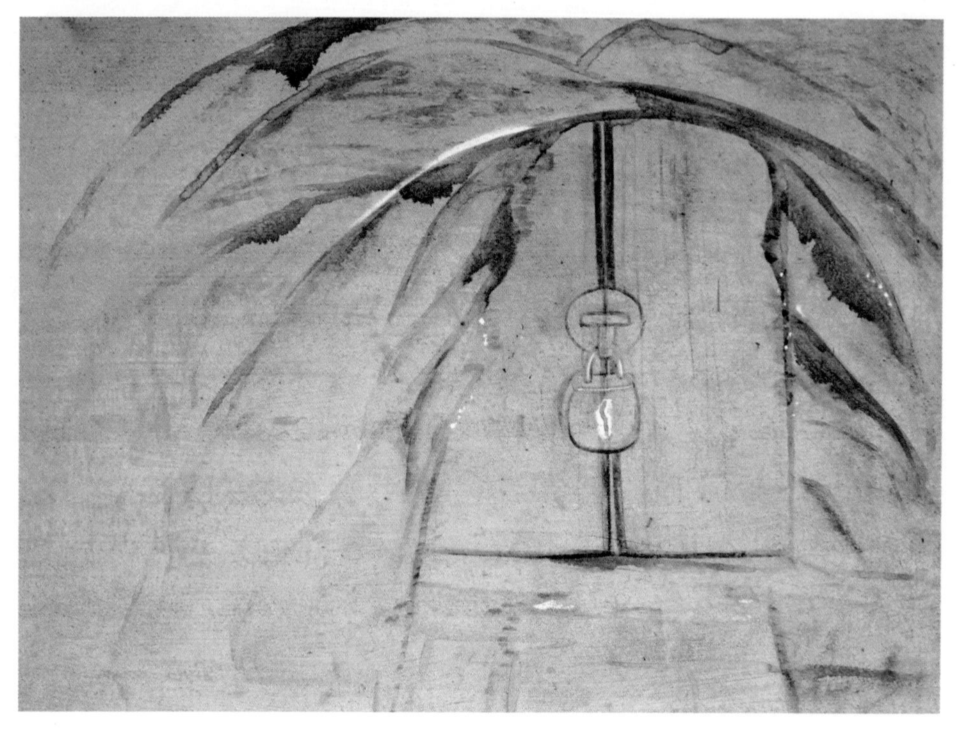

경남 밀양 표충사

이에 아난존자는 분한 마음을 일으키어 칠일칠야(七日七夜)를 잠자지 않고 발뒤꿈치를 들고 용맹정진하여 마침내 아라한과를 깨달아 얻어 결집에 참석하게 되었다. 이때 장로(長老)들 앞에서 부처님의 설법에 관하여 물으면 '나는 이처럼 들었습니다.' 하고 암송으로 경전 결집을 주도하였다. '나는 이처럼 틀림없이 들었다'는 표현을 한역하여 '여시아문(如是我聞)'이라고 한다.

교족정진(翹足精進)은 발뒤꿈치를 들고 하는 정진으로 교(翹)는 올리다, 족(足)은 발이라는 뜻이다. 이는 부처님께서 과거세에 불사불(弗沙佛)이 화정삼매(火定三昧)에 드신 것을 보고 환희심이 일어나서 칠일 밤낮을 발돋움한 채로 지냈다는 고사에서 기초한 것이다.

증일아함경 난다[難陀]의 출가

경남 창원 마산합포구 의림사

부처님께서 보리수 아래에서 수행하신 후 성도를 이루시어 마침내 인천(人天)에서 가장 위대한 성자인 부처가 되셨다. 그리고 고향으로 돌아오시어 이복동생 난다를 강제로 출가시키셨다. 그러나 난다는 미모의 부인이 있어서 항상 애욕을 가지므로 여러 가지 방편으로 난다를 꾸짖으시고 교화시키셨다. 여기에 대한 자세한 내용은 이어지는 벽화 가운데 '증일아함경 난다의 음욕편'을 참고하길 바란다.

증일아함경 난다[難陀]의 음욕

전북 김제 통천사

난다(Nanda)는 부처님의 이복동생으로 부처님을 양육한 양모이자 이모인 마하파사파제의 아들로 용모가 단정하고 목소리가 고왔으므로 사람들은 그를 손다라난다라고 불렀다. 부처님께서는 성도 후 고향으로 돌아왔을 때 그를 강제로 출가시켰으나 이미 부인 손타리(孫陀利)가 있었다.

증일아함경에는 부처님께서 기수급고독원에 계실 때 난다는 수행을 게을리하고 속인의 행을 익히려고 하였다. 그때 부처님께서 난다에게 너는 왜 속인의 행을 따르려고 하느냐 하자, 난다가 다름 아닌 음욕이 치성하여 두고 온 손타리가 보고 싶다고 하였다. 이에 부처님께서는 너는 바른 법을 버리고 더러운 법을 익히려고 하느냐 하시면서 이르기를, 사람이 만족할 줄 모르는 두 가지 법이 있으니 음욕과 음주라. 이로 인하여 열반락을 이루지 못한다고 하시면서 게송으로 말씀하셨다.

蓋屋不密 天雨則漏 人不惟行 漏婬怒癡
개옥불밀 천우즉루 인불유행 누음노치

지붕을 촘촘히 덮지 아니하면
비가 내리면 새고 말 것이다.
사람이 범행을 닦지 아니하면
음욕 성냄 어리석음이 새게 되리라.

蓋屋善密 天雨不漏 人能惟行 無婬怒癡
개옥선밀 천우불루 인능유행 무음노치

지붕을 촘촘하게 잘 덮으면
아무리 비가 내려도 새지 않으니
사람이 능히 범행을 닦으면
음욕과 성냄 어리석음이 없어지리라.

내가 이제 너의 음욕의 불을 꺼 주리라 하시면서 신통력으로 난다를 데리고 향산(香山) 위로 올라가 추악한 애꾸눈 원숭이가 살고 있는 동굴 속으로 데려가서 난다에게 이르기를, 원숭이와 손타리 중에 누가 더 아름다운가 묻자 저는 지금도 손타리 생각이 떠나질 않습니다라고 하였다.

이에 부처님께서는 다시 신통력으로 난다를 33천의 선법강당(善法講堂)으로 데려가니 5백 명의 하늘 여인들은 서로 즐겁게 춤을 추고 기악을 다루며 노래를 부르고 있었지만 남자는 아무도 없었다. 부처님은 말씀하시기를 너는 계행만 잘 닦으면 천녀들이 너를 시봉할 것이다. 그러시면서 천녀와 손타리 중에 누가 더 아름다우냐 하고 여쭈었다. 난다는 말하기를 애꾸눈 원숭이는 손타리에게 비교가 안 되듯이 손타리 역시 천녀들과는 비교가 안 됩니다라고 대답하였다.

부처님은 다시 난다를 데리고 아비지옥으로 갔다. 활활 타는 가마솥 가운데에 빈 가마솥을 보자 직감으로 이 빈 가마솥이 자기가 죽으면 올 곳이라는 것을 알고 모골이 송연하였다. 이에 난다는 참회하면서 부처님께 게송을 지어 올렸다.

人生不足貴 天壽盡亦喪 地獄痛酸苦 唯有涅槃樂
인생부족귀 천수진역상 지옥통산고 유유열반락

사람의 삶이란 귀할 것이 하나도 없고
하늘의 목숨도 다하면 죽는다네!
지옥은 아프고 쓰라리고 괴로운 곳
오직 열반에만 즐거움이 있네!

이에 부처님께서는 네 말이 맞다. 오직 열반만이 진실한 즐거움이 있는 곳이다. 너의 참회를 받아 주나니 다시는 그러한 어리석음을 짓지 않고 방일하지 말며 열심히 수행하도록 하여라. 그리고 너는 앞으로 지관법(止觀法)을 닦도록 하여라. 그리고 두 가지 법이 있으니 지혜(智慧)와 변재(辯才)이다. 이에 난타는 부처님께 참회의 예를 올리고 안타원(安陀園)으로 가서 수행하여 아라한(阿羅漢)이 되었다.

이에 부처님은 게송으로 말씀하셨다.

我今見難陀 修行沙門法 諸惡皆以息 頭陀無有失
아금견난타 수행사문법 제악개이식 두타무유실

내 이제를 난다를 보니
사문의 법을 닦아 행하여
모든 악을 다 끊고
두타행에 잘못이 없구나!

그때 부처님께서는 비구들에게 말씀하셨다. 아라한이 된 사람도 난다비구요, 음욕 성냄 어리석음이 없는 사람도 바로 난다비구라.

관음정토본연경 무인도에 버려진 형제

부산 부산진구 삼광사

관세음보살정토본연경(觀世音菩薩淨土本緣經)을 줄여서 관음정토본연경 혹은 본연경이라고 한다. 고려대장경에는 전하지 않으며 속장경(續藏經)에는 전하고 있다. 그러나 위경(僞經)이다. 한때 부처님이 왕사성 취봉산(鷲峰山) 정상에 머물 때 비구와 보살, 그리고 천룡팔부, 사람과 사람 아닌 이들이 부처님을 공경하며 위요하였다. 부처님께서 본연경을 말씀하시려고 할 때 부처님으로부터 광명이 나와서 남염부제 모든 국토에 비추지 아니함이 없었다. 이에 부처님은 광명 중에 게송으로 말씀하셨다.

成就大悲解脫門 常在娑婆補陀山 晝夜六變觀世間 本願因緣利一切
성취대비해탈문 상재사바보타산 주야육변관세간 본원인연이일체

대비 해탈 문을 성취하신이여,
사바세계 보타산에 상주하시네!
주야로 어느 때나 세간을 살펴보시고
소원이 있는 인연 중생을 이롭게 하네.

대중들은 광명을 보고 신이하고 미증유한 일인지라 놀라며 경건하게 의문을 가졌다. 이때 대중 가운데 총지자재(總持自在)보살이 자리에서 일어나 부처님께 여쭙기를 부처님이시여! 무슨 인연으로 지금의 광명을 놓으십니까? 그리고 누구를 위한 광명입니까? 하였다.

너희들은 잘 들어라. 여기서부터 서쪽으로 20항하사 불토를 지나면 극락세계가 있으니 그 나라의 중생은 괴로움이 없으며 다만 즐거움만 있을 뿐이다. 그 국토에 한 부처님이 계시니 아미타불이시다. 그곳에 세 성인이 계시니 아미타불 관세음보살 대세지보살이시다.

그때 관세음보살이 백천 대중을 이끌고 법회의 자리에 오시어 부처님 전에 예를 올리고 자리에 앉으셨다. 그러자 부처님께서 말씀하셨다.

아승기겁 전에 남천축국 마열바라(摩涅婆吒) 집에 장나(長那)라는 장자와 그의 부인 마나사라(摩那斯羅)가 살고 있었다. 그들은 살림이 풍족하였지만 슬하에 자

식이 없어서 천신(天神)에게 기도를 하여 아들을 얻었으며 3년 뒤에 다시 아들을 보게 되었다.

이들은 너무나 기뻐서 관상가한테 보였더니 점쟁이가 말하기를 이 아이들은 용모는 단정하나 일찍 부모를 잃을 것이라고 하였다. 그래서 형은 조리(早離)라 이름하고 동생은 속리(速離)라고 불렀다. 과연 조리가 7세 때 그의 어머니는 우연히 병을 얻어 회복할 기미가 보이지 않자 두 아들을 불러놓고 유언하기를 너희 두 형제는 수레와 새의 날개처럼 살아라. 수레는 한 바퀴로는 굴러갈 수가 없고 새는 한 날개로 날 수가 없는 법이다. 이러한 유언을 남기고 죽고 말았다.

그의 아버지는 어린 형제를 위하여 비라(毗羅) 장자의 딸을 부인으로 맞이하였다. 몇 년이 지나지 않아 나라에 기근이 들어 곳간(庫間)이 점점 비어가게 되었다. 아버지는 먼 나라로 양식을 구하러 가면서 아내에게 이르기를 내가 27일 만에 돌아올 것이나 만약 돌아오지 않는 변고가 생긴다면 아이들을 잘 부탁한다는 말을 남기고 떠났다. 새 부인은 못된 생각이 들었다. 남편이 돌아오지 않으면 저 두 자식을 어찌 키울꼬? 이런 생각으로 두 아들에게 말하기를 산에 나물을 캐러 가자고 하면서 저 남쪽 섬에 가면 맛있는 과일과 방초(芳草)가 있으니 그리로 가자고 하여 무인도에 두 아들을 데려가 놓아두고 와 버렸다.

이들 형제는 돌아가는 배가 없음을 알게 되자 큰소리로 어머니를 불렀지만 아무런 응답이 없었다. 두 형제는 주야로 통곡하다가 형 조리가 말하기를 비통하게 어머니와 이별하니 다시 만날 수가 없고, 아버지는 단나라산에 가시어서 돌아오지 않으시고, 계모는 우리를 고도(孤島)에 버리고 돌아갔으니 우리의 운명은 어찌할꼬? 그때 어머니의 유언이 생각나서 무상도심을 일으키어 보살의 대비심을 성취하여 해탈문을 열어 여러 사람을 구제하겠다는 원을 세우고 기도하다가 죽었다.

조리의 아버지는 단나라산에 가서 진두과(鎭頭果)를 가지고 집으로 돌아왔으나 두 아들이 보이지 않았다. 그에 부인에게 아들의 행방을 물으니 두 아들은 구걸하기 위하여 나가서 돌아오지 아니하였다고 말하였다. 장자가 친구들한테 물으니 집을 나간 지 27일이 되어도 돌아오지 않는다고 하였다. 다시 부인에게 물어 무인도에 버리고 왔고 두 아들이 굶어 죽었음을 알고 통탄하였다.

장자가 무인도에 도착하여 사방을 헤매며 찾았으나 두 아들은 보이지 않고 백골만 한군데 모여 있었다. 이에 장자도 발원하기를 원하건대 나도 두 아들도 중생을 제도하고 조속히 불도를 이루겠노라고 굳은 발심을 하며 오백대원(五百大願)을 세웠다.

그때 장자는 지금의 석가여래이며, 마나사라 부인은 지금의 아미타불이며, 조리는 관세음보살이고 속리는 대세지보살이며, 친구는 총지자재보살이며, 옛날 단나라산은 지금의 영축산이며, 그때의 무인도는 지금의 보타낙가산이라는 관세음보살의 법문이 끝나자 석가여래는 과연 네 말이 바르다고 하였다. 그때 아미타불과 함께 온 수백 성중(聖衆)이 공중에서 게송을 읊었다. 그러자 아미타불을 염송하고 대중들은 환희하며 예를 갖추고 물러갔다.

앵무경(鸚鵡經) 마납(摩納)의 집 흰 개

경남 김해 정암사

중아함경(中阿含經) 가운데 앵무경(鸚鵡經)이라는 경전이 있다. 여기에 보면 부처님께서 사위국 승림급고독원(勝林給孤獨園)에 계실 때 걸식을 하기 위해 앵무마납(鸚鵡摩納)의 집으로 가셨다. 여기서 앵무(鸚鵡)는 바라문 도제의 아들이고 마납은 바라문 동자를 가리키는 말이다.

이때 바라문은 볼일을 보러 가고 아들만 집에 있었다. 도제의 아들 앵무마납의 집에 있던 흰 개는 금쟁반에 담긴 밥을 먹다가 멀리서 부처님께서 오시자 사납게 짖었다. 그때 부처님께서 개에게 타이르기를 너는 으르렁거리다가 몹시 사납게 짖기까지 하는구나! 이 말은 들은 흰 개는 분을 못 이겨 나뭇더미 주변에서 분함에 잠겨 있었다. 도제의 아들 앵무마납은 집으로 돌아와 보니 개가 이상해 보이자 주변 사람들에게 물어 자초지종을 들을 수 있었다. 사실을 안 앵무마납은 몹시 화가 나서 부처님을 비방하고 모함하면서 곧 사위성을 나가 기수급고독원으로 갔다. 부처님께서는 설법하시다가 앵무마납이 오는 것을 보고 대중들에게 그는 화를 몹시 낼 것이다. 어떤 중생이라도 마음으로 크게 화를 내면 몸이 무너지고 목숨이 끝난 뒤에 반드시 지옥에 떨어질 것이다라고 말씀하셨다.

앵무마납은 부처님에게 다가와서 따지기를 우리집에 와서 내가 사랑하는 개에게 무슨 짓을 하였기에 개가 저렇게 분함을 못 이겨서 시름거리고 있느냐고 항의하였다. 그러자 부처님께서는 너희 집의 개가 몹시 성을 내어 으르렁거리기에 그러면 안 된다고 하였다. 이에 앵무마납은 부처님께 여쭈었다. 저 개는 전생에 나와 어떤 관계입니까?

부처님께서 말씀하셨다. 너는 내 말을 들으면 몹시 언짢아할 것이다. 그러니 묻지를 말아라. 앵무마납은 계속 이 답을 듣고 싶어 하였다. 부처님께서는 너는 마땅히 알라. 흰 개는 전생의 네 아버지였으며 이름은 코살라국[憍薩羅國]에 살던 유명한 바라문인 도제(都提)였느니라. 그러자 앵무마납은 더더욱 분함을 이기지를 못하고 대들기를, 그렇다면 우리 아버지는 크게 보시하였을 것인데 왜 범천에 태어나지 못하고 하천(下賤)한 개로 태어났습니까? 네 아버지 도제는 증상만(增上慢)으로 인하여 개로 태어났느니라.

梵志增上慢 此終六處生 雞狗豬及豺 驢五地獄六

범지증상만 차종육처생 계구저급시 여오지옥륙

범지로서 증상만을 가지고
그 생을 마치면 여섯 곳에 태어나니
닭, 개, 돼지, 승냥이
다섯째는 나귀 여섯째는 지옥이라네.

부처님께서 너는 내 말을 믿지 못하겠거든 집으로 돌아가 내가 일러준 대로 여러 가지 시험을 해보아라. 앵무마납은 집으로 돌아와 개에게 명령하니 시키는 대로 하였다. 이를 신이하게 여긴 앵무마납이 보물이 숨겨진 장소를 물어보자 개는 그곳을 가리키며 땅을 파헤쳤다. 이에 앵무마납은 크게 탄복하며 부처님께 귀의하였다.

앵무마납은 수명 장단에 대해서 여쭈었다. 그러자 부처님은 생물과 곤충에 이르기까지 살생을 많이 한 사람은 이생에서 목숨이 짧고 살생을 끊은 자는 오래 살 수 있다고 하였다.

앵무마납은 질병의 고통에 대해서 여쭈었다. 이에 부처님께서는 주먹으로 혹은 막대기나 돌, 칼, 몽둥이로 중생을 못살게 굴면 질병과 병고가 끊이지 않는다. 이는 전생의 업보로 인한 고통이라고 말씀하셨다. 앵무마납은 또 용모의 단정함과 성질이 급한 자에 대해서 여쭈었다. 그러자 부처님께서는 작은 일에도 몹시 화를 내거나 증오와 질투가 많았던 사람이라고 말씀하셨다.

이외에도 앵무경에서는 많은 인과응보에 대해서 말씀하고 있다. 앵무마납은 부처님의 가르침을 듣고 크게 발심하여 부처님께 귀의하였다. 우리나라에서 이러한 벽화는 보기가 드물지만, 양산 통도사 영산전(靈山殿)의 벽화 가운데 백구폐불도(白狗吠佛圖)가 바로 여기에 해당하는 벽화이다.

맛지마 니까야 가운데 쑤바경(Subhasutta)에 보면 또데이야(Todeyya)의 아들 바라문 청년 쑤바(Subha)가 등장한다. 여기에서 쑤바는 또데이야의 아들이다. 부처님께서 싸밧티(Savatthi) 도시에 있는 제따 숲에 있는 아나타빤디까 사원에 머무르실 때 부처님을 뵙고 여러 가지 질문을 하여 가르침을 받는 경이다. 쑤바의 아버지는 빠쎄나디(Pasenadi)왕의 사제이자 뚜디가마(Tudigama)의 촌장이었으며 부유한 상인이었지만 죽어서는 그 집의 개로 태어났다. 어느 날 부처님이 싸밧티시 근처의 뚜디가마에서 탁발하실 때 쑤바의 집에 이르렀다. 그런데 개가 부처님을 보고 사납게 짖어대자 부처님께서 또데이야 하고 부르자 개는 집 안으로 들어가 침대에 누웠다. 그때부터 누구도 개를 쫓아내지 못했다. 쑤바는 그 소동에 관한 이야기를 듣고 매우 화가 났다. 그는 자신의 아버지가 천상에 태어났을 것이라고 확신하고 있었다. 그런데 그게 아니라고 하자 몹시 화를 내며 부처님을 찾아갔다. 이것이 쑤바경을 설한 계기라고 하였다. 쑤바경은 한역 경전으로 보면 중아함경의 앵무경(鸚鵡經)에 해당한다.

이외에도 역자를 알 수 없는 도조경(兜調經)이 있으며, 이역본(異譯本)으로는 천식재(天息災)가 한역한 분별선악보응경(分別善惡報應經), 구나발타라(求那跋陀羅)가 한역한 불설앵무경(佛說鸚鵡經), 수(隋)나라 때 구담범지(瞿曇梵志)가 한역한 불위수가장자설업보차별경(佛爲首迦長者說業報差別經) 등이 있다.

지시경 말을 길들이는 조마사(調馬士)

경남 합천 해인사

잡아함경(雜阿含經) 권제33 지시경(只尸經)에 보면 부처님께서 왕사성 가란다 죽원(迦蘭陀竹園)에 계실 때 지시(只尸)라는 말 조련사가 부처님을 찾아가 말하였다.

부처님이시여, 제가 세간을 들여다보니 매우 경솔하고 천하기는 마치 양떼와 같습니다. 그러나 저는 미쳐 날뛰는 말이라도 다룰 수가 있습니다. 그럼 너는 몇 가지 방법으로 말을 길들이냐? 저는 세 가지 방법으로 말을 길들이고 있습니다. 첫째는 부드러움이며, 둘째는 거침이며, 셋째는 부드러우면서도 거친 것입니다.

그 세 가지 방법으로도 말이 길들여지지 않으면 어찌 하는가? 예, 저는 그 말을 죽여 버립니다.

부처님께서는 조어장부(調御丈夫)라고 하시오니 몇 가지 방편으로 장부들을 다루십니까? 나도 너와같이 세 가지로 다룬다. 그래도 다루어지지 않으시면 어찌합니까? 나도 너와 같이 죽여 버린다. 이에 조련사는 매우 놀라면서 부처님은 살생을 엄금하거늘 불법에도 살생이 있습니까?

그렇다. 여래의 법에서는 살생하는 것을 청정하지 못한 것이라고 하였고, 여래의 법에서도 또한 살생하지 않는다. 그러나 여래의 법에서는 세 가지를 가르친다. 즉 길들여지지 않는 사람은 더불어 말하지 않고, 가르치지도 않으며, 훈계하지도 않는다. 조련사여! 그대의 생각에는 어떠한가? 만일 여래의 법에서 더불어 말하지 않고 가르치지도 않으며 훈계하지도 않으면, 그것이 어찌 죽임을 당하는 것이 아니겠는가?

이에 조마사(調馬士) 지시는 크게 깨달음을 얻어 말하기를 부처님이시여! 더불어 말하지 않고 영원히 가르치거나 훈계하지 않는다면 그것은 진실로 죽임을 당하는 것과 같습니다. 부처님이시여! 그러한 까닭에 저는 오늘부터 모든 악하고 착하지 않은 일은 하지 않겠습니다.

그렇다. 너는 훌륭한 말을 하였구나! 말을 길들이는 지시(只尸)는 부처님 말씀을 듣고 크게 기뻐하면서 부처님 발에 예를 갖추고 돌아갔다.

현우경 어부를 제도하시다

부산 부산진구 삼광사

현우경(賢愚經) 가비리백두품(迦毘梨百頭品)에 나오는 말씀이다. 부처님께서 마가다국에 있는 대숲 동산에 머무셨다. 어느 날 부처님께서는 비구들과 함께 바이샬리로 향하시다가 이월강(梨越江)에 이르셨다. 그 강가에는 오백 명의 소치는 사람과 오백 명의 어부가 살고 있었다. 어부들은 크고 작은 세 가지 그물을 가지고 고기잡이를 하였는데 작은 그물은 이백 명이 당기고, 중간 것은 삼백 명이 당기고, 큰 그물은 오백 명이 당기는 것이었다. 그때 그물에 고기 한 마리가 걸려 오백 명이 당겨도 끌어낼 수가 없었다. 그래서 소치는 사람들과 합세하여 큰 고기 한 마리를 끌어내었다.

그 고기 몸에는 여러 형상들의 머리가 100개나 있었는데 나귀, 말, 낙타, 범, 이리, 돼지, 개, 원숭이, 여우, 삵 등 여러 가지 형상이었다. 그러자 사람들이 와서 다투어 구경하였다. 부처님은 대중들과 함께 사람이 몰려 있는 곳으로 가셨다. 부처님은 그 고기에게 물었다. 네가 바로 가비리(迦毗梨)인가? 하고 세 번을 묻자 고기는 그렇다고 답을 하였다. 부처님은 다시 묻기를 그럼 네 스승은 어디에 있느냐? 고기가 말하기를 아비지옥에 떨어져 있습니다.

제자들이 부처님께 여쭙기를 저 물고기는 어떤 인연으로 저렇게 되었습니까? 부처님께서 말씀하시기를 아난(阿難)아, 옛날 가섭 부처님 시대 때에 어떤 바라문은 아들을 낳아 이름을 가비리(迦毗梨)라고 하였으며 그는 총명하였다. 그의 아버지가 임종 때에 유언하기를 너는 부디 가섭 부처님의 제자들과 강론하지 말라. 너는 반드시 지고 말 것이다. 그러자 어머니가 말하기를 너는 원래 총명한데 너를 이길 자가 어디 있느냐? 그러자 가비리(迦毗梨)는 결코 가섭 부처님의 사문들에게는 이길 수 없다고 하였다. 그러자 그의 어머니는 거짓 출가를 하였다가 법을 배운 뒤에 다시 환속하라고 하였다. 그는 어머니의 말을 따랐다.

어머니는 아들에게 말하기를 혹여 그들과 강론하다가 질 것 같으면 욕설로 대항을 하더라도 이기라고 하였다. 그는 어머니의 말을 따랐기에 강론에 지면 스님들께 욕설을 퍼붓기를 너희들은 미련하여 축생보다 더하다, 무슨 법을 알겠느냐 하면서 온갖 짐승 머리를 이끌어 비유하며 행패를 부렸다. 그리하여 그는 저런 몸을 받았다고 제자들에게 일러주었다.

아난은 여쭙기를 언제 저 몸을 벗을 수 있겠습니까? 그는 1천의 부처가 지나가도 그 몸을 벗지 못할 것이다. 아난과 대중들은 크게 슬퍼하면서 이 물고기를 보니 몸과 말과 뜻을 함부로 할 수가 없구나! 하였다. 이때 법문을 듣던 어부들과 소치는 사람들도 출가하였다. 그리고 부처님 말씀을 듣고 매우 기뻐하며 받들어 행하였다. 이러한 그림을 어인구도도(漁人求度圖)라고 한다.

현우경 부처님께 옷감을 공양하다

부산 부산진구 삼광사

현우경(賢愚經) 범지시불납의득수기품(梵志施佛納衣得受記品)에 있는 말씀이다. 부처님께서 사위국 기수급고독원에 계실 때 시자 아난(阿難)을 데리고 성에 들어가 걸식하셨다. 그때 어떤 바라문이 부처님께서 입으신 옷이 조금 해진 것을 보고 보시할 마음이 생겨 집으로 돌아가 흰 천을 가져다가 부처님께 올리면서 이 옷감으로 해진 옷을 기우시라고 하였다. 부처님께서는 이 옷감 공양을 받으셨다. 그러자 바라문은 너무 기뻐서 어쩔 줄 몰랐다.

이에 부처님께서 그에게 수기하시기를 너는 아승지겁 뒤의 백 겁 동안에 부처가 되어 신통과 열 가지 상호를 두루 갖출 것이라고 하셨다. 이 소식을 들은 부호들이 좋은 천을 가져다가 부처님께 올렸다. 아난이 부처님께 사뢰었다. 부처님께서는 전생에 어떤 선행을 닦았기에 일체중생들로 하여금 저렇게 옷을 보시하게 하는지 자못 궁금합니다. 이에 부처님께서 말씀하셨다.

옛날 수없이 한량없는 과거 무량수 아승지겁 전에 비파시(毘鉢尸)라는 부처님이 이 세상에 오셔서 제자 9만 인과 함께 계셨다. 당시 반두(槃頭)라는 왕이 있었으며 그때 어떤 대신은 부처님과 스님들을 청하여 석 달간 공양을 올렸다. 이때 반두왕도 부처님께 청하여 공양을 올리려고 하였다. 그러자 부처님은 대신이 먼저 청하였으며 대신의 공양부터 받을 것이라고 하자 왕은 왕궁으로 돌아가 대신에게 공양을 그만 올리고 자신에게 양보할 것을 명하였다. 그러자 대신은 기꺼이 그러하겠노라고 하였다.

이에 왕은 대신의 마음에 감탄하여 서로 하루씩 번갈아가며 공양을 올리기로 하였고 제각각 소원을 이루었다. 그때 대신은 세 가지 옷을 마련하여 모두 풍족하게 하고 또 9만 비구들에게도 의복을 보시하였다. 아난아, 너는 반드시 알아라. 그때 대신으로서 부처님께 의복을 보시한 이는 다른 사람이 아닌 바로 나다. 나는 세상마다 의복을 짓되 싫어하지 아니하며 지금 이렇게 스스로 얻었으니 마침내 헛되지 아니함이라. 아난은 이 말을 듣고 더욱 감격하며 복업(福業)의 중요성을 깨달았다.

참고로 현우경이라는 이름은 고려대장경에 수록된 이름이며 송본(宋本), 명본(明本), 원본(元本) 등에서는 현우인연경(賢愚因緣經)이라고 한다. 이 경은 총 13권 62품으로 이루어져 있으며, 5세기 중엽에 혜각(慧覺) 등이 한역하였다. 또한 이 경은 찬집백연경(撰集百緣經), 잡보장경(雜寶藏經)과 더불어 불교 설화 비유문학 가운데 3대 대작으로 손꼽히고 있다. 이러한 그림을 시의득기도(施衣淂記圖)라고 한다.

출요경 거짓으로 잉태하여 부처님을 비방하다

경북 김천 고방사

부처님께서 성도하신 지 오래되지 않은 때, 마나기(摩那耆)라는 여인은 외도를 숭상하던 흠바라(欽婆羅)의 제자였다. 그녀는 육사외도의 지시를 받아 날마다 부처님 처소에 여러 달을 왕래하면서 청신녀처럼 행동하였으나 속으로는 음흉한 간계를 꾸미고 있었다.

그녀는 배가 부른 것처럼 나무바가지에 끈을 매달아 잡아매고는 마치 임신한 부녀자처럼 행동하였다. 그러자 외도의 무리가 그대는 아직 미혼인데 어찌하여 임신하였느냐고 하자, 그녀가 말하기를 날마다 부처님 처소에 왕래하다 보니 자연히 이렇게 되었노라고 하였다. 외도의 무리가 분개하여 부처님 처소에 다다르자 때마침 부처님은 대중을 운집하여 법문을 펼치고 계셨다.

그러나 외도의 무리는 이를 아랑곳하지 아니하고 법석에 뛰어들어 소란을 피우며 부처님에게 대들어 말하기를, 사문이 이처럼 음행하고서도 무슨 도를 얻었다고 빙자하며 말장난하느냐고 다그치기 시작하였다. 그 자리에는 부처님의 법문을 듣기 위하여 제석천왕이 자리를 함께하고 있었다.

제석천왕은 자리에서 조용히 물러나 신통력으로 쥐의 몸으로 변화하여 그 여자의 속옷으로 기어 올라가 나무바가지를 매달아 놓은 노끈을 갉아 먹자 그만 나무바가지가 땅바닥에 툭 하고 떨어지고 말았다. 그러자 그 여자의 배는 그만 홀쭉하게 되어 버렸다.

이러한 광경을 보던 외도들은 어쩔 줄을 모르고 그만 뿔뿔이 흩어지고 말았다. 그때 금강신이 이를 지켜보다가 철퇴를 들고 일어나 외도들을 때려 부수려고 하자 부처님은 금강신의 행동을 만류하면서 말씀하시기를, 그것들이 도리어 불쌍하지 않으냐? 그만 내버려 두고 법문이나 잘 들으라고 하시면서 나머지 법문을 마저 이어가셨다.

경전을 대할 때면 산스크리트어, 그리고 팔리어로 기록된 사람의 이름을 중국화로 해 버려서 참 난감할 때가 많다. 우리나라에서는 이 여인의 이름을 마나기(摩那耆)라고 하지만 팔리어로는 친카 마나비카(Cinca Manavika)이다. 그리고 이러한 벽화는 우리나라에서는 보기가 몹시 어려운 벽화 가운데 하나다.

참고로 출요경 외에도 보살종도술천강신모태설광보경(菩薩從兜術天降神母胎說廣普經)을 줄여서 보살처태경(菩薩處胎經) · 처태경(處胎經) · 태경(胎經)이라고 하며 이 벽화의 말씀은 권제7 파사견품(破邪見品) 제26에 나오는 말씀이기도 하다.

현우경 흙으로 공양을 올린 소년

경남 밀양 문수사

현우경(賢愚經) 아수가시토품(阿輸迦施土品)에 보면 부처님께서 기수급고독원(祇樹給孤獨園)에 계실 때 부처님께서는 이른 아침에 걸식을 나가시다가 어린아이들이 소꿉장난하는 것을 보셨다. 아이들은 흙으로 밥과 창고를 짓고 보물과 곡식을 만들기도 하며 놀고 있었다. 이때 한 아이가 부처님이 오시는 것을 보고선 보시할 마음이 생겨서 소꿉놀이로 만든 창고의 곡식 한 줌을 부처님께 보시하려 하였으나 키가 작아서 어쩔 줄 모르자 같이 놀던 한 아이가 등을 내어주어 그 등 위에 올라가 보시하였다.

이에 부처님께서는 몸을 낮추어 발우에 흙으로 만든 곡식을 공양 받으셨다. 그리고 아난에게 이르기를 이 흙을 가지고 내 방바닥을 바르도록 하여라. 걸식을 마치고 처소로 돌아오시자 아난은 그 흙으로 부처님의 방바닥을 발랐다. 그러고 나서 아난은 부처님께 연유(緣由)를 여쭈었다. 그러자 부처님께서는 흙을 공양한 그 아이는 그 공덕으로 말미암아 내가 열반한 지 100년 뒤에는 국왕이 될 것이니 그 이름이 아수가(阿輸迦)라 할 것이며, 그리고 또 다른 한 아이는 대신이 되어 염부제 일체 국토를 함께 맡아 삼보를 드러내고 공양을 널리 베풀며 사리를 봉안하고 또 나를 위해 8만 4천의 탑을 세울 것이라고 말씀하셨다.

아난은 기쁜 마음으로 다시 여쭈었다. 그들은 옛날 어떤 공덕을 지었기에 그 많은 탑을 만들 수 있습니까? 이에 부처님께서 아난에게 이르기를 옛날 오랜 세월 아승기겁 전에 파새기(波塞奇)라는 왕이 있었다. 그는 염부제에 8만 4천 나라를 맡아 통치하였으며 그때 부처님의 명호는 불사(弗沙)라 하였다. 왕은 부처님과 사문을 위하여 한량없이 공양하고 공경하였다. 그러나 변방의 국민은 부처님을 친견하고 복을 닦을 인연이 없음을 알고서 부처님의 초상화를 그려 변방에 널리 보시하고 공양케 하리라 하고서 화공을 불러모아 부처님 상호를 그렸으나 제대로 그려 내지를 못하자 그때 불사부처님은 여러 색을 조화하여 손수 자기 초상화를 그려 본보기로 삼아 화공에게 그리도록 하였다. 아난이여, 그때 파새기왕은 지금의 나이니라.

그 공덕으로 파새기왕은 부처가 되었으며, 열반한 뒤에는 다시 8만 4천 탑의 과보를 얻게 되었느니라. 이 말씀을 들은 아난과 대중들은 크게 기뻐하였다. 현우경(賢愚經) 아수가시토품에 있는 부처님의 말씀은 훗날 말 잘하는 이들로 인해 아소카왕의 전생 이야기로 둔갑하게 된다.

현우경 환술에 능통한 노도차(勞度差)

중국 돈황(燉煌) 막고굴 제196호굴

노도차(勞度差)는 Raudraksa를 한역하여 부르는 이름이다. 육사외도(六師外道)의 한 제자의 이름으로 환술(幻術)에 능통하여 사리불과 여러 가지 환술을 겨루었으나 모두 패배하였다고 하는 인물이다.

현우경(賢愚經) 제10권 수달기정사품(須達起精舍品)에 나오는 말씀으로 기원정사(祇園精舍)의 건립을 둘러싸고 불교도와 외도 사이에 벌어지는 환술 겨루기를 다룬 내용이다.

금강반야소(金剛般若疏)에 보면 육사외도(六師外道)의 무리들 가운데 한 제자가 있었으니 그 이름을 노도차라고 하였다. 그는 환술에 달통해서 대중들 앞에 커다란 나무를 주술로 만들어 그 그림자가 대중을 덮어서 가렸다. 이에 대중들이 감탄하여 이것은 필시 환술에 능한 노도차가 만든 것이라고 칭찬하였다. 이때 사리불(舍利弗)이 신통력으로 강한 회오리바람을 일으켜 그 나무를 뿌리째 뽑아 날려 버리고 나서 땅에 쓰러진 나무를 먼지처럼 부수어 버렸다. 그러자 대중들이 과연 노도차는 사리불을 이길 수 없다고 이구동성으로 말하였다는 내용의 벽화이다.
六師衆有中有一弟子 名勞度差 善知幻術 於大衆前 呪作大樹 蔭覆於衆 衆成謂言 是勞度差作 時舍利弗 便以神力 作毘嵐風 吹拔樹根 倒著於地 碎若微塵 衆言舍利弗勝

경북 경산 장엄사

참고로 경산 장엄사의 노도차와 관련된 벽화는 현우경(賢愚經) 수달기정사품에 나오는 내용으로 노도차와 사리불 간의 신력을 겨루는 장면이다. 노도차가 열 개의 용을 만들어 갖가지 보물을 쏟으며 우레와 번개는 대지를 흔들었다. 그러자 사리불은 금시조(金翅鳥)를 신력으로 만들어 그 용을 찢어 먹어 버렸다고 하는 내용을 벽화로 나타낸 것이다.

현우경 가난한 여인의 등불

제주 서귀포시 약천사

현우경(賢愚經) 빈녀난다품[貧女難陀品]에서 등불을 공양한 여인에 관한 내용이다. 부처님께서 기수급고독원 기원정사에 계실 때 당시 아사세왕(阿闍世王)이 부처님께 법문을 청해 들었다. 이에 동참한 불제자들이 기름 등불을 켜서 법회 자리를 밝혔는데 이때 난타라는 한 가난한 여인은 많은 사람이 기름 등불을 공양으로 올려 공덕을 쌓는 것을 보고, 부처님을 뵙게 된 이 소중한 기회에 가진 것이 없어 공양을 올릴 수 없음을 안타까이 여기고 자기 머리카락을 잘라 팔아서 기름 한 되를 어렵게 구해 불을 밝혔다.

이튿날 아침이 되자 부처님은 아난존자에게 아직 꺼지지 않은 등을 끄라고 하셨는데 오직 난타 여인의 불만은 아무리 끄려 하여도 꺼지지 않았다. 부처님께서는 그만둬라. 그것은 당래불의 광명 공덕이다. 이 여인은 30 겁 후에 부처가 되어 수미등광여래(須彌燈光如來)라고 하리라 하고 수기를 내리셨다.

경남 합천 해인사

이때부터 빈자일등(貧者一燈), 빈녀일등(貧女一燈)의 유래가 시작됐다고 한다. 큰 원력을 세운 사람이 부처님 전에 지극정성으로 등불을 밝혀 부처님 은혜에 보답하고 무량 공덕과 자신의 지혜를 밝히게 되는 계기가 된 것이다. 연등(燃燈)이란 불을 밝힌다는 뜻이다.

선문염송설화 다자탑전반분좌(多子塔前半分座)

경남 하동 쌍계사

다자탑(多子塔)은 장아함경에 속해 있는 아누이경(阿耨夷經)에 보면 비사리성에는 네 개의 탑이 있는데 동쪽의 우원탑(憂園塔), 남쪽에는 상탑(象塔), 서쪽의 다자탑(多子塔), 북쪽에는 칠취탑(七聚塔)이라고 하였다. 다자탑을 다르게 표현하면 천자탑(千子塔)이라 한다. 대당서역기(大唐西域記)에 보면 부처님께서 열반의 시기를 알려주던 때에 멀지 않은 곳에 탑이 있는데, 천 명의 아들이 어머니를 만난 곳이라 하여 천자탑이라 하였다. 또한 다자탑을 방궁장탑(放弓仗塔)이라 하기도 한다. 이는 고승법현전(高僧法賢傳)에 나온다. 부처님께서 열반에 드시기 전에 서북쪽의 방궁장의 유래에 대해서 알려 주셨기 때문이다. 이는 성(城)의 서북쪽 3리에 활을 버린 곳이라는 뜻이다.

경북 영천 은해사

다자탑전반분좌(多子塔前半分座)라는 말은 부처님께서 다자탑 앞에서 가섭에게 당신이 앉았던 자리 반을 내어주자 가섭이 이 뜻을 알고 자리에 앉았다는 표현이다. 이 부분에 대해서 연등회요(聯燈會要)에서는 세존께서 옛 다자탑전에 이르시어서 가섭에게 자리의 반을 내어주시어 앉게 하였으며, 승가리를 두르게 하고 이르시기를 내가 장차 너에게 나의 정법안장을 전하노니 너는 마땅히 잘 보호하고 가져서 미래에 전하여 전등이 끊어지지 않도록 하라고 부촉하는 내용이 있다.

이는 선종(禪宗)의 역사에 있어서 서천 28조 중 가섭을 초조(初祖)로 내세운 근거이며 부처님께서 심인(心印)을 내어 보이신 삼처전심(三處傳心) 가운데 하나이기도 하다.

선문염송설화(禪門拈頌說話) 4칙에 보면 부처님께서 다자탑 앞에서 인천의 대중들에게 설법하실 때, 가섭이 늦게 도착하였음에도 불구하고 부처님께서 당신의 자리를 나누어 앉게 하였다. 연등회요(聯燈會要)에서는 이 부분을 자리를 나누어 앉게 하고서는 금란가사(金襴袈裟)로 몸을 감싸주었다고 표현하고 있다. 삼처전심(三處傳心) 가운데 제일 첫 번째는 다자탑전반분좌(多子塔前半分座)이다.

대범천왕문불결의경 염화미소(拈華微笑)

전남 곡성 태안사

대범천왕문불결의경(大梵天王問佛決疑經)에 보면 어느 때 부처님께서 왕사성에 있는 영축산(靈鷲山)에서 많은 대중에게 법문을 하셨다. 그러나 부처님께서는 아무 말씀을 안 하시고 묵연(默然)히 계시다가 이에 범왕(梵王)이 연꽃을 부처님에게 바치자 부처님은 연꽃을 들어 대중에게 보였다. 그러나 아무도 그 참뜻을 알아듣지 못하고 어리둥절하고 있었으나 오직 가섭이라는 제자가 파안미소(破顔微笑)를 지어 보였다.

이에 부처님께서는 나에게 정법안장(正法眼藏)이 있으니 이것이 열반의 묘심(妙心)이라고 하셨다. 그러시면서 실상무상(實相無相)의 이치를 들어 미묘한 법문을 설해 주시었다.

여기서 파안미소는 얼굴에 웃음이 가득하여 미소를 지어 보였다는 뜻이고, 정법안장(正法眼藏)은 사람들이 본래 갖추고 있는 묘한 불성을 말하며, 열반묘심(涅槃妙心)은 번뇌와 미망에서 벗어나서 진리를 깨닫는 마음을 말한다. 그리고 실상무상(實相無相)은 생멸을 떠난 진리며, 미묘법문(微妙法門)은 진리를 깨닫는 마음을 말하는 것이다.

염화미소(拈華微笑), 다자탑전분반좌(多子塔前分半座), 곽시쌍부(槨示雙趺)와 함께 삼처전심(三處傳心)이라고 한다. 선종(禪宗)에서는 이것을 화두로 삼아 공부하는 데 있어서 아주 중요한 부분으로 선(禪)의 근거와 방향을 제시하는 대목이며, 대부분의 선어록이나 선서(禪書)에는 반드시 기록될 만큼 널리 알려져 있다.

중국 송(宋)나라의 회암지소(晦庵智昭)가 저술한 인천안목(人天眼目)에서 이를 살펴보면 범왕이 영산에 와서 석가모니께 바라화(波羅花)를 바치고 중생들을 위한 설법을 청하자 석가모니가 단위에 올라가 꽃을 들어 보였다. 대중들 중에 여기에 응대하는 자가 없었는데 유독 금색의 두타(頭陀)가 파안미소(破顔微笑)했다. 그러자 석가모니가 나의 정법안장 열반묘심 실상무상(正法眼藏 涅槃妙心 實相無相)을 가섭에게 전하노라고 말씀하셨다는 기록이 있다. 염화미소는 삼처전심 가운데 두 번째에 해당하는 부분이다.

대범천왕문불결의경(大梵天王問佛決疑經)을 줄여서 문불결의경(問佛決疑經)이라 한다. 그러나 이 경에 대해서 대부분 학자는 위경(僞經)으로 보고 있으며 고려대장경에는 수록되어 있지 않다.

선문염송 곽시쌍부(槨示雙趺)

부산 부산진구 삼광사

선문염송(禪門拈頌) 37칙 쌍부(雙趺)에 보면 세존께서 잎이 무성한 사라나무 사이에서 열반에 드신 지 7일 만에 가섭이 늦게 도착하여 관을 세 바퀴 도니 세존께서 곽(槨) 밖으로 두 발꿈치를 내보이셨다. 이에 가섭이 절을 하니 대중들은 어리둥절하였다.

대반열반경후분(大般涅槃經後分)에 보면 가섭과 여러 제자가 기사굴산에서 선정에 들었는데 선정 중에 천지가 어둡고 일월이 빛을 잃고 새와 짐승들이 슬피 울었다. 분명 세존께서 열반에 드셨음을 알아차리고 길을 재촉하여 7일 만에 구시나성(拘尸奈城)에 도착하였으나 세존께서는 이미 열반에 드신 지 7일이 지난 뒤였다. 이에 가섭이 게송으로 슬퍼하였다.

苦哉苦哉大聖尊 我今荼毒苦切心 世尊滅度一何速 大悲不能留待我
고재고재대성존 아금도독고체심 세존멸도일하속 대비불능류대아

괴롭고, 괴롭습니다. 큰 성인 존자이시여.
저는 지금 도려내는 듯 고통스러운 마음입니다.
세존이시여, 멸도(滅度)하심이 어찌하여 이렇게 빠르십니까?
대비하시오니 저를 잠깐 기다리지 못하셨습니까?

我今爲禮世尊頂 爲復哀禮如來胸 爲復敬禮大聖手 爲復悲禮如來腰
아금위례세존정 위부애례여래흉 위부경례대성수 위부비례여래요

저는 지금 세존의 머리말에 예배드립니다.
다시 애도하며 여래의 가슴에 예배합니다.
다시 공경하며 크신 성인의 손에 예배합니다.
다시 슬퍼하며 여래의 허리에 예배합니다.

爲復敬禮如來臍 爲復深心禮佛足 何苦不見佛涅槃 惟願示我敬禮處
위부경례여래제 위부심심예불족 하고불견불열반 유원시아경례처

다시 공경하며 여래의 배꼽에 예배합니다.
다시 깊은 마음으로 부처님의 발에 예배합니다.
부처님의 열반을 뵙지 못했사오니, 얼마나 괴롭겠습니까?
오직 바라옵건대 공경히 예배할 곳을 보여 주십시오.

그러자 부처님께서는 관으로부터 두 발꿈치를 보이시니 천 폭(輻)의 바퀴 모습인 천폭륜상(千輻輪相)이 있는 부처님의 발이 금관 밖으로 나타나 광명을 놓아 시방세계를 두루 비추시고 다시 관으로 들어가 전과 같이 닫히고 봉해졌다.

천성광등록(天聖廣燈錄)에서는 무엇이 부처입니까 하고 물으니 몸을 가로 눕혀 10호(好)를 드러내고 관(棺)으로 들어가서는 양발을 보이셨다 하였다.

강원 태백 장명사

선문(禪門)에서 삼처전심(三處傳心)으로 여기는 마지막 세 번째는 곽시쌍부(槨示雙趺)이다.

녹왕본생(鹿王本生) 사슴에 얽힌 이야기

충북 옥천 용암사

옛적에 바라마달라왕이 있어서 베나레스를 다스리고 있었다. 근처의 숲속에는 금빛 털을 가진 두 마리 사슴 왕이 있어서 각각 5백 마리의 사슴을 거느리고 있었다. 한 마리 왕의 이름은 낭자녹(榔子鹿)이고 또 한 마리 왕의 이름은 파녹(岥鹿)이었다.

어느 날 바라마달라왕이 부하를 거느리고 사냥을 나왔다가 사슴을 보고 포위하고서 말하기를 매일 사슴 두 마리를 요리하여 올리라고 명하였다. 그러자 궁수들이 매일 사슴을 잡기 위하여 화살을 쏘자 여러 사슴이 화살을 피하느라고 상처를 입고 고통을 당하는 날이 계속되었다.

그러자 두 마리 사슴 왕이 궁여지책으로 제비를 뽑아 당첨된 사슴 두 마리를 왕의 요리사에게 보내주겠다는 청을 하자 바라마달라왕이 이를 허락하였다. 그러던 어느 날 제비를 뽑았더니 새끼를 가진 사슴이 당첨되자 새끼를 임신한 사슴은 자기의 왕인 파녹에게 찾아가 읍소하기를 자신은 죽어도 괜찮으니 뱃속의 새끼를 출산하고서 죽게 해 달라고 사정하였다. 그러나 들어주지 아니하자 다른 사슴의 왕인 낭자녹을 찾아가 자신의 딱한 처지를 들어 줄 것을 애원하였다. 낭자녹은 한참을 생각한 끝에 자기 자신이 왕궁의 주방으로 찾아가 자신을 죽여 달라고 말하였다. 주방의 요리사들이 깜짝 놀라 바라마달라왕에게 보고하니 바라마달라왕은 사슴 왕을 불러 그 자초지종을 듣고서 크게 감동하여 명하기를 오늘부터는 절대로 사슴을 죽이지 말라고 하였다.

중국 돈황 막고굴 제257호굴

그로부터 얼마 되지 않아 암사슴은 새끼 사슴을 출산하였는데 이 새끼 사슴은 거리낌 없이 파녹왕의 얼룩 사슴 무리와 어울려 놀고 있었다. 어미 사슴은 이를 보고 매우 걱정하면서 노래를 불렀다.

사랑스러운 새끼 사슴아
새끼 사슴아
얼룩 사슴 파녹과 놀지 말고
낭자 사슴과 놀아라.

죽어도 낭자 사슴이 좋단다.

부처님께서 말씀하시기를 제자들이여, 그때의 바라마달라왕은 지금의 아난이며 암사슴은 구마라가섭(鳩摩羅迦葉)이며 파녹은 제바달다이며 낭자녹은 나라고 하셨다. 그러므로 내가 저들을 구제한 것은 오늘이 처음은 아니라고 이어 말씀하셨다.

관불삼매경 독룡(毒龍)을 제도하시다

경남 밀양 무봉사

마갈다국에는 우루빈나가섭, 나제가섭, 가야가섭 등 삼형제가 있었다. 그들은 사법인 불을 섬기는 배화교(拜火教 · 자이나교)를 믿으며 화룡(火龍)을 섬기면서 도를 얻고자 하였다. 그리고 불에 들어가는 술법이 있었다. 부처님께서 이를 아시고 탄식하시며 성도의 근기가 있는 사람이 어찌 화룡의 사법을 배우는가 하시면서 저녁 무렵에 가섭 삼형제를 찾아가셨다.

부처님께서 가섭 삼형제에게 날은 저물고 인가가 없으니 하룻밤 묵어가기를 청하였다. 그러자 그들은 묵어가는 것은 관계가 없으나 내가 있는 이 석굴에는 밤마다 불을 토해내는 화룡이 있으니 그래도 괜찮겠냐고 하였다. 이에 부처님께서 말씀하시기를 그대가 머물기를 허락하면 화룡 따위는 염려하지 말라고 하였다. 이에 가섭 삼형제는 내심 속으로 비웃으며 화룡이 있는 동굴 안으로 들어가게 하고 돌문으로 입구를 닫아 버렸다.

부처님께서 선정삼매에 들었는데 화룡이 나타나 불을 토하기 시작하자 굴 전체에 열이 가득하여 무너져 내릴 것 같았다. 이때 부처님께서 화광삼매(火光三昧)에 계시니 화룡은 신통을 잃어버리고 자신의 뜨거운 기운을 제어하지 못하고 눈물을 흘리며 부처님께 죄 사함을 청하였다.

이에 부처님께서 벽옥(碧玉) 발우를 내보이시며 네가 그토록 뜨겁거든 이 발우로 들어가라. 그러자 뱀으로 변하여 발우로 들어갔다. 그리고 아침에 네 주인이 와서 보거든 그때 돌아가라고 하였다. 이윽고 아침이 되자 가섭 삼형제가 돌문을 여니 부처님은 엄정하게 계시고 발우에는 작은 뱀 한 마리가 가섭을 보고 나오려고 하였으나 뜻대로 되지 않았다.

이것을 목격한 가섭 삼형제는 부처님께 여쭙기를 존자는 지난밤을 어찌 보냈습니까? 부처님께서 대답하시기를 나는 마음이 청량하여 안팎으로 재앙의 해독을 입지 않는다고 하셨다. 이에 가섭이 듣고 매우 놀라며 마음이 안정치 못하였다.

이 내용을 흔히 항복독룡가섭구도(降伏毒龍迦葉求渡)라고 말하기도 한다.

능엄경 송추(誦箒)비구 주리반특가

경남 합천 해인사

능엄경 제5권에 보면 부처님께서 원통(圓通)에 대하여 여러 제자에게 물으시자 아나율타(阿那律陀)가 이근(耳根)에 비유하여 답을 하였다. 곧이어 주리반특가(周利盤特迦)는 숨을 들이켜 공을 따르는 비근(鼻根)에 대하여 부처님께 답을 하려고 자리에서 일어나 부처님 발에 정례하고 여쭈었다.

저는 외울 수 있는 능력이 없어서 다문(多聞)을 이루지 못했습니다. 저는 일찍이 부처님을 친견하고서 불문에 들었으나 부처님의 한 구절 게송을 기억해 지니는 데도, 100일 동안에 앞엣것을 외우면 뒤엣것을 잊어버리고 또한 뒤엣것을 외우면 앞엣것을 잊어버립니다.

다행히도 부처님께서 저의 어리석음을 가엾게 여기시어 저에게 안거하여 출입식(出入息)을 제어하라고 하셨는데 제가 그때 출입식을 관찰하여 미세하게 생주이멸(生住異滅)하여 큰 무애(無礙)를 얻었으며, 더 나아가 번뇌를 다하고 아라한을 이루어 부처님의 자리 아래에 머무르니 부처님께서 더 배울 것이 없는 무학(無學)을 이루었다고 인가하셨습니다. 부처님께서 원통을 물으시니 제가 깨달아 얻은 바로는 출입식을 반조하여 공(空)으로 돌아감이 제일인가 합니다 하고 부처님께 말씀드렸다.

주리반특가(周利盤特迦)를 한역하면 계도(繼道)라고 한다. 과거세에 대종사가 되었으되 법을 아낌으로 말미암아 성품이 우둔한 과보를 받았거늘 이에 부처님께서 그를 위하여 숫자를 헤아리는 수식관(數息觀)으로 하여금 마음을 가다듬는 섭심(攝心)을 하게 하셨다. 이에 따라 그는 생주이멸(生住異滅)의 제행무상(諸行無常)을 깨닫고 생멸의 식(息)을 돌이켜 무생(無生)의 공(空)에 순합(循合)하여 원증(圓證)을 얻게 하셨다고 한다.

주리반특가는 부모가 여행하다가 노상(路上)에서 형을 낳고 이름을 로(路)라고 하였으니 이는 범어로 반특가이다. 다시 자기를 노상에서 낳으니 이름을 소로(小路)라 하였고 범어로는 주리반특가이다. 주리반특가를 송추비구(誦箒比丘)라고도 하는데 이는 부처님께서 '비로 쓸어라'라는 말을 외우게 하여 100일을 외웠으나 '비'를 외우면 '쓸어'를 잊어버리고 '쓸어'를 외우면 '비'를 잊었기에 붙여진 이름이라고 한다.

주리반특가에 관한 내용은 법구비유경 술천품(述千品)에도 나온다. 부처님께서 왕사성에 계실 때 반턱(般特)이라는 갓 비구가 된 이가 있었다. 그는 우둔하였기에 부처님은 5백 명의 아라한을 시켜 날마다 가르쳤으나 3년 동안 게송 하나를 외우지 못했다. 그래서 부처님은 반특을 불러서 게송 하나를 가르쳐 주었다.

守口攝意身莫犯 如是行者得度世
수구섭의신막범 여시행자득도세

입을 지키고 뜻을 껴잡아 몸으로 나쁜 일을 하지 마라.
이처럼 행하는 이는 이 세상을 잘 건너가리라.

그때 반특은 부처님의 가르침을 듣고 마음이 열리어 그 게송을 그대로 외웠다. 이어서 부처님께서는 말씀하시기를 몸으로 세 가지 행과 입으로 네 가지 말과 뜻으로 세 가지 업(業)이 일어나고 사라지는 것을 잘 관찰하라고 가르치셨다. 부처님의 가르침을 받은 반특은 그 마음이 트여 아라한의 도를 얻었다. 그때 5백 명의 비구니들이 수행하는 도량에 날마다 비구 한 사람을 보내어 법문을 하게 하였는데 반특비구 차례가 되자 모두 그를 비웃었지만 반특은 법상에 올라가 인과법과 선정에 드는 법을 설명하였다. 이 법문을 들은 비구니들은 아라한 도를 얻었다.

한때 파사익왕이 부처님과 대중을 초청하였는데 문지기가 반특비구를 알아보고 못 들어가게 하여, 반특은 문밖에 서 있게 되었다. 부처님은 공양 때가 되어 공양하려고 발우를 찾자 반특은 팔을 펴서 멀리서 발우를 받들어 올렸다. 이에 왕과 대중들은 크게 놀라워했다. 이에 부처님은 게송으로 말씀하셨다.

雖誦千章 句義不正 不如一要 聞可滅惡
수송천장 구의부정 불여일요 문가멸악

비록 1천 장의 경전을 외우더라도
그 뜻을 바로 알지 못하면
단 한마디의 법을 들어서라도
온갖 악을 멸하는 것만 못하리라.

雖誦千言 不義何益 不如一義 聞行可度
수송천언 불의하익 불여일의 문행가도

비록 천 마디 말을 외울지라도
이치대로 아니 하면 무엇이 유익하리?
단 하나의 이치를 들어 행하여
제도를 받는 것만 못하느니라.

雖多誦經 不解何益 解一法句 行可得道
수다송경 불해하익 해일법구 행가득도

아무리 많은 경전을 외우더라도
그 이치를 모르면 무엇이 유익하리?
하나의 법구라도 이치를 알아
그대로 행하면 도를 얻느니라.

대지도론 시비왕본생(尸毗王本生)

경남 김해 정암사

이 벽화는 부처님이 능가성(楞伽城)에서 한차례의 법회를 거행한 사실을 변상(變相)한 불화다. 대지도론(大智度論) 4권에 보면 과거 전생에 부처님은 불도를 얻기 위하여 육바라밀을 성취하여 부처가 되셨다. 이에 단바라밀(보시바라밀 · 檀波羅蜜)은 어찌하면 성취되는가 하고 여쭈어보자 보시는 아끼는 생각이 없어야 한다고 말씀하셨다.

부처님은 전생에 시비왕(尸毗王)이었는데 그 왕은 귀명구호(歸命救護) 다라니를 얻어 크게 정진하셔서 자비심이 모든 중생의 어미가 자식을 사랑하는 것같이 하셨다. 그때 세상에는 부처님이 계시지 않았으며 석제환인(釋帝桓因)이 수명을 다해 임종이 다가오자 생각하기를 모든 온갖 지혜를 구족하신 부처님은 어디에 계실까? 하고 곳곳에 물었으나 아무도 몰랐다. 그리곤 하늘로 올라가서도 근심에 잠겨 있었다. 이때 요술에 능한 비수갈마천(毘首羯摩天)이 물었다. 천주(天主 · 석제환인)께서는 무슨 연고로 수심이 가득하십니까? 환인(桓因)이 대답하기를 나는 온갖 지혜를 구족하신 이를 찾았으나 아직 만나지 못했다. 그러므로 근심하고 있다. 비수갈마(毘首羯摩)가 말하기를 보시, 지혜, 선정, 지혜를 두루 갖춘 대보살이 있는데 그는 오래지 않아 부처가 될 것입니다. 비수갈마가 말하기를 우시나 종족인 시비왕은 계행 지키기를 부지런히 하고 자비심과 선정, 지혜로써 오래지 않아 부처를 이룰 것이라고 하였다.

중국 신장 위구르 투르판박물관

환인이 말하기를 내가 직접 가서 시험해 보면 알 수가 있을 것이다. 너는 비둘기가 되고 나는 매가 되리라. 그대는 거짓으로 겁을 내면서 왕의 겨드랑이 밑으로 들어가면 내가 그대의 뒤를 쫓을 것이다. 비둘기는 곧 두려움에 떨듯이 왕의 품에 안기자 나뭇가지에서 매가 시비왕에게 말하였다. 비둘기는 나의 것이니 돌려주십시오. 왕이 말하기를 그런 말은 하지 마라. 내가 먼저 받은 것이다. 나는 받아들인 모든 중생을 제도할 것이다. 그러자 매가 말하기를 왕께서 모든 중생을 위하신다면 저는 중생이 아닙니까? 어찌하여 나만 가엾이 여기지 않으시어 남의 밥을 빼앗아버리십니까? 그럼 너는 밥을 원하는구나? 그러면 그대는 어떤 음식을 요구하는가? 저는 지금 바로 잡은 더운 고기를 원합니다.

그러자 왕은 사람을 불러 칼을 가져오게 하자 매가 말하기를 나는 비둘기보다 더 많게도 적게도 필요 없다고 하였다. 왕은 저울을 가져오라고 다시 분부하였다.

중국 돈황 막고굴 제85호굴

그러나 아무리 살점을 떼어서 달아도 이상하게 비둘기 무게만큼 나가지 않았다. 이에 왕이 피 묻은 손으로 사력을 다해 저울대에 올라서려고 하자 매가 말하기를 그러지 마시고 비둘기를 저에게 돌려 달라고 하였다. 왕은 이를 거절하고 곁의 사람으로 부축하게 하여 저울에 올라서려고 하자 모든 사람과 천신들이 작은 새 하나를 위해서도 저렇게 하시니 과연 훌륭하시도다. 그때 땅이 여섯 갈래로 진동하고 바다의 파도가 나부끼며 마른 나무에 꽃이 피고 하늘에서는 꽃비가 내리고 천녀들은 찬탄하였다. 이구동성으로 반드시 성불하실 거라고 칭송하였다. 왕의 몸은 다시 원래 상태로 회복되고 석제환인과 비수갈마는 제각기 하늘나라로 돌아갔다.

투신아호경 전단마제(栴檀摩提) 태자

경남 합천 해인사

불설보살투신이아호기탑인연경(佛說菩薩投身飴餓虎起塔因緣經)을 줄여서 흔히 투신아호경(投身餓虎經)이라고 한다. 여기에 보면 부처님께서 건타월국(乾陀越國)의 비사문바라성에 계셨다.

이때 부처님께서 아난에게 말씀하시기를 과거 9겁 전의 세상에는 부처님이 계시지 않았다. 다만 건타마제(乾陀摩提)라는 큰 나라에 건타시리왕과 차마목거왕비가 있었으며 태자는 전단마제였다. 태자는 총명하고 지혜가 있어서 항상 보시하기를 좋아하였다. 그러나 나라 밖은 가난하여 굶주린 자가 많은 것을 알게 되자 태자는 심히 괴로워하였다. 국고를 개방하여 도와주려고 하였으나 부왕이 이를 반대하여 실천에 옮길 수 없게 되자, 사야라는 신하가 태자를 위하여 금전 천근을 내놓아 태자는 이를 가난한 사람에게 모두 베풀었다.

태자는 궁성을 나가 다른 나라인 배제사(裴提舍)나라의 왕에게 가서 자기 몸을 팔아 남을 돕고자 하였다. 그래서 어느 바라문의 종이 되어 산에서 나무를 하다가 우두전단을 얻었다. 이때 이 나라의 왕이 나병이 발생하여 백약이 무효하였고, 우두전단을 복용하고는 완치되어 엄청나게 많은 금은보화를 하사 받게 되었는데 이 모든 것도 가난한 이를 위하여 보시를 행하였다.

한편 태자의 나라에서는 태자가 없어진 줄을 알고 나서 큰 혼란이 있었다. 왕과 왕비는 태자를 찾으려고 실성에 이를 정도가 되었다. 다른 나라에 있던 태자는 두 눈과 손과 발이 세 번이나 유동하므로 마음속 근심이 생겨 본국으로 돌아올 준비를 하였다. 고국으로 돌아가는 길이 멀어 태자가 부모님의 목숨이 상할까 봐 염려하자 말을 알아듣는 까마귀가 날아가서 태자가 돌아올 것임을 왕에게 아뢰었다.

태자가 나라로 돌아오자 부왕이 많은 재물을 주었으나 이를 모두 가난한 이에게 보시하고 산속으로 들어가서 수행하였다. 태자가 수행하던 산 아래 낭떠러지에 호랑이가 일곱 새끼를 낳았는데 큰 눈이 내려서 먹이를 구하지 못하여 굶어 죽게 되자 새끼를 잡아먹으려고 하였다. 이때 산 위의 모든 신선의 도사는 이 일을 보고는 누가 능히 중생을 구제하려느냐고 하였다. 그러자 태자는 자신의 몸을 던져 호랑이를 구제하였다.

부처님은 아난에게 말씀하시기를 이때 태자는 나의 몸이요, 부왕은 정반왕이며 왕비는 마야부인이며 후비는 구이요, 대신 사야는 아난이라고 하셨다. 그리고 산 위의 신선은 미륵이며 배제사왕은 난타라고 하셨다.

경전경 부처님과 농부의 만남

경남 합천 해인사

장아함경(長阿含經)에 나오는 경전경(耕田經)에 보면 부처님께서 코살라국에 계시면서 일나라(一那羅) 마을에 머무르고 계실 때 일나라 마을로 들어가 탁발을 나가시다가 너무 이른 시간이어서 바라두차파(婆羅豆遮婆) 바라문 집을 우선 방문하셨다. 그때 바라문의 식솔들은 보습으로 밭을 갈고 음식을 만들고 있었다. 세존이 바라문 집에 당도하시자 바라문은 여쭈었다.

나는 지금 밭을 갈고 종자를 파종한 후 수확하여 그것으로 먹고 살아갑니다. 부처님께서도 저희처럼 그래야 하지 않겠습니까? 이에 부처님께서 말씀하시기를 나도 그와 같이 살아가고 있다. 그러자 바라문이 말하기를 저는 부처님께서 밭을 갈고 농사를 짓는 일을 본 적이 없습니다. 그런데 부처님께서는 어찌 그러한 말씀을 하십니까 하고 의아해하면서 게송으로 말하였다.

自說耕田者 而不見其耕 爲我說耕田 令我知耕法
자설경전자 이불견기경 위아설경전 영아지경법

스스로 밭을 간다고 말하지만
밭을 가는 것을 보지 못했네.
나를 위해 밭 가는 것을 설명하여
밭 가는 법을 알게 하리라.

이에 부처님께서도 게송으로 말씀하셨다.

信心爲種子 苦行爲時雨 智慧爲犁軛 慚愧心爲轅
신심위종자 고행위시우 지혜위리액 참괴심위원

믿는 마음으로 종자를 삼고
괴로이 행하는 것을 비로 삼으며
지혜를 보습의 자루로 삼고
부끄러워하는 마음을 멍에로 삼아

正念自守護 是則善御者 包藏身口業 如食處內藏

정념자수호 시즉선어자 포장신구업 여식처내장

바른 마음으로 스스를 보호하면

그는 좋은 어자(御子)라 부르나니

몸과 입의 업을 잘 단속하고

음식을 알맞게 먹으며

眞實爲眞乘 樂住無懈怠 精進無廢荒 安隱而速進

진실위진승 낙주무해태 정진무폐황 안은이속진

진실을 진정한 수레로 삼고

즐거이 머무르되 게으르지 않으며

정진하되 거칠지 않게 하며

안온하며 빨리 나아가

直往不轉還 得到無憂處 如是耕田者 逮得甘露果

직왕불전환 득도무우처 여시경전자 체득감로과

한 곳으로 바로 달려 돌지 않아서

근심이 없는 곳에 이르게 되네.

이러한 농부는

감로 열매를 빨리 얻게 하고

如是耕田者 不還受諸有

여시경전자 불환수제유

이러한 농부는
모든 존재를 받지 않네.

이에 바라문은 큰 믿음이 일어나 부처님께 음식을 공양하려고 하였다. 하지만 부처님께서는 받지 아니하였다. 이는 게송으로 인연하여 얻었기 때문이었다. 믿음을 일으킨 바라문은 부처님께 구족계(具足戒)를 받아 지니어서 고요히 수행하여 아라한이 되었다.

법구비유경 부처님과 라후라

경남 합천 해인사

법구비유경(法句譬喩經) 상품(象品)에 나오는 말씀으로 라후라가 아직 도를 얻기 이전에 성질이 거칠고 진실성이 적었을 때였다. 이에 부처님께서 현제정사(賢提精舍)에 가서 입을 조심하고 경전과 계율을 부지런히 수행할 것을 분부하자 라후라는 90일 동안 스스로 뉘우치며 용맹정진하였다.

어느 날 부처님은 현제정사로 찾아가 평상에 걸터앉아 라후라에게 대야에 물을 가지고 와서 내 발을 씻으라고 하셨다. 세족을 마치자 부처님께서 말씀하시기를 너는 이 물로 마시거나 양치질을 할 수가 있겠느냐고 묻자 라후라는 그럴 수 없다고 답을 하였다. 너도 그와 같다. 비록 나의 제자이고 국왕의 손자로 영화를 버리고 출가하였지만 정진하여 몸가짐을 조심하고 입을 조심하지 아니하면 삼독이 네 가슴에 가득 차서 이 물과 같을 것이라고 하셨다. 너는 대야의 물을 버려라. 지금, 이 대야에 음식을 담을 수 있겠느냐? 담을 수 없습니다. 발을 씻은 대야는 이미 더러워졌기 때문입니다. 그러자 부처님께서 말씀하시기를 너도 그와 같이 사문이 되었으나 입이 진실하지 아니하고 심정은 거칠며 정진을 게을리하면 저 발 씻은 대야와 다를 바가 없다고 하셨다. 너는 이 대야가 깨질 것을 염려하느냐? 아닙니다. 발 씻은 그릇이며 헐한 물건이기 때문입니다. 너도 그와 같다. 나쁜 말과 욕설, 중상모략이 많으므로 사람들이 사랑하지 않고 지혜로운 사람을 아끼지 않는다면 이런 사람은 죽으면 윤회의 고통에 끝이 없을 것이라고 말씀하셨다.

이어 비유로써 말씀하셨다. 어떤 국왕에게 큰 코끼리 한 마리가 있었는데 사납고 영리하여 다른 코끼리 5백 마리보다 힘이 더 세었다. 그러자 국왕은 코끼리에게 아홉 가지로 갖은 무장을 하여 코끼리를 장엄하였다. 하지만 신하들은 코끼리를 매우 아끼기 때문에 코끼리 코만 감추어 두고 싸움에 쓰려하지 않았다. 코가 화살에 맞으면 곧 죽기 때문이었다. 사람도 입을 조심하여야 하는 것은 지옥의 고통이 있기 때문이다.

我如象鬪 不恐中箭 常以誠信 度無戒人
아여상투 불공중전 상이성신 도무계인

나는 코끼리가 싸우면서
화살에 맞는 것을 겁내지 않는 것처럼

항상 정성스럽고 진실한 마음으로
계율이 없는 사람을 건져 주리라.

라후라는 부처님의 가르침을 듣고 감격하여 뼈에 새겨 인욕으로 정진하여 순종하기가 땅과 같았다. 그리고 이내 아라한과를 얻었다.

앙굴마라경 앙굴리마라를 교화하시다

경남 합천 해인사

앙굴마라경(央掘摩羅經)에 보면 부처님께서 사위국 기수급고독원에 계실 때 사위국 북쪽에 살나(薩那)라는 마을이 있었다. 그 마을에 발타라(跋陀羅, Bhadra)라는 가난한 여인이 남편을 여의고 일체세간현(一切世間現)이라는 아들과 함께 살고 있었다. 또 파라가사라는 다른 마을에 마니발타라(摩尼跋陀羅)라는 바라문 스승이 살고 있었는데 그는 베다경전에 정통하였다. 세간현은 그를 스승으로 섬기고 살았다. 어느 날 스승이 왕의 초청을 받아 갔을 때, 스승의 부인은 음욕이 발동하여 세간현 앞에서 옷을 벗고 유혹하였다. 그러나 세간현은 이를 피하였다. 그러자 부인은 음욕이 더욱 치성하여 목을 매어 죽으려고 할 때에 스승이 돌아와서 누가 이런 짓을 하였느냐고 하였다.

부인은 세간현을 모함하였고, 이에 스승은 너는 죄를 씻으려면 1천 사람을 죽여서 손가락을 잘라 엮어서 머리에 쓰고 돌아오라. 그러면 진정한 바라문이 될 수 있다고 하였다.

그러한 인연으로 앙굴리마라(鴦窶利摩羅, Aṅgulimāla)가 되었다. 앙굴리마라는 그곳을 떠나 여러 곳을 다니면서 999개의 손가락을 얻고 난 뒤 마지막 손가락 하나를 채우기 위해 자신의 어머니를 살해하기로 마음먹었다. 999인을 죽이고 나중에는 친어머니를 만나서 죽이려고 한 것이다.

부처님은 앙굴리마라를 교화하였다. 그러자 앙굴리마라는 응당 참회하였다. 부처님께서 이르시기를 너는 어머니를 찾아뵙고 허물을 뉘우치고 출가에 대한 허락을 구하여라. 앙굴리마라가 출가를 하게 되자 제석(帝釋)이 대중을 위요하고 나타나 앙굴리마라에게 하늘의 법복을 공양 올리려고 하자 이를 물리치고 수행하였다. 여기까지가 앙굴마라경 1권의 주된 내용이다. 앙굴마라경은 4권으로 이루어졌으며 그 내용이 방대한 편이다.

또 다른 일설에는 앙굴리마라는 철저히 계율을 지키며 부처님의 가르침에 따라 열심히 수행하였다. 하지만 어느 날 사위성으로 탁발을 나간 앙굴리마라를 알아본 사람들은 그에게 흙덩이와 몽둥이, 돌 등을 던지며 심한 욕설을 퍼부었다. 앙굴리마라의 머리에서는 피가 흘렀다. 발우도 깨지고 가사도 찢어졌다. 피범벅이 된 처참한 모습으로 앙굴리마라는 간신히 부처님이 계신 곳으로 돌아왔다.

라오스 왓푸씨 사원

세간의 비난까지 기꺼이 받아들이는 앙굴리마라는 진정한 부처님의 제자로 다시 태어나고자 가행정진을 하였다고 전하기도 한다. 앙굴은 손가락이라는 뜻이고 리마라는 목걸이라는 뜻이다.

불본행집경 뱃사공이 참회하다

경남 합천 해인사

불본행집경(佛本行集經) 권제33 전묘법륜품(轉妙法輪品)에 나오는 말씀으로 흔히 선사회책(船師悔責)이라고 한다. 부처님께서 노혜다가소두(盧醯多柯蘇兜) 마을을 떠나 항하 기슭에 이르셨다. 항하에 도착하시어 사공을 불러 나를 저편 강언덕에 건네달라고 하였다. 사공이 뱃삯만 주신다면 건네드리겠다고 하였으나 나는 모든 재물을 취하지 않으므로 뱃삯이 없다고 하였다. 그러자 사공이 저는 오직 뱃삯으로 생활을 꾸려나가므로 어쩔 수 없다고 하였다.

경북 영주 동천사

이때 세존께서 천안(天眼)으로 5백 마리 기러기 무리들이 항하 남쪽에서 북쪽으로 날아가는 것을 보고 뱃사공에게 게송을 읊으셨다.

諸鴈群黨度恒河 不曾問彼船師價 各運自身出己力 飛空自在隨所之
제안군당도항하 불증문피선사가 각운자신출기력 비공자재수소지

저들 기러기 떼도 항하를 건너건만
그에게 뱃삯을 달라고 한 적이 없네.
제각기 힘을 내어 제 몸을 움직여서
허공을 제 마음대로 가는구나.

我今應當以神通 騰虛翺翔猶彼鴈 若至恒河水南岸 安隱定住若須彌
아금응당이신통 등허고상유피안 약지항하수남안 안은정주약수미

나도 이제 신통을 써서
저 기러기처럼 허공을 날아가리니
아마 항하 남쪽 언덕에 이르면
수미산처럼 편안히 머무를 수 있으리.

그때 사공은 부처님께서 그냥 지나쳐 가는 것을 보고 크게 후회하면서 나는 부처님이며, 복전(福田)인 분을 만나고도 저 언덕으로 건네드리지 못했다며 너무 슬픈 나머지 정신을 잃고 쓰러졌다. 곧 정신을 차려 마가다국 빈두왕(頻頭王)에게 달려가 이 일을 아뢰었다.

왕은 다 듣고 나서 한낱 범부가 어찌 성인과 그렇지 못한 사람을 구분하겠느냐 하면서 앞으로 스님을 보거든 시비를 따지지 말고 누구든지 건네달라고 하면 뱃

삯을 바라지 말고 건네주라고 하였다. 부처님께서 신통력으로 항하를 날아 저편 언덕으로 갔다가 다시 바라나성(波羅柰城)으로 날아가셨다. 그때 그 연못에 상거(商佉)라는 용왕이 있었는데 부처님께서 연못가에 내려 발을 디딘 곳에 토탑(土塔)을 세웠다. 부처님은 그곳에서 하룻밤 지내시고 공양 때를 기다리셨다. 이를 기념하여 탑을 세웠으니 숙대시탑(宿待時塔)이라 하였다.

사분율 말리부인(末利夫人)의 이야기

경남 합천 해인사

사분율(四分律)에 보면 말리부인(末利夫人)은 사위국 파사익왕의 왕후이자 승만부인(勝鬘夫人)의 어머니이다. 그녀는 원래 아약달(耶若達)의 노비로 마리원(末利園)을 지키는 일을 하다가 파사익왕의 눈에 띄어 왕비가 되었다. 원래 그의 이름은 황두(黃頭)였다고 전해진다.

어느 날 원림(園林)을 지키기 위하여 밥을 먹으러 가다가 걸식하시는 부처님을 뵙고서 황두는 자신도 모르게 저절로 존경하는 마음이 우러나 제가 음식을 만들어 올리겠습니다. 저를 불쌍히 여기시어 받아 주신다면 따라가서 보시받아 오겠나이다 하였다. 황두는 부처님께 음식을 만들어 공양을 올릴 때 스스로 서원을 세워 말하기를 원하건대 노비의 신분에서 벗어나 왕비가 되게 해 달라고 하였다.

그때 사냥하기 위해 사냥터로 나오는 왕을 맞이하게 되었는데 날씨가 너무 더워 왕은 황두가 지키는 원림으로 들어가게 되었다. 그러자 황두는 왕을 시원한 곳으로 영접하고 왕이 필요한 것을 잘 헤아려 대접하였다. 이에 왕이 너는 누구의 딸인가 하고 물으니 아약달의 노비라고 하였다.

잠시 후 아약달이 도착하자 왕이 너는 이 여자와 얼마나 친한가? 하고 물었더니 그냥 노비일 뿐이라고 답을 하였다. 왕은 아약달에게 2십만 금을 주고 황두를 왕비로 맞이하였다. 파사익왕의 총애를 받은 말리는 왕의 5백 부인 중에서 제일(第一) 부인이 되었다고 한다. 말리부인의 딸이 승만경(勝鬘經)의 주인공이 되는 승만(勝鬘)이다.

여기서 알아두어야 할 것은 말리(末利)를 승만(勝鬘)이라고 한역한다. 그러기에 그의 딸 승만부인과 혼동되기도 하지만 보통 말리부인은 어머니를, 승만부인은 딸을 지칭하는 표현이다. 또한 딸인 승만부인을 음사어로 나타낼 때는 실리말라(室利末羅)라고 구분하여 표현한다.

또한 대지도론(大智度論)에서는 마치 말리부인이 수보리를 공양하여 그 인과로 현세에 태어나 파사익왕의 왕비가 된 것이라고 하였다. 如末利夫人供養須菩提故 得今世果報 爲波斯尼示王后

말리부인에 대한 명칭은 대반열반경(大般涅槃經), 승만경(勝鬘經) 등에서도 나타나고 있다.

목련경 목련구모(目蓮救母)

전남 순천 송광사

목련경(目蓮經)은 효도를 장려하는 경(經)으로 송나라 때 법천(法天) 스님이 한역하였다고 하나 이는 어디까지나 위경(僞經)이다. 목련경은 대목건련경(大目犍連經)이라고도 하는데, 이는 중국에서 성행하던 우란분경(盂蘭盆經)을 저본(底本)으로 하여 유교의 효(孝) 사상을 덧붙여서 만들었다고 보는 것이 학자들의 한결같은 견해다.

목련경의 줄거리는 왕사성(王舍城)에 부상(傅相)이라는 장자가 있었는데 외동아들 나복(羅卜)이 세상에 태어난 지 얼마 안 되어 죽고 말았다. 그러자 나복은 삼년상(三年喪)을 마치고 아버지의 유산을 보존하기 위하여 재산을 삼등분(三等分)하여 1분은 외국으로 나아가 무역하는 데 충당하고, 또 1분은 자신이 귀국할 때까지 생활비로 충당하라고 어머니께 드리고, 나머지 1분은 어머니께 부탁하여 아버지를 위해 부처님께 공양을 올리고 오백승재(五百僧齋)에 비용을 충당하라고 배분하여 드렸다.

그러나 나복의 어머니 청제부인(青提夫人)은 나복이 떠나자 음탕하게 놀아나며 주지육림(酒池肉林)에 빠져서 방탕하게 지내다가 나복이 돌아온 지 얼마 되지 않아 천벌을 받아서 죽었다. 이에 나복은 다시 삼년상을 치르고 출가하여 목련존자가 되어 신통력을 얻게 되었다. 그리고 자신의 어머니가 아귀지옥에 빠져 굶주리고 또한 끓는 기름 가마에 빠져 고통을 받으며 매일 밤낮으로 여러 생을 반복하는 고초를 당하고 있음을 알게 되었다.

이에 목련존자는 부처님의 가호로 지옥에 들어가 어머니를 구제하려고 하였다. 그러나 자기 신통력으로는 구제할 수 없음을 알고 부처님께 애원하였고 부처님은 신통력으로 아귀의 몸에서 벗어나게 하고 개의 몸을 받게 하였다. 이에 목련존자는 부처님께 자신의 어머니가 축생의 몸을 벗을 수 있도록 발원하며 간청하자 부처님께서 이르시기를 7월 15일 우란분절(盂蘭盆節)에 대중에게 공양하면 어머니가 정토에 태어날 것이라고 하였다.

이에 목련존자가 7월 15일이 되어 갖은 공양을 정성껏 올리자 마침내 자신의 어머니는 축생의 몸에서 벗어나 도리천(忉利天)에 태어나 천상의 즐거움을 누리게 되었다.

목련경(目蓮經)이나 우란분경(盂蘭盆經)은 그 내용의 줄거리는 같은 인과응보와 효행담(孝行譚)이 실린 내용이다. 이에 따라 절에서는 지금도 음력 7월 15일에 백중(百中)이라고 하여 영가를 천도하는 의식을 행하고 있다.

마하승기율(摩訶僧祇律) 달을 건지려는 원숭이

경남 김해 정암사

마하승기율(摩訶僧祇律) 제7권은 부처님께서 승잔계(僧殘戒)를 밝히는 말씀이다. 여기서 승잔계라고 하는 것은 사문으로서 대중들과 지냄에 있어서 화합을 깨뜨리는 것을 경계한 조목을 말한다. 부처님께서 사위성에 머무르실 때 항상 시빗거리를 일삼는 육군비구(六群比丘)들에게 수행 대중은 서로 허물을 들추지 않고 화합하여 수행할 것을 인연법을 들어 말씀하시는 가운데 한 줄거리이다.

과거세에 바라나성(波羅奈城)이 있었으며 그 나라 이름은 가시(伽尸)였다. 그

나라 숲속에 5백 마리 원숭이가 살고 있었다. 어느 니구율(尼俱律) 나무에 이르니 그 나무 밑에 달그림자가 있었다. 그때 우두머리 원숭이가 그 달을 보고 무리를 향해 말하였다. 달이 우물 가운데 떨어졌으니 우리 모두 함께 끌어내서 세간의 긴 어두움을 사라지게 하자. 그러자 원숭이 무리가 서로 의논하며 말하였다. 어찌해야 우물 속의 달을 끄집어 올릴 것인가. 우두머리가 묘안을 냈다. 내가 나뭇가지를 잡고 너희들은 차례로 내 꼬리를 잡아 연결하면 달을 건져낼 수 있을 것이다.

울산 울주 석남사

원숭이 무리는 서로 찬동하여 우두머리의 지시에 따라 서로 꼬리를 붙잡고 연결하였으나 우물에 이르기도 전에 그 무게를 이기지 못해 나뭇가지가 꺾이면서 우물 속에 떨어지고 말았다. 그때 수신(樹神)이 게송으로 말하였다.

是等騃榛獸 癡衆共相隨 坐自生苦惱 何能救世間

시등애진수 치중공상수 좌자생고뇌 하능구세간

이렇게 미련한 짐승에게는

어리석은 무리가 따르고

앉아서 스스로 고뇌를 내니
어떻게 세간을 구제하겠는가?

부처님께서 다시 말씀하셨다. 그때의 원숭이 우두머리는 제바달다이고, 그때의 원숭이들은 지금의 육군비구(六群比丘)라.

우리나라 사찰의 주련에도 흔하게 걸리고, 관음예문에도 나오는 게송이 있으니 이를 소개하면 다음과 같다.

月磨銀漢轉成圓 素面舒光照大千 連臂山山空捉影 孤輪本不落靑天
월마은한전성원 소면서광조대천 연비산산공착영 고륜본불낙청천

휘영청 밝은 달이여, 은하수를 돌고 돌아 둥글어졌는가?
환한 얼굴은 잔잔한 빛으로 삼천 대천세계를 비추네.
원숭이들은 팔을 이어서 물에 비친 달을 부질없이 잡으려고 하나,
홀로 저 밝은 달은 본래로 청천 하늘에서 떨어지지 않았네.

이 게송은 소동파(蘇東坡)의 여동생인 소소매(蘇小妹)가 지었다고 하나 그 근거는 없다. 그리고 이 내용을 줄여서 원후취월(猿猴取月), 원후착월(猿猴捉月), 미후착수월(獼猴捉水月)이라 하기도 한다.

충남 천안 광덕사

화엄경 선재동자(善財童子)의 구도 행각

경북 청도 운문사

선재동자(善財童子)는 화엄경 입법계품에서 남방의 여러 지방을 두루두루 거치면서 54명의 선지식을 참방(參訪)하고 교화받아 불도를 성취한 보살이다. 선재동자는 장자의 아들로 태어났다. 처음에는 문수보살로부터 선지식을 두루 만나 가르침을 받은 후 보현행(普賢行)을 닦으라는 가르침을 받고, 이를 실천해 옮기면서 여러 선지식으로부터 온갖 법문을 듣고 마침내 보현도량에 이르러 무생법계(無生法界)를 증득하게 되었다.

그러나 선재동자가 선지식을 참방한 내용을 다른 관점에서 보면 53명 혹은 54명 또는 55명일 수도 있다. 55명이라고 하는 것은 문수보살을 제1과와 제54과에서 두 번이나 참방하였기에 실제로는 54명이다. 또한 덕생동자(德生童子)와 유덕동녀(有德童女)가 같은 장소에서 같은 내용의 법문을 설하였기에 이를 한데 묶고, 다시 문수보살을 한데 묶으면 53명이 되는 것이다. 또 다르게 보아 제44과의 변우동자(遍友童子)에게는 실재적으로 설법하지 않았기에 이를 제외하고, 제1과와 제54과의 문수보살을 하나로 묶어서 53명으로 보기도 한다.

선재동자는 복성(福城)의 동쪽 장엄당사라림(莊嚴幢娑羅林)에서 문수보살의 가르침으로 십신(十信)을 얻었다. 그 후 남방으로 향하여 차례로 찾아가서 법문을 들은 선지식을 열거하면 다음과 같다.

(1)덕운비구 (2)해운비구 (3)선주비구 (4)미가장자 (5)해탈장자 (6)해당비구 (7)휴사우바이 (8)비목구사선인 (9)승열바라문 (10)자행동녀 등에게는 열 가지 마음이 머무는 법인 십주(十住)를 얻게 되었다.

(11)선견비구 (12)자재주동자 (13)구족우바이 (14)명지거사 (15)법보계장자 (16)보안장자 (17)무염족왕 (18)대광왕 (19)부동우바이 (20)변행외도 (21)욕향장자 (22)바시라선사 (23)무상승장자 (24)사자빈신비구니 (25)바수밀녀 (26)비슬시라거사 (27)관자재보살 (28)정취보살 (29)대천신 (30)안주지신 등에게는 열 가지 닦은 바 모든 공덕을 돌려주는 십회향(十廻向)을 얻었다.

(31)바산바연디 (32)보덕정광야산 (33)회목관찰주생야신 (34)보구묘덕야신

법을 구하는 선재동자, 경북 청도 운문사 불화(佛畫)

(35)적정음해야신 (36)수호일체중생야신 (37)개부수화야신 (38)대원정진야신 (39)묘덕원만야신 (40)구바석종녀 등에게는 수행에 따라 열리는 열 단계 지위인 십지(十地)를 얻었다.

(41)마야불모 (42)천주광천녀 (43)변우동자사 (44)중예동자 (45)현승우바이 (46)견고해탈장자 (47)모월장자 (48)무승군장자 (49)적장바라문 (50)덕생동자 (51)미륵보살 (52)문수보살 등에게는 부처되기 직전의 단계인 등각(等覺)을 얻었다. 마지막으로 (53)보현보살을 만나서 열 가지 깨트릴 수 없는 최상의 지혜법문을 듣고 모든 부처님과 더불어 평등하게 되는 묘각의 법을 얻음으로 인하여 화엄경은 대단원의 마무리를 하게 된다.

경률이상 천민 전다라[旃陀羅]를 제도하시다

경북 군위 법주사

전타라(栴陁羅)는 사람 이름이 아닌 고대 인도의 사성 계급에서 가장 낮은 계급인 수타라(首陀羅) 밑에 있는 최하위 천민을 말한다. 이들은 주로 도살하는 백정이나 옥졸 등 비천한 직업에 종사하며 남자는 전타라(栴陁羅)이고, 전다라(旃茶羅)라고도 한다. 여자는 전타리(栴陁利)라고 한다.

경률이상(經律異相) 제17권 가운데 열여덟 번째 말씀을 보면 부처님 당시에 사위성(舍衛城)에 한 전다라(旃茶羅) 신분의 아이가 남의 집 변소를 쳐주며 혼자 살고 있었다. 그때 세존께서 걸식하시다가 그 집 차례에 이르시자 변소 치는 아이는 다른 곳으로 피하였다. 여래와 마주치자 그는 마음속으로 나는 똥이나 치고 더러운 것을 메고 다니는 사람인데 어찌 부처님을 뵐 수 있겠는가? 생각하며 다시 연못 쪽으로 걸어갔다. 그때 멀리서 부처님께서 부르시며 내가 너를 위하여 여기까지 왔노라고 하셨다. 그가 대답하기를 제가 어찌 감히 부처님 가까이 갈 수 있겠습니까? 부처님께서 저 같은 천민에게 무엇을 말씀하시고자 하는지 도무지 알 수가 없습니다. 부처님께서 말씀하시기를 너를 제도하여 사문이 되게 하려고 함이다. 그가 다시 말하기를 지옥의 축생도 불도를 수행할 수 있습니까? 그렇다. 내가 이 세상에 나온 것은 바로 죄의 고통에서 구제하기 위해서이니라고 말씀하시면서 그의 손을 붙잡아 허공으로 올라가 항하(恒河) 물에 목욕시키고 다시 기원정사로 오셔서 여러 비구에게 말씀하여 그를 사문으로 만들게 하였다.

그는 부지런히 정진하여 열흘도 지나지 않아 수다원과(須陀洹果)에 이르러서 육신통을 얻어 나타나고 없어짐에 자유로웠다. 한번은 커다란 바위에 앉아서 헌 옷을 깁고 있었는데, 왕이 듣기에 부처님께서 천민인 전다라 아이를 출가시키어 사문이 되었다고 하는 소문이었다. 왕이 생각하기를 내가 부처님께 공양을 올리고 보시할 때 부처님 발에 예배를 올리거늘 짐이 어찌 그런 아이한테 예배를 올리겠는가? 이는 있을 수 없다고 생각하여 부처님께 이를 따져보고자 부처님을 찾아 나섰다.

왕이 정사(精舍)에 이르기 전에 마침 천민 비구가 돌 위에 앉아 있거늘 왕이 말하기를 번거롭겠지만 부처님께 왕이 왔음을 전하라고 하였다. 비구는 돌 속으로 사라졌다가 다시 나타나 부처님께서 들어오라 한다고 전하였다. 왕이 생각하기를 어찌 돌 속을 들어갔다 나갔다 함에 저토록 자유로운가? 저 비구는 누구일까 하였는데, 알고 보니 변소 치던 아이였다. 부처님은 왕을 위하여 게송으로 가르침을 주셨다.

猶如穢污惡 地田溝深坑 生香潔蓮華
유여예오오 지전구심갱 생향결연화

마치 더럽고 냄새나고 싫은
땅이나 밭, 도랑이나 깊은 구렁에
향기롭고 깨끗한 연꽃이 피어남 같으리.

왕은 이내 참회하고 이 비구를 청하여 사사공양(四事供養)을 올리겠다고 다짐하였다. 이러한 그림을 도제분인도(度除糞人圖)라고 하며 현우경(賢愚經)에서는 이 아이의 이름을 이제(尼提)라고 하였다.

경률이상(經律異相)의 말씀은 출요경(出曜經)에 근거한 내용이다.

삭발위승(削髮爲僧)

강원 양양 낙산사

삭발(削髮)이란 머리에 있는 털을 깎는 것을 말한다. 이는 불가에서 사미계를 받기 전에 세속을 떠나 스님이 되고자 하는 첫 번째 의식이다. 그러기에 삭발을 다르게 표현하여 체발(剃髮), 축발(祝髮) 등이라 말한다. 그러므로 불가에서는 삭발 자체가 곧 출가하여 스님이 된다는 뜻과 상통한다. 이를 좀 더 격식 있게 말하면 삭발위승(削髮爲僧)이라고 하며, 절에서 삭발을 담당하는 소임을 맡은 스님을 발두(髮頭)라고 한다.

삭발염의(削髮染衣)라고 하는 것은 머리를 깎고 승복을 입는 것을 말한다. 그러므로 스님이라 하면 당연히 삭발하고 염의를 입어야 한다. 여기서 염의라는 것은 가사와 더불어 승복을 말한다.

광홍명집(廣弘明集)에 보면 세속을 등지는 절차는 우선 머리를 깎는 것이다. 그러므로 삭발하여 용모를 바꾸는 본래의 뜻은 고상하고 소박한 삶에 있다고 하였다.

예전에는 절에서 삭발(削髮)날을 정해놓고 머리를 깎았다. 이를 문수삭발일(文殊削髮日)이라고 하였다. 우리나라는 음력 14일과 29일에 삭발과 목욕 날이 정해져 있었다.

삭발진언(削髮眞言)이 있다. 머리를 깎을 때 염송하는 진언으로 이를 달리 표현하여 체두게주(剃頭偈呪)라고 한다. 이는 수염과 머리카락을 자를 때 염송하는 진언이다.

모든 중생이여,
번뇌를 멀리 여의고
구경(究竟·열반)을 깨달아 얻어야 한다.

옴 실전도 만다라 발다야 사바하.

불가에서는 머리카락을 무명초(無名草)에 비유한다. 스님들이 체발하는 것은 무명을 제거한다는 뜻이 있기에 머리카락이나 수염을 무명초라고 비유하는 것이다. 일반적으로 풀이나 잡초 등을 번뇌 망상에 자주 비유하기 때문이다.

치문경훈(緇門警訓) 가운데 월굴청선사훈동행(月窟清禪師訓童行)에 보면 체발(剃髮)이란 머리 깎음을 가리키는 것을 알 수가 있다.

단하천연(丹霞天然) 선사가 행자로 있을 때 석두희천(石頭希遷)대사가 대중에게 오늘의 울력은 제초 작업을 하고자 한다고 하였더니 모든 대중이 호미를 들고 나왔는데 단하만이 물로 머리를 축이고 나와 석두대사에게 무릎을 꿇으니 석두스님은 곧바로 머리를 깎아 주었다. 그러기에 무명초(無名草)를 깎음을 말함이다. 여기서 축(祝)은 끊음을 말한다. 祝髮也 丹霞天然禪師爲行者時 石頭使大衆剗草 惟師以水淨頭 跪石頭前 便與剃髮 卽剗無名草也 祝 斷也

연소경 상두산(象頭山) 설법

제주 제주시 월영사

부처님께서 우르빌라 마을로 내려가시어 불(火)을 섬기는 가섭(迦葉) 삼형제와 그를 따르던 제자 1천여 명을 교화시키셨다. 그리고 다시 마가다국 빈비사라왕의 요청으로 1천여 명의 새로운 제자들과 더불어 왕사성(王舍城)으로 가고 계셨다. 이때 상두산(象頭山)을 지나실 때 멀리 산봉우리에서 맹렬한 불길이 치솟아 올랐다. 이를 바라보시던 부처님께서 제자들에게 가르침을 주기 위하여 설법하셨다. 이 가르침을 연소경(燃燒經)을 통하여 개략적으로 살펴보자.

부처님께서 한때 일천의 비구들과 상두산에 계실 때 비구들에게 말씀하셨다. 비구들아, 모든 것은 불타고 있느니라. 그러면 불타고 있는 것은 무엇인가? 눈이 불타고 있고, 보이는 형상들이 불타고 있고, 보인다는 의식(眼識)이 불타고 있다. 그리고 시각(視覺)으로 인해 일어난 모든 감각도 불타고 있다. 또 그것은 태어남과 늙음과 죽음, 그리고 슬픔과 한탄과 고통과 비탄과 절망으로 불타고 있느니라. 귀가 불타고 있고, 들리는 소리가 불타고 있고, 들린다는 의식(耳識)이 불타고 있고, 청각(聽覺)이 불타고 있다.

코가 불타고 있고, 냄새가 불타고 있고, 냄새난다는 의식(鼻識)이 불타고 있고, 후각(嗅覺)이 불타고 있다. 그리고 후각으로 인해 일어난 즐거운 감각, 고통스러운 감각, 즐겁지도 고통스럽지도 않은 감각, 이 모든 감각이 불타고 있다.

혀가 불타고 있고, 맛이 불타고 있고, 맛있다는 의식(舌識)이 불타고 있고, 미각(味覺)이 불타고 있다. 그리고 미각으로 인해 일어나는 즐거운 감각, 괴로운 감각, 즐겁지도 괴롭지도 않은 감각, 이 모든 감각이 불타고 있다.

몸이 불타고 있고, 접촉된 물체가 타고 있고, 접촉되었다는 의식(身識)이 불타고 있고, 촉각(觸覺)이 불타고 있다. 그리고 촉각으로 인해 일어난 즐거운 감각, 괴로운 감각, 즐겁지도 괴롭지도 않은 감각, 이 모든 감각이 불타고 있다. 이러한 모든 것은 무엇으로 불타고 있는가? 그것은 탐욕과 증오와 무지의 불로 타고 있느니라.

그러기에 마음과 정신적 대상과 의식에 집착하지 않게 되면 정신적 감각으로 인해 일어나는 즐거운 감각, 괴로운 감각, 즐겁지도 괴롭지도 않은 감각, 이 모든 감각에도 집착하지 않게 된다.

집착하지 않음으로써 초월하게 되며, 초월함으로써 해방되는 것이다. 해방되었을 때 해방을 알게 된다. 그리고 태어남은 소진되는 것이며, 성스러운 삶을 살아왔고 해야 할 일을 하며, 이 때문에 더할 것이 남아 있지 않음을 알게 된다.

세존께서 이처럼 말씀하시자 비구들은 기쁘게 그 말씀을 들었다. 이러한 설명을 듣는 동안 비구들의 마음은 집착에서 벗어나 번뇌에서 해방되었다. 참고로 불에 비유하는 경전은 잡아함경(雜阿含經) 가운데 연소법경(燃燒法經)이 있다.

다비(荼毘)

경남 산청 겁외사

다비는 팔리어 jhāpeti를 음사하여 사비(闍毘) 또는 야순(耶旬) 등으로 표현하나, 지금은 다비로 거의 통일되었다. 다비는 시신을 불에 태우는 장법(葬法)으로 불교에서는 '다비'라고 하지만 세속에서는 화장(火葬)이라고 흔히 말한다. 또한 불교에서는 다비 후 유골을 부도에 봉안하거나 분골(粉骨)하여 산천에 흩는 것을 산골(散骨)이라고 한다.

잡아함경(雜阿含經)에 있는 유행경(遊行經)에 보면 아난이 거듭 세 번 부처님께 여쭈었다. 부처님께서 열반에 드시고 나면 장례법을 어떻게 해야 합니까? 그러자 부처님이 아난에게 이르기를 전륜성왕의 장례법을 따르도록 하여라. 이에 아난이 다시 여쭙기를 전륜성왕의 장례법은 어떻게 하는 것입니까? 부처님께서 말씀하셨다. 성왕(聖王)의 장법이란 우선 향탕(香湯)으로 몸을 목욕시킨 후 깨끗한 천으로 감싸고 금관(金棺)에 마유(麻油)를 붓는다. 철로 만든 곽(槨)에 넣고 전단향으로 만든 관에 다시 넣는다. 그리고 여러 가지 향을 쌓아두고 화장하는 것이다. 그 후 사리를 수습하여서 네 군데에 탑을 세우고 패찰을 붙이면 나라의 모든 사람이 법왕의 탑을 볼 때마다 사모하는 마음을 낼 것이며, 그 유익함이 많을 것이다.

그 후로 불가에서는 다비의 장법이 널리 유포되어 시대에 따라 이에 걸맞은 의례문(儀禮文)이 생겨났고 이를 다비문(茶毘文)이라 한다. 우리나라는 신라와 고려시대에는 구체적인 다비의식이 없었고, 조선 중기 이후부터 죽은 자를 장사지내는 의식이 체계화되면서 지금까지 이어져 오고 있다.

다비 의식을 다비식(茶毘式)이라 하며, 다비 장소를 다비장(茶毘場)이라고 한다. 다비를 하는 절차는 다소 차이가 있다. 다비장에는 오방번(五方幡)을 설치하고 무상게를 설송(說誦)하였지만, 요즈음은 이러한 것들은 점점 생략되는 추세다. 그리고 시신에 대한 삭발(削髮)-목욕(沐浴)-세수(洗手)-세족(洗足)-착군(着裙)-착의(着衣)-착관(着冠)을 행하고 나면 정좌(正坐)-안좌(安坐) 의식을 거행한다. 뒤이어 시식(施食) 등 여기에 부가된 의식을 진행하고 난 뒤에 입감(入龕)-기감(起龕)을 하여 영결(永訣) 의식을 마친다. 다음에는 다비장에 도착하여 소대(燒臺) 앞에서 거화(擧火)-하화(下火)-봉송(奉送) 등의 의식이 거행된다.

소대의 불이 사그라지고 재만 남게 되면 유골 수습에 들어간다. 이때의 의식인 기골(起骨)-습골(拾骨)-쇄골(碎骨)-산골(散骨)을 하고 환귀본토진언을 염송한 후

산좌송(散座頌)을 음송(吟誦)한다.

환귀본토진언(還歸本土眞言)은 다시 흙으로 돌아가는 진언이다.

옴 반좌나 사다모(3번)

산좌송(散座頌)은 다음과 같다.

法身遍滿百億界 普方舍色照人天 應物現形潭底月 體圓正坐寶蓮臺
법신변만백억계 보방사색조인천 응물현형담저월 체원정좌보련대

법신이 백억 세계에 두루 하시어
널리 금색 빛을 놓아 인간과 천상계를 비추시네.
만물에 응하여 능히 그 모습을 나타내시니
그윽한 못에 잠긴 달과 같이 그 몸은 원만하여 연화대에 앉으셨네!

부처님께 차(茶) 공양을 올리다

경북 경주 기림사

부처님 전에 차 공양을 올릴 때나 각종 예경 및 재(齋)를 행할 때 차를 올리는 게송을 헌다게(獻茶偈)라고 하며, 이를 줄여서 다게(茶偈)라고 한다.

我今淸淨水 變爲甘露茶 奉獻三寶前 願垂哀納受

아금청정수 변위감로다 봉헌삼보전 원수애납수

제가 올린 맑은 차(茶) 공양이
감로차로 변하여
삼보 전에 올리오니
원하건대 자비를 드리우시어 받으시옵소서.

이외에도 여러 가지 다게(茶偈)가 있다. 차를 우려서 올리는 것을 차공양[茶供養] 혹은 다공양(茶供養)이라고 한다. 흔히 부처님 전에 올리는 여섯 가지가 있는데 향(香), 등(燈), 화(花), 과(果), 다(茶), 미(米)를 말하며 이러한 공양을 육법공양(六法供養)이라고 한다. 차를 끓이는 그릇을 다관(茶罐), 차에 관한 모든 도구를 다구(茶具)라고 한다. 절에 찾아온 손님을 대접하려고 내놓는 다과(茶菓)를 다담(茶啖)이라 하기도 한다. 선원이나 절에서 차를 달이는 소임을 맡은 직책을 다두(茶頭) 또는 다각(茶角)이라고 한다.

차는 불교와 아주 밀접한 관계에 있다. 우리나라 차의 역사는 불교가 우리나라에 들어온 역사와 함께 시작되었다고 보아도 무방하다. 불가(佛家)에서 차는 잠을 몰아내는 역할뿐만 아니라 들뜬 마음을 가라앉히고 자기 내면을 들여다보는 시간을 가질 수 있게 하는 촉매제 역할도 하였다.

삼국유사(三國遺事)에 보면 신라 제35대 경덕왕(景德王) 때 충담(忠談) 스님은 남산 삼화령(三花嶺)에 올라 매년 중삼일(重三日)인 3월 3일과 중구일(重九日)인 9월 9일에 미륵 부처님께 차 공양을 올렸다는 기록이 있다. 이처럼 우리나라에서 부처님께 차 공양을 올린 것은 이미 오래전부터 있었음을 엿볼 수 있다. 경덕왕이 충담 스님에게 자신도 차를 한잔 얻어 마실 수 있느냐고 하자, 충담 스님이 차를 끓여 바쳤는데 찻잔 속에서 차향이 은근하게 퍼졌다고 기록하고 있으니 임금도 차를 즐겨하였다는 것을 알 수가 있다.

삼국유사에 보면 지금의 오대산 상원사(上院寺)는 당시 진여원(眞如院)이라고 불렸다. 신라 신문왕의 아들인 보천(寶川)과 효명(孝明) 두 왕자가 오대산(五臺山)에 들어와서 세속의 모든 것을 잊고 살기를 작정하면서 오대산 다섯 봉우리에 있는 암자를 찾아다니며 차를 공양하였다는 고사(故事)가 있다. 이것만 보아도 불가에서는 차가 이미 부처님께 올리는 공양물로 보편화 되었음을 알 수가 있다.

경주 기림사의 벽화를 보면 나이가 제법 들어 보이는 한 사문이 부처님께 정성들여 차를 올린다. 그 모습은 사문의 정성이 눈에 선연하게 보일 만큼 감동을 주고 있다.

부처님께서 점성가를 제도하시다

경남 합천 영암사

부처님께서 어느 날 니란선하(泥蘭禪河, Nairanjana) 강둑을 따라 걷고 있었다. 그때 한 점성가가 바라나시(Varanasi)에서 걸어오고 있었다. 그는 그동안 점성술을 열심히 공부하여 점성술의 대가가 되어서 집으로 돌아가던 길에 뜻밖에도 모래 위에 찍힌 남다른 발자국을 보았다. 그는 자기 눈을 믿을 수가 없었다. 왜냐하면 그가 배운 바에 의하면 그것은 천하를 정복한 전륜성왕(轉輪聖王)의 발자국이었기 때문이다. 그런데 어찌하여 전륜성왕이 이처럼 뜨거운 오후에 왜 신발도 없이 맨발로 모래 위를 걷고 계시는 것일까?

그는 매우 당황하여 생각하기를 왜 전륜성왕께서 여기에 오셨을까? 그래서 그는 천천히 발자국을 따라서 걸어갔다. 그러자 저만치 한 나무 밑에 부처님께서 가부좌하고 계셨다. 이윽고 부처님을 발견한 그는 그만 어리둥절하게 되었다. 전륜성왕은 아주 그럴싸한 옷을 입고 많은 시종을 거느리며 계실 줄 알았는데 그와 반대로 남루한 옷을 걸치고 시자도 없이 나무 밑에 앉아 아주 평온하게 계셨기 때문이다. 그는 부처님께 공손히 다가가서 여쭈었다. 저는 십여 년 동안 점성술을 공부하여 대가가 되었다고 자부하였는데 지금 이 순간 부처님은 나의 마음을 송두리째 흔들어 버리셨습니다. 제가 그동안 공부했던 점성술이 부처님을 보는 순간 모두 무용지물이 되었다는 것을 알게 되었으므로 나는 이 책들을 흐르는 강물 속에 던져버릴까 합니다. 제가 그동안 배운 바에 의하면 모래 위의 발자국들은 분명히 천하를 다스리는 가장 위대한 전륜성왕의 발자국이옵니다. 그런데 부처님은 여기서 무얼 하고 있으신가요?

그러자 부처님께서 웃으며 말씀하셨다. 그대는 그 책들을 굳이 강물 속에 집어던질 필요가 없다. 그냥 집으로 가져가거라. 그대는 다시는 쉽사리 나와 같은 사람을 만날 수 없을 것이다. 그러니 그대는 조금도 어리둥절하지 말라. 그대가 만날 사람들에 대해 예언할 수 있을지라도 나에 대해서는 전혀 예언할 수가 없다. 왜냐하면 나의 마음은 저쪽에 있기 때문이다. 그러니 그대는 바로 알아라. 모든 예언은 마음에 관한 것이다. 마음에 있는 모든 사람은 예언할 수 있다. 그러나 마음 저쪽에 있는 나는 예언할 수가 없는 법이다. 그러므로 수행자는 점치는 일에 빠져서는 안 된다.

숫타니파타(Sutta Nipāta)에서도 말씀하고 계시다. 앞일을 예언하지 말라. 천지이변을 점치지 말며, 꿈도 해몽하지 말라. 사주, 관상 등을 보거나 하지 말라. 이와 같은 길흉화복(吉凶禍福)을 판단하지 않는 사람은 이 세상에서 올바른 구도자의 길을 가고 있는 것이다.

점성가를 제도한 내용을 수록한 경전은 찾으려고 무진장 노력하였으나 끝내 찾지 못하였다. 이 벽화를 그린 화공은 전남 보성군 벌교읍에 있는 부용사(芙蓉寺) 벽화에 적기를 '부처님 생후 7일 만에 마야부인과 사별 후 양육해 주신 이모 마하파사파제가 승려가 되려고 애원하자 팔경법(八敬法)을 설하며 허락하시다.'라고 적고 있다. 그러나 이는 화공의 경전에 대한 이해 부족에서 비롯된 것이다. 미루어 짐작하건대 이 그림은 옥야부인을 제도하는 옥야수훈도(玉耶受訓圖)라고 하면 더 맞을 것이다.

부왕(父王)을 위한 최후의 설법

경남 창원 마산합포구 의림사

정반왕(淨飯王)이 97세가 되던 어느 날 문득 중병을 얻게 되자 아들 세존과 난타, 그리고 왕손 라후라를 몹시 보고 싶어 하였다. 그때 부처님께서는 왕사성 기사굴산에 계시어 부왕과 2천여 리나 떨어져 있었다. 그러나 부처님은 천이통, 천안통으로 부왕께서 병중에서 보고 싶어 함을 알고서는 난타와 아난과 라후라 등과 함께 신족통으로 잠깐 사이에 부왕께 이르렀다. 그리하여 부처님은 부왕을 위해 안락케 하여 주시고자 마지막 법문을 하셨다. 그러자 부왕은 크게 깨달았다. 부처님의 법문을 들은 부왕이 말하기를 내가 이제 여래를 뵈니 나의 모든 원이 다 이루어져서 마음이 기쁘기가 그지없으니 이제 죽어도 여한이 없다고 하였다. 그러면서 부왕이 합장하고 세존의 발아래에 절하면서 부처님의 손을 당신의 가슴 위에 얹고 편안히 숨을 거두었다. 부처님은 부왕을 화장한 후 마지막까지 효도를 다하였다.

여기에 대하여 북방불교에서는 부처님께서 성도를 이루신 12년 만에 부왕(父王)을 위하여 설법하였으며, 처자인 야수다라(耶輸多羅)와 라후라를 제도하여 출가시켰고, 궁중의 사람들은 출가를 허락하지 아니하였으며 또한 도리천에 올라가 어머니를 위하여 지장경(地藏經)을 설하였다고 하였다. 佛成道後十二年回國爲父王說法 度了妻子耶輸陀羅及兒子羅喉羅出家 宮中人出家者亦不可計 又上升忉行天爲母親說地藏經

이는 북방불교의 견해라고 보면 된다.

마야부인을 위하여 도리천에서 법문을 하시다

경남 창원 마산합포구 의림사

어느 날 부처님께서 도리천 환희원(歡喜園)에 계시면서 문수보살로 하여금 부처님의 생모인 마야부인께 나아가 부처님이 도리천궁에 오심을 알렸다. 마야부인은 부처님을 낳으신 지 이레 만에 돌아가시어 도리천에 왕생하였다. 부처님이 어머니께 말씀하셨다. 일체중생이 육도를 윤회하는 것은 오로지 삼독 때문이오니 이를 끊어 해탈의 묘과를 성취하시고 일체를 제도하시옵소서!

지장경(地藏經)의 첫 품도 부처님께서 도리천에서 마야부인께 설법하였다는 말씀으로 시작된다. 그 첫 품이 도리천궁신통품(忉利天宮神通品)이다.

조상공덕경 우전국왕이 최초의 불상을 조성하다

경남 창원 마산합포구 의림사

부처님께서는 도리천궁에서 어머니 마야부인을 위하여 3개월 동안 설법하셨다. 그러므로 인간 세상에서는 부처님을 뵐 수가 없게 되었다. 이때 우전국의 왕이 부처님을 뵙고 싶은 마음이 간절한지라 전단향나무로 부처님과 똑같이 등상불을 만들어서 조석으로 예불하였다. 그 후 부처님께서 도리천궁으로부터 내려오시자 등상불(等像佛)은 모습을 감추었는데 이때 부처님은 우전국왕을 칭찬하셨다.

대승조상공덕경(大乘造像功德經)에 보면 부처님께서 도리천궁의 파리질다라나무 아래서 석 달 동안이나 안거하면서 어머니를 위하여 설법하시어 모든 하늘 사람에게 한량없는 이익을 주셨다. 그러나 사바세계에는 부처님이 계시지 아니하여 마치 어두운 밤에 달이 없는 것과 같았으며, 나라에는 임금이 없는 것과 같고 가정에는 가장이 없는 것과 같아서 그만 즐거움이 없었다. 그러므로 중생들은 고독하고 의지할 곳이 없어서 모두 마음으로 부처님을 생각하면서 큰 근심을 내니 마치 부모를 잃은 듯하였으며 화살이 가슴에 박힌 듯하였다.

그때 우전국왕은 큰 신심이 있었다. 이미 부처님께서는 생모를 위하여 도리천궁에 계시므로 많은 신하와 백성들이 부처님을 뵙지 못하여 그만 기쁨을 잃어버렸다. 그에 우전국왕은 '내가 지금 부처님의 형상을 조성하여 공양하고 예배하리라.' 다짐하고 조각하는 장인들을 불러모아 전단향나무로 불상을 조성하였다.

부처님께서 도리천궁의 설법을 마치시고 다시 염부제 중생을 위하여 내려오시니 수많은 사람이 다투어 공양을 올렸다. 그러자 우전국의 왕도 자신이 조성한 불상과 더불어 진기한 공양을 준비하여 부처님께 올리면서 말하였다. 제가 부처님의 상호를 조성하였으나 오히려 큰 허물이 될까 두렵습니다.

이에 부처님께서 말씀하시며 칭찬하셨다. 그대는 허물 될 것이 없다. 그대는 이미 무량한 이익을 지었으니 다시 어떤 사람이 그대와 같을 수는 없을 것이다. 또한 그대는 나의 가르침 안에 처음으로 규칙을 이루었으니 이러한 인연으로 무량한 중생들이 큰 믿음과 이익을 얻을 것이며, 그대도 이미 무량한 복덕과 큰 선근의 인연을 심었다.

미륵경 미륵 부처님의 삼회도인(三會度人)

충북 청주 용화사

미래 세상에 미륵불이 이 세상에 오실 때 용화수(龍華樹) 아래에서 정등각을 이루고 세 차례나 설법하시어 석가모니 부처님께서 아직 제도하지 못한 중생을 모두 제도할 것이라고 하였다. 이를 미륵삼회(彌勒三會) 또는 용화삼회(龍華三會), 자존삼회(慈尊三會)라고 한다.

그렇다면 언제 이 세상에 미륵 부처님이 오실까? 이는 인간 세상의 중생 수명이 8만 세가 될 때 사바세계에 출현하시어 화림원(華林園)의 용화수(龍華樹) 아래에서 성불을 이루시고, 세 번의 설법을 통하여 백천 만억 중생을 제도한다고 하기에 삼회도인(三會度人)이라고 하는 것이다.

첫 번째 설법으로 96억 사람들이 깨달아 아라한과를 얻고 두 번째 설법으로 94억 비구들이 깨달아 아라한과를 얻고, 세 번째 설법에서 92억 사문들이 깨달아 아라한과를 얻는다는 내용이다. 미륵 부처님이 이처럼 세 차례에 걸쳐서 중생들을 깨우치게 한다고 하여 미륵삼회효(彌勒三會曉) 또는 미륵용화효(彌勒龍華曉)라고 하며, 줄여서 용화(龍華)라고도 한다.

그렇다면 미륵보살은 언제쯤 하생하는 것일까? 미륵보살은 석가모니 부처님이 열반에 드신 지 56억 7천만 년 또는 57억 6천만 세, 혹은 56억만 세가 지나면 도솔천으로부터 인간 세상으로 내려오시는데 세 번의 법회를 통하여 상 · 중 · 하의 근기를 지닌 모두가 도를 얻을 수 있다고 한다.

미륵 부처님의 강림에 관한 경전은 미륵하생경(彌勒下生經), 미륵하생성불경(彌勒下生成佛經), 미륵내시경(彌勒來時經)에 그 근거를 두고 있다. 그 외에도 미륵대성불경(彌勒大成佛經), 미륵상생경(彌勒上生經) 등이 있다.

중아함경 원후봉밀(猿猴奉蜜)

경북 봉화 지림사

원숭이가 부처님께 꿀을 공양 올렸던 고사(故事)를 원후봉밀(猿猴奉蜜), 원왕봉밀(猿王奉蜜), 미후봉밀(獼猴奉蜜), 미후헌밀(獼猴獻蜜)이라고 한다. 이 이야기는 인도 불교에서는 자주 등장하는 이야깃거리로 산치 대탑(Sānchī 大塔)에도 이와 관련한 조각이 있다. 이는 인과응보에 관한 가르침으로 중아함경 권제8에 실려 있다.

또한 당나라 의정(義淨) 스님이 한역한 근본설일체유부비나야파승사(根本說一切有部毗奈耶破僧事) 제12권에 보면 다음과 같은 말씀이 있다.

부처님께서 나지가(那地迦) 마을 군사림(群蛇林)에 계셨다. 이때 세존과 여러 비구의 발우를 땅바닥에 놓아두었는데, 원숭이 한 마리가 사라(娑羅)나무에서 내려와 발우를 가져가려고 하자 모든 비구가 원숭이를 때려서 내쫓았다. 부처님께서 여러 비구에게 말씀하셨다. 너희들은 원숭이를 때리지 말라. 그들 마음대로 가져가게 두어라. 그들은 발우를 깨뜨리지 않을 것이다. 그때 원숭이가 발우 옆에 와서 있다가 곧 부처님의 발우를 가지고 사라나무 위로 달아났다. 얼마쯤 지나자 그 발우에 꿀을 가득 담아서 부처님께 공양하였다. 그런데 그 꿀 속에 벌이 들어 있자 여래께서는 받지 않으셨다. 그러자 원숭이는 여래의 마음을 알아차리고 다시 꿀이 든 발우를 가지고 한쪽으로 가서 벌을 골라내고 다시 가지고 와서 부처님께 드렸다. 부처님께서는 이번에도 꿀이 깨끗하지 않으므로 받지 않으셨다. 원숭이는 다시 부처님의 뜻을 알아차리고 그 꿀 발우를 가지고 맑은 물이 흐르는 물가에 가서 물로 꿀을 깨끗이 씻은 다음 다시 부처님께 공양하니, 부처님은 그제야 받으셨다. 원숭이는 부처님께서 꿀을 받으시는 것을 보고 기쁜 마음으로 합장하고 머리 숙여 예를 올린 후 앞뒤를 돌아보지 아니하고 껑충껑충 뛰다가 그만 우물 속에 빠져 목숨을 잃고 말았다. 원숭이는 죽자마자 나지가 마을의 청정한 바라문 부인의 몸에 잉태되었다.

그가 잉태되자 복업(福業)의 인연 때문에 나지가 마을 경계 안에는 하늘에서 꿀비가 내렸다. 그러자 모든 사람은 점술가를 불러 물었다. 이 무슨 일입니까? 점술가가 대답하였다. 바라문의 부인이 아기를 잉태하였는데, 그 아기의 업력에 하늘이 감동해서 이런 일이 생겼습니다. 열 달이 지나 아기가 태어나려고 하던 날 다시 꿀비가 내렸다. 그의 권속들은 모두 모여 삼칠일(21일) 동안 음식을 만들어 공양하였다.

권속들이 태어난 아기의 이름을 무엇이라 할지를 묻자, 집안사람이 대답하길 그 아기를 잉태했을 때 마침 꿀비가 내렸고 태어나던 날도 그랬으니, 아버지의 성

(姓) 바실슬타(婆悉瑟吒)를 따서 아기의 이름은 미도바실슬타(末度婆悉瑟吒)라고 부르자고 하였다. 이 이름은 최승밀(最勝蜜)이라는 뜻이다.

아이가 점점 자라면서 숙세의 업력으로 인하여 문득 신심(信心)이 생겨 곧 부처님 계신 곳으로 갔다. 부처님께서 그 아이를 위하여 설법하자, 그는 출가하기를 발심하고는 법도를 따라 출가 의식을 치렀다. 그가 출가한 후에도 매일매일 저절로 세 그릇의 꿀이 생겼는데, 한 그릇은 부처님께 공양하고, 한 그릇은 승가에 공양하였으며, 한 그릇은 친구들과 함께 나누어 먹곤 하였다.

그때 모든 대중이 다 의심이 생겨 부처님께 나아가 여쭈었다. 무슨 인연 때문에 저 최승밀(最勝蜜) 비구에게는 날마다 저렇게 꿀이 생깁니까? 부처님께서 비구들

인도 바이샬리 산치 대탑 석주에 조각된 원후봉밀

중국 돈황 막고굴 제76호굴

에게 말씀하셨다. 저 최승밀 비구 스스로 지은 복업 때문에 그는 날마다 이와 같은 꿀의 과보를 받는 것이니라. 너희들은 옛날에 어떤 원숭이가 사라나무에서 내려와 한 그릇의 꿀을 나에게 공양하는 것을 보았느냐? 비구들이 부처님께 아뢰었다. 세존이시여, 저희는 예전에 그런 일을 본 적이 있습니다.

부처님께서 말씀하시기를 그 원숭이가 바로 지금의 최승밀 비구니라. 그는 지난날 신심을 일으켜 꿀을 보시한 인연 때문에 이러한 과보를 받은 것이다. 그리고 이 비구는 다만 하루에 세 그릇의 꿀뿐만 아니라, 온 천하를 모두 꿀로 변화시킬 수 있느니라. 왜냐하면 부처님께 꿀을 보시하면 그 복이 날로 더해지기 때문이다. 자세한 내용은 위와 같으니 너희들은 마땅히 흑업(黑業)과 잡염업(雜染業)을 버리고 순수한 백업(白業)만 닦아야 하느니라.

근본설일체유부비나야약사(根本說一切有部毘奈耶藥事) 권제17에서는 구수현염(具壽賢鹽)이 전생의 업보에 대하여 말하기를 나는 옛날 광엄성(廣嚴城) 근처에 원숭이 왕으로 있을 때 부처님의 발우를 잡았더니 여러 비구가 소리를 질렀다. 그러자 부처님이 그대들은 가만히 있거라. 그때 나는 발우를 들고 나무 위로 올라가 꿀을 가득 담아 부처님께 드렸지만, 그 안에 벌레가 있어서 부처님이 받지 아니하시자 벌레를 가려내고 부처님께 올렸지만 받지 아니하셨다. 이에 깨끗한 물로 꿀 위에다 점정(點淨)하고 정성을 다하여 부처님께 드렸다.

佛舒百福臂 無比無等手 持我獻蜜鉢 與聲聞衆飮
불서백복비 무비무등수 지아헌밀발 여성문중음

부처님께서는 백복(百福)으로 장엄하신 팔을 펼치시어
더이상 견줄 데가 없으며 동등함이 없는 손으로
제가 바친 꿀 발우를 받으시어
성문(聲聞) 대중들과 함께 드셨습니다.

고승전(高僧傳) 권제3에 보면 천축국의 승가라다(僧伽羅多)는 선학(禪學)에 밝았다. 송(宋)나라에 들어와 산중에서 좌선하였는데 해가 저물어 공양을 거르고자 하였더니 새들의 무리가 나타나 과일을 물어주고 사라졌다. 이에 생각하기를 원숭이가 꿀을 부처님께 올리자 부처님이 이를 받아 자셨다고 하셨으니 나도 지금 새가 물어다 준 공양이라고 해서 어찌 받지 않겠느냐고 하면서 이를 기꺼이 공양하였다는 내용이 있다.

반야용선(般若龍船)

충북 제천 신륵사

반야(般若)는 북방불교에서 아주 중요한 사상으로 일체 사물과 도리를 밝게 통찰하는 깊은 지혜를 말한다. 이는 산스크리트어의 prajna를 음사한 표현이며 이를 다시 한역하면 지혜(智慧) 또는 힐혜(黠慧)라고 한다. 우리가 고통의 삶을 이어나가는 것은 지혜가 없기 때문이다. 이를 무지(無智)라고 한다. 반드시 지혜가 있어야만 피안(彼岸)으로 갈 수 있기에 반야의 힘을 빌리지 않으면 안 된다.

반야용선은 반야를 배에 비유한 것이다. 배를 의지하여 바다를 건너듯이 생사고해의 바다를 건너 차안(此岸)에서 피안(彼岸)에 이르려면 반야의 지혜가 있어야 한다. 이를 배에 비유하여 반야선(般若船)이라고 한다.

8세기 중엽 인도의 학승인 불공(不空) 스님이 번역한 인왕반야다라니석(仁王般若陀羅尼釋)에 보면 비로자나불께서 상계에서 성불하시고 나서 부처님께 금강승 법륜에 대하여 말씀하여 주실 것을 청하였다. 이곳에서 무량무변한 중생을 이 반야의 배에 싣고 무주열반(無住涅槃)의 피안에 이른다는 말씀이 있다. 毘盧遮那佛 於上界成佛已 此菩薩 請如來 轉金剛乘法輪 由乘此法輪 般若船 從此岸 運載 無量無邊有情 至無住涅槃 至無住涅槃岸

경남 양산 통도사

경전에는 반야용선(般若龍船)에 대한 표현은 없다. 중국에서 크게 일어난 공(空) 사상과 반야(般若)는 빛과 그림자처럼 항상 함께하는 지표(指標)이다. 여기에다 중국인들이 신성시하는 상상의 서수(瑞獸) 용(龍)이 접목되어 반야용선이 나온 것이다. 이러한 회화(繪畫)는 접인용선(接引龍船)으로 등장하고 명부신앙이 차츰차츰 체계화되면서 지장보살도 등장하게 된다.

반야용선의 선두에는 대부분 인로왕보살(引路王菩薩), 아미타불과 관세음보살, 대세지보살, 지장보살이 등장한다. 미타신앙과 지장신앙이 이미 민중 속에 깊게 전파되었음을 알 수 있다. 반야용선의 목적지는 정토신앙의 목적지인 서방정토 극락세계이다. 이러한 사상은 아직도 고스란히 남아 있고 불교 천도재(薦度齋) 의식에서 장엄하는 반야용선이 대표적인 예다.

보은경(報恩經) 선우 태자가 쟁(箏)을 타다

중국 돈황 막고굴 제85호굴

보은경(報恩經), 불보은경(佛報恩經), 대방편경(大方便經)은 대방편불보은경(大方便佛報恩經)을 줄여서 부르는 표현이다. 220년 무렵 후한(後漢) 시대에 한역되었으나 그 번역한 사람이 누구인지는 전하지 않는다. 7권으로 이루어진 경전으로 아난이 탁발하기 위하여 왕사성 밖으로 나왔다가 육사외도의 한 바라문으로부터 부처님의 출가는 부모를 괴롭게 하는 것으로 이는 부모님의 은혜를 망각하는 행위라고 비난받는다. 여기에 대하여 부처님께서 은(恩)에 대한 의의(意義)를 설명하는 내용으로 이루어져 있다. 위의 벽화는 보은경 가운데 여섯 번째인 악우품(惡友品)에 나오는 말씀을 나타낸 것이다.

부처님께서 대중들에게 둘러싸여 공양과 공경과 존중과 찬탄을 받으시다가 입으로부터 광명을 놓으시니 천상이나 지옥이나 비추지 아니함이 없는지라 제바달다도 이 광명을 받고 모든 고통에서 벗어나게 되었다. 그러자 대중들은 어찌하여 악한 마음을 품고 부처님을 해치는 제바달다에게까지 광명을 비추는가 하고 의아해하였다. 부처님께서 말씀하시기를 제바달다는 오늘날만 나를 해치려 한 것이 아니라 지난 세상에도 그러하였다고 하시며 옛적에 바라나국 왕은 아들이 없다가 겨우 2명의 아들을 두었는데 점치는 이가 장남은 선우(善友), 차남은 악우(惡友)라고 이름을 지었다고 하셨다.

선우는 아버지를 대신해 백성들을 위하여 여러 가지로 선행을 베풀었다. 그리고 백성들을 더욱 이익되게 하려면 용궁으로 들어가 마니보주를 가지고 나와서 백성을 이롭게 하고자 하였다. 그러자 악우는 선우가 부모님 사랑을 독차지하는 것으로 생각하고 그를 시기하여 자신도 형을 따라서 위험한 용궁으로 들어가겠다고 하였다.

용궁에서 선우가 먼저 여의보주를 구하자 이를 질투한 악우는 형이 잠들 때를 기다렸다. 그리고 형이 잠들자 마른 대꼬챙이로 두 눈을 찌르고 구슬을 빼앗아 도망하여 먼저 부모님에게 여의주를 올리면서 형은 그만 물에 빠져 죽고 말았다고 거짓말을 하였다. 그리고 여의주를 땅속에 파묻어 두었다.

선우는 앞을 볼 수가 없었으나 점점 앞으로 걸어가다가 이사발국(利師跋國)까지 이르렀다. 거기서 소치기 유승(留承)에게 쟁(箏, 거문고)을 만들어 달라고 도움을 청하여 사람이 많은 저잣거리에서 쟁(箏)을 연주하여 5백 명의 거지가 모두 배불리 먹게 하였다. 그 후 선우는 국왕의 과수원에서 참새를 쫓는 일을 하면서 더불어 쟁(箏)을 타다가 그곳을 방문한 공주를 만나게 되어 부부의 인연을 이룬다. 위 그림은 그 모습을 벽화로 나타낸 것이다.

보은경에서는 부처님께서 아난에게 이르기를 그때의 바라나 대왕이 바로 지금 나의 아버지이신 왕 열두단(悅頭檀)이요, 그때의 어머니는 바로 지금 나의 어머니이신 마야부인이며, 그때의 악우 태자는 바로 지금의 제바달다이며, 그때의 선우 태자는 바로 지금 나의 몸이라고 하였다.

법원주림 마갈어(摩竭魚)

경북 청도 대비사

마갈어는 인도 신화에 등장하는 전설 속에 나오는 물고기로 이는 산스크리트어의 makara를 음사하여 마가라어(摩伽羅魚)로 나타낸다. 이를 한역하여 대체어(大體魚), 경어(鯨魚), 거오(巨鼇) 등으로 표현하며 애욕의 신 카마의 상징이기도 하다. 마갈어는 큰 바다에 살면서 상인들의 배를 침몰시키거나 집어삼키는 물고기로 남방불교에서는 양과 물고기를 합성한 듯한 모습으로 나타낸다. 이를 살펴보면 머리와 앞다리는 영양을 닮았고 몸과 꼬리는 물고기로 나타내고 눈은 해, 코는 태산, 그리고 입을 벌리면 마치 붉은 골짜기와 같다. 그러나 북방불교에서는 중국에서 발생한 용과 물고기를 합성하여 나타내는 것이 보편적이다. 하지만 마갈어는 고래나 상어, 돌고래 등의 물고기를 가리킨다고 보는 견해도 있다. 또한 불교 경전에는 상인들이 바다에 나갔다가 마갈어로 인해 배가 난파(難破)되는 내용이 등장하기도 한다.

법원주림(法苑珠林) 권6에 보면 세 번째 물고기의 몸은 마갈대어의 몸보다 크지 않다. 이는 사분율(四分律)에서 설하는 것과 같이 마갈대어의 크기는 300유순 혹은 400유순이고 지극히 큰 것은 700유순이다. 그러기에 아함경(阿含經)에서 말하기를 눈은 해와 달과 같고 코는 산과 같으며 입은 붉은 골짜기와 같다고 하였다. 第三魚身者不過摩竭大魚 如四分律說 摩竭大魚身長 或三百由旬四百由旬 乃至極大者 長七百由旬 故阿含經云 眼如日月 鼻如大山 口如赤谷

화엄경소초(華嚴經疏鈔)에서는 마갈어는 대체(大體)라고 한역하는데 이는 중국의 거대한 물고기와 같은 종류이다. 두 눈은 해와 같고 입을 벌리면 어두운 계곡과 같기에 능히 큰 배를 집어삼킨다. 무릇 물을 내뿜으면 밀물과 같고 물을 들이켜면 골짜기와 같고 그 높이는 산과 같으며 크기는 200여 리나 된다고 하였다. 摩竭魚者 此云大體也 謂卽此方巨鼇之類 兩目如日 張口如暗谷 能呑大舟 凡出濆流卽如潮上 噏水如壑 高下如山 大者可長二百餘里

중아함경(中阿含經) 가운데 대품상인구재경(大品商人求財經)에 보면 옛날 염부주 안에 여러 상인이 모여 고객당(賈客堂)에 있으면서 생각하였다. 우리는 배를 만들어 바다로 나가 보물을 얻어 가지고 와서 집안일에 사용하자. 또 이렇게 생각하였다. 우리가 바다에 들어가서 안전에 대하여 늘 불안하므로 이제 각각 바다에서도 뜨는 기구인 염소 가죽 주머니와 큰 표주박과 그리고 뗏목을 준비하자. 그리고 곧바로 바다로 들어갔다. 그러나 그들은 바다 가운데에서 마갈어왕 때문에 배가 부서지고 말았다고 하였다. 乃往昔時 閻浮洲中諸商人等皆共集會在賈客堂 而作是念 我等寧可乘海裝船 入大海中取財寶來 以供家用 復作是念 諸賢入海

不可豫知安隱 不安隱 我等寧可各各備辦浮海之具 謂羖羊皮囊 大瓠 押栰 彼於後時各各備辦浮海之具 羖羊皮囊 大瓠 押栰 便入大海 彼在海中爲摩竭魚王破壞其船

참고로 마갈어에 관한 말씀은 법원주림(法苑珠林), 화엄경소초(華嚴經疏鈔), 현우경(賢愚經), 정법염처경(正法念處經), 사분율(四分律), 대지도론(大智度論) 등에 나타나고 있다.

현우경 노도차(勞度差)의 환술(幻術)

경북 문경 윤필암

이 벽화를 이해하려면 금강경(金剛經)에 나오는 기수급고독원(祇樹給孤獨園)에 대한 일화를 살펴보아야 한다.

현우경(賢愚經) 제41 수달기정사품(須達起情舍品)에서 보면 파사익왕에게는 수달(須達)이라는 대신이 있었다. 그는 가난한 이와 고독한 노인들을 구제하였기에 사람들은 그의 행을 따라서 이름을 급고독(給孤獨)이라고 불렀다.

수달은 부처님을 친견하고는 크게 환희심을 내어 사위성에 절을 지어 부처님께 보시하여 사위성 안에 있는 삿된 견해를 가진 바라문을 제도하여 줄 것을 청하고자 하였다. 이에 수달 장자는 왕사성에서 사위국으로 돌아와 절을 지을 자리를 찾아다녔으나 마땅한 자리를 구하지 못하다가 기타태자(祇陀太子)가 소유한 원림을 보니 이 땅은 평평하고 숲이 우거졌으며 또한 성에서도 그리 멀지도 가깝지도 않은 곳이었다.

사리불은 수달에게 말하기를 이 원림은 절을 세우기에 아주 훌륭한 땅입니다. 성(城)에서 너무 멀리 떨어져 있으면 걸식하기에 불편하고 너무 가까이 있으면 수행에 방해가 됩니다. 그러나 기타태자는 부유하여 그 땅을 팔고자 하는 생각이 전혀 없었다. 그러면서 말하기를 이 원림에 황금을 빈틈없이 다 깐다면 이 원림을 팔겠다고 하니, 수달 장자가 황금으로 원림을 덮어나갔다. 기타태자는 속으로 생각하기를 부처님은 반드시 덕이 있는 분인 것 같도다. 그러하니 수달 장자가 기꺼이 황금을 깔고 있지 않겠는가? 하고 더이상 황금을 깔지 못하게 하고 수달에게 말하였다. 이제 동산은 그대의 것이지만 숲은 내 것이요. 그러니 우리 같이 정사(精舍)를 세워 부처님께 올립시다.

경북 경산 장엄사

그러나 정사를 막상 세우려고 하자 육사외도(六師外道)의 반발이 심하여 난관에 부딪히게 되었고, 국왕은 신통력을 겨루어 이를 정하고자 하였다. 많은 대중이 운집한 가운데 육사외도의 제자 가운데 노도차(勞度差)라는 이가 있었는데 신통력이 아주 뛰어났다. 노도차가 사리불(舍利弗)과 환술을 겨루게 되자 수달은 사리불을 위하여 높은 자리를 만들었으나 선정에 들었던 사리불은 오지 않았다. 이에 수달은 사리불을 찾아가 모셔 왔고 노도차와 여러 가지 환술을 겨루었는데 노도차가 모두 패배하였다.

첫 번째 대결 : 어느 날 노도차가 대중 앞에서 환술로 한 그루의 나무를 만들어서 그늘이 울창하여 대중을 그늘지게 만들고 기이한 꽃과 열매가 열렸다. 그러자 사리불이 회오리바람을 일으켜 이 나무를 산산이 부수어 티끌로 만들었다.

두 번째 대결 : 노도차가 다시 주문으로 칠보 연못을 만들자 갖가지 연꽃이 피었다. 이에 사리불이 여섯 개의 어금니를 가진 흰 코끼리를 만들고 어금니 위에 일곱 송이 연꽃이 피었으며 코끼리가 연못의 물을 모두 마셔 바짝 마르게 하였다.

중국 돈황 막고굴 제196호굴

세 번째 대결 : 노도차가 산을 만들어 칠보로 장엄하고 연못과 열매가 아름다웠다. 이에 사리불이 금강역사(金剛力士)를 만들어 금강저(金剛杵)로 그 산을 부수어 모조리 먼지로 만들었다.

네 번째 대결 : 노도차가 머리가 열 개 있는 용을 만들어 갖가지 보배를 비처럼 쏟아지게 하며 우레와 번개는 대지를 흔들자 사리불은 커다란 금시조(金翅鳥)를 만들어 용을 잡아먹었다.

다섯 번째 대결 : 노도차가 한 마리의 장대한 소를 만들어 땅을 파며 사리불 앞으로 으르렁거리면서 달려들자 사리불은 사자로 변화하여 잡아먹었다.

여섯 번째 대결 : 노도차는 야차 귀신으로 변하여 입으로 불을 뿜으며 사리불에게 다가왔다. 사리불이 비사문왕(毗沙門王)으로 변하자 야차는 두려워 떨며 달아나려고 하였으나 사방에서 불길이 일어 도망갈 곳이 없자 사리불에게 엎드려 살려줄 것을 애원하였다.

이에 왕은 수달 장자가 정사(精舍)를 세우는 것을 허락하여 수달 장자는 사리불과 함께 정사를 지어서 부처님과 스님들을 청하였다. 이에 부처님께서 발가락으로 땅을 누르시자 대지가 진동하였으며, 성안의 악기들은 치지 않아도 울었으며, 장님은 눈을 뜨고, 귀머거리는 소리를 들었으며, 벙어리는 말을 하였고, 꼽추는 등을 폈으며, 온갖 병자들은 모두 완전히 나았다.

부처님은 아난에게 말씀하시기를 지금 이 동산은 수달이 산 것이요, 이 숲과 꽃과 열매는 기타(祇陀)의 소유로 두 사람이 마음을 합하여 절을 세웠으니, 이 절 이름을 기수급고독원(祇樹給孤獨園)이라 한다고 하셨다.

금강경(金剛經)의 첫머리는 이렇다.

如是我聞 一時 佛在舍衛國祇樹給孤獨園 與大比丘衆千二百五十人俱
여시아문 일시 불재사위국기수급고독원 여대비구중천이백오십인구

이와 같은 내용을 저는 들었습니다. 어느 날 부처님께서 사위국의 기수급고독원에서 1,250명의 제자와 함께 계셨습니다.

그러므로 수달 장자가 일으킨 기원정사(祇園精舍)에서 부처님은 금강경(金剛經)을 설하셨으니 부처님께서 병에 따라 약을 주듯이 중생들을 위하여 묘법을 설하시게 되었다.

법구비유경 훈습(薰習)에 대해서

경남 합천 해인사

이 벽화는 법구비유경(法句譬喩經) 제9 쌍요품(雙要品)에 나오는 말씀에 따라 그려진 벽화다. 벽화를 보면 한 비구가 새끼줄과 종이를 양손에 들고 있다. 비가 내리는 어느 날 부처님께서 비구들에게 진리 설하시기를 마치시자 비가 그쳤다.

그때 종이가 땅에 떨어져 있는 것을 보고 비구들에게 그 종이를 집어오라 말씀하셨다. 그 종이가 무슨 종이인가? 향을 싼 종이였는데 아직 향내가 나고 있습니다. 다시 걸어가시다가 이번에는 새끼줄을 보시고는 비구들에게 무엇에 쓰던 새끼줄인가? 비린내가 나는 것으로 보아 생선을 묶었던 새끼줄인 것 같습니다.

그러자 부처님께서는 가르침 주시기를 본디 어떤 물건이라도 본래는 깨끗하였지만 모두 인연을 따라 죄와 복을 일으키는 것이다. 현명한 이를 가까이하면 그 뜻이 높아지고 어리석은 이를 가까이하면 재앙을 불러오는 것이다. 향을 쌌던 종이, 생선을 묶었던 새끼줄에 처음부터 그 냄새가 있었던 것이 아니라 차츰차츰 물들여진 것이다. 그리고 게송으로 말씀하셨다.

鄙夫染人 如近臭物 漸迷習非 不覺成惡
비부염인 여근취물 점미습비 불각성악

대개 어리석은 이가 남을 물들이는 것은
냄새나는 물건을 가까이하는 것 같아서
차츰차츰 미혹한 허물에 익숙하게 되어
저도 모르게 악한 사람이 된 줄을 깨닫지 못한다.

賢夫染人 如附香熏 進智習善 行成芳潔
현부염인 여부향훈 진지습선 행성방결

어진 사람이 남을 물들이는 것은
향냄새를 가까이하는 것 같아서
나날이 지혜로워져 선함을 익히다가
아름답고 청결한 행을 이룬다.

위의 게송은 법구경(法句經) 쌍요품에도 나와 있다.

불본행집경(佛本行集經) 권제57 난타인연품(難陁因緣品)에서 부처님께서 난타를 출가시키는 과정을 보면 부처님께서는 난타를 데리고 향을 파는 가게로 가셨다. 너는 향 꾸러미를 잡았다가 내려놓고서 네 손의 냄새를 맡아보아라. 부처님이시여, 제 손에서는 지금 말할 수 없이 아름답고 그윽한 향기가 납니다.

부처님께서는 다시 난타에게 말씀하셨다. 바로 그렇다. 만약 어떤 사람이 선지식(善知識)을 가까이하여 항상 함께 머물면서 서로 따르고 물들고 익혀지면, 서로 친근한 까닭에 반드시 큰 명성이 널리 풍겨갈 것이다.

猶如在於魚鋪上 以手執取一把茅 其人手卽同魚臭 親近惡友亦如是
유여재어어포상 이수집취일파모 기인수즉동어취 친근악우역여시

마치 생선 가게에 고기를 얹어 놓았던
짚을 한 줌 쥐었다 놓으면
그 사람의 손에 비린내가 나듯이
나쁜 벗과 사귀는 것도 그러하다.

若有手執沈水香 及以藿香麝香等 須臾執持香自染 親附善友亦復然
약유수집침수향 급이곽향사향등 수유집지향자염 친부선우역부연

만약 손으로 침수 향을 만지거나
또 곽향(藿香)이나 사향(麝香)을 만지면
잠깐 만져도 향이 배듯이
착한 벗과 친근함도 그러하다.

이 벽화의 가르침을 줄여서 말하면 훈습(薰習)이다. 선악을 따라서 훈습으로 이루어지고 닦아 익힘으로 인하여 종자가 됨은 마치 향을 싼 종이에 배어들어 향기가 풍기는 것과 같고, 고기를 맨 새끼가 절여져 비린내가 나는 것과 같아서 참 마음에 굳게 머물러 선법(善法)의 훈습을 맡으면 깨끗함의 종자가 더욱 자라고, 악법(惡法)이 일어나면 물듦의 종자가 원만하게 이루어짐과 같다.

출요경 죽은 아들을 살리려는 여인

경남 합천 해인사

이 벽화는 해인사 외에도 대구 북지장사와 영천 청룡사 등에서 볼 수 있다. 그 설명은 경전의 출처 없이 틀린 내용으로 인터넷에 버젓이 소개되고 있는 벽화 가운데 하나다. 이러한 일들은 벽화뿐만 아니라 주련, 게송 등에도 나타나고 있다. 이를 바로 알리고자 '사찰에서 만나는 주련'과 '사찰에서 만나는 벽화'를 미흡하나마 저술해 경전을 근거로 하여 설명하기도 하였다.

출요경 권제2 무상품(無常品)에 보면 부처님께서 사위국 기수급고독원에 계실 때 어떤 홀어머니가 외아들을 잃었다. 이 일로 그녀는 번민하여 실의에 빠져 미치광이처럼 제정신이 아니었다. 어느 날 그녀에게 사람들이 부처님은 큰 성인이시므로 너의 번민을 없애 줄 것이라고 했다. 그녀는 부처님 전에 나아가 예를 올리고 나서 저는 원래 자식이 귀하여 아들 하나를 두었는데 갑자기 병에 걸려 죽고 말았습니다. 부처님은 자비를 베푸시어 저의 이러한 고통을 없애 주십시오 하고 간청하였다.

부처님께서 말씀하셨다. 그대는 속히 성(城)으로 들어가 누구도 죽지 않은 집이 있거든 그 집의 불을 얻어 가지고 오너라. 그러면 그대의 아들을 살려 주겠노라. 그녀는 이 말씀을 듣고 사위성으로 들어가 집집이 돌아다니며 물었다. 그러나 어느 집도 누가 죽지 않은 집이 없었다. 그녀는 아무것도 구하지 못하고 피로에 지쳐서 집으로 돌아갔다.

그녀는 다시 죽은 아이를 부둥켜안고 부처님 전에 나아가 통곡하였다. 부처님의 말씀에 따라 집마다 돌아다녔으나 그러한 집이 없어서 불을 구하지 못하여 그대로 돌아왔습니다. 부처님께서 그녀에게 말씀하셨다. 사람이 이 세상을 살 때 네 가지로 말미암아 오래 살지 못한다.

첫째, 항상 머무는 것도 반드시 항상 머물지 못한다.
둘째, 부귀영화를 누리더라도 언젠가는 빈천해진다.
셋째, 만나면 반드시 헤어지기 마련이다.
넷째, 건강한 이도 반드시 죽기 마련이다.

죽음을 재촉하여 죽음으로 향하고, 죽음에 끌려다니므로 이 근심에서 벗어나지 못하는 것이다. 부처님께서 이어 말씀하시기를 너는 어찌하여 너 자신에 대해서는 걱정하지 않느냐? 왜 널리 보시행을 하지 않고 계(戒)를 지키지 않느냐? 매달 8일, 14일, 15일에 빈궁한 사문이나 먼길 떠나는 이나 오래거나 잠깐이라도 머무는 이에게 보시하면 그 과보로 한량없는 복을 받을 것이다.

그녀가 말하기를 저는 지금 아들에 대한 정이 골수에 사무쳐 있으므로 이 아들을 위하는 일이라면 제 목숨도 아끼지 않을 것입니다. 그러자 부처님은 그녀를 교화하고 아울러 깨우침을 주기 위하여 신통으로 네 개의 큰 불구덩이를 만들어서 그녀의 몸을 둘러싸게 하였다. 불기운이 그녀의 몸에 덮치자 그 어린아이로 몸을 가리니 아이는 불기운의 고통을 견디지 못하여 울부짖었다.

부처님은 다시 그녀에게 말씀하기를 너는 조금 전에 자식을 위하는 일이라면 목숨도 기꺼이 바치겠노라고 하더니 지금 불기운이 덮치자 어찌하여 네 몸을 지키려 자식으로 불기운을 가렸느냐? 인간의 세계는 오히려 작은 불기둥이다. 지옥에서 타오르는 불기둥의 고통은 여기에 비할 바가 못된다.

축생은 어리석고 미혹하며 아둔하여 괴롭고, 아귀는 복이 적어서 늘 굶주림으로 괴롭다. 그러므로 자신을 이롭게 하는 이만이 비로소 도를 행하고 갖가지 선근을 닦을 수 있다. 보시하고 계율을 지키며 인내하면, 지옥이나 축생이나 아귀 세계에 태어나지 않아 그 고통을 받지 않을 것이며, 천상과 인간의 복을 받아 차츰 열반에 가까워질 것이다.

그녀는 부처님의 가르침을 듣고 자신을 돌이켜보았다. 그리고 마음속 깊이 자책하면서 집착하는 마음을 버렸다. 또한 이 세상은 즐겨 지낼 곳이 못된다고 생각하여 오음이 치성(熾盛)하는 괴로움을 분별하여 생각하였다. 그러자 그녀는 부처님 앞에서 번뇌가 사라지고 법안이 열려 수다원과(須陀洹果)를 이루었다.

그때 부처님은 이를 잘 아시고 처음과 끝을 살피신 다음에 미래의 중생들을 위하여 법문을 열고자 대중 앞에서 게송을 읊으셨다.

常者皆盡 高者亦墮 合會有離 生者有死
상자개진 고자역타 합회유리 생자유사

항상 머무는 것도 다함이 있고
높은 데 있는 것도 또한 떨어질 때가 있다.
만나면 반드시 이별이 있고
산 자는 반드시 죽음이 있다.

衆生相剋 以喪其命 隨行所墮 自受殃福
중생상극 이상기명 수행소타 자수앙복

중생들은 서로를 해침으로써
그들의 목숨을 잃게 되니
그의 행(行)에 따라 타락하고
스스로 재앙과 복을 받는다.

모든 중생 가운데 어지러이 나는 것이나, 고물거리는 것이나, 기어다니는 것이나, 헐떡거리는 것이나, 형상이 있는 것들은 모두 없어지게 되므로 죽음의 근심에서 벗어나지 못한다. 이러함은 행에 따라 이루어진 과보다. 따라서 선을 행하면 복을 받고 악을 행하면 재앙이 따를 것이다. 마치 그림자가 그 형체를 따르는 것 같이 어찌 이를 벗어날 수가 있겠는가? 이러한 인연법을 말씀하시면서 게송으로 말씀하셨다.

惡行入地獄 修善則生天 若修善道者 無漏入泥洹
악행입지옥 수선즉생천 약수선도자 무루입니원

악을 행하면 지옥으로 들어가고
선을 닦으면 하늘에 태어난다.
만약 능히 선한 도를 닦는 자가 있다면
셈이 없어서 열반으로 들어갈 것이다.

이 말씀은 경률이상(經律異相) 권제38에도 인용하여 사용하였다.

인터넷에는 '불을 구해 오라'는 경전의 말씀을 누가 겨자씨로 둔갑시켜 소개하자, 아예 이 벽화를 설명하는 이마다 모두 겨자씨로 둔갑한 것을 유통시키고 있으니 이는 아주 잘못 된 것이다.

대장엄론경 초계(草繫) 비구

경남 진주 청곡사

대장엄론경(大莊嚴論經) 권제3 계율에 관한 가르침에 나오는 말씀이다.

예전에 일찍이 여러 비구가 넓은 들판을 지나다가 도적 떼를 만나 입고 있던 옷을 다 빼앗겼다. 이 도적 떼는 비구들이 마을로 가서 고자질을 할까 봐 두려워 모두 살해하려고 하였다. 그때 도적 가운데 일찍이 출가했었던 한 사람이 동료들에게 말하였다. 비구의 법에는 풀[草]도 다치게 할 수 없으니, 만약 풀로 여러 비구를 묶어 둔다면 저들은 풀을 다치게 할까 두려워 끝내 사방으로 달려가 고자질할 수 없을 것이다. 그렇게 도적들은 풀로 묶어 놓고서 가버렸다.

여러 비구는 풀에 묶여 있으나 금계(禁戒)를 범할까 두려워서 풀을 당겨 끊지도 못하고, 몸에 의복이 없으므로 햇볕에 그을리며 모기나 등에, 파리, 벼룩에 뜯기어 괴롭힘을 당하였다. 아침부터 묶여서 한낮이 지나고 해가 저물어 캄캄한 밤중이 되니 밤에만 다니는 날짐승 길짐승들이 서로 엇갈려 달려들고, 여우들이 떼 지어 울며 올빼미가 꾸르륵거리는 등 나쁜 소리로 울부짖는 통에 너무나 무섭고 두려웠다. 그때 어떤 늙은 비구가 젊은 비구들에게 말하였다.

그대들은 잘 들으시오. 사람의 목숨이란 지극히 짧아 빠르게 흘러가는 물과 같아서 설령 천당에 있다 하더라도 오래지 않아 닳아 없어지기 마련인데 하물며 인간 세상의 목숨이야 얼마나 보전할 수 있겠는가? 목숨이 오래 가지 않을 바에야 무엇 때문에 목숨을 위해서 금계를 훼손한단 말인가? 여러 비구는 늙은 비구가 설한 이 계(戒)를 듣고 나서 각자 그 몸을 바르게 하여 움직이지도 않으니, 마치 큰 나무가 바람이 없을 때는 그 가지와 잎이 흔들리지 않는 것과 같았다.

그때 그 나라 국왕이 사냥을 나왔다가 이 비구들이 묶여 있는 곳으로 점점 다가오고 있었다. 국왕이 멀리서 이 광경을 바라보고 마음속으로 이상하게 여겨 생각하기를 저 알몸뚱이의 사람들은 니건(尼揵)들일까, 아니면 사문(沙門)일까? 하고는 사람을 보내 살펴보게 하였다. 여러 비구는 너무나 부끄러워서 그들의 몸을 가리고 숨기고자 하였으나 심부름 간 사람은 그들이 사문인 줄 알게 되었다. 왜냐하면 오른쪽 어깨가 검었기 때문이었다. 심부름꾼이 곧 돌아와 보고하여 아뢰었다. 저들은 니건이 아니라 바로 사문들입니다. 그때 국왕이 이러한 사실을 듣고 나서 더욱 이상하게 여겨 묵묵히 생각하기를 '내가 이제 저 비구들이 있는 곳에 가보리라'고 하였다.

국왕이 묻기를 스님들은 풀을 자르고 나오면 되지 왜 이러고 있느냐고 하였더니, 풀은 연하고 약해서 아주 끊어 버림도 어렵지 않지만 다만 부처님의 금강계

(金剛戒)에 묶여 있어 모든 법의 금계를 지켜야 하므로 감히 끌어당겨 끊지 않았다고 하였다. 그러자 국왕은 마음이 너무나 기쁘고 즐거워서 곧 비구들을 위해 풀로 묶인 것을 풀어주면서 나 또한 지금부터 이처럼 큰 법에 귀의할 것이라고 하였다.

이러한 말씀은 대반야경 권제584와 대반열반경, 현우경 등에도 나온다.

과거현재인과경 여래인지(如來因地)

부산 금정구 범어사

여래인지(如來因地)는 부처님의 과거 전생담을 말한다. 과거현재인과경 권제1에 보면 어느 때 부처님께서 기수급고독원(祇樹給孤獨園)의 죽림(竹林)에 머무르실 때 비구들이 부처님의 과거의 인연을 알고 싶어 하자 부처님은 이를 알아차리시고 말씀하셨다. 아승기겁(阿僧祇劫) 때 선혜(善慧)라는 선인(仙人)이 있었는데 도를 구하고 있었다. 그 당시 제파바지국(提播婆底國)의 등조왕(燈照王)이 처음 왕자를 얻어 이름을 보광(普光)이라고 하였으며, 출가하여 보광불(普光佛)이 되었다. 어느 날 선혜는 꿈을 꾸었는데 이를 알고자 5백 외도의 우두머리를 찾아갔다. 하지만 그들은 오히려 선혜에게 굴복당하게 된다. 그리고 선혜는 외도들이 말한 '지금 보광불이 세상에 나오셨다'는 소리를 듣고 보광불을 만나고 싶었다.

선혜는 그들과 작별하고 길을 가다가 왕가(王家)의 사람들이 도로를 평평하게 하고 당기(幢旗), 일산(日傘) 등으로 장엄하는 것을 보고 무슨 일이냐고 물었다. 그리고 어제 등조왕이 청하여 보광불이 이 나라에 오신다는 것을 알게 되었다. 선혜는 보광불께 꽃을 공양하고 싶었으나 왕의 칙령으로 이름난 꽃은 팔지 말고 모두 왕에게 보내라고 하는 바람에 꽃을 구할 수가 없었다.

그때 하녀(下女)가 일곱 송이 푸른 연꽃을 몰래 병에 감추어 걸어가고 있었는데 선혜의 지극한 마음으로 인하여 병 밖으로 솟아나 있었다. 선혜는 이 꽃을 사고 싶었으나 팔지 않으려고 하자 5백 은전으로 사겠다고 제시하였다. 하녀는 이 꽃의 가치가 몇 푼어치 안 되는데 많은 금액을 제시하니 어디에 쓰려고 하느냐고 물었다. 보광불에게 공양하고 싶다고 하니 하녀는 감동하여 꽃을 그냥 주면서 제가 이 꽃을 드릴 터이니, 제가 날 적마다 언제나 당신의 아내가 되기를 원한다고 말한다. 선혜는 거절하였으나 하녀가 꽃을 팔지 않으므로 부처님께 꽃을 공양 올리겠다는 일념으로 이 소원을 허락하였다.

꽃을 손에 쥔 선혜는 이 꽃을 부처님께 흩뿌렸는데 꽃이 공중에 머물러 있다가 부처님을 에워쌌다. 선혜가 사슴 가죽옷을 입고 있으므로 부처님은 땅을 변화시켜 진창으로 만들었다. 땅이 곤죽이 되어 부처님이 가실 때 진흙이 발에 묻지 않도록 선혜는 사슴 가죽옷을 벗어 깔고 또한 머리카락을 풀어서 덮었다. 그러자 부처님이 수기하시기를 너는 다음 세상에는 사바세계에 태어나 석가모니 부처가 되어 오탁악세의 중생을 제도할 것이라고 하였다. 참고로 이 말씀은 본생담(本生譚)을 출처로 한 것이며 다양하게 전개되고 있다.

불소행찬 구담귀성(瞿曇貴姓)

부산 금정구 범어사

구담(瞿曇)은 존귀한 성씨(姓氏)라는 뜻으로 십이유경(十二遊經)에 보면 아승기겁 전에 보살이 국왕이 되었다. 그러나 부모를 일찍 여의게 되자 나라를 아우에게 물려주고 도를 구하였는데, 저 멀리 구담(瞿曇)이라는 성(姓)을 가진 바라문을 보고 그를 따라가 도를 배웠다. 따라서 구담이라는 성을 받아 걸식하며 수행하다가 그의 나라로 돌아왔으나 아무도 알아보지 못하고 소구담(小瞿曇)이라고 불렀다. 그러자 보살은 성 밖에 있는 감자원(甘蔗園) 안을 정사(精舍)로 삼았다.

불소행찬(佛所行讚)에서는 감자(甘蔗)의 먼 후손 석가무승왕(釋迦無勝王)은 청정하며 재물과 덕망을 순수하게 갖추었으므로 정반(淨飯)이라 불렀다. 따라서 정반왕의 먼 후손이 구담(瞿曇)의 후신이다. 보살이 정사(精舍)에 있을 때 5백 명의 도적 무리가 관청을 급습하여 물건을 훔쳐 보살이 있는 오두막 곁으로 달아났다. 다음 날 관군들이 도적을 잡으려고 발자국을 추적하자 보살의 집 가까이 있으므로 관군들은 보살을 체포하여 강도에게 내리는 법률인 나무로 몸을 꿰뚫고 큰 표지로 세워 두었으니 피가 땅으로 흘러내렸다. 이에 대구담(大瞿曇)이 신족통(神足通)으로 달려와 그 이유를 묻고서는 그대는 아직 자식이 없으니 후사를 어찌 이으려고 하는가? 하자 보살은 목숨이 경각에 달렸는데 무슨 자손을 말하느냐고 하였다.

이윽고 왕의 관리들이 쇠뇌[弩]를 쏘아서 그를 죽였다. 대구담은 슬피 울면서 염(殮)하여 소구담을 관에 안치하고, 흙 속에 고인 남은 피를 진흙에 이겨 정사로 돌아와 왼쪽의 피는 왼쪽 그릇에 넣고 오른쪽 피도 이처럼 하고서는 도사가 만일 지성이 있다면 천신은 마땅히 피를 변화시켜 사람이 되게 할 것이라며 기도하였다. 열 달이 지나자 왼쪽 피는 남자가 되고 오른쪽 피는 여자가 되었다. 이는 소구담의 피가 변화하여 사람이 된 것으로 전생의 일이다. 따라서 구담이라는 성은 귀한 성(姓)의 호칭이다.

현겁 동안 보(寶) 여래께서 세간에 출현하셨을 때를 구담의 신식(神識)이 비로소 이 세계에 태어나 왕이 된 것이니, 석가월(釋迦越)이란 바로 이 왕의 이름이다. 가만히 생각해 보면 보(寶) 여래 그분은 곧 현겁 칠불(七佛) 가운데 한 분의 명호이다. 석가월(釋迦越) 왕에 대해서는 장아함경(長阿含經)과 대방편경(大方便經)에도 수명에 관한 것으로 언급하고 있다.

과거현재인과경 정반성왕(淨飯聖王)

부산 금정구 범어사

선혜(善慧)가 도솔천에서 성선백(聖善白)으로 있으면서 때가 무르익어 사바세계에 내려가 부처가 되어야 하겠기에 다섯 가지의 일을 자세히 살폈다.

첫째는 모든 중생들이 성숙 되었는가 아직 성숙하지 못하였는가를 자세히 살피는 것이요, 둘째는 때가 이르렀는가 아직 이르지 않았는가를 자세히 살피는 것이요, 셋째는 모든 국토에서 어느 나라가 중앙에 있는가를 자세히 살피는 것이요, 넷째는 모든 성바지에서 어느 성바지가 귀하고 왕성한가를 자세히 살피는 것이며, 다섯째는 과거의 인연에 누가 가장 참되고 바르며 부모가 되기에 알맞은가를 자세히 살피는 것이었다.

이 다섯 가지를 잘 살핀 다음에 생각하기를 삼천 대천세계 가운데 염부제(閻浮提)의 가비라패도국(迦毘羅旆兜國)은 중앙에 있으며 여러 성바지 가운데 석가(釋迦)가 제일이요, 감자(甘蔗)의 자손이 전륜성왕(轉輪聖王)의 후손이었다. 백정왕(白淨王)의 과거 인연을 살펴보니 부부가 참되고 발라서 부모가 될 만하겠으며, 또 마야부인(摩耶夫人)의 수명이 길고 짧음을 살펴도 태자를 배서 열 달을 다 채우고 태자가 탄생할 것이며, 태자가 태어난 지 7일 만에 그 어머니의 목숨이 끝나겠다고 하였다.

지금이야말로 바로 중생들을 제도하고 해탈해야 할 때이므로, 염부제의 가비라패도국(迦毘羅旆兜國) 감자(甘蔗) 후손 석가(釋迦) 성바지인 백정왕(白淨王)의 집에 태어나 부모를 멀리 떠나고, 처자와 전륜의 왕위를 버리고 출가하여 도를 배우며, 부지런히 고행(苦行)을 닦아서 악마를 항복 받고 도를 이루어 법륜을 굴리리니 일체 세간의 하늘 · 사람 · 악마와 범천으로서는 능히 굴리지 못하는 바이다.

관세불형상경 욕불형상(浴佛形像)

부산 금정구 범어사

욕불형상(浴佛形像)은 부처님 상(像)을 목욕시킨다는 의미이며, 이는 관세불형상경(灌洗佛形像經)에 근거를 두고 있지만 그 내용은 제법 다른 게 많다. 그러나 여기서는 관세불형상경의 내용에 따라 소개하고자 한다.

부처님께서 마하찰두[摩訶刹頭 · 摩訶薩]와 모든 하늘과 인민(人民)들에게 말씀하시기를 사람 몸 얻기 어렵고, 부처님 세상 만나기 어렵다. 내가 본래 아승기겁(阿僧祇劫) 때부터 속세에 있을 때 덕(德)을 심고 보시하기를 아까워하지 않았다. 그러다가 스스로 왕의 태자가 되어 4월 8일 밤중 샛별이 솟을 무렵에 태어나, 일곱 걸음을 걷고 오른손을 들고 말하였다.

天上天下 唯吾爲尊
천상천하 유오위존

하늘 위나 하늘 아래서 오직 나만이 고귀하다.

그렇게 천상과 인간에서 위없는 스승이 되었다. 내가 태어날 때 땅이 크게 움직이고 제1의 사천왕과 범천(梵天)과 도리천왕(忉利天王)과 그 가운데 모든 하늘이 제각기 열두 가지 향을 넣은 물에 여러 이름난 꽃을 섞어 나의 몸을 씻겼다. 나는 불도(佛道)를 얻어서 성스러운 법을 깨닫고, 여러 백성을 제도하였다.

부처님께서 여러 하늘과 인민들에게 말씀하셨다. 시방의 모든 부처님은 모두 4월 8일 밤중을 기하여 출생하고, 시방의 모든 부처님은 모두 4월 8일의 밤중을 이용하여 집을 떠나 산에 들어가 수행을 닦고, 시방의 모든 부처님은 모두 4월 8일 밤중을 이용하여 성불하고, 시방의 모든 부처님은 모두 4월 8일의 밤중을 이용하여 열반에 든다.

보요경 유관농무(遊觀農務)

부산 금정구 범어사

보요경(普曜經) 권제3에 좌수하관리품(坐樹下觀犁品)이라고 하여 태자가 나무 아래 앉아서 쟁기질하는 것을 살피는 품(品)에 나오는 내용을 벽화로 나타낸 것이다.

태자가 성장하자 신하들과 함께 마을 어귀에 가서 쟁기질하는 것을 보고 있노라니 쟁기의 보습에 땅이 뒤집히고 벌레가 흙을 따라 나오면 새가 쪼아먹는 것이다. 그것을 보면서 사람의 목숨도 그와 같아서 들숨과 날숨을 돌이키지 못하면 그만 저세상이 되는데 인간에게는 끊임없는 삼악의 고통이 따르는 법이니 출가하여 도를 이루어 이러한 재앙을 제도하리라고 탄식하며 농부를 자세히 살피며 유람하였다.

그때 염부수(閻浮樹)의 그늘에 앉아서 선정에 들었다. 그러자 외도 5백 신선들이 남쪽에서 북쪽으로 가고자 우거진 나무들을 넘으려고 하였지만 이를 이루지 못하고 있다가 저 멀리 보살이 선정에 든 것을 보고는 자신들의 신족(神足)을 잃을까 봐 걱정하였다.

5백의 신선들이 하늘에서 내려와 보살을 살펴보자 보살은 선정에 들어 움직이지 아니하고 마음도 삿되지 아니한 것을 알고 미증유(未曾有)한 일이라고 경하하였다.

때에 왕과 군신들과 이를 따르던 대중들이 염부나무 아래서 선정에 든 것을 보고자 저마다 달려가고 있었다. 이에 태자는 왕에게 여쭈었다. 저는 이 근방을 노닐며 유람하고 있는데 무슨 일로 저에게 왔느냐고 하였다. 왕이 묻기를 무엇 때문에 그렇게 행하느냐고 하자, 제가 번뇌 망상을 멀리하고 선삼매(禪三昧)에 들었더니 모든 악마를 항복 받고 무명을 모두 없앴다고 하였다. 왕이 감동하여 시방의 사람들이 태자의 제도를 받을 것이라고 하였다.

불본행집경 야수응몽(耶輸應夢)

부산 금정구 범어사

불본행집경 권제16 야수다라몽품(耶輸陁羅夢品)은 야수다라의 꿈 이야기를 기술(記述)하고 있는 내용이다. 때에 국사(國師)에게 우타이(優陀夷)라는 아들이 있었는데 이는 총변(聰辯)이라는 뜻이며, 우타이는 총명하고 지혜로웠다. 정반왕은 우타이에게 실달(悉達) 태자를 모시되 태자가 출가하지 않도록 하라는 분부를 내렸다. 태자가 우타이와 말을 주고받을 때 해가 넘어가자 궁중으로 들어가 채녀(婇女)들과 함께 오욕의 즐거움을 누리고 있었다.

태자의 비 야수다라(耶輸多羅)는 그날 밤 문득 임신한 줄 알았다. 그날 밤 태자의 이모 마하파사파제[摩訶波闍波提]도 잠을 자다가 흰 소 한 마리가 성안에서 큰 소리로 울면서 조용히 걸어가는데 아무도 그 앞을 막는 이가 없는 꿈을 꾸었다. 그날 밤 정반왕도 꿈을 꾸었다. 성안 중앙에 제석천왕의 당기가 우뚝 서 있는데 갖가지 보배로 장엄하여서 마치 수미산이 땅에서 솟아 허공 가운데 있는 것 같았으며 그 깃대에서는 광명이 나와 사방을 두루 비추는 등 상서로운 꿈이었다. 그날 밤에 야수다라도 잠자리에 들었다가 20가지 무서운 꿈을 꾸고는 마음과 몸이 떨리고 공포와 불안에 놀라 잠에서 깨어났다. 그러자 태자가 야수다라에게 왜 잠을 자다가 매우 놀라느냐고 물었다. 야수다라가 꿈 이야기를 하였다.

대지가 진동하고, 제석천왕의 깃대가 땅에 떨어지고, 해와 달 별이 땅에 떨어지고, 크고 깨끗한 일산이 나를 수호하고 있었는데 차익이 빼앗아가고, 보배로 장엄한 머리카락을 칼로 끊고, 영락이 물에 떠내려가고, 몸이 문득 더러워지고, 손발이 떨어져 나가고, 몸이 벌거숭이가 되고, 상(床)이 땅에 떨어지고, 침대의 네 다리가 부러지고, 보배산이 불에 타서 무너지고, 궁궐의 나무가 거꾸러지는 등 괴이한 꿈을 꾸어 놀라 잠에서 깨어났다고 하였다. 이 말을 들은 태자는 나는 이제 오래지 않아 세상을 버리고 출가하리라. 그러한 까닭에 야수다라가 이러한 꿈을 꾼 것이라고 하였다.

태자도 그날 밤 다섯 가지 꿈을 꾸었다. 대자(大慈)로 침상, 수미산을 베개로 삼고 건립(建立)이라는 풀이 아가니타천(阿迦尼吒天)에 이르고, 여러 빛을 가진 새가 사방에서 날아와 태자의 두 발 아래에 이르자 순수한 흰빛으로 변하고, 네 마리의 흰 짐승이 머리는 검은빛으로 발 위에서 무릎에 이르도록 다리를 핥고, 똥무더기 산을 걸어도 똥이 묻지 않는 꿈이었다.

방광대장엄경 관보리수(觀菩提樹)

부산 금정구 범어사

방광대장엄경(方廣大莊嚴經) 권제10에서 상인이 수기를 받는 상인몽기품(商人蒙記品)에 나오는 말씀을 근거한 것이다.

부처님께서 처음 정각을 이루어 모든 여래의 공덕을 찬탄하였다. 그때 부처님께서 커다란 보리(菩提)나무를 자세히 살피면서 잠깐이라도 눈을 떼지 아니하며 선정의 기쁨으로 음식을 삼았다. 다른 음식 생각은 전혀 없으셨으며 자리에서 일어나지 아니하시고 7일 동안을 그렇게 하셨다. 이때 욕계의 한량없는 천자들이 1천(千) 개의 보병에 가득히 담은 향수를 받들고 부처님 처소에 이르러 부처님을 목욕시키고 아울러 보리나무를 씻었다.

부처님께서 목욕을 마치시자 수없는 팔부신중들이 다투어 부처님이 목욕하신 물을 가져다 제 몸에 뿌리며 모두 아뇩다라삼먁삼보리[2] 마음을 내었다.

때에 여러 천자는 부처님께서 목욕을 마치시자 모두 천궁(天宮)으로 돌아가면서 지녔던 물에서는 향기가 사라지지 아니하고 부처님의 향기만 나며 다른 향기는 전혀 나지 않았다. 이로 인해 마음에 기쁨을 내어 전에는 없었던 일이라 모두 아뇩다라삼먁삼보리 마음을 내었다.

그때 보화(普花) 천자가 부처님께 여쭙기를 부처님은 7일 동안 가부좌하고 계셨는데 몸과 마음이 움직이지 않았습니까? 나는 희열로 음식을 삼고 머물렀으며 이 선정의 힘으로 말미암아 전혀 흔들림이 없었노라고 하였다.

---

2) 산스크리트어 아누따라삼약삼보디(anuttara-samyak-sambodhi)를 음사한 것으로 위없는 올바르고 두루 한 깨달음 또는 지혜라 번역된다. 무상정변지(無上正遍智), 무상정등각(無上正等覺)으로 한역한다.

부처님께서 비구들에게 말씀하셨다. 무엇 때문에 처음 정각을 이루시고 7일 동안을 자리에서 일어나지 않았느냐 하면, 그곳에 있으면서 비롯함이 없고 마침도 없이 생로병사를 끊어 없애기 위하여 7일 동안 나무를 자세히 살피며 일어나지 않았느니라. 둘째 7일에 이르기까지는 삼천 대천세계를 돌며 맨 끝까지 거닐었느니라. 셋째 7일에 이르기까지 보리도량을 자세히 살피며 눈을 잠깐도 떼지 아니한 것은, 역시 여기에 있으면서 생사를 끊어 버리고 아뇩다라삼먁삼보리를 얻기 위해서였느니라. 넷째 7일에 이르기까지는 마음대로 근처의 큰 바다 맨 끝까지를 거닐었느니라.

보요경 급류분단(急流分斷)

부산 금정구 범어사

급류분단(急流分斷)은 세차게 흐르는 물을 둘로 가른다는 뜻이다. 보요경(普曜經) 권제8 십팔변품(十八變品)에 보면 때에 니련선하(尼連禪河)가 세차게 흐르자 부처님은 신통으로 물을 끊어 머물게 하셨다. 그러고서 그 가운데를 걸어가시자 멀리서 이를 보던 가섭(迦葉)[3]은 부처님이 물길에 떠내려갈까 봐 배를 타고 부처님 계신 곳으로 와보니 부처님은 물길 끊어진 가운데를 걸어가고 계셨다. 가섭이 배로 올라오실 것을 요청하자 부처님은 배에 올라, 이제 도를 나타내어 너희들의 마음을 항복하게 하리라고 생각하셨다. 그리고 다시 배 밑바닥을 뚫고 물속으로 들어갔으나 배에는 뚫린 자국이 하나도 없었다. 이러한 신통력을 무릇 열여덟 번이나 보이셨다.

이를 지켜본 가섭은 부처님의 신통력은 신기하기는 하지만 내가 얻은 나한보다는 못하리라고 생각하였다. 그러자 부처님께서 그대는 나한이 아니며 또한 도의 과증(果證)도 모르거늘 어찌 부끄러워할 줄도 모르느냐고 경책하였다. 그러자 가섭은 매우 놀라는 마음으로 무안해하면서 여러 제자와 더불어 부처님의 바른 가르침 받기를 원하였다.

그들은 입었던 갑옷과 굵고 짧은 모포 옷이며 물병과 가죽신들을 벗고, 여러 가지의 불을 섬기는 도구까지 모두 물속에 던져버리고는 함께 부처님께 나아가 머리를 조아리며 저[가섭]와 나를 따르는 5백 명의 제자들은 부처님의 제자가 되고자 한다고 청하였다. 그리고 가섭의 두 아우인 나제가섭(那提迦葉)과 갈이가섭(竭夷迦葉)은 각기 250명의 제자가 있었는데 가섭의 이야기를 듣고 모두 부처님의 제자가 되었다. 부처님께서 이들을 흔쾌히 받아들이니 문득 1천 명이 사문이 되었다.

---

3) 가섭이 아직 불문(佛門)에 들기 전의 일이다.

과거현재인과경 가섭구도(迦葉求度)

부산 금정구 범어사

과거현재인과경(過去現在因果經)을 줄여서 흔히 인과경(因果經)이라고 한다. 이 벽화는 인과경 제4권에 나오는 말씀을 전거(典據)로 한 것이다.

투라궐차국(偸羅厥叉國)에 가섭(迦葉)이라는 한 바라문이 있었다. 서른두 가지 모습이 있고 총명하고 지혜로워서 네 가지 베다 경전[四毘陀經]을 외우며 온갖 글과 이론에 통달하지 아니함이 없었다. 극히 큰 부자였는지라 보시를 잘하였으며, 그 부인은 단정하여 온 나라에서 짝할 사람이 없었지만 두 사람은 자연히 음욕의 생각조차 없었으므로 같이 한 방에서 잠자리까지도 하지 않았다. 오욕락을 멀리하며 출가하겠노라고 마음을 내었다. 모든 부처님께서도 출가하여 도를 닦으셨으니 나도 이를 따라야 한다며 출가하였다.

마침 부처님은 1,250명의 아라한과 왕사성 죽림(竹林)에 머물고 계셨는데 가섭은 부처님을 찾아가고자 하였다. 부처님은 이를 먼저 알아차리시고 마중을 가시다가 자도바(子兜婆)에 이르렀을 때 가섭을 만났다. 그러자 가섭은 부처님께 극진한 예를 갖추며 부처님이야말로 저의 큰 스승이시며 저는 바로 부처님의 제자라고 하였다. 부처님은 가섭을 반가이 맞아들이면서 오온(五蘊)으로 인한 이 몸은 바로 큰 고통의 더미인 줄 알라는 가르침을 주시고 가섭은 이를 깨달아 얻어 곧 아라한과를 증득하였다. 부처님은 가섭과 함께 죽림으로 돌아오셨다. 부처님께서는 가섭이 크고 거룩한 덕과 지혜가 총명하였기에 대가섭(大迦葉)이라 이름하였다.

현우경 포금매지(布金買地)

부산 금정구 범어사

현우경(賢愚經) 권제10 수달기정사품(須達起精舍品)에 나오는 말씀을 전거로 한 것이며 포금매지(布金買地)는 금(金)을 깔아 땅을 샀다는 표현이다.

부처님이 왕사성 죽원(竹園)에 계실 때 사위국의 파사익(波斯匿)왕에게는 수달(須達)이라는 장자가 있었다. 그는 큰 부호(富豪)로 늘 보시하기를 좋아하여 가난한 이와 고독한 노인들을 구제하였기에 사람들은 그의 행적을 따라 급고독(給孤獨)이라고 이름하였다. 또한 왕사성에는 호미(護彌)라는 대신이 있었는데 그는 재물이 넉넉하고 삼보를 믿고 공경하였다. 수달은 호미에게 삼보에 대한 설명을 듣고 나서 비록 염부제(閻浮提)의 보물을 다 얻더라도 삼보를 만나는 것만 못하다고 여겨 부처님 계신 곳을 찾아 나섰다.

부처님은 이미 수달이 올 줄 아시고 밖에 나와 거닐고 계셨다. 이윽고 수달을 만나자 사제(四諦)의 진리를 일러주었다. 그러자 수달이 기뻐하며 지금 사위성에는 삿된 법을 믿는 이는 많아도 거룩한 부처님 법을 아는 이가 드물기에 바라건대 부처님이 사위성으로 오시어 많은 이들을 제도해 달라고 하였다.

부처님께서 출가 사문은 속인과 함께 거처할 수가 없고 거기에는 정사(精舍)가 없다고 하자 수달은 제가 세우겠노라고 하였다. 수달은 사위국으로 돌아와 정사를 건립할 곳을 찾았지만 마땅한 곳이 없었으며 오직 사위국 태자 기타(祇陀)가 소유한 동산이 마음에 들었다. 수달은 태자에게 저는 부처님을 위하여 절을 세우고자 하오니 이 원림을 자신에게 팔라고 하였다. 그러나 태자는 수달이 아무리 간청해도 팔기를 거부하고 두 번 세 번 자꾸 청하자 도저히 들어줄 수 없는 제안을 하는데, 이 동산에 황금을 빈틈없이 깐다면 이 동산을 주겠노라고 하였다.

수달은 기뻐하며 사람을 시켜 코끼리에 금을 싣고 나와 동산에 금을 깔기 시작하였다. 그러자 태자가 생각하기를 부처님이라는 분은 아마 큰 덕이 있는 모양이다. 그러니 수달이 금을 아깝게 여기지 아니하고 깔고 있지 않겠는가? 태자는 즉시 수달을 멈추게 하고 나의 동산을 줄 터이니 나와 함께 정사를 세우자고 제안하니 수달은 기뻐하며 함께 정사를 세웠다.

부처님께서 청을 받아 정사에 오시어 아난에게 이르기를 이 동산은 수달의 것이요, 숲과 꽃 열매는 기타(祇陀)태자의 소유이다. 두 사람이 합심하여 정사를 세웠으니 이 정사의 이름을 기수급고독원(祇樹給孤獨園)이라 하라고 하였다.

현우경 어인구도(漁人求度)

부산 금정구 범어사

어인구도(漁人求度)는 어부를 제도한다는 내용이며, 현우경(賢愚經) 권제10 가비리백두품(迦毘梨百頭品)에 나오는 말씀으로 '현우경 어부를 제도하시다'를 참고하시오.

계단도경 초건계단(初建戒壇)

부산 금정구 범어사

초건계단(初建戒壇)은 처음으로 계단(戒壇)을 세웠다는 뜻으로 계단도경(戒壇圖經)을 출처로 한 것이다. 이 경은 667년 당나라 도선(道宣)이 찬술하였으며 갖춘 이름은 관중창립계단도경병서(關中創立戒壇圖經竝序)이며 10장으로 이루어져 있다.

벽화의 내용은 계단원결교흥(戒壇元結敎興) 제1에 실려 있는 것을 전거(典據)한 것이다. 별전(別傳)[4]에 이르기를 부처님이 기원정사(祇園精舍)에 계실 때 누지(樓至) 비구가 부처님께 계단(戒壇)을 세워 계율을 제정[結戒]하여 계를 내려 줄 것을 청하여 비로소 계단이 세워지게 되었다.

부처님은 이를 허락하시고 상세히 설명하시며 삼단(三壇)을 세우라고 하셨다. 불원문(佛院門) 동쪽의 이름은 부처님이 비구를 위하여 결계하는 계단(戒壇)이며, 불원의 서문은 비구니를 위하여 결계하는 계단이며, 외원(外院) 동문 남쪽에 있는 계단은 사문이 비구계를 받는 계단이다.

처음으로 단을 설치하면서 이르시기를 이에 시방의 부처님이 모여드니 8백억이었으며 이름도 모두 석가불(釋迦佛)이었다. 시방의 부처님 이름이 모두 이와 같으니, 때에 대범천왕이 부처님 상을 조성하여 동쪽 계단에 모셨다. 마왕 파순(波旬)이 조성한 부처님 상은 내원 서쪽 계단에 모셨으니 계단이 만들어지자 모든 부처님이 계단에 올라 다 함께 계(戒)의 경중(輕重)과 지범(持犯)을 의논하여 결계하였다.

또 의논하여 마구니를 멸하고 정법을 드러내고자 하니 모든 부처님이 널리 함

---

4) 중국 당나라 때에 성행하였던 전기(傳記)의 한 체(體). 정사(正史)의 열전(列傳) 이외에 쓰인 개인 전기로 일화(逸話)나 기문(奇聞)을 중심으로 꾸민다.

께 의논하여 말씀하시기를 예전에는 사부(四部)가 있었지만, 지금은 어찌 하나도 전하지 않는가? 처음에는 비록 정법의 반이 소멸하였기에 팔계만이라도 공경하게 받들어 행하면 천년 동안 머물 것이다. 까닭에 두 계단(戒壇)은 오직 부처님만 오를 수 있는 곳이며, 불사(佛事)를 함께 헤아려 스님에게 수계(受戒)하는 계단이다. 외원(外院)의 계단은 스님과 더불어 사부대중이 수계하는 계단이다. 또한 계를 받을 스님이 승단에 다다르면 일시에 계를 받는다.

결계에 대해서 사분율(四分律) 권제1에 보면 비유컨대 가지가지 꽃을 책상 위에 흩뜨려 두면 바람이 불면 날려 버리나니 무슨 까닭인가? 실로써 꿰지 않았기 때문이라고 하였다. 譬如種種花散置案上 風吹則散 何以故 以無線貫穿故

관불삼매경 불류영상(佛留影像)

부산 금정구 범어사

관불삼매해경(觀佛三昧海經)[5]을 줄여서 관불삼매경이라고 한다. 부처님의 영상(影像)을 남기신다는 불류영상(佛留影像)은 관불삼매경 권제1 육비품(六譬品)에 나오는 내용을 출처로 하고 있다. 어느 때 부처님께서 가비라성(迦毘羅城) 니구루타(尼拘樓陀) 정사에 계셨을 때 석마남(釋摩男)은 부처님과 스님들을 청하여 석 달 동안 공양(供養)하였고, 7월 15일에 스님들의 자자(自恣)를 마쳤다.

그때 부왕이신 열두단(閱頭檀)과 부처님의 이모이신 교담미(憍曇彌)는 석마남과 석씨의 여러 종족과 대중을 이끌고 부처님 정사에 들어와 부처님께 예배하고 한쪽에 앉았다. 이때 부왕이 자리에서 일어나 묻기를 부처님은 나의 아들이요, 나는 부처님의 아버지입니다. 지금 저는 세속에 있으면서 부처님의 색신(色身)을 보았으나, 다만 그 외형만을 보았을 뿐 그 안을 보지 못하였나이다. 부처님께서 열반하신 뒤 후세 중생은 어찌하여야 부처님 몸의 색상(色相)을 볼 수 있는지 저와 후세의 중생을 위하여 분별하여 설해 주십시오.

부처님이 이르시기를 만일 지극한 마음으로 생각을 묶어 두고 단정히 앉아 선정[正受]에서 부처님의 색신(色身)을 관찰한다면, 이 사람은 마음이 부처 마음과 같아서 부처님과 다름이 없으니, 비록 번뇌에 있더라도 모든 악(惡)에 덮이거나 가리게 되지 아니하여 미래 세상에 큰 법비[法雨]를 내릴 것입니다.

부처님께서 부왕께 말씀하셨다. 염불하는 마음도 역시 이와 같아서 이 마음으로 인해 능히 세 가지 보리(菩提)의 근본을 얻습니다.

---

5) 관불삼매해경은 부처의 상호(相好) 및 공덕을 상념하고 관찰함으로써 해탈을 얻을 것을 가르치는 경전이다. 삼국유사에서는 경전 내용 중 만어산 이야기 부분만 요약되어 있다.

잡보장경 장궁해불(張弓害佛)

부산 금정구 범어사

잡보장경(雜寶藏經) 권제3에 나오는 말씀으로 원제는 장궁해불(張弓害佛)이 아닌 대구인연(大龜因緣)이라고 하여 큰 거북의 인연을 밝힌 내용이다. 장궁해불(張弓害佛)은 활로 부처님을 해치려 한다는 표현이다.

부처님께서 왕사성에 계실 때 제바달다(提婆達多)는 늘 부처님을 해치려는 마음을 품고 있어서 활을 잘 쏘는 바라문을 사서 부처님을 향해 활을 쏘게 하였다. 그러나 그가 날린 화살은 모두 구물두꽃[拘物頭華], 분타리꽃[分陀利華], 파두마꽃[波頭摩華], 우발라꽃[優鉢羅華]으로 변하였다.

이를 지켜보던 5백 명의 바라문들은 놀라고 두려워 부처님께 예배하면서 참회하고 한쪽에 앉아 있었다. 그러자 부처님은 그들을 위하여 진리를 베풀어 그들 모두가 수다원과를 얻도록 하였다. 그들이 청하기를 저희도 출가하여 사문이 되어 불법을 구하고자 한다고 간청하자 부처님은 이들을 흔쾌히 받아들여 거듭 법을 설하여 모두 아라한과를 얻게 하였다.

그들은 이구동성으로 말하기를 부처님의 위신력은 희유하십니다. 제바달다는 늘 부처님을 해치려고 하지만 부처님은 그때마다 인자한 마음을 내십니다. 이에 부처님께서 말씀하셨다.

제바달다가 나를 해치려고 한 것은 지금뿐만 아니라 전세에도 그러하였다. 옛날 바라내국[波羅奈國]에 불식은(不識恩)이라는 우두머리 상인이 있었다. 그는 5백 명의 상인들과 더불어 바다에 들어가 갖가지 보물을 캐서 돌아오다가 물이 세차게 굽이치는 곳에 이르러 물에 사는 나찰을 만났다.

나찰은 배를 붙들어 항해할 수 없게 하였고 상인들은 두려워 떨면서 외치기를 천신 · 지신과 일월의 여러 신들이여! 누구나 우리를 불쌍히 여겨 액난(厄難)에서 구제하여 달라고 하였다. 그러자 등 너비가 1리나 되는 거북이 와서 그들을 싣고 뭍으로 데려다주었다. 그때 거북이가 잠시 잠이 들자 불식은(不識恩)은 큰 돌로 거북의 머리를 내리쳐서 죽이려고 하였다. 바라문들이 자신들을 구해 준 은혜 입은 거북이라며 말렸으나 우리는 지금 굶주려 있다면서 거북을 죽여서 먹었다.

그날 밤중에 코끼리 무리가 와서 불식은을 밟아 죽였다. 비구들이여, 그때의 거북은 바로 나요 불식은을 제바달다라. 그리고 그때의 5백 명의 상인들은 출가하여 아라한의 도를 얻은 바로 너희들이다. 나는 과거에도 액난(厄難)에서 구해 주었지만 지금도 생사의 근심을 없애 준다.

대반열반경 화중취자(火中取子)

부산 금정구 범어사

40권본 대반열반경, 그리고 36권본 대반열반경에 나오는 말씀이다. 그러나 법현(法顯)이 한역한 대반열반경에는 수록되어 있지 않다. 화중취자(火中取子)는 불 속에서 아이를 얻었다는 뜻이다.

첨파국(瞻婆國) 사람들은 육사외도를 섬겼기에 부처님 가르침을 들은 적이 없었다. 늘 악업을 짓고 있으므로 부처님은 이들을 구제하고자 첨파성으로 가셨다. 이때 첨파성에는 장자(長者)가 있었다. 대를 이을 후손이 없자 육사외도를 섬기면서 자식을 바라다가 드디어 부인이 임신하게 되었다. 그러자 기쁜 마음으로 외도를 찾아가 남자인지 여자인지를 물었더니 여자아이라고 하였다.

장자가 다시 근심하며 괴로워하자 어떤 이가 장자에게 말하기를 육사외도를 섬기던 우루빈라가섭(優樓頻螺迦葉) 형제와 사리불(舍利弗), 목건련(目揵連), 빈비사라(頻鞞娑羅) 임금과 말리부인(末利夫人), 수달(須達) 등이 모두 부처님의 제자가 되었는데 때마침 이곳에서 그리 멀지 않은 곳에 부처님이 계신다고 알려주었다. 장자가 즉시 부처님께 달려가 여쭈었더니 부처님은 복과 덕을 겸비한 아들이라고 하였다.

장자가 기뻐하자 육사외도는 시샘하며 암라(菴羅) 과일에 독약을 넣어서 과연 부처님 말이 바르다면서 아내가 출산이 임박하면 이것을 먹이면 산모는 고통이 없을 것이라고 하였다. 장자는 이를 받아놓았다가 부인에게 먹였더니 먹자마자 죽었다. 육사외도들이 기뻐하며 말하기를 사내아이를 얻는다더니 그만 죽어버렸다고 돌아다니며 말하였다.

장자는 부처님은 엉터리라며 부인을 화장하였다. 부처님이 화장하는 곳에 다다르자 장자는 부처님을 힐난하며 내 아내는 이미 죽었는데 어찌 아들을 얻겠느냐고 하였다. 그러자 부처님은 말씀하시기를 그대는 아들딸에 관하여 물었지 운명에 대해서는 묻지 않았노라. 반드시 아들을 얻는다고 하였다. 그때 화장하던 가운데 배가 갈라지면서 아들이 그 안으로부터 나왔으며, 단정하게 불 속에 앉아 있는 것이 마치 연꽃 받침[蓮華臺]과 같았다. 부처님은 기바(耆婆)에게 불 속의 아이를 안고 오라 하였다. 부처님은 아들을 장자에게 넘겨주며 중생의 목숨이란 일정하지 않아 물거품 같다고 말씀하셨다. 장자는 크게 감격하면서 이름을 지어 달라고 청하였다. 부처님은 이 아이는 맹렬하게 타는 불 속에서 태어났다고 하시며 불이 수제(樹提)이니, 그 이름을 따서 수제(樹提)라고 이름한다고 하였다.

관불삼매경 노비득도(老婢得度)

부산 금정구 범어사

관불삼매경(觀佛三昧經) 권제6 관사위의품(觀四威儀品)에 나오는 말씀을 출처로 한 벽화이며, 노비득도(老婢得度)는 늙은 여종을 제도하였다는 가르침이다.

사위성에 수달장자(須達長者)에게 비저라(毘低羅)라는 한 늙은 여종이 있었는데 부지런하고 살림도 잘 살아서 그에게 창고를 맡겼다. 수달장자는 부처님과 스님들을 위한 모든 것을 공급하였는데 이때 한 병든 비구가 많은 것을 달라고 요구하였다. 노비(老婢)는 몹시 인색하고 욕심이 많았다. 그래서 부처님과 가르침과 스님들께 성내고 싫어하는 마음으로 우리집 장자는 어리석고, 미혹해서 사문의 술수에 빠졌거늘, 이 걸사가 염치도 없이 많이 달라고 하니 무슨 도가 있겠느냐고 하였다. 그러면서 언젠가 나는 부처님의 이름도 듣지 아니할 것이며, 스님들도 보지 않겠노라고 사악하게 발원하였다. 이러한 소문은 사위성에 금세 퍼져나갔다.

말리부인은 이 말을 듣고 수달(須達)은 연꽃 같은 성품이라 사람들이 보기 좋아하는 사람이거늘 어찌 독사(毒蛇)가 있어서 수달을 수호한다는 말인가? 수달에게 명하여 부인을 데리고 오라고 하였다. 아나분저(阿那邠坻)가 왕궁에 도착하자 말리부인이 말하기를 너의 집에 늙은 여종이 있어 나쁜 버릇이 있거늘 어찌 쫓아내지 않느냐고 하였다. 아나분저는 이 말을 듣고 말리부인에게 이르기를 불일(佛日)이 세상에 나오심에 이익되는 바가 많습니다. 앙굴마라(鴦掘摩羅)는 크게 악한 사람이고, 니제(尼提)는 천한 사람이며, 기허(氣噓)는 전타라(栴陀羅)인데도 부처님께서는 그를 조복(調伏)하셨거늘, 어찌 하물며 늙은 여종을 능히 굴복시키지 못하시겠습니까?

이 말을 들은 말리부인은 크게 기뻐하며 나는 부처님을 청하고자 공양 올리고자 하니 늙은 여종도 이리 보내라고 하였다. 장자는 여종을 보내어 왕궁에서 공양하는 것을 도와주라고 하였다. 부처님이 들어오시자 여종은 부채로 얼굴을 가리고 부처님 보기를 꺼렸다.

부처님께서 말씀하시기를 너희들은 나의 이름을 부르거나 나의 신상(身相)을 보면 해탈할 것이라고 하였다. 말리부인은 부처님께 청하여 여종을 제도해 달라고 하였다.

부처님은 라후라를 통하여 여종에게 삼귀의와 오계를 설(說)하여 주도록 하였다. 부처님 말씀에 삿된 견해를 가진 악한 사람도 부처님의 행하는 것을 보면 한량없는 복덕을 얻거늘, 하물며 부처님의 행하는 것을 관찰하며 불상을 보고 행하는 자는 한량없는 복을 얻는다고 하였다.

법구비유경 설고불래(說苦佛來)

부산 금정구 범어사

법구비유경(法句譬喩經) 권제3 안녕품(安寧品)에 나오는 말씀이며, 설고불래(說苦佛來)는 고통에 관하여 설하셨다는 뜻이다.

부처님이 사위국 정사에 계실 때 어떤 네 비구가 나무 아래에 앉아서 의논하기를 세간에서 가장 괴로운 것은 무엇인가? 하였다. 각자 말하기를 음욕(淫欲), 성냄, 굶주리고 목마름, 놀라고 두려워하는 것이라고 하면서 서로 제 뜻을 굽히지 않았다.

부처님께서 너희들은 왜 다투느냐고 하자 지금까지 일들을 말씀드렸다. 그러자 부처님께서는 너희들은 아직 괴로움의 뜻을 깊이 알지 못한다고 하면서 천하에 몸보다 더 괴로운 것이 없다. 몸으로 인하여 배고픔, 목마름, 추위, 더위, 미워함, 성냄, 놀람, 색욕 등이 생겨나므로 마땅히 적멸을 구해야 한다. 음욕보다 더한 뜨거운 것이 없고, 성냄보다 더한 독(毒)이 없으며, 몸보다 더한 괴로움이 없고, 열반보다 더한 즐거움이 없다고 하셨다.

이어 부처님께서 말씀하셨다. 먼 옛날 오신통(五神通)을 갖춘 정진력(精進力)이라는 비구가 숲속 나무 아래서 정진하고 있었는데 비둘기, 까마귀, 독사, 사슴 등 네 마리가 비구를 의지하면서 살았다. 어느 날 밤에 저희끼리 제일 괴로운 것을 말하기를 까마귀는 배고프고 목마름, 비둘기는 음욕, 독사는 성냄, 사슴은 놀람과 두려움이라고 하였다. 이 말은 들은 비구가 말하기를 너희들이 말하는 것은 지말(枝末)이지 근본은 아니라고 하면서 천하의 괴로움은 몸보다 더한 것이 없다고 하였다. 네 마리 짐승들은 이 말을 듣고는 혜안이 열렸다.

부처님은 이어서 네 비구에게 말씀하셨다. 비구들아, 그때 다섯 가지 신통을 가진 비구는 바로 나이고, 그때 네 마리의 짐승은 바로 지금의 너희 네 사람이다. 전생에 이미 괴로움의 근본이 되는 이치를 들었는데 어째서 오늘 또 그런 말을 하느냐? 비구들은 그 말을 듣고 부끄러워하면서 자책하고 이어 부처님 앞에서 아라한도를 깨달아 얻었다.

법구비유경 불도도아(佛度屠兒)

부산 금정구 범어사

법구비유경(法句譬喩經) 제3권 애신품(愛身品)에 수록된 말씀이다.

부처님께서 사위국에 계실 때 5백 명의 바라문은 늘 기회를 엿보면서 부처님을 비방하려고 하였다. 부처님은 이들의 마음을 꿰뚫어 보시고 구제하려 하였으나 아직 과(果)가 무르익지 아니하고 인연이 되지 않았다. 하지만 이들은 전세에 작은 복을 지었기에 제도할 수 있을 것이니 그들은 스스로 방편을 만들 것이라고 하였다. 과연 5백 바라문은 저희끼리 의논하여 백정을 시켜 짐승을 잡아놓고 부처님과 대중들을 청하면 부처님은 틀림없이 허락할 것이고 백정을 칭찬할 것이니 이때 부처님을 비방하자고 하였다.

이윽고 백정이 부처님을 청하자 백정에게 이르기를 과일은 익으면 저절로 떨어지고 복은 익으면 저절로 구제된다고 하였다. 백정은 돌아가 음식을 준비하였으며 부처님은 여러 제자와 더불어 백정이 있는 마을에 시주하러 가자, 바라문들은 내심 기뻐하며 오늘은 부처님의 허점을 얻을 것이라고 하였다. 만약 부처님이 백정을 칭찬하면 지금까지 살생한 죄를 비방하고, 만약 부처님이 백정을 비방하면 우리는 그가 지금 복을 짓는 것을 칭찬하자고 하였다. 마침 부처님이 백정의 집에 도착하여 공양이 나오자 이들을 축원하였다.

行惡得惡 如種苦種 惡自受罪 善自受福
행악득악 여종고종 악자수죄 선자수복

악을 행하면 악의 과보 받는 것
마치 괴로움의 종자 심은 것 갈나니
악을 지어 스스로 그 벌을 받고
선을 지어 스스로 그 복을 받는다.

부처님의 가르침을 들은 5백 바라문은 자신도 모르게 부처님 앞에 나아가 예배하고 출가하여 사문이 되었으며 백정도 다시는 백정이라고 불리지 아니하였다. 부처님은 공양을 마치시고 이내 정사로 돌아오셨다.

참고로 이러한 내용을 불도도아(佛度屠兒)라고 하며 부처님이 백정을 교화하셨다는 뜻이다.

법구비유경 도포엽인(度捕獵人)

부산 금정구 범어사

법구비유경(法句譬喩經) 권제1 자인품(慈仁品)에 나오는 말씀이다.

부처님께서 나열기국(羅閱祇國)에 머무셨을 때 그 나라에서 5백 리쯤 떨어진 산속에 122명이 사는 집이 있었다. 그들은 나무하고 사냥하는 것을 업으로 삼아 가죽옷을 입고 고기를 먹으며 농사는 짓지 아니하고 귀신을 섬겼기에 불법은 알지 못하였다. 부처님은 그들을 측은히 여겨 그곳으로 가서 나무 밑에 앉아 방광(放光)을 하시니 모두 놀라며 부처님이 신인(神人)인 줄 알았다. 남자들은 모두 사냥을 나가고 없었기에 여인들에게 살생하는 죄와 자비를 행하는 복덕과 사랑하는 사람과는 반드시 이별이 따른다고 말씀하셨다. 여인들은 불법을 모르는지라 부처님께 사냥한 음식을 올렸으나 부처님은 살생하면 재앙이 끊이질 않는다고 일러주면서 공양을 멀리하셨다.

때마침 남자들이 사냥하고 돌아왔으나 부인들이 마중을 나오지 않자 이상하게 여겨 찾아보니 부처님께 법을 듣고 있었다. 화가 난 남자들이 부처님을 해치려고 달려들자 여러 부인이 충고하기를 이분은 신인(神人)이라고 하자 멈추며 부처님의 말씀을 듣고는 그동안 살생한 죄를 어찌하여야 참회할 수 있겠느냐고 하였다. 부처님은 게송으로 설하셨다.

履仁行慈 博愛濟衆 有十一譽 福常隨身
이인행자 박애제중 유십일예 복상수신

인(仁)을 실천하고 자비를 행하여
중생을 널리 사랑해 구제하면
열한 가지의 칭찬이 있어서
복이 늘 몸을 따를 것이라.

부처님께서 게송을 설하시자 122명은 모두 기뻐하며 부처님 말씀을 깊이 믿어 받들고 다섯 가지 계율을 받아 지녀 실천하였다. 부처님은 병사왕(甁沙王)에게 저들에게 땅을 주고 먹을 곡식을 주라고 하였다. 그리하여 자비스러운 교화가 두루 퍼져 온 나라가 편안하였다.

따라서 도포엽인(度捕獵人)은 사냥꾼을 제도하여 오계(五戒)를 지니게 하였다는 표현이다.

마하승기율 구도적인(救度賊人)

부산 금정구 범어사

마하승기율(摩訶僧祇律) 권제19에 5백 명의 도적을 출가시켜 도를 얻게 하였다는 말씀이 있다.

때에 사위국(舍衛國)과 비사리국(毘舍離國) 두 나라는 원한이 있어서 서로가 노략질하거나 침범하기 일쑤였다. 사위국 왕은 한 나라의 왕으로서 적을 물리치고 백성을 편안케 하는 것이 도의라고 생각하여 장졸(將卒)에게 명하여 도적을 반드시 사로잡아 오라고 하였다.

이때 사위국 비구들은 안거를 마치고 비사리국으로 가다가 그만 길을 잃어버려 도둑들의 소굴에 이르게 되었다. 비구들은 그들이 도적인 줄 모르고 지금 어디를 가려고 하느냐고 묻자 비사리국으로 가고자 한다고 하였다. 그러면 저희도 같이 가겠노라고 하자 자신들은 도둑들인데 비구들이 어떻게 우리를 따르겠느냐고 반문하였다. 비구들이 다시 같이 가 달라고 요청하는 말이 채 끝나기도 전에 장졸에게 모두 붙잡혀 왕에게 끌려갔다.

왕은 먼저 비구들을 데리고 오라고 하여 묻기를 비구가 어찌 도둑이 되었느냐고 하자 그간의 정황을 이야기하고 풀려났다. 이어 왕은 도둑에게 물었다. 비구들도 너희들과 같은 무리냐? 같은 무리다. 이에 다시 비구들을 불렀다. 어찌 비구가 거짓말로 관청을 속이느냐? 비구들은 같은 무리가 아니라고 하고 도둑들은 같은 무리라고 한다고 하였다. 비구들은 여전히 처음과 같이 답을 하였고 왕은 비구들은 석방하고 도둑들은 법대로 처리하였다.

500명의 도둑에게 가비라(迦毘羅) 꽃다발을 목에 걸고 북을 치며 고을을 돌아다니게 한 다음 죽이려고 하자, 도둑들은 살려 달라고 울부짖었다. 부처님은 이러한 상황을 다 아시면서도 짐짓 모르는 체하면서 이 울음소리가 무엇 때문이냐고 물었다.

비구들이 대답하기를 5백 명의 도둑들인데 왕의 명령으로 죽게 되니 살려 달라고 우는 소리입니다. 부처님은 아난에게 네가 가서 왕에게 백성을 내 자식처럼 사랑하여야지 한꺼번에 5백 명을 죽이려고 하느냐고 일러주라고 하셨다.

아난은 즉시 왕에게 나아가 부처님의 말씀을 전하였다. 왕은 부처님께서 이들이 다시는 도둑질을 하지 않게 한다면은 모두 석방하겠노라고 하자 아난은 이를 부처님께 전하였다. 아난이여, 왕에게 전해라. 다시는 이들이 도둑질하지 않도록 교화할 것이다. 왕이 도둑들을 결박하여 부처님께 보내자 부처님은 이들을 제도하기 위하여 맞이하였다.

부처님이 도둑들에게 보시(布施), 지계(持戒), 행업(行業), 보응(報應)과 사성제(四聖諦)의 진리를 설하시자 그들은 모두 수다원과(須陀洹果)를 얻었다. 이에 도둑들이 말하기를 저희가 일찍 불법을 알아 출가하였다면 이런 괴로움을 만나지 아니하였을 것이라며 출가를 원하였다. 부처님은 이들을 기꺼이 맞이하자 그들이 몸에 걸쳤던 옷은 변하여 삼의(三衣)가 되었다. 또 발우와 몸가짐, 차림새가 100살 된 오랜 비구와 같았으며 이들은 수행하여 모두 아라한이 되었다.

참고로 경률이상(經律異相) 권제5에도 수록되어 있으며, 구도적인(救度賊人)은 5백 명의 도적을 출가시켜 제도하였다는 뜻이다.

면연아귀경 시식연기(施食緣起)

부산 금정구 범어사

불설구면연아귀다라니신주경(佛說救面然餓鬼陁羅尼神呪經)을 줄여서 면연아귀경(面然餓鬼經)이라 하고 약칭으로 시아귀식주경(施餓鬼食呪經)이라고도 한다.

부처님께서 가비라성(迦毘羅城)의 니구율나(尼俱律那) 승가람(僧伽藍)에서 비구들과 보살들과 셀 수 없이 많은 중생에게 둘러싸여 설법하셨다.

이때 아난(阿難)이 홀로 머물러 수행하고 있을 때 그날 밤 삼경이 지난 후에 면연(面然)이라는 아귀가 아난 앞에 나타나 앞으로 사흘 후면 그대는 죽어서 아귀세계에 태어날 것이라고 하였다. 매우 놀라 아귀에 어떻게 하면 이 재앙에서 벗어날 수 있겠느냐고 하자, 아귀가 말하기를 이른 새벽에 셀 수 없는 아귀와 바라문, 선인(仙人), 삼보에 공양하면 수명이 늘어날 것이라고 하였다.

아난이 면연 아귀를 보니 몸은 파리하고 초췌하며 얼굴은 붉고 목구멍은 바늘구멍처럼 좁고 머리카락은 헝클어지고 손톱은 길고 날카로운 모습이라 몹시 놀라 모골이 송연하였다. 아난이 급히 부처님에게 달려가 지금까지 상황을 설명하며 살려 달라고 애원하였다.

부처님은 아난에게 다른 방편이 있으니 두려워하지 말라고 하시면서 일체덕광무량위력(一切德光無量威力)이라고 하는 다라니가 있으니, 이 다라니를 염송하면 액난에서 벗어날 수가 있을 것이라고 하시며 아난에게 이르기를 너는 전생에 바라문이었다. 그때 관세음보살과 세간자재덕력(世間自在德力) 여래께서 계신 곳에서 이 다라니를 받아 내가 이 다라니의 위신력으로 한량없고 셀 수 없이 많은 수의 아귀와 바라문과 선인들이 모두 만족할 만한 음식을 보시하였느니라. 내가 모든 아귀에게 음식을 보시하였기 때문에 아귀의 몸을 벗어나서 천상 세계에 태어났느니라. 아난아, 네가 지금 이 다라니를 받아 지니면 반드시 너 자신의 몸을 구호할 것이다. 이에 주문을 일러주시며, 이 주문은 너 자신도 구호하고 모든 중생도 구제할 수 있을 것이다. 그리고 태어날 때마다 항상 백천 구지(俱胝)의 모든 부처님을 만날 수 있다고 하였다.

따라서 시식연기(施食緣起)는 시식(施食)이 있게 된 인연을 밝히는 내용이다. 그러나 시식연기의 출처가 되는 면연아귀경은 위경(僞經)이다.

관불삼매경 불구영아(佛救嬰兒)

부산 금정구 범어사

부처님께서 갓난아이를 구하셨다는 불구영아(佛救嬰兒)는 관불삼매경(觀佛三昧經) 권제7 관사위의품(觀四威儀品)에 나오는 말씀을 출처로 하였다.

사위국에 재덕(財德)이라는 장자가 있었는데 그의 아들이 세 살이 되었을 때 삼귀의를 받게 하였다. 그때 산지(散脂)라는 귀신은 굶주려서 사위성에 들어와 어린 아기를 잡아먹으려고 하였다. 이때 그 아이가 나무불(南無佛)이라고 말하자 귀신은 잡아먹지 못하고 눈에서 불이 나와 아이를 두렵게 하였다. 아이가 귀신의 형상을 보니 추악하고 무섭게 생겨서 놀라고 두려워 나무불(南無佛), 나무법(南無法), 나무승(南無僧)을 불렀다.

그때 부처님께서 천이(天耳)로 이 소리를 듣고 아난을 데리고 허공을 걸어 귀신의 우두머리가 있는 광야택(曠野澤)에 이르러서 광명을 놓아 두려워하는 아이의 몸에 비추었다. 아이는 이 광명을 보고 부모를 보는 것과 같아서 두려움이 없어졌다. 그러자 광야택 귀신은 큰 돌을 던져 부처님을 해치려고 하였으나 이를 화광(火光)삼매로 물리쳤다. 그러나 귀신이 항복하지 아니하여 금강신(金剛神)이 나타나 귀왕의 이마를 방망이로 내려치려고 하자 귀왕은 매우 놀라 아이를 안고 부처님 앞에 꿇어앉아 살려 달라고 하였다. 그러자 금강신이 '나무불'을 큰소리로 부르라고 하였다.

그때 부처님이 귀왕을 어루만지자 귀왕이 말하였다. 저는 사람을 먹고 사는데 이제 사람을 죽이지 않으면 무엇을 먹고 삽니까. 너는 사람을 죽이지 마라. 나의 제자에게 명하여 너를 배부르게 할 것이다. 귀왕은 이를 듣고 오계를 받아 지녔다.

대보적경 금강청식(金剛請食)

부산 금정구 범어사

금강청식(金剛請食)은 밀적금강역사가 부처님을 청하여 공양을 올린다는 뜻으로 대보적경 권제13 밀적금강역사회(密迹金剛力士會) 제3~6에 나오는 말씀을 근거로 한 것이다. 보편적으로 밀적금강은 손에 금강저(金剛杵)를 쥐고 늘 부처님을 호위하는 야차신을 말한다.

밀적금강역사(密迹金剛力士)는 부처님께 수기를 받고 기쁨을 감추지 못하고 부처님께 아뢰었다. 광야(曠野) 귀왕(鬼王)의 나라에 있는 궁실(宮室)에 오셔서 7일 동안 공양받으시고 또한 귀왕의 나라에 있는 나의 집에 오셔서 변변치 않은 공양을 받아주소서. 부처님은 이를 잠자코 수락하셨으니 이는 그들을 불쌍히 여겨 덕의 종자를 심게 하려 하심이었다.

밀적금강이 돌아가 부처님을 맞이하기 위하여 도량을 장엄하고 공양 준비를 마친 것을 알고, 부처님은 귀왕의 궁실에 이르러 말씀하셨다. 계를 범하면 지옥에 떨어지고 성내는 마음을 일으키면 얼굴이 못나며, 게으르면 도를 이루지 못하고, 어지러운 마음은 죄를 얻으며, 어리석고 미련하면 어두운 데로 들어가나니 이것이 몸과 말과 뜻으로 말미암은 악행의 과보이다. 이것이 몸 · 입 · 뜻으로 짓는 선악의 과보다. 이 세 가지를 범하면 오래도록 편안하지 못하고 지옥 · 아귀 · 축생에 떨어질 것이요, 이 세 가지의 업을 잘 보호하면 천상 · 인간과 시방 부처님 앞에 태어나 오래도록 안락하고 온갖 걱정이 없으리라.

이어서 십이연기법(十二緣起法)을 설하여 마치시고 말씀하셨다.

마치 나무를 심으매 비로소 싹과 뿌리 · 줄기 · 마디 · 가지 · 잎 · 꽃 · 열매가 나듯이 나무를 뽑으면 싹이 날 수 없나니 어디에서 줄기 · 마디 · 가지 · 잎 · 꽃 · 열매가 나겠느냐? 무명이 본디 없는 줄을 알아서 마음에 집착하는 바가 없으면 곧 서로 끌어 일어남이 없다. 猶如種樹始生芽根莖節枝葉花實 拔樹無芽 何從有是

莖節枝葉花實 解無無明 心無所著則無牽連

부처님은 광야(曠野) 귀왕국의 밀적금강역사의 궁전에서 7일 동안 공양받으시면서 그들의 병(病)에 맞추어 법을 설하시니 그들은 모두 오계(五戒)를 받아 지니고 무생법인(無生法忍)을 얻었다.

현우경 소아시토(小兒施土)

부산 금정구 범어사

'현우경, 흙으로 공양을 올린 소년'과 '아육왕경, 흙을 보시한 어린이'를 찾아 살펴보시오.

금광명최승왕경 금고참회(金鼓懺悔)

부산 금정구 범어사

금고참회(金鼓懺悔)는 금고(金鼓) 소리로 죄업을 소멸한다는 뜻으로 금광명최승왕경(金光明最勝王經) 권제2 가운데 몽견금고참회품(夢見金鼓懺悔品)에 나오는 말씀이다. 금광명최승왕경을 줄여 최승왕경(最勝王經)이라 한다.

그때 묘당(妙幢) 보살은 부처님 법문을 듣고 기뻐서 어쩔 줄 모르다가 본래 있던 자리로 돌아갔다. 그날 밤 꿈에 커다란 쇠북[金鼓]에서 광명이 해처럼 환하게 비추어지고 이 광명 가운데 부처님께서 보배로 된 나무 아래서 수정으로 된 평상에 앉으시어 한량없는 대중들에게 둘러싸여 법문을 말씀하시는 것을 보았다.

어떤 바라문이 북채로 쇠북을 쳐서 소리를 내는데 그 소리 가운데 미묘한 가타(伽他)를 읊으면서 참회하는 법을 밝혔다. 묘당은 이를 듣고 모두 기억해 두고서는 잠에서 깨어났다. 새벽이 되자 공양거리를 가지고 왕사성을 떠나 부처님이 계신 취봉산(鷲峯山)으로 가서 간밤에 꿈에서 본 것을 모두 부처님께 아뢰면서 자비를 베풀어 달라고 간청하였다.

부처님은 네가 꿈꾼 그대로 쇠북에서 소리가 나면서 여래의 진실한 공덕과 아울러 참회법을 찬탄하였느니라. 이것을 듣는 이는 많은 복을 얻을 것이며, 널리 중생을 이롭게 하고 죄의 장애를 없애버릴 것이다. 너는 지금 마땅히 알아두어라. 이 훌륭한 업(業)은 모두 이 과거에서 찬탄 발원했던 묵은 인연과 모든 부처님의 위신력의 가호로 말미암은 것이다. 이 인연으로 마땅히 너를 위하여 설한 것이다.

이때 함께 법문을 들은 대중은 모두 다 기뻐하면서 믿어 받아들이고 받들어 행하였다.

능가경 능가설경(楞伽說經)

부산 금정구 범어사

능가경(楞伽經)은 구나발타라(求那跋陀羅)가 한역한 4권본 능가아발다라보경(楞伽阿跋多羅寶經), 실차난타(實叉難陀)가 한역한 7권본 대승입능가경(大乘入楞伽經), 보리유지(菩提流支)가 한역한 10권본 입능가경(入楞伽經) 등이 있다. 이 벽화는 능가아발다라보경 권제1 일체불어심품(一切佛語心品)의 말씀을 근거로 한 것이지만 넓은 의미로 보면 모든 능가경을 아우르는 표현이다.

어느 때 부처님께서 갖가지 진귀한 보배 꽃으로 장엄한 남쪽 해안가 능가산(楞伽山) 꼭대기에서 비구들과 함께 계셨을 때 [중략] 모든 부처님께서 손수 그들의 정수리에 물을 부어 주시니 스스로 마음에 나타난 경계에 대해서 그 뜻을 잘 알게 되었다. 一時 佛住南海濱楞伽山頂 種種寶華以爲莊嚴 與大比丘僧及大菩薩衆俱 [中略] 一切諸佛手灌其頂 自心現境界 善解其義

여래장(如來藏)에 대하여 말씀을 펼치는 능가경은 대승불교를 대표하는 경전 가운데 하나로 호법(護法)의 유식설(唯識說)과 대승기신론, 주심부(註心賦), 그리고 중국의 선종(禪宗)에도 지대한 영향을 끼쳤다. 이 경전의 배경이 되는 능가산(楞伽山)은 스리랑카 동남쪽에 있는 산으로 현재의 이름은 아당봉(Adamspeak)이며, 대혜(大慧) 보살을 상대로 법을 설하고 있다. 특히 능가경은 중생을 깨달음으로 이끌기 위해서 여러 가지 교법이 있지만 이러한 교법들에 대하여 차이가 있는 것은 아니며, 그 모든 것은 오직 일불승(一佛乘)을 지향하는 것이라고 한다. 따라서 법화경의 회삼귀일(會三歸一)과 상통한다.

선(禪)에 대해서도 성문, 연각, 외도 등 어리석은 범부가 행하는 우부소행선(愚夫所行禪), 법무아(法無我)의 뜻을 관철하는 관찰의선(觀察義禪), 망상이 일어나지 않는 진여에 입각한 반연여선(攀緣如禪), 여래지에 들어가서 세 가지 낙주(樂住)를 얻는 여래선(如來禪)이 있다고 제시하고 있다. 또한 능가경의 특징 가운데 하나는 무분별에 의한 깨달음이다. 중생은 미혹을 대상으로 집착하기 때문에 과거로부터 쌓아온 습기(習氣)로 말미암아 모든 형상이 자신의 마음[自心]으로부터 나타난 것임을 알지 못한다고 하였다. 까닭에 의식의 본성에 의지하여 모든 현상이 자심으로부터 나타난 것임을 철저히 깨닫는다면 집착하는 주체와 집착하게 되는 대상의 대립을 떠나 무분별의 세계에 이를 수 있다고 하였다. 그러므로 모든 경전은 화두(話頭)나 공안(公案)을 제시하지 않는다. 까닭에 화두공안(話頭公案)은 선(禪)의 변질한 단면이기도 하다.

열반경 불지이석(佛指移石)

부산 금정구 범어사

불지이석(佛指移石)은 부처님이 손가락으로 바위를 옮기셨다는 말씀으로 40권본 대반열반경 권제34 가섭보살품(迦葉菩薩品)과 36권본 대반열반경 권제31 가섭보살품(迦葉菩薩品) 제24-1에 나오지만, 이 벽화의 전반적인 내용은 36권본의 내용을 전거(典據)한 것이다.

구시나갈(拘尸那竭)에 30만 역사(力士)들은 힘만 믿고 교만하고 수명과 재물을 믿으며 난잡한 마음으로 사는지라 목련이 교화하고자 하였으나 교화를 이루지 못하자 아난에게 이르기를 나는 석 달 후에 열반에 들 것이라고 전하라고 하였다. 그때 역사들은 이 말을 듣고 길을 닦고 있었다. 부처님이 비사리국(毘舍離國)에서 구시나성(拘尸那城)으로 가는 도중 저 멀리 역사들이 길을 닦고 있는 것을 보고 몸을 변하여 사문의 모습으로 역사들이 있는 곳으로 가셨다. 동자(童子)들이여, 지금 무엇을 하고 있느냐. 역사들은 매우 성을 내며 물었다. 우리를 어찌 동자라 하느냐. 그대들은 30만이나 되는 역사인데도 저 조그마한 돌 하나를 옮기지 못하고 있으니 어찌 동자가 아니겠느냐.

역사들이 그렇다면 지금 이 바위를 길 밖으로 옮길 수 있느냐고 하자, 동자들은 무슨 일로 길을 닦고 있느냐고 물으셨다. 역사들은 부처님이 이 길로 걸어서 사라숲에 이르러 열반에 드신다고 하기에 이 길을 닦고 있는 것이라고 답하였다. 그대들은 참으로 훌륭하다. 내가 이 돌을 치울 것이다. 부처님께서 손으로 돌을 들어 던지시니 아가니타천(阿迦尼吒天)까지 올라갔다. 역사들이 이 광경을 보고 놀라 달아나려 했다. 너희들은 두려운 마음을 내지 말고 달아나지도 말라. 부처님은 다시 손으로 돌을 들어 오른 손바닥에 놓으니 역사들이 묻기를 이 돌은 항상(恒常)합니까? 무상(無常)합니까? 하였고, 입김으로 돌을 불었으니 티끌처럼 부서졌다. 이를 보고 역사들이 크게 뉘우치면서 저희는 힘센 이 몸과 수명과 재물을 믿고 교만한 마음을 내었다고 자책하자, 부처님께서 변화한 몸을 버리고 본래의 몸을 회복하여 법을 일러주자 역사들은 모두 보리심(菩提心)을 내었다.

열반경후분 조탑법식(造塔法式)

부산 금정구 범어사

조탑법식(造塔法式)은 탑을 세우는 방식에 관하여 설하셨다는 뜻으로 이는 대반열반경후분(大般涅槃經後分) 권제1 유교품(遺敎品)[6]에 나오는 내용을 근거한 것이다.

아난이 부처님께 말씀드렸다.

부처님께서 열반에 드시고 다비를 끝내면 사리를 수습하여 보배 병에 담아 어느 곳에 칠보탑을 세워 모두가 깊은 마음으로 공양 올릴 수 있게 해야 합니까?

부처님께서 아난에게 말씀하셨다.

부처님이 반열반(般涅槃)한 뒤, 다비가 끝나면 사리를 수습하여 칠보 병에 담아 구시나가성(拘尸那伽城) 안에서 네거리 길 가운데 칠보탑을 세우되, 높이는 13층이어야 하고, 위에는 상륜(相輪)이 있고, 일체 묘한 보배로 사이사이를 장식해야 한다. 일체 세간의 많은 묘한 꽃과 번기[幡]로써 그것을 장엄하고, 네 변의 난간도 칠보로 합성하고, 울타리를 장엄하되 두루 하지 아니함이 없게 하여라. 그 탑의 네 방면마다 열 수 있는 하나의 문을 달고 층층의 사이사이에 다음으로 창문과 바라지창을 알맞게 내고, 보배 병에 담은 여래의 사리를 안치하여 하늘 사람과 사부대중이 우러르고 공양 올리게 하여라. 아난아, 벽지불의 탑은 11층이어야 하며, 아라한의 탑은 4층으로 만들어야 하며, 전륜왕의 탑도 또한 칠보로 만들되 층을 만들지 말라. 왜냐하면 아직 삼계의 모든 존재의 괴로움을 벗어나지 못했기 때문이라.

---

6) 이 경은 담무참(曇無讖)이 번역한 대반열반경 40권에 들어 있지 않은 내용을 모아 정리한 것이다. 부처님의 열반과 다비 절차 · 다비 후 유골의 분배 등에 대해 보충하여 설명하고 있다.

열반경후분 응진환원(應盡還源)

부산 금정구 범어사

응진환원(應盡還源)은 만물의 근본을 설하심을 말하며 이는 대반열반경후분(大般涅槃經後分) 응진환원품(應盡還源品) 제2에 나오는 말씀을 출처로 하고 있다.

부처님께서 대중에게 말씀하셨다.

내가 지금 온몸이 아프니, 내가 이 말을 끝내면 곧 초선정(初禪定)에 들어서 열반의 광명으로써 세계를 두루 관(觀)하고 적멸한 정[寂滅定]에 들겠다.

말씀을 마치시자마자 곧 초선정(初禪定)에 드시고서 이내 여러 선정을 두루 하시고는 대중들에게 말씀하셨다.

내가 깊은 반야(般若)로써 삼계 일체와 육도를 두루 관하니, 모든 산과 큰 바다와 대지는 중생을 포함하고, 이와 같은 삼계의 근본 성품을 여의면 필경에 적멸하여 허공의 모양과 동일하다. 일체의 상(相)을 끊으면 무소유 하나뿐이다. 법상(法相)이 이와 같나니, 이것을 아는 이를 세간을 벗어난 이라고 이름한다. 이러한 것을 모르면 나고 죽음의 시작이라 이름한다. 그대들 대중은 반드시 무명을 끊고, 나고 죽음의 시작을 멸하여라.

또 말씀하셨다.

내가 크나큰 지혜[摩訶般若]로써 삼계의 유정과 무정을 두루 관하니, 모든 사람과 법이 모두 구경에는 얽매인 것도 없고 해탈한 것도 없으며, 주인도 없고 의지할 것도 없고, 포섭하거나 유지할 수도 없으며, 삼계를 벗어난 것도 아니고 모든 유에 들어간 것도 아니다. 본래 청정무구하여 번뇌가 허공 등과 같고, 평등한 것도 아니고 평등하지 아니한 것도 아니며, 움직이고 기억하고 사유하고 상상하는 작용들이 다하여 마음이 쉬면 이와 같은 법상을 큰 열반이라 이름하며, 이 법을 진실하게 보면 해탈했다고 이름한다. 범부가 알지 못하는 것을 무명이라 이름한다.

이어 말씀하셨다.

내가 부처님의 눈으로 삼계의 일체 모든 법을 두루 관하니, 무명과 본제(本際)의 성품이 본래 해탈하여 시방에서 구해도 끝내 얻을 수 없으니, 근본이 없으므로 지엽(枝葉)을 말미암은 것은 모두 다 해탈하고, 무명에서 해탈한 까닭으로 더 나아가 늙고 죽음에서 다 해탈함을 얻는다. 이러한 인연으로 내가 지금 항상 적멸의 광명에 머무는 것을 큰 열반이라 이름한다.

채화위왕상불수결경 채화헌불(採花獻佛)

부산 금정구 범어사

옛적에 세존께서 라열기(羅閱祇)에서 유행하시면서 경을 설하시어 지혜를 전파하셨다. 이때 왕은 항상 수십 사람을 시켜 좋은 꽃을 따서 왕가(王家)와 후궁과 귀인과 채녀(婇女) 등에게 공급하도록 하였다.

어느 날 그들은 모두 성 밖에 나와서 꽃을 꺾어서 성안으로 돌아가는 길에 저 멀리 부처님이 여러 사람에게 둘러싸여 계신 곳을 보고 그들은 부처님께 나아가 법문을 듣고 스스로 생각하였다.

사람의 목숨은 보전하기 어렵고, 부처님 만나기 어려우며, 불법 또한 만나기 어려운데, 이제 부처님을 만났으니 병든 자가 훌륭한 의원을 얻은 듯하구나. 가난하고 신분이 천한데다가 관직에 매여 늘 자유롭지 못하고 국왕은 성질이 엄하고 급하여서 꽃을 꺾어 서둘러 바치다가 때를 맞추지 못하면 죽임을 당하였다. 흘러간 시간은 두 번 오지 않으며, 성인들을 만나기 어렵기는 수억 세상 만에 있을까 말까 하니, 차라리 목숨을 버리더라도 꽃을 부처님께 올리고 성인들께 뿌려서, 경(經)과 계(戒)를 받고, 깊은 법을 들어 무궁한 지혜를 얻으리라.

부처님은 그들의 마음을 모두 아시고 법을 설하시니 그들 모두 불퇴전위(不退轉位)에 이르자 너희들은 다음 생에는 부처가 될 것이라고 수기를 주셨다. 이들은 집으로 돌아와 부모님께 이별을 고하였다. 부모가 놀라 자초지종을 묻자 왕의 심부름으로 꽃을 꺾으러 갔지만 부처님 말씀을 듣고 모두 부처님께 공양 올렸으므로 성급한 왕은 우리를 반드시 죽일 것이기에 이별을 고한다고 하였다.

과연 왕은 매우 화가 나서 제때 꽃을 올리지 않은 그들을 장수와 군사를 보내어 결박하여 오라고 하였다. 그들의 죄는 목을 베어 여러 사람에게 보이는 효시(梟示)하는 형벌이지만 그들은 조금도 두려워하지 않았다. 왕이 의아해하여 물었으니, 차라리 덕(德)이 있어서 죽을지언정 덕 없이 살지 않겠다고 답하였다.

왕이 그들의 말을 들어 보니 매우 기이하여 즉시 부처님을 찾아가 물으니, 그들은 지극한 마음으로 시방을 건너고자 하였으며 목숨을 아끼지 아니하고 일부러 여러 꽃을 내 위에 흩었으며 마음엔 과보를 생각지 아니하였으므로 수결을 받았다고 하였다. 이 말을 들은 왕이 자신의 허물을 진실로 뉘우치고 이것도 모르고 그들을 묶었으니, 그 죄를 달게 받겠다고 하며 스스로 허물을 뉘우쳤으니 허물이 없는 것과 같다고 하였다.

찬집백연경 악우몽도(惡牛蒙度)

부산 금정구 범어사

찬집백연경(撰集百緣經) 권제6 가운데 부처님이 물소를 제도하여 천상에 태어나게 한 인연을 밝히는 불도수우생천연(佛度水牛生天緣)의 고사(故事)이다.

부처님이 교살라국(驕薩羅國)에 계실 때 비구들과 더불어 늑나수(勒羅樹) 아래로 가시려고 어느 못가에 이르렀다. 그곳에는 아주 사나운 5백 마리 물소와 소치는 5백 명의 사람들이 있었다. 부처님이 이곳으로 다가오시자 큰소리로 외치기를 5백 마리 물소 가운데 사나운 소가 있어 다치게 된다고 염려하였다. 과연 사나운 소가 순식간에 마구 날뛰며 달려들자 부처님의 신력으로 다섯 손가락에서 사자가 나타나 사방을 에워싸고 또한 불구덩이가 생겨나자 물소는 달아날 곳조차도 없었다. 그러나 부처님의 발밑은 시원하면서 자유로이 활동할 수가 있어 마음이 태연해지자 물소는 무릎을 꿇고 부처님의 발을 핥다가 부처님을 우러러보았다. 부처님은 사나운 소가 이미 조복 되었음을 아시고 가르침을 베푸셨다.

물소는 깨침을 얻어 참회하며 물과 풀을 먹지 아니하여 죽음을 스스로 맞이하여 곧 도리천에 태어났다. 내가 무슨 복을 닦았기에 나는 천상에 태어났을까? 아마 세간에 있을 때 물소의 몸을 받았으나 부처님의 가르침을 얻어 천상에 태어난 것이리라. 이에 나도 부처님의 은혜를 갚겠노라고 서원하며 의관을 단정히 하고 광명을 발하여 부처님을 비추자 부처님께서 사제법을 설해 주어 수다원과를 얻어 도로 천상으로 올라갔다.

다음 날 물소를 방목하던 사람들이 간밤의 광명에 있어 의아해하므로 부처님께서 이 일에 대하여 알려주었다. 소 치던 사람들이 생각하기를 사나운 소도 제도되어 천상에 태어났거늘 우리도 동시에 출가하겠다고 부처님께 말씀드렸더니 기쁘게 맞이하여 주셨다.

그때 비구들이 이러한 일들을 보고 의아해하며 부처님께 여쭈니 그들은 전세에 삼장(三藏) 비구와 그의 제자 5백 명이었으나 부처님의 설법을 헐뜯는 구업으로 물소 또는 물소를 치는 사람으로 태어났다고 하였다. 사나운 물소는 삼장 비구이며 소 치던 5백 사람은 삼장 비구의 5백 제자들이었다고 하였다. 부처님이 이러한 인연설(因緣說)을 마치자 비구들은 삼업(三業)을 청정히 하며 수행하여 각자의 근기대로 깨달음을 얻었다.

대승대집지장십륜경 불찬지장(佛讚地藏)

부산 금정구 범어사

불찬지장(佛讚地藏)은 '부처님이 지장보살을 찬탄하다'는 뜻이다. 대승대집지장십륜경(大乘大集地藏十輪經) 권제1 경서품(經序品) 근거한 것이며 이 경을 줄여서 대승지장십륜경(大乘地藏十輪經), 지장십륜경(地藏十輪經)이라고도 한다.

부처님이 무구생(無垢生) 제석천에게 말씀하셨다. 너희들은 마땅히 알아야 하느니라. 지장(地藏)이라고 하는 보살이 있는데, 그는 무량겁(無量劫) 전 오탁악세에 부처님께서 계시지 않은 세계에서 중생을 성숙시켰다. 이 지장보살은 불가사의하고 뛰어난, 헤아릴 수 없이 많은 공덕으로 장엄하였으며, 이 큰 보살은 미묘한 온갖 공덕의 창고이며 해탈의 보배가 나는 곳이며, 모든 보살의 밝고 맑은 눈이며, 열반으로 나아가는 상인(商人)들의 길잡이다.

또 지장보살은 사자왕(師子王)과 같이 모든 외도(外道)를 굴복시키고, 큰 용과 큰 코끼리와 같이 악마를 항복시키며, 신검(神劍)과 같이 번뇌의 도둑을 베고, 독각승(獨覺乘)과 같이 시끄럽고 혼잡한 것을 싫어하며, 맑은 물과 같이 번뇌의 때를 씻고, 회오리바람과 같이 번뇌의 더러운 냄새를 날려 없애며, 날카로운 칼과 같이 번뇌의 결박을 끊느니라.

또 지장보살은 어버이와 벗과 같이 중생을 공포(恐怖)로부터 보호하며, 참호(塹壕)와 성(城)과 같이 모든 적을 막아주며, 부모와 같이 온갖 위험으로부터 구해 주며, 우거진 숲과 같이 겁에 질린 이를 감추어 주며, 한여름의 먼 여행길에 서늘하게 쉬는 큰 나무 그늘과 같으니라.

또 지장보살은 더위에 목마른 이에게는 맑고 시원한 물이 되고, 굶주린 이에게는 맛있는 과일이 되며, 헐벗은 이에게는 옷이 되고, 더위에 허덕이는 이에게는 서늘한 짙은 구름이 되고, 가난한 이에게는 여의주가 되며, 공포에 떠는 이에게는 의지할 곳이 되며, 농사에는 단비가 되고, 흐린 물을 맑게 하는 월애주(月愛珠)

가 되느니라. 선남자야, 지장보살은 이처럼 불가사의하고 뛰어나며 헤아릴 수 없이 많은 공덕을 갖추고서 여러 권속과 함께 이곳에 오고자 하므로, 먼저 이 같은 신통의 현상을 나타내는 것이라며 부처님께서는 지장보살의 온갖 공덕을 이처럼 말씀하셨다.

처태경 불현쌍족(佛現雙足)

부산 금정구 범어사

불현쌍족(佛現雙足)은 부처님이 두 발을 내보이셨다는 뜻으로 이는 처태경(處胎經)[7] 권제7 복본형품(復本形品) 제36에 나오는 말씀을 전거(典據)한 것이다.

그때 부처님께서 위신(威神)을 본래대로 거두시고 금관(金棺) 속에 계시되 적정하여 말이 없으셨다. 모든 하늘 사람들이 향을 사르고 꽃을 흩어 공양하였다. 그러자 대가섭이 5백 명의 제자를 데리고 마가제국(摩伽提國)으로부터 부처님 계신 곳에 이르러 부처님께서 오늘 열반에 드셨다는 소식을 듣고 스스로 견디지 못하고 슬프게 울부짖었다.

그러자 세존께서 천이(天耳)로써 가섭이 이르렀음을 듣고 곧 관 속에서 두 발을 내놓으시자 가섭이 이것을 보고 손으로 어루만지며 스스로 견딜 수 없어 울면서 게송으로 말하였다.

모든 행은 무상하여
태어난 것은 반드시 죽네.
태어남 없으면 죽음은 없는 것이니
이 멸도가 최상의 즐거움이네.

가섭과 5백 제자가 모두 금관을 일곱 번 돌고 한편에 서자 아난이 관(棺)의 서북 모퉁이를 잡았고 난타가 동북 모퉁이를 잡았고, 모든 하늘 사람이 뒤에 있으면서 바로 북쪽에서 모시고 쌍수(雙樹)를 출발하여 마흔아홉 걸음을 갔다. 금관을 사문의 법에 따라 안전하게 내려놓고 우두전단향(牛頭栴檀香)으로 금관 위에 쌓았다. 모든 범천왕과 석제환인(釋帝桓因)이 모든 하늘 무리를 거느리고 허공에 있

---

[7] 갖춘 이름은 보살종도술천강신모태설광보경(菩薩從兜術天降神母胎說廣普經)이며 줄여서 보살처태경(菩薩處胎經), 처태경(處胎經), 태경(胎經)이라고 한다.

으면서 꽃을 흩어 공양 올리고 나자 가섭존자가 손에 불을 잡고 전단 섶에 불을 놓아 다비하였다. 다비를 마치고 나서 여덟 나라 왕이 다투어 힘의 많고 적음에 따라 사리를 나누어 각기 돌아가 공양하였다.

관무량수경 아미타내영도(阿彌陀來迎圖)

경남 통영 미래사

아미타불이 왕생(往生)하는 이를 극락세계에서 맞이하는 모습으로 이는 관무량수경의 본품(本品)에 서술된 말씀을 그림으로 나타낸 것이다.

무량수경에 따르면 무량수불의 극락정토에 왕생하는 이는 모두 같은 곳에 태어나는 것이 아니라 상 · 중 · 하의 세 무리로 나누고 있다. 상배(上輩)는 무량수불이 직접 맞이하고 중배(中輩)는 무량수불의 화불(化佛)과 성중(聖衆)들이 맞이하고, 하배(下輩)는 꿈과 같이 부처님의 내영(來迎)을 받는다고 하였다.

관무량수경에서는 왕생하는 이를 구품(九品)으로 나누어 왕생하는 이의 자격에 따라 아미타불, 관음, 대세지 등 맞이하는 방법이 다르다고 하였다. 아미타경에도 염불 수행자는 아미타 부처님이 오시어 맞이한다고 하였다.

아미타불의 협시보살은 관세음보살과 대세지보살이며, 이 벽화의 수인은 구품인(九品印)이다. 관음보살은 보관에 화불(化佛)이 있고 대세지보살의 보관에는 보병(寶甁)이 있다. 지물(持物)은 모두 금련화(金蓮華)이다.

염불(念佛)

부산 금정구 범어사 청련암

부처님을 그리워하며 잊지 않는 것을 염불이라고 한다. 따라서 이는 불도 수행의 가장 기초이므로 부처님에 관한 생각을 잠시도 놓치지 아니하고 집중하여 수행하는 것을 말한다. 하지만 무념무상(無念無想)의 무분별(無分別) 경지 등 법을 깨우쳐 잊지 않는 일 등 염불의 뜻은 폭넓게 적용된다. 이는 대체로 두 가지로 나눈다. 부처님의 명호를 입으로 소리를 내 부르는 것을 염불이라 하고, 또한 부처님의 상호나 공덕을 마음으로 관하는 것을 관상염불(觀想念佛)이라고 한다. 따라서 이 두 가지 모두를 염불이라고 한다.

정토론(淨土論)에 보면 염불에는 두 가지가 있다. 첫째는 마음으로 염하고 두 번째는 입으로 염한다고 하였다. 念佛者 復有二種 一是心念 二是口念

안락집(安樂集)에 따르면 부처님 법신을 염하기도 하고, 부처님의 신통력을 염하기도 하고, 부처님의 지혜를 염하기도 하고, 부처님의 호상(毫相)을 염하기도 하고, 부처님의 상호를 염하기도 하고, 부처님의 본원을 염하기도 한다. 칭명(稱名) 또한 그러하다. 다만 오로지 전후로 이어져 끊어지지 않도록만 한다면 부처님 앞에 왕생할 것이라고 하였다. 或念佛法身 或念佛神力 或念佛智慧 或念佛毫相 或念佛相好 或念佛本願 稱名亦爾 但能專至 相續不斷 定生佛前

염불할 때 염송하는 게송을 염불게(念佛偈)라고 하며, 염불 수행을 위하여 맺은 조직을 염불결사(念佛結社) 또는 염불계(念佛契)라고 하며, 염불하여 서방정토에 태어나기를 구하는 것을 염불구생(念佛求生)이라고 하며, 부처님 생각에서 잊지 않으면서 지혜를 구하는 것을 염불구지(念佛求智)라고 한다.

화엄경 발고여락(拔苦與樂)

경남 진주 청곡사

부처님이 사바세계에 오신 목적 가운데 하나가 중생의 고통을 뿌리 뽑고 즐거움을 주는 발고여락(拔苦與樂)이다. 부처님이 자비로써 중생을 제도하는 것으로, 고통을 뿌리 뽑는다고 하는 것은 대비(大悲)를 말함이며, 즐거움 주는 것은 대자(大慈)에 해당한다.

40권본 화엄경 권제25 입부사의해탈경계보현행원품(入不思議解脫境界普賢行願品)에 보면 다음과 같은 말씀이 있다.

但以世尊清淨語 決定利益無怨親 滌除妄垢顯心源 故我歸依無等者

단이세존청정어 결정이익무원친 척제망구현심원 고아귀의무등자

다만 부처님은 청정하신 말씀으로써
누구에게나 결정코 이익을 주며
허망한 것 없애고 마음 밝히니
부처님께 내가 지금 귀의합니다.

能盡未來一切劫 利安一切諸衆生 拔苦與樂無懈心 故我頂禮慈悲者
능진미래일체겁 이안일체제중생 발고여락무해심 고아정례자비자

능히 미래의 일체 겁이 다하도록
모든 중생을 이익되고 편안케 하며
고통은 뿌리 뽑고 즐거움을 주실새
저는 자비하신 부처님께 예배합니다.

법원주림(法苑珠林) 권제87 술의부(述意部) 제1에 보면 다음과 같은 말씀이 있다.

대저 삼계가 편안하지 않음은 마치 불이 난 집과 같다. 괴로움을 뽑아내고 즐거움을 주고자 하면 반드시 계(戒)를 받들어야 하는데, 경에서는 여러 비유가 있으나 우선 몇 가지만을 설명하면 먼 길을 걸을 수 있으므로 다리와 발에 비유하고, 뛰어나게 온갖 것을 지니므로 대지(大地)에 비유하며, 만물을 자라게 하므로 때맞춰 오는 비에 비유하고, 모든 병을 잘 치료하므로 좋은 의사에 비유하며, 배고픔과 목마름을 소멸시키므로 감로(甘露)에 비유하고, 물에 빠질 이를 붙들어 주므로 다리에 비유하며, 큰 바다를 운반해서 건너므로 뗏목에 비유하고, 어두움을 비추어 없애므로 등불에 비유하며, 잘못을 막고 악을 그치게 하므로 계율의 선행에 비유하며, 해탈로 나아가게 하는 것은 끝내 시라(尸羅)를 빙자하고, 법신(法身)을 장식하게 하므로 영락(瓔珞)에 비유하나니, 이와 같은 비유는 또한 한량이 없다. 어

찌 이를 공경하지 않겠는가. 뜻을 격려하며 받들어 지녀야 한다. 夫三界無安 猶如火宅 拔苦與樂 必須崇戒 經喩多種 且述三五 能涉遠路 喩之脚足 勝持一切 喩之大地 生長萬物 喩之時雨 善療衆病 喩之良醫 能消飢渴 喩之甘露 接濟沈溺 喩之橋梁 運度大海 喩之浮囊 照除昏暗 喩之燈光 防非止惡 喩之戒善 歸趣解脫 終籍尸羅 莊飾法身 喩之瓔珞 如是之喩 亦有無量 豈不敬之 勵意奉持也

섭대승론석 권제14 석지차별승상(釋智差別勝相) 제10-2에도 다음과 같은 말씀이 있다.

크게 버리는 것[大捨]을 밝힌다. 고통을 뽑아버리고 즐거운 의(意)와 함께하지 못하는 것을 버리고 항상 이익되고 즐거운 의를 품는다. 또한 원망함과 친근함 등의 상을 버리고 항상 평등하고 이익되며 즐거운 의를 품는다. 이러한 덕으로 말미암아 엎드려 절한다. 大捨 捨不拔苦與樂意 常懷利樂意 又捨怨親等相 常懷平等利樂意 由有此德 是故頂禮

해룡왕경 불의(佛衣)로 용왕의 어려움을 구제하다

경남 합천 해인사

해룡왕경(海龍王經) 권제4 금시조품(金翅鳥品) 제16 나오는 말씀으로 불의(佛衣)로 용왕의 어려움을 구제한다는 내용이며 이를 의구용난(衣救龍難)이라고 한다.

때에 용왕이 있었으니, 첫째 이름은 흡기(噏氣), 둘째 이름은 대흡기(大噏氣), 셋째 이름은 웅비(熊羆), 넷째 이름은 무량색(無量色)이었으며 더불어 무수한 용(龍)들이 있었다.

용왕들은 부처님을 찾아가 네 종류의 금시조(金翅鳥)가 있어 언제나 이 용과 용의 처자(妻子)를 잡아먹으므로 모든 용이 두려워하고 있습니다. 부처님께서 저희를 도와 보호하시어 모든 용이 두려움에 떨지 않도록 해 달라고 하였다. 그러자 부처님은 몸에서 조의(皂衣, 검은색 옷)를 벗으시어 용왕에게 주시면서 용왕들에게 골고루 나누어주라고 하시며, 이 옷의 한낱 실오라기만 걸쳐도 금시조 왕이 덤빌 수 없을 것이다. 왜냐하면 계율을 지니는 이는 반드시 소원대로 되기 때문이라고 하였다.

경북 영주 동천사

용왕들이 생각하기를 이 옷이 매우 적은데 어떻게 큰 바닷속의 용들에게 골고루 나누어 줄 수 있겠는가 하였다. 부처님은 이들의 마음을 꿰뚫어 보시고 이르시기를 설령 삼천 대천세계에 있는 사람들에게 각각 여래의 조의(皂衣)를 나눠주더라도 끝내 다하지 않을 것이다.

이에 용왕들이 즉시 부처님의 옷을 가져다가 무앙수(無央數) 백천의 조각으로 나누어 각각의 부분을 용왕들에게 나눠주었는데, 그 옷은 예전과 같아서 끝내 없어지지 않았다.

이때 용왕의 우두머리가 말하기를 이 옷 공경하기를 세존을 공경하듯이 하며, 탑사(塔寺)를 공경하듯이 하여야 한다. 왜 그런가 하면, 지금 이 옷은 여래께서 입으셨던 옷이기 때문이니, 탑사를 공경하듯이 하여야 한다. 부처님께서 말씀하시기를 내가 모두 수기하여 곧 용의 몸을 벗고 이 현겁에서 대승에 뜻을 두어 닦게 하리니, 그 나머지 모든 용도 모두 집착을 없애고 반열반에 이를 것이다.

이에 네 금시조왕이 이 소식을 듣고 질겁하여 급히 부처님 계신 곳으로 가서, 앞으로 나아가 발에 머리를 조아리며 무슨 까닭에 저희의 먹을 것을 뺏으십니까?

부처님께서 말씀하시기를 모두 네 가지 먹음[食]이 있어 앉아서 삼악도에 떨어지니, 무엇이 네 가지인가? 첫째 새와 짐승을 사냥하고 여러 축생을 상해하면 악도에 떨어지느니라. 둘째 남의 재물을 약탈하여 먹을 것을 구하면 이 악도에 떨어지느니라. 셋째 삿된 소견으로 교묘하게 속여서 먹을 것을 구하면 이 악도에 떨어지느니라. 넷째 스승이 아님에도 스승이라 칭하고 세존이 아님에도 세존이라 칭하며, 삿됨에 떨어졌음에도 바르다 칭하고 거짓으로 꾸며 먹을 것을 구한다면, 앉아서 삼악도에 떨어지느니라.

이에 네 금시조왕이 각기 천 명의 권속들과 함께 오늘부터 항상 무외(無畏)를 모든 용에게 베풀어서 바른 법을 옹호하고 부처님 법에 머물 것이며, 장차 도법(道法)을 따라 죽음에 이르도록 부처님의 가르침을 어기지 않겠다고 하였다.

부처님께서 네 금시조왕에게 말씀하셨다. 너희는 금인(金仁) 부처님 때 네 비구였으나 계법(戒法)을 어기고, 뜻이 미혹하여 삿된 소견에 떨어졌으며, 모든 비구를 핍박하고 괴롭혔으며, 몸과 입과 뜻을 지키지 않아 악을 지음이 많았으나, 금인 부처님을 공양한 것도 이루 헤아릴 수 없이 많았으니, 이런 까닭에 지옥에 떨어지지 않고 이 금수(禽獸)들 무리에 떨어진 것이라고 하였다.

부처님은 바로 그 자리에서 신족통을 나타내시어 네 금시조가 숙생(宿生)에 금인 부처님과 여러 제자에게 공양하였던 것을 알게 하시고, 그때 지었던 죄와 복을 모두 기억하게 하셨다.

네 금시조왕이 말하기를 저희는 마음이 포악하여 이를 제어하기 어려웠고, 탐욕과 질투로 침해함이 많아서 금인 부처님의 거룩한 가르침을 어겼으나, 이제부터는 차라리 몸과 목숨이 없어질지언정 감히 악을 범하지 않을 것이라고 다짐하였다.

부처님께서 그들을 위해 법을 설하시고 수기하시기를 미륵 부처님 때에 첫 번째 회상(會上)에서 모두 마땅히 득도(得度)하리라고 하셨다.

불교의 여러 가지

설화

목어(木魚) 이야기

전남 곡성 태안사 봉서암

목어(木魚)는 어고(魚鼓) 또는 어판(魚板)이라고 불리는 성물이다. 이 벽화에 얽힌 이야기는 송나라 시대에 유경숙(劉敬叔)이 서술한 설화집 이원(異苑) 7권에 있는 내용을 나타낸 것이다.

옛날 중국에 장도지(蔣道支)가 물 가까이 떠 있는 나무토막을 보고 목탁을 만들었다는 설화를 불교에 맞게 각색한 것이다. 그 내용을 보면 동정호(洞庭湖) 가까이서 수행하던 스님이 공부가 수승하게 되어 수많은 제자가 모여들었다. 그러나 그 가운데 한 수행자가 갈수록 게으르고 나태하여서 공부하고는 점점 멀어지게 되었다. 스님은 여러 번 제자를 타일렀으나 아무런 소용이 없었다. 스님은 할 수 없이 제자에게 신통을 부려서 물고기로 만들어 동정호 물속에 던져버렸다. 그러면서 반성하고 참회하면 다시 사람의 몸을 받게 될 것이라고 하였으나 제자는 참회는 하지 않고 오히려 물속을 헤엄치며 더 놀기에 바빴다. 그러자 스승이 그 물고기의 등에 커다란 나무 한 그루를 심어 버렸다. 물고기는 헤엄칠 수도 없고 풍랑이 일면 나무가 흔들려 온갖 고통을 다 겪었다. 마침내 그는 참회하고 스님께 용서를 빌었다. 그러자 스님은 수륙재(水陸齋)를 베풀어 구제하였으며 등에 있던 나무는 목어(木魚)를 만들어서 많은 제자에게 조석(朝夕)으로 목어를 치면서 경계하도록 하였다. 그리고 늘 가지고 다닐 수 있도록 한 것이 바로 목탁(木鐸)이다. 다시 말해 목어를 줄여서 만든 것이 목탁이다.

이는 어디까지나 방편이다. 그러나 이 방편의 가르침이 시사하는 뜻은 매우 크다는 사실을 인지하여야 한다. 목어는 후에 형상이 변화하여 몸집은 물고기, 머리 형상은 용머리로 바뀌어 버렸다. 이것이 용두어신(龍頭魚身)이다. 이는 중국의 전설 등용문(登龍門)에서 영향을 받았을 것이다.

중국 전설에 보면 산서성 하진현 황하(山西省 河津縣 黃河) 상류 꼭대기에 아주 물살이 빠른 협곡이 있었는데 잉어가 이 협곡을 올라가면 용이 된다는 전설이다.

이는 곧 힘들게 고생을 하여 마침내는 입신출세(立身出世)하는 내용이다. 그러므로 불교에서도 어렵게 수행하여 부처가 되라는 뜻으로 받아들여져 용두어신(龍頭魚身)으로 목탁이 변해 버린 것이다.

중국 선원의 규칙을 서술한 원나라 때의 칙수백장청규(勅修百丈清規)에 따르면, 물고기는 잠을 잘 때도 눈을 감지 않으므로 수행하는 사람은 밤낮으로 쉬지 말고 열심히 정진하라는 뜻으로 목어를 만들었다고 한다. 이후 이것은 다시 불교의 사물(四物)로 분류되어 목어는 수류중생(水流衆生)을 제도하는 사물이 되었다. 예불에서 아침에는 목어를 먼저 치고 저녁에는 운판을 먼저 친다. 이는 동목(東木) 서금(西金)이라는 오행의 배속 원리를 따른 것이다. 그리고 목탁은 불교의 것만은 아니다. 도가는 물론이고 유가에서도 사용하였다.

논어에 보면 공자가 말하기를 다음과 같다고 하였다.

세상의 도가 없어진 지 오래되었으니 하늘은 선생을 목탁으로 삼으실 것이라.
天下之無道也久矣 天將以夫子爲木鐸

허황후와 파사석탑(婆娑石塔)

경남 김해 동림사

인도 아유타국 공주 허황옥(許黃玉)은 머나먼 이국땅을 오기 위하여 건무 21년인 서기 48년, 부모의 명을 받들어 바다를 건너 동(東)으로 향하려고 하였다. 그러나 수신(水神)의 노함을 받아 부득이하게 뱃머리를 돌려 궁궐로 향하였더니 부왕은 파사석탑을 싣고 가라고 하였다. 부왕의 명을 받들어 탑을 배에 싣고 순조로이 항해하여 금관국 남쪽 해안가에 정박하였다.

배에는 붉은 돛과 붉은 기를 달고 또한 주옥(珠玉) 등으로 장엄하여 망산도(望山島)에 도착하였으므로 도착한 그곳의 지명을 주포(主浦) 또는 님개라고 하였다. 처음에 공주가 비단 바지를 벗어 산신께 바친 곳을 능현(綾峴) 또는 비단치라고 부르며, 붉은 기가 처음으로 해안에 정박한 해변을 기출변(旗出邊)이라고 하였다.

그때 황옥 공주가 싣고 온 파사석탑은 호계사(虎溪寺)에 안치하였으나 호계사가 폐사되자 당시 부사였던 정현석(鄭顯奭, 1817~1899)이 지금의 자리로 옮겨 수로왕지능에 경남 문화재자료 제227호로 지정되어 있다. 호계사는 호계천(虎溪川)에 있었던 절로 김해 포교당으로 더 알려진 연화사(蓮華寺)를 말한다.

그때 싣고 온 탑의 이름은 파사석탑(婆娑石塔)이며, 벽화에서 배의 맨 앞에 실려 있다. 일산을 들고 있는 시녀 밑에 앉아 있는 분이 바로 보주태후 허황옥(許黃玉)이다. 불경 뒤에 서 있는 스님이 바로 장유화상이며 허황옥의 오빠가 된다. 탑의 4면이 모가 나고 층수는 5층 석탑이다. 돌은 약간 붉은빛 무늬가 있으며 이 지방에서 나는 석질이 아니다. 신농본초(神農本草)에서는 닭 볏의 피를 떨어뜨려도 응고가 되지 않는다고 하였다. 삼국유사에서 찬(讚)하기를 다음과 같이 하였다.

載厭緋帆茜旆輕 乞靈遮莫海濤驚 豈徒到岸扶黃玉 千古南倭遏怒鯨
재염비범천패경 걸령차막해도경 기도도안부황옥 천고남왜알노경

액막이 탑을 실은 배는 비단 돛대도 가볍게
풍랑이 잠자도록 신령께 비나이다.
어찌 황옥 공주를 모셔 이곳에 왔으리오.
천고에 두고두고 왜적을 막음일세.

조선 때 허의(許扆, 1814~1861)가 지은 금릉팔적(金陵八蹟) 가운데는 파사석탑

에 관한 시문이 남겨져 있다.

순채(蓴菜) 수북한 성곽은 동쪽으로 기울어져 숙연하니 이는 한종과 주정의 회포와 같다. 차가운 볼은 언제나 비를 맞고, 얽어맨 낯은 오래전부터 숱한 바람을 쐬었다. 비단 돛배에 신이 머물렀다고 하나 소생할 기운은 요원하고, 붉은 깃발은 마치 꿈과 같아서 새가 하늘에 우는구나. 주민들은 이것을 아유타국 돌이라고 하는데 달은 밤마다 다른 산을 비춤이 한스럽구나! 茆葆潚然寄郭東 漢鍾周鼎所懷同 寒腮常帶諸天雨 縛面曾經萬里風 緋帆留神蘇氣遠 紅旗如夢鳥啼空 居人言是阿隃石 恨月他山夜夜籠

허황후를 안내한 신어(神魚)

경남 김해 동림사

벽화에 보면 큰 물고기 두 마리가 있다. 이것은 인도에서 허황옥 공주가 동방으로 올 때 길을 안내하였던 신령스러운 물고기를 나타낸 것이다. 그러므로 이를 신이하게 여겨 세상 사람들은 신어(神魚)라고 하였다고 한다.

지금의 김해시 삼방동 은하사(銀河寺), 동림사(東林寺) 뒤편에 있는 산이 신어산(神魚山)이다. 그 지명은 신어(神魚)에서 따왔다고 하나 문헌상 그렇게 보기는 어렵다.

왜냐하면 조선 초기에 세종의 명으로 팔도지리지(八道地理誌)를 편찬할 때 그 사업의 하나로 세종 7년인 1425년에 편찬된 경상도지리지(慶尙道地理志)에 보면 신어산(神於山)으로 표기가 되어 있기 때문이다. 그 후 1545년 단종 2년에 완성된 세종실록지리지(世宗實錄地理志)에서부터 신어산(神魚山)으로 표기가 되기 시작하였다. 그러므로 신어산(神於山)에서 신(神)은 지모신(地母神)으로 보았다는 학설이 있다.

조선 영조 33년인 1757년에 편찬한 여지도서(輿地圖書)에도 서림사(西林寺)는 신어산(神於山) 남쪽에 있다고 표기를 하고 있다. 그러나 지금에 와서는 신어산(神魚山)으로 표기해 부르고 있으니, 이는 허황옥 공주가 동국으로 올 때 신령스러운 고기가 안내하였다는 전설로 인하여 그렇게 부르는 것이다.

벽화에 보면 물고기 사이로 보이는 탑이 바로 바람을 잠재우기 위해 싣고 왔던 파사석탑(婆娑石塔)이다. 지금의 김해 지역의 다리 위에 석각(石刻)으로 만들어진 물고기는 바로 신어(神魚)를 나타낸 것이다. 그리고 코끼리는 불교를 나타내기 위해 그려진 것이다. 그러한 면에서 김해시 한림면 흥덕사 뒷산을 상두산(象頭山)이라 하고, 합천 해인사 뒷산인 가야산(伽倻山)도 상두산이라 부르기도 한다.

망산도(望山島)에 도착한 허황옥

경남 김해 동림사

보주태후 허황옥은 긴 여정을 마치고 진해 용원 망산도(望山島)에 다다른다. 이 과정을 삼국유사를 통하여 살펴보자.

건무 24년인 서기 48년 무신 7월 27일. 구간(九干)들이 조회(朝會)를 할 때 수로왕에게 아뢰기를 왕께서 등극하신 이래로 아직 왕비(王妃)가 없으시니 구간들이 이를 천거하겠노라 하였다. 이에 수로왕이 경(卿)들은 염려하지 말라 하면서 유천간(留天干)에게 가벼운 배와 좋은 말을 이끌고 망산도(望山島)에 가서 기다리라고 명하였다. 그리고 신귀간(神鬼干)에게도 승점(乘岾)에 나가 기다리라 명하였다.

그런데 갑자기 서남쪽 바다 모퉁이에서 붉은 돛을 달고 붉은 깃발을 휘날리며 배가 북쪽을 향해 다가왔다. 유천간 등이 먼저 섬에서 횃불을 들자 사람들이 다투어 뭍에 내려 달려왔다. 신귀간이 그 광경을 보고 대궐로 달려가 수로왕에게 아뢰니 왕이 기뻐하며 곧 구간 등을 보내어 그들의 일행을 대궐로 맞이하였다. 이후 왕후가 말하기를 내가 본디 너희들을 모르는데 어찌 경솔하게 따라가겠느냐고 하였다. 이 말을 다시 수로왕에게 아뢰자 왕은 서남쪽 60보쯤에 있는 산기슭에 만전(幔殿)을 설치하고 왕후를 기다렸다.

왕후가 산 밖 별포(別浦) 나루에 배를 정박하고 뭍에 올라 높은 산에 제사를 지내면서 입고 있던 비단 바지를 벗어 산령(山靈)에게 폐백(幣帛)으로 바쳤다. 그러고 나서 왕후는 수로왕이 있는 곳으로 나아가 수로왕과 함께 유궁(帷宮)에 함께 들었다.

예전 가락국 지역에 허황옥과 그의 오빠인 장유화상에 관련된 벽화가 등장하는 것은 그때 우리나라에 처음으로 불교가 들어왔다고 여기기 때문이다. 그러므로 이 지역에서는 중국을 통해 불교가 들어온 것이 아니라 인도를 통하여 불교가 유입되었다는 남방불교 유래설을 주장한다. 더구나 김해 불교사암연합회가 김해에서 해마다 시행하는 가락 문화재에 한 번도 빠짐없이 장유화상을 추모하는 재(齋)를 올리는 것도 그와 같은 맥락이다.

김해 동림사의 벽화는 다른 밑그림이 그려져 있는 상태에서 다시 가야국 설화를 그린 것이다. 그러나 세월이 지나면서 탈색되어 처음 그린 밑그림이 함께 보인다는 것을 참고로 밝혀 둔다.

김수로왕의 일곱 왕자

경남 김해 연화사

김수로왕과 허황후는 사이에 모두 열 명의 아들이 있었다. 맏아들은 아버지의 성을 이어 정통을 잇고 두 아들은 어머니의 성(姓)을 따라 허씨의 성을 갖게 된다. 나머지 일곱 아들은 지금의 경남 하동군 칠불사로 출가하여 2년 만에 모두 성불하였다. 이로부터 하동 칠불사(七佛寺)가 창건되었다. 벽화의 장면은 일곱 명의 아들이 스승 앞에서 수행하는 장면이다.

아들들은 비록 출가하였으나 자식을 보고 싶어 하는 마음은 예나 지금이나 마찬가지로, 황후는 아들들이 보고 싶어서 가야산을 찾았으나 장유화상(長遊和尙)은 수행에 방해가 된다고 하여 만나는 주선을 거부하게 된다. 그래도 황후가 자주 찾아오자 장유화상은 일곱 왕자를 데리고 지리산(智異山)으로 들어가 가행정진(加行精進)하였다고 한다.

김수로왕의 일곱 왕자가 부처가 되다

경남 김해 연화사

가락국을 창건한 시조왕이 김수로왕(金首露王)이다. 김해 김씨의 시조 역시 김수로왕이다. 수로왕의 부인 왕비는 허황옥(許黃玉)이다. 허황옥은 우리나라 사람이 아닌 인도 아유타국 공주로 우리나라에 도래하면서 불교를 전파한 분으로 전해지는 인물이다. 이때 왕비는 인도에서 동(東)으로 올 때 혼자 온 것이 아니라 오빠와 함께 온다. 오빠의 신분은 출가한 사문으로 그는 보옥선사 장유화상(寶玉禪師 長有和尙)이다.

김수로왕과 허황옥 사이에 열 명의 왕자와 두 명의 공주가 탄생하였다. 장남인 태자는 왕위를 이어 거등왕(居登王)이 되었으며, 차남 석(錫) 왕자와 삼남 명(明) 왕자는 어머니의 성을 이어 김해 허씨의 시조로 봉해지게 된다.

그 나머지 일곱 왕자는 외삼촌인 보옥선사(寶玉禪師)를 따라 출가하여 합천 가야산, 의령 수도산, 사천 와룡산 등에서 수행하게 된다. 그 후 일곱 왕자는 지리산(智異山)에 들어가 운상원(雲上院)을 짓고 수행 정진을 계속하였다. 그러던 어느 날 달빛이 휘영청 밝은 밤에 일곱 왕자는 대오하여 부처가 되었다고 전한다. 이를 칠불(七佛)이라 하고, 일곱 왕자가 수행하던 운상원은 칠불사(七佛寺)로 생겨난다.

세월이 흘러 지리산을 찾은 황후는 아들들을 보려고 다시 장유화상을 만나는데, 이때 장유화상이 일곱 명의 아들들이 모두 성불했으니 왕자들과 어머니와의 만남을 허락하노라고 말하였다.

그때 공중에서 한 소리가 들렸다. 어머니 저희를 보고 싶으시면 연못을 보면 저희를 만나실 수가 있습니다. 허공중에 소리가 들리기에 연못을 바라보니 아들 일곱은 가사를 걸치고 성불하여 천상으로 올라가고 있었다. 이 소식을 들은 김수로왕은 너무나 기뻐하며 일곱 아들이 공부하던 그 자리에 절을 세웠으니 바로 칠불사(七佛寺)이다.

일곱 왕자는 성불하여 부처의 지위에 오르게 되었으니 그 불명은 다음과 같다. 금왕광불(金王光佛), 왕당불(王幢佛), 왕상불(王相佛), 왕행불(王行佛), 왕향불(王香佛), 왕성불(王性佛), 왕공불(王空佛)이다.

여기에서 불명(佛名) 가운데 금왕(金王)이라는 표현을 빼고 무량(無量)이라는 표현을 넣으면 마치 아미타경(阿彌陀經)에 등장하는 부처님의 이름과 흡사하게 된다. 아미타경에 서방의 부처님들도 아미타불을 찬탄하는 광경을 살펴보면 정광불(淨光佛), 무량당불(無量幢佛), 무량상불(無量相佛). 그리고 미래성숙겁천불명경(未來星宿劫千佛名經)에 행불(行佛), 향불(香佛), 성불(性佛), 공불(空佛) 등 유사한 명칭이 모두 등장한다.

문수동자와 세조(世祖)

강원 평창 상원사

어린 조카 단종(端宗)을 죽이고 조선 7대 임금이 된 세조(世祖)의 꿈에 형수 문정왕후(文定王后, 단종의 어머니)가 나타나, 에이 더러운 인간아! 아무리 부귀영화가 좋기로 어찌 감히 어린 조카를 죽이는가? 하고 얼굴에 침을 뱉었다.

그날부터 세조의 몸에는 알 수 없는 이상한 종기(腫氣)가 나서 어떤 약을 써도 소용이 없었다. 견디다 못한 세조는 금강산에 들어가 불공을 드리려고 길을 떠나 단발령(斷髮令)에 이르렀는데, 산색은 청정하여 마치 부처의 몸을 보는 것 같고 흐르는 냇물은 청정하여 마치 부처의 음성을 듣는 것만 같았다.

그러자 세조는 머리를 깎고 중이 될 것을 생각하였으나 만류하는 신하들 때문에 머리 전부를 깎지 않고 참회의 표시로 윗부분만 잘라 버렸다. 그리하여 그 고개를 단발령(斷髮令)이라고 부르게 되었다. 그리고 세조 일행은 그 단발령을 넘어 내금강 만폭동 마하연으로 가려 하였다. 그런데 난데없이 어디서 이상한 소리가 들려왔다.

어찌 감히 죄인이 대승 보살의 깨끗한 도량에 참례하려 하느냐?
너는 거기에 가지 못하리라.
천만 사람이 다 갈 수 있는데 어찌 저만 홀로 못 간다고 하옵니까?
너는 조카를 죽인 죄인이므로 다른 사람과는 다르기 때문이다.

할 수 없이 세조의 일행은 천학봉 아래 이르러 원통암을 찾았다. 세조대왕은 맑은 물에 목욕하고 일주일을 기도하니 꿈에 비로소 마하연의 큰 길이 무지개처럼 나타나 보여 다음 날 마하연을 참배하고 다시 양양 낙산사로 떠났다. 낙산사에서는 대종을 시주하고 오대산에 이르러 천일기도를 시작하였다. 오대산 상원사에 있으면서 부처님의 정골 사리를 모신 적멸보궁을 매일같이 오르내렸다.

어느 날 날씨가 너무나 무더워 더욱 몸의 종기가 불어터지는 것 같았다. 세조(世祖)는 모든 시중을 물리치고 홀로 시내에 들어가 더러운 부스럼을 씻고 있었다. 등에는 손이 닿지 않아 씻지 못하고 있었는데, 마침 그곳을 지나가던 한 동자(童子)가 등을 문질러 드릴까요? 하고 말했다.

세조는 깜짝 놀라며 동자를 바라보고 마음이 있거든 이리 오너라. 동자는 오자마자 세조의 등을 어찌나 시원스럽게 잘 문질러 주는지 금방 하늘에라도 날아갈 것만 같았다. 목욕이 끝나자 세조는 동자에게 이르기를 너는 아무한테도 임금을 봤다고 하지 말아라. 그러자 동자가 말하였다. 걱정하지 마십시오. 당신도 아무한테나 나를 봤다고 하지 마세요. 네가 누구냐? 나는 문수동자(文殊童子)입니다. 나를 여기서 친견했다고 아무에게도 말하지 마시오. 세조가 그 말을 듣고 곧 뒤돌아보니 머리를 두 가닥으로 딴 동자가 금방 나무 사이로 사라지는데 아무리 찾아봐도 다시 만날 수가 없었다. 세조가 너무 신기해서 그 동자의 모습을 곧 그림으로 그리고 조상(造像)으로 만들어 모시게 하였는데 지금 오대산(五臺山) 상원사(上院寺)에 모신 문수동자다. 세조는 그날로 모든 병이 씻은 듯이 나아서 그 은혜에 보답하고자 그때부터 많은 불사를 하게 되었다.

백제 의자왕과 삼천궁녀

충남 부여 고란사

백제의 마지막 임금은 의자왕(義慈王)이다. 그는 해동증자(海東曾子)로 불리며 성군(聖君)의 칭호를 들었다. 백제가 멸망하기 5년 전만 하여도 신라를 공격하여 30여 개의 성을 빼앗았다는 기록이 전할 만큼 국토 확장을 꾀했던 임금이다.

백제의 의자왕은 진짜 삼천궁녀를 거느리고 술판에 놀아나던 무기력한 임금이었을까? 그렇지 않다. 백제는 강대국이어서 신라는 중국 당나라의 지원 없이는 백제를 함락하지 못하였을 것이다. 신라는 쪼잔하게 외국군과 연합하여 백제를 정벌하였다. 이건 냉정하게 보면 우리 역사의 아주 치욕스러운 사건이다.

이렇게 나당연합군으로 백제가 망하자 민심은 당연히 흉흉했을 것이므로 의자왕을 아주 파렴치하게 몰아붙인 것이다. 하여튼 서기 660년 백제 의자왕(義慈王) 20년에 백제가 나당연합군(羅唐聯合軍)의 침공으로 함락되자 궁녀 3,000여 명이 백마강(白馬江) 바위 위에서 투신하여 죽었다는 왜곡된 역사는 그렇게 전해졌다. 백제의 궁녀가 떨어졌다는 그 바위를 사람들이 낙화암이라고 부른 것이다. 그리고 절벽 아래에는 낙화암(落花岩)이라는 글씨가 새겨져 있다.

백제는 의자왕을 마지막으로 하여 700년 역사에 종지부를 찍는다. 신라는 김유신(金庾信) 장군을 내세워 백제를 공격하고 당나라 소정방(蘇定方)은 바다를 건너 인천 앞바다에 있는 덕물도(德勿島)로부터 백제를 공격하여 들어왔다.

백제가 망하자 신라는 민심을 잠재우기 위하여 역사를 각색(脚色)하고 각본(脚本)하였다. 그리하여 의자왕은 정사(政事)를 등한시하고 삼천궁녀와 술판을 벌이고 놀았으며 그로 인하여 삼천궁녀는 부소산성에 올라가 백마강이 보이는 높다란 바위 아래서 투신하여 죽었다고 전했다.

그러나 어디까지나 이건 새빨간 거짓말이다. 백제 의자왕이 삼천궁녀를 거느렸다는 기록은 어떤 곳에서도 찾아볼 수가 없다. 조선시대에도 궁녀의 수가 600여 명을 넘은 적이 없다는 것도 참고로 알아두자.

섬이 배로 변하다

경남 창녕 법성사

옛날 가섭불(迦葉佛) 시대에 예류성자(預流聖者)가 배를 타고 바다를 건너게 되었다. 며칠 후 폭풍이 불어 배가 파선되자 부서진 배로 뗏목을 만들어 타고 겨우 작은 섬에 도달하였다. 예류성자는 그 섬에서 일심으로 관세음보살의 명호를 불렀다. 그랬더니 관세음보살 부르는 소리를 듣고 섬을 지키던 용왕이 예류성자의 깊은 신심에 감동되어 섬을 배로 변하게 하였고, 예류성자는 험한 바다를 무사히 건널 수 있었다.

가섭불은 석가모니불 이전의 부처님이며 과거 칠불의 한 분이다. 인간의 수명이 2만 세 때에 출현한 부처를 말한다. 예류성자에서 예류(預流)는 예류향(預流向), 예류과(預流果) 등을 가리키는 말로 이는 소승불교에서 깨달음을 얻어 들어가는 품계를 말한다. 그러므로 예류성자는 예류의 품계를 얻은 성자라는 뜻이다.

불교 제23대 조사 학륵나 존자(鶴勒那尊者)

경남 창녕 관룡사

학륵나는 불교 제23대 제자로 조사(祖師)의 이름이다. 22세 때 승려가 되어 큰 도를 깨달아 많은 중생을 구제하였다. 학륵나 존자는 월씨국(月氏國) 사람이니 성은 바라문이요, 아버지는 천승(千勝)이고 어머니는 금광(金光)이다. 그들은 아들이 없었으므로 칠불(七佛)에게 빌었는데, 어머니의 꿈에 수미산 꼭대기에서 한 신동(神童)이 금고리[金環]를 들고 와서 '내가 왔소' 하고 외치는 태몽을 꾸었다.

나이 일곱 살이 되었을 때 마을에 놀러 다니다가 동네 사람들이 굿하는 것을 보고 곧 당집으로 들어가서 꾸짖었다. 너희들은 허망하게 복과 재화를 일으켜 세상 사람을 현혹하면서 헤매다 산짐승을 소비하니, 살생이 이보다 더 할 수 있느냐? 말을 마치자 당집의 화상이 저절로 무너지니 이로부터 마을 사람들이 거룩한 아기라 불렀다. 나이 22세에 출가하여 30세에 마라나(Manoluta, 摩拏那) 존자를 만나 정법안장(正法眼藏)을 부여받았다. 학륵나 존자에게는 항상 오백 마리의 학이 따라다니면서 존자의 곁을 떠나지 않았다. 이에 학륵나 존자는 스승인 마라나 존자께 묻기를 저에게 어떤 인연이 있어서 학의 무리가 저를 따르는 것입니까?

마라나 존자께서 말씀하셨다. 네가 과거 생에 500명의 제자를 거느리고 있었다. 너는 용궁에 가서 공양을 대접받곤 했으나 너의 제자들은 복이 박하고 덕이 미미하여 데리고 가지 않았다. 이에 제자들이 불만을 표시하자 한번은 제자들을 데리고 용궁의 공양을 받았는데 제자들은 용궁의 공양을 받을 만한 복이 없었기 때문에 죽어서 날개 쪽으로 떨어져서 5겁이 지난 지금에 와서야 학의 몸을 받아 너의 주위를 떠나지 않는 것이니라. 학륵나가 다시 여쭈었다. 어찌해야 저 학의 무리를 해탈시킬 수가 있겠습니까? 마라나 존자는 다음과 같은 게송을 말씀하셨다.

心隨萬境轉 轉處悉能幽 隨流認得性 無喜亦無憂
심수만경전 전처실능유 수류인득성 무희역무우

마음이 만 경계를 따라 움직이니
움직이는 곳마다 모두 그윽하다.
흐름에 따라 본 성품 깨달으면
기쁨도 없고 근심도 없으리라.

이에 학(鶴)의 무리가 울면서 날아갔다고 한다.

삼국유사 노힐부득과 달달박박

충북 청주 용화사

삼국유사(三國遺事)에 백월산양성성도기(白月山兩聖成道記)에 보면 백월산은 신라 구사군(지금의 창원시 북면)에 있었다. 이 산의 동남쪽 3천 보 되는 쯤에 있는 선천촌(仙川村)이라는 마을에 노힐부득(努肹夫得)과 달달박박(怛怛朴朴)이 살았다. 두 사람 모두 풍채와 골격이 범상치 아니하고 원대한 포부가 있어서 나이 스물에 마을 동북쪽에 있는 법적방(法積房)에서 머리를 깎고 스님이 되었다.

얼마 못되어 서남쪽 치산촌 법종곡(雉山村 法宗谷) 승도촌(僧道村)에 옛 절이 있어서 수행할 만하다는 말을 듣고 같이 가서 대불전(大佛田), 소불전(小佛田) 두 마을에서 각각 살았다. 부득은 회진암(懷眞庵)에 살았는데 박박은 유리광사(琉璃光寺)에서 처자 모두를 데리고 와서 살았다. 그러나 인생의 무상함을 느끼며 도를 구하고자 처자 권속을 버리고, 깊은 산골에 숨으려 했다.

그러던 어느 날 두 사람은 한날한시에 신이(神異)한 꿈을 꾸고서 백월산 무등곡(無等谷)에 들어가서 박박은 북쪽 고개 집에 사자암을 차지하여 판잣집을 짓고 살았으므로 판방(板房)이라 하였으며, 여기서 박박은 미륵불을 염송하며 수행하였다. 부득은 남쪽 고개 돌무더기 아래 물 있는 곳에 살았으므로 뇌방(磊房)이라 하였는데, 그는 아미타불을 염하며 수행하였다.

수행한 지 3년이 채 못되어 신라 성덕왕 8년인 709년 어느 날 해 질 무렵에 나이 스무 살이 됨직한 아리따운 낭자가 난향(蘭香)과 사향(麝香)을 풍기면서 갑작스레 북암(北庵)을 찾아와서 하룻밤 유숙하기를 청하면서 글을 지어 바쳤다.

行遲日落千山暮 路隔城遙絶四隣 今日欲投庵下宿 慈悲和尚莫生嗔
행지일락천산모 노격성요절사린 금일욕투암하숙 자비화상막생진

날 저문 산속에서 갈 길은 아득하고
길 없고 인가(人家)는 가까이 없으니 어찌하리오.
오늘 밤은 이곳에서 묵고자 하오니
자비스러운 스님께선 화내지 마세요.

이에 박박은 불쾌히 여기며 말하기를 절이란 깨끗해야 하니 그대가 올 것이 못되오, 하고 문을 닫고 들어가 버렸다. 그러자 그 낭자는 남쪽 암자로 가서 노힐부

득에게 앞서처럼 청하였다. 그러자 노힐부득은 그대는 이 밤에 어디서 오셨는지요? 그러자 여인은 게송 한 수를 지어 바쳤다.

日暮千山路 行行絶四隣 竹松陰轉邃 溪洞響猶新
일모천산로 행행절사린 죽송음전수 계동향유신

해 저문 첩첩산중에 산길 가는데
가도가도 사방 인가는 보이지 않고
소나무 대나무 그늘 더욱 깊건만
골짜기 냇물 소리 새롭게 들려

부산 부산진구 선암사

乞宿非迷路 尊師欲指津 願惟從我請 且莫問何人

걸숙비미로 존사욕지진 원유종아청 차막문하인

길을 잃어 찾아왔다 하지 마오.
높은 스님 인도하기 위함이라네.
바라건대, 내 청만 들어주시고
길손이 누구냐고 묻지는 마세요.

이에 부득은 매우 놀라며 이곳은 부녀가 함께 있을 자리는 못되나, 중생의 뜻에 따르는 것도 보살행의 하나인데 더더욱 깊은 산중 갈 곳이 없으니 어찌 대접을 소홀히 하겠느냐며 암자 안으로 받아들였다. 그러고 나서 부득은 다시 염불 수행하였다. 그 후 얼마 지나지 않아 낭자가 하는 말이, 스님 제가 불행히도 산기가 있

제주 제주시 월정사

으니 스님께서 출산 준비를 해주어야겠습니다. 부득은 낭자의 청이 가련하여 촛불을 들고 해산을 도왔다. 낭자가 해산을 마치고 또 목욕하기를 청하자, 부득은 목욕물을 준비하여 목욕통에 낭자를 앉히고 목욕을 도와주었다.

그러자 얼마 지나지 아니하여 이상하게 목욕통에서 향기가 은근히 나더니 그 물이 금세 금빛으로 변하였다. 이때 낭자가 말하기를, 스님도 이 물에 목욕하시지요. 부득은 마지못해 이를 따랐더니 금세 몸빛이 금색으로 변하였다. 옆을 돌아보니 부득에게 연화좌(蓮華坐)에 앉기를 청하며 낭자가 말하기를, 나는 관음보살인데 이곳에 와서 대사를 도와 대보리(大菩提)를 이룬 것입니다. 말을 마치자마자 낭자는 홀연히 사라지고 없었다.

박박은 밤새 생각했다. 내가 생각하니 부득은 오늘 밤에 계를 파했을 것이니 날이 새면 그를 비웃어 주리라. 그러나 가서 보니 부득은 연화대에 앉아 미륵존상이 되어 광채 나는 금빛으로 물들어 있었다. 이에 박박은 금세 참회하고 탄식하며 말하기를, 나는 마음에 장애가 아직도 많아 부처를 만나고도 알지 못했으니, 그대는 옛정을 생각하여 저 또한 도와주기를 원합니다. 부득이 통에 아직 금물이 남아 있으니 목욕을 하라 말하였더니, 금세 무량수불(無量壽佛)이 되었다. 이에 산 아래 사람들이 다투어 올라와 불법의 진리에 귀의하였다.

노힐부득은 자신이 비록 계를 파하더라도 불쌍한 중생을 구제해야 한다는 마음을 깨달아 부처가 되었다. 그에 반해 달달박박은 수행자로서 지켜야 할 엄격한 계행을 지켜내었으며, 또한 도반 노힐부득의 깨달음을 인정하고 그를 따랐기에 부처가 될 수 있었다고 하는 설화이다.

진표율사가 지장보살을 친견하다

강원 춘천 삼운사

신라 성덕왕 당시에 진표율사(眞表律師)는 전주에서 태어나서 14세의 나이로 출가하였다. 미륵 부처님과 지장보살 친견을 서원한 진표율사는 찐쌀 2말을 가지고 변산 부사의 방에 들어가서 하루에 쌀 5홉을 양식으로 하고, 그중 1홉은 절을 찾는 쥐에게 먹였다. 그렇게 3년간 뼈를 깎는 고행을 하였으나 원하던 수기(受記)는 받지 못하였다. 이에 진표율사는 이생은 업장이 두터워 평생 공부해도 도를 얻지 못할 바에야 차라리 이 몸 버려 내생에 도를 얻겠다는 심정으로 높은 절벽 위에서 업장 소멸을 기원하며 뛰어내렸다. 그러자 어디선가 청의(青衣)동자가 홀연히 나타나 두 손으로 스님을 받아 절벽 위에 올려놓고 사라졌다. 이에 스님은 망신참법(亡身懺法)으로 다시 기도에 들어갔다. 3일이 지나자 진표 스님의 손과 무릎에선 피가 흘렀으나 기도를 이어갔다. 7일이 되던 날 밤 지장보살이 나타나서 친히 가사와 발우를 주었다. 스님은 더더욱 분발하여 21일 기도를 마치는 날에 천안(天眼)이 열리어 미륵불이 도솔천에서 천중(天衆)을 거느리고 오는 것을 친견하였다.

진표 스님이 미륵불에게 배례(拜禮)하자 미륵불은 점찰경(占察經) 2권과 증과간자(證果簡子) 189개를 주시면서 말씀하셨다.

그 가운데서 제 8간자(簡子)는 새로 얻은 묘계(妙界)를 이름이요, 제 9간자는 구계(具戒)를 더 얻을 것을 비유함이다. 이 두 간자는 내 손가락뼈요, 나머지는 모두 침단목(沈檀木)으로 모든 번뇌를 말한 것이니, 너는 이것으로써 법을 세상에 전하여 사람들을 구제하는 방편으로 삼아라. 너는 장차 이 몸을 버리고 대국왕(大國王)의 몸을 받아 도솔천에 나게 되리라.

수기(授記)를 받은 진표율사는 산에서 내려와 금산사(金山寺)를 대가람으로 중창할 원력을 세우고, 주위를 둘러보고 나서 금산사 경내의 연못을 메우고 거기다 미륵전(彌勒殿)을 세우고자 하였다. 그러나 아무리 큰 바위를 굴려 넣어도 어찌 된 영문인지 연못은 메꿔질 기미가 보이질 않았다. 진표 스님은 지장보살과 미륵불의 가호 없이는 불사가 어려울 것이란 생각이 들어 다시 100일을 기도하였다. 백일기도를 회향하는 날, 미륵불과 지장보살이 진표 스님 앞에 나타났다.

이 연못에는 아홉 마리 용이 사는 곳이므로 바위나 흙으로 연못을 메우는 일은 불가능할 것이다. 그러니 숯으로 메우도록 해라. 그리고 이 연못물을 마시거나 목욕을 하는 사람에게는 만병통치의 영험을 내릴 것이니 중생의 아픔을 치유하고 불사를 원만 성취토록 하여라.

이 소문은 전국 방방곡곡으로 퍼져나가 금산사 연못에는 하루에도 수천 명의 환자가 줄을 이었고, 그들이 가져오는 숯으로 연못물은 며칠 안 가서 반으로 줄었다. 그렇게 수주일이 지나자 호수는 완전히 메워져 반듯한 터를 이루었고, 중창불사가 완성되었다고 전한다.

이것이 지금의 전라북도 김제시 금산면 금산리 모악산(母岳山) 아래에 있는 금산사 미륵전이다.

연천 보개산 석대암(石臺庵) 전설

경기 안성 청룡사

경기도 연천군 신서면 내산리 보개산에는 석대암(石臺庵)이 있다. 이 암자에는 석대암을 창건할 때 내력을 기록한 석대암사적기(石臺庵事蹟記)가 있어서 그 내력을 파악할 수가 있다. 이 사적기는 고려 충숙왕 7년에 민지(閔漬)가 지었으며 조선 고종 11년인 1874년에 그의 17대 후손인 민규현(閔奎顯)이 다시 썼다.

개성 동쪽 180리에는 보개산 아래 우뚝 선 기이한 봉우리가 있으니 환희봉(歡喜峰)이다. 그리고 그 아래에는 석대암이 있다. 이 절에는 영험한 석 자[三尺] 크기의 석조 지장보살이 있었는데 안모(顔貌)가 신묘하고 왼손에는 보주를 들고 있는 모습이다. 왼쪽 어깨에 한 치 크기의 무늬가 있는데 이는 사냥꾼 이순석(李順碩)이 화살을 쏜 흔적이라고 한다.

옛 기록에 따르면 신라 성덕왕 17년인 720년에 사냥꾼 이순석이 사람을 데리고 사냥하러 나왔다가 금돼지가 나타나기에 이를 보고 화살을 쏘고 나서 돼지를 따라 쫓아갔다. 그러나 돼지는 어디론가 홀연히 사라지고 그 자리에는 이 석상(石像)이 있었다. 두 사람의 힘으로는 도저히 꺼낼 수가 없어서 이는 필시 신변의 조화임을 알고 다음 날 출가를 하였다. 이에 두 사람은 숲속으로 들어가서 항상 반석 위에 앉아 수행하고 정진하였으므로 사람들이 이 바위를 석대(石臺)라고 하였다. 그 후 두 사람은 하늘로 올라갔다.

충남 서산 개심사

전하는 말에 의하면 석상이 있는 자리에 절을 짓고자 하면 옮겨온 석재가 밤중이면 모두 계곡으로 던져져 있었다고 한다. 문일(文日) 스님이 중국 여산(廬山) 경복사(景福寺)에서 수행하는 장로(長老)한테서 듣기를 우리나라 보개산(寶蓋山), 풍악산(楓嶽山), 그리고 오대(五臺)의 삼산(三山)이 있어서 이곳은 영원히 삼악도에 떨어지지 않는다고 하였다. 그 말을 듣고 보개산 심원사(深源寺)에 이르렀더니 갑자기 환희봉 아래에서 서기로운 광명이 하늘로 비추었다. 황급히 그 자리에 당도하여 지장보살 석상이 화현(化現)함을 보았다. 이에 지장 석상에게 공양을 올리려고 쌀을 씻으려 하는데 석상이 대신(大身)으로 변한 뒤에 큰 광명을 발하여 산하대지를 비추니 모든 대중이 보개산 전체가 지장보살 전신이 상주하시는 설법처(說法處)임을 알았다.

1307년에 민지(고려 충숙왕 때의 문신. 閔漬, 1248~1326)가 이곳에 가보고 하룻밤을 유숙하고 새벽에 내려오는데 초목에 이슬 한 방울 없다가 10리를 내려와 말을 타는 곳에 이르자 이슬이 비처럼 생기니 이 또한 지장보살의 영응(靈應)이라고 생각하였다. 문일(文日) 스님의 제자 가운데 중열(中悅) 스님이 이 절을 중창하면서 벽 속에서 발견된 반쪽짜리 고기(古記)와 이순석(李順碩)에 대한 창건 설화를 듣고 또한 고로(古老)들의 구전이 전승되어 온 것을 종합하여 사적기를 써주도록 민지(閔漬)에게 요청하여 사적기를 짓게 되었다.

이것이 조선사찰사료(朝鮮寺刹史料)에 나오는 석대암에 관한 전기이다.

더러는 이 이야기를 중국 천태지의(天台智顗) 스님과 결부하여, 어느 날 지자대사가 지관 삼매에 들어 피 흘리는 돼지와 사냥꾼을 보고 사냥꾼에게 인과응보의 과정을 설하면서 다음과 같은 게송을 지었다고 한다.

烏飛梨落破蛇頭 蛇變猪爲石轉雉 雉作獵人欲射猪 道師爲說解寃結
오비이락파사두 사변저위석전치 치작엽인욕사저 도사위설해원결

까마귀 날자 배 떨어져 뱀이 머리에 맞아 죽으니
죽은 뱀은 돼지가 되어서 그 발에 돌이 굴러서 꿩이 죽었네.
꿩은 포수가 되어 다시 돼지를 쏘려고 하니
한 대사가 이러한 인연을 말해 원한을 풀어 주도다.

그러나 이 한시는 후일에 누가 덧대어 한 말이지 천태지의 스님과는 아무런 관련이 없다. 그리고 중국에는 오비이락(烏飛梨落)이라는 고사성어도 없다.

노파의 기도와 온양온천(溫陽溫泉)

강원 춘천 삼운사

옛날 충청도 땅에 몹시 가난한 절름발이 노파가 있어 삼대독자 아들이 혼기를 맞으니 사방팔방으로 혼처를 구했으나, 누구도 선뜻 딸을 내주려 하지 않았다. 이러한 노파를 측은히 생각한 중매쟁이는 좀 모자라는 처녀라도 그냥 며느리로 맞겠다는 다짐을 받고 아랫마을 김 첨지 집으로 달려갔다. 그 집에는 코찡찡이 딸이 있었기에 말만 꺼내면 성사가 될 것으로 믿었다. 그러나 한마디로 거절당하고, 팔을 제대로 못 쓰는 딸이 있는 황 영감에게도 말을 넣어 보았으나 매정하게 거절당했다. 이제 더는 알아볼 곳이 없다는 중매쟁이의 말을 들은 노파는 서글프기 짝이 없었다. 노파는 마지막으로 부처님께 기도를 올리기로 결심하고 불편한 다리를 끌고 산사를 찾아 온 정성을 다해 관음 기도를 올렸다. 백일째 되던 날 밤 깜빡 잠이 든 노파 앞에 관세음보살이 나타났다. 정성은 지극하나 그대가 한쪽 발을 못 쓰는 까닭에 아들이 장가를 못 드는 것이니, 그렇다면 먼저 그대의 두 발을 온전히 쓸 수 있기를 빌어야 하지 않겠느냐? 하고 사라졌다.

꿈을 깬 노파는 예사로운 일이 아니다 싶어 관세음보살에게 다리를 고쳐 줄 것을 서원하면서 기도를 올렸다. 백일째 되는 날 밤, 난데없이 허공에서 경건한 목소리가 들려왔다. 내 그대의 정성에 감복하여 그대의 소원을 들어주리라. 내일 들판에 다리를 절름거리는 학 한 마리가 날아와 앉을 터인즉, 그 모양을 잘 살펴보면 다리를 낫게 하는 비법을 알게 되리라.

이튿날 저녁나절에 절름거리는 학 한 마리가 나타나 근처를 뱅글뱅글 돌면서 껑충껑충 뛰고 있었다. 그렇게 하기를 사흘이 지나자 학은 두 발로 뚜벅뚜벅 걷더니 하늘로 치솟아 훨훨 날아가 버렸다. 이 모양을 지켜보던 노파는 하도 신기해서 학이 뛰며 노닐던 논둑으로 달려갔더니 논에서는 물이 펄펄 끓고 있었다. 괴이하게 생각한 노파는 발을 물속에 담가 보았다.

노파는 뜨거운 물에 발을 담갔더니 점차 시간이 흐르면서 몸이 시원해지기 시작했다. 그렇게 열흘째 되던 날 신통하게도 노파의 절룩거리던 발은 씻은 듯이 완쾌됐다. 마을에선 부처님의 가피를 받은 집이라 하여 혼인 말이 오가더니 그 아들은 좋은 색시를 맞아 어머니를 모시고 잘 살았다. 그 소문이 널리 퍼지자 사람들이 사방에서 몰려들었다. 이곳이 바로 오늘날의 온양온천이다.

법원주림(法苑珠林) 뱃사공과 관세음보살

전남 구례 연곡사

중국 진(晉)나라 때 산등성(山東省) 낭야(琅琊) 지방에 서영(徐榮)이라는 사람이 살고 있었다. 그는 일찍이 절강성(浙江省) 동양(東陽) 땅에 갔다가 돌아오는 길에는 정산(定山)을 지나서 수로를 통과하여 배를 타고 오게 되었다. 그런데 갑자기 큰바람이 불며 몹시 비가 몰아쳐 뱃사공은 그만 급류에 휩쓸려 소용돌이에 빠져 들어 배가 곧 침몰하게 되었다. 이에 서영은 위급한 상황이 닥쳐왔음을 느끼고 일심으로 관세음보살을 부르고 있었는데 이때 잠깐 사이에 수십 명이 힘을 모아 배를 이끄는 것 같았다. 이에 배는 곧 소용돌이를 벗어나 강을 따라 순항할 수가 있었다.

시간이 흐름에 날이 저물자 하늘이 어둑어둑해지더니 비바람이 매우 휘몰아쳐 뱃길을 분간하기 어려운데다 풍랑은 더욱더 거세게 일었다. 이에 서영은 안전한 곳으로 벗어날 때까지 관음경을 끊이지 않고 외웠다. 그러자 조금 있다가 산 정상에서 환한 불빛이 보였다. 그리하여 빛이 있는 곳으로 선수를 돌려 안전하게 배를 정박할 수가 있었다. 배를 정박하고서 불빛이 있던 곳을 뒤돌아보았으나 불빛은 보이질 않았다.

이를 이상히 여긴 그는 날이 새자 갯마을 사람들에게 물었다. 어젯밤 산 위에 보이던 불은 무슨 불입니까? 그러자 사람들은 의아해하면서 아니 간밤에 그렇게 비바람이 몰아쳤는데 무슨 불이 보였다는 말씀이요 하고 되물었다. 그는 그제야 그것이 신광(神光)임을 알았다.

그 뒤 서영은 계부(稽府)의 독호(督護)가 되었는데 이것은 사부(謝敷)가 그에게 직접 들은 이야기이다. 또한 서영과 배를 같이 탔던 스님 지도온(支道蘊)은 착실한 수행자로서 그도 이러한 사실을 직접 보고 훗날에 부량(傅亮)에게 말했는데 서영(徐榮)의 이야기와 똑같았다.

이 설화는 법원주림(法苑珠林) 제65권 구액편(救厄篇) 감응연(感應緣)에 수록되어 있다.

관음자림집 조개 속에 나타난 관세음보살

조개 속에 나타난 관세음보살에 관한 일화는 중국 당나라 14대 황제인 문종(文宗)에 얽힌 일화다. 구전으로 전해오는 민간고사(民間故事)도 있으며, 관음자림집(觀音慈林集)이라는 책에 실려 있기도 하다.

민간고사에는 어느 날 문종이 궁내 부엌에서 달걀을 삶으려고 냄비 속에 넣었는데 냄비 속에서 홀연히 소리가 들려오기를, 너는 자세히 들으라. 달걀을 삶는 냄비 속에서 관세음보살에게 구원을 요청하는 소리가 들렸다. 문종은 이 소리를 믿지 아니하였으나 그 후 다시 이러한 소리가 들려서 크게 소리치며 말하기를, 부처님의 위력은 광대하구나! 하고 감탄하면서 앞으로는 다시 달걀을 삶아 먹지 않았다.

어느 날 문종은 음식을 먹으려고 조개를 분리하려고 하였으나, 아무리 애를 써도 분리되지 않더니 어디선가 모르게 향내가 스며들어 보니 조개 안에 관세음보살이 들어 있음을 친견하였다. 이에 문종은 몹시 놀라서 종남산(終南山)에서 수행하고 있는 유정선사(惟政禪師)를 찾아가서 친견하고 지금까지 있었던 일을 소상하게 이야기하였다.

그러나 청나라 홍찬재삼(弘贊在糁) 스님이 지은 관음자림집(觀音慈林集)에 실린 이야기는 좀 다르다. 당나라의 문종은 조개를 즐겨 먹었다. 이에 백성들은 조개를 진상하느라고 위험한 곳까지 들어가거나 바람이 몹시 부는 날도 바다로 나가야 하므로 어부들의 원성이 날이 갈수록 하늘을 찌를 정도였다.

이에 관세음보살은 이들을 고통에서 구해주려고 신통으로 조개 속으로 들어갔다. 황제의 음식을 담당하는 관리가 대합을 열어보려고 했지만 열리지 않았다. 관리는 할 수 없이 조개를 그대로 황제에게 올리면서 자초지종을 설명했다. 이에 문종과 대신들은 호기심이 생겨 조개를 열어보려고 손으로 제쳐보고 칼로 혹은 내동댕이쳐보곤 하였지만 열 수가 없자 종남산에서 수행하는 긍정(恆正) 선사를 찾아가 이 일을 여쭈어보았다.

긍정 선사는 조개를 단정히 쳐다보더니 다시 황제에게 열어보라고 하자 문종이 힘들이지 아니하는데 조개가 천천히 저절로 열렸다. 그리고 조개 안에서 찬란한 광채가 쏟아져 나오면서 그 안에 있는 관세음보살을 친견하였다. 이에 문종은 대신들과 더불어 관세음보살을 찬탄하였다. 이를 신이하게 여겨 선사에게 물었더니 법화경(法華經)에 이르기를 보살의 몸으로 득도하기를 원하는 자에게는 보살의 몸으로 나타나 설법한다고 했는데 오늘 그 구절을 증명하신 것이라고 하였다.

짐이 오늘 보살님의 몸을 보기는 했지만, 짐에게 말씀하신 것은 아직 듣지 못했습니다. 선사는 어찌 생각합니까? 그러자 폐하는 오늘의 일을 믿습니까? 믿지 않습니까? 하니 사실이 이렇게 있는데 제가 어찌 안 믿겠습니까. 선사가 이르기를 폐하께서는 이미 그 설법을 들으셨습니다. 선사의 말끝에 문종은 즉시 깨달았다.

이에 문종은 조개의 진상(進上)을 중지하라는 명령을 내렸다. 그리고 각지에 관음전을 짓고 관세음보살상을 모시게 했다. 이후 동남(東南) 연안의 어민들은 진상의 고통에서 벗어났으며 집집이 관음상을 모시고 조개 속에서 관세음보살의 응화신(應化身)을 친견하였다고 하여 합리관음(蛤蜊觀音)이라고 부르게 되었다. 그리고 문종은 찬탄하였다.

慈悲蛤蜊觀世音 無礙神通覺有情 歷劫渡人施法雨 鴻恩濟世應微塵
자비합리관세음 무애신통각유정 역겁도인시법우 홍은제세응미진

자비하신 합리관세음보살은
중생을 위하여 걸림 없는 신통을 보이시네!
오랜 겁의 세월 동안 중생을 제도하고자 법을 베푸시니
중생을 제도하는 크나큰 은혜는 다함이 없으시네.

참고로 위 게송을 문종이 찬탄하였다고 하는 근거는 찾아보기가 힘들다.

법원주림 자식을 점지해 준 관세음보살

제주 제주시 금룡사

관음 신앙의 영험에 있어서 관음 기도로 자식을 얻었다는 설화는 흔히 들을 수 있는 관세음보살 영험담 가운데 하나이다.

법원주림(法苑珠林) 제17권 가운데 관음보살의 영험을 밝히는 관음험(觀音驗) 편에 보면 중국 진(晉)나라 익주(益州)에 사는 손도덕(孫道德)이라는 사람이 있었다. 그는 처음부터 불교 신자가 아니라 어려서부터 도교에 빠져서 제주(祭酒)가 되었다.

도교(道敎)에서 제주(祭酒)란 불교에서 말하면 장로(長老)에 해당하는 지위이다. 그의 나이 50이 넘도록 슬하에 자식이 없어서 하루는 인근에 있는 절을 찾았더니, 스님은 손도덕의 자초지종 이야기를 듣고 아들을 얻고자 한다면 관음 기도를 하라고 권하였다. 그는 도교를 버리고 정성껏 관세음보살을 부르며 기도하였다. 그러자 얼마 후에 관음보살을 친견하는 현몽(現夢)을 꾸고서 이내 아내가 임신하여 열 달 만에 아들을 얻음으로 인하여 후손이 끊이지 아니하고 대를 잇게 되었다. 晉孫道德 益州人也 奉道祭酒 年過五十 未有子息 居近精舍 景平中沙門謂德 必願有兒 當至心禮誦觀世音經 此可冀也 德遂罷不事道 單心投誠歸觀世音 少日之中而 有夢應 婦卽有孕 遂以產男云

고려 때 전북 임실 고을에 풍산 심(沈)씨 부부가 풍요롭게 살고 있었다. 슬하에 자식이 없어서 고민하다가 부처님께 아들을 얻고자 기도를 지극정성으로 하였다. 그러던 어느 날 밤 꿈에 관세음보살이 나타나 그대들의 기도가 지극하니 아들 하나를 점지해 주겠다고 하였다. 그러나 세속에 오래 살 수 없는 운명이니 성장하면 반드시 출가시키도록 하라고 말씀하고는 홀연히 사라지니 그들도 꿈에서 깨어났다.

머지않아 부인이 임신하게 되고 달이 차서 아들을 순산하였다. 성장하여서는 꿈속의 현몽대로 출가시켰더니 수행에 남다르게 매진하여 큰스님이 되었다는 일화도 있다.

무학(無學)대사와 이성계(李成桂)

경남 양산 주진동 불광사

고려 시대에 함경도 안변(安邊) 지역에 머물던 이성계(李成桂, 1335~1408)는 어느 날 신이(神異)한 꿈을 꾸었다. 간밤의 꿈이 하도 이상한지라 마을에서 해몽을 잘하는 노파를 찾아가 여쭈었다. 점쟁이 노파는 대장부의 꿈을 어찌 늙은 계집이 해몽하겠느냐 하면서 여기서 서쪽으로 한 40여 리를 가면 수도하는 무학(無學, 1327~1405) 스님이 계시는데 그리로 가서 여쭈어봄이 좋을 것이라고 하였다.

이성계는 노파가 일러준 대로 설봉산(雪峯山) 아래에 무학대사를 찾아가 간밤의 꿈 꾼 내용에 대하여 해몽을 부탁하였다. 꿈의 내용은 마을의 닭들이 일제히 울어대고 하늘에서는 꽃비가 내렸으며 그리고 낡은 곳간에 들어가서 서까래 세 개를 짊어지고 나오다가 거울 깨지는 소리에 문득 꿈에서 깨어났는데, 이게 무슨 꿈이며 어떤 징조인가 하고 스님에게 여쭈었다. 이에 무학대사는 그 꿈이 사실이라면 말을 아껴서 천기누설하지 말라고 하였다. 닭들 우는 소리가 꼬끼오 하고 울었느냐 물으며 이를 한자로 나타내면 고귀위(高貴位)라는 말로써 높은 지위에 오른다는 뜻이며, 서까래 세 개를 짊어졌으니 곧 임금 왕 자(字)이기에 곧 임금이 될 징조라고 하였다. 그러자 이성계는 거울 깨지는 것은 무어냐고 다시 여쭈었고 스님께서는 시를 한 수 적어 주었다.

花落能成實 鏡破豈無聲

화락능성실 경파기무성

꽃이 떨어지면 열매가 맺는 법이며
거울이 깨어졌으니 어찌 소리가 없을쏘냐?

이와 더불어 무학대사는 이성계에게 이르기를 용안(容顔)은 군왕의 기상이 있으나 3년이라는 세월을 기다려야 하니 이 자리에 절을 지어 나한을 모시고 기도를 올리라고 하였다. 이에 이성계는 자신이 태어난 안변 땅에 절을 지었으니 그 절 이름이 함경도 안변에 있는 석왕사(釋王寺)다.

이성계(李成桂)와 오백나한(五百羅漢)

경남 합천 해인사

무학대사로부터 장차 이 나라의 왕이 될 것이라는 해몽을 들은 이성계는 공덕을 쌓기 위해 부처님 전에 기도를 올리기 위하여 안변에 석왕사(釋王寺)를 세우고 응진전(應眞殿)을 지어서 5백 나한을 봉안하기로 하였다. 그때 이성계가 듣기로 함경북도 길주(吉州) 땅에 있는 광적사(廣積寺)가 병화(兵禍)로 말미암아 폐사(弊寺)에 이를 정도라는 소리가 있어 광적사에 있는 대장경과 오백나한을 석왕사로 이운하려는 계획을 세우게 되었다.

이성계는 길주에서 원산(元山)까지는 배로 이운(移運)을 한 뒤에 원산에서 다시 석왕사까지는 이성계가 나한상 한 분 한 분을 직접 업어서 이운하기로 마음먹었다. 그렇게 이운을 시작해서 498분을 이운하고 나서 나머지 두 분은 한꺼번에 이운하기로 하였다. 그러나 아침에 일어나 보니 마지막으로 이운한 나한상이 사라져 버렸다. 이에 이성계는 아무리 찾아도 찾지를 못하고 그날 밤 잠이 들었는데 꿈에 나한상이 나타나서 너의 성의가 부족하고 푸대접받기가 싫어서 평안북도 묘향산 비로암으로 왔다는 꿈을 꾸었다.

이성계는 사람을 보내어 알아보니 과연 비로암에 나한상이 있었다. 이에 이성계는 참회하며 다시 나한상을 모시고 와서 봉안하였으나 이튿날 다시 사라지고 말았다. 이성계는 하는 수 없이 마지막 나한상은 명패(名牌)로 대신하였다고 한다. 그래서 석왕사 오백나한전(五百羅漢殿)에는 한 분의 나한상이 없다고 전한다. 그 후 이성계는 조선(朝鮮)이라는 나라를 세우고 임금으로 등극하였다.

왕위에 오른 이성계는 무학대사를 찾으려고 하였으나 행방이 묘연하여 알 수가 없자 전국에 방문을 붙였다. 이에 고달산 초막에 도승이 있다는 소식을 접하게 되자 사람을 보내어 알아보니 무학대사였다. 이에 이성계는 무학대사를 조정으로 불러들여 왕사(王師)로 모시고 예우를 갖추게 되었다고 한다.

삼국유사 처용랑(處容郎)과 망해사(望海寺)

울산 울주군 망해사

삼국유사(三國遺事)에 보면 처용랑(處容郎)과 망해사(望海寺)에 관한 기록이 있다. 신라 49대 헌강대왕(憲康大王) 시절에는 도읍에서 지방에 이르기까지 집과 담이 잇닿아 있으며 초가(草家)는 보이지 않았다. 길거리에는 풍악과 노랫소리가 끊이지 않았고 춘하추동으로 바람과 비는 순조로운 태평성대의 시절이었다.

어느 날 헌강대왕(憲康大王)이 지금의 울주(蔚州) 땅인 개운포(開雲浦) 학성(鶴城)의 서남쪽에 있는 곳으로 유람을 나갔다가 때가 되어 왕궁으로 돌아가려고 하였다. 잠시 물가에서 쉬고 있는데 갑자기 구름과 안개가 일어 주위가 자욱해져서 그만 길을 잃고 말았다. 이에 왕은 괴이하게 여겨 시종하는 일관(日官)에게 물으니 일관이 왕에게 아뢰기를 이는 반드시 동해 용왕의 조화이오니 좋은 일을 해주어서 이를 풀어야 할 것이라고 하였다. 이에 유사(有司)에게 말하기를 관원(官員)에게 명령하여 용을 위해 근처에 절을 세우도록 하라고 어명을 내렸다. 왕이 이러한 명령을 내리자 홀연히 구름과 안개가 걷혔으므로 이 일로 말미암아 후대에 사람들은 이곳의 지명을 개운포(開雲浦)라고 하였다. 이에 동해의 용왕이 기뻐서 아들 일곱을 데리고 헌강대왕 앞에 나타나서 왕의 덕을 찬탄하며 춤을 추고 곡을 연주하였다. 그리고 용왕의 아들 한 명을 헌강대왕에게 주어 서라벌에 들어가서 정사(政事)를 돕게 하였으니 그 이름을 처용(處容)이라고 하였다.

울산 울주군 망해사

헌강대왕은 처용을 오랫동안 잡아 둘 생각으로 아리따운 미녀를 처용의 아내로 삼게 하였으며 급간(級干)이라는 벼슬을 하사하여 관직도 주었다. 그런데 처용의 아내가 너무나 아름다워 역신(疫神)마저도 처용의 아내를 흠모하여 사람의 모습으로 바꾸어서 밤에 처용의 집에 몰래 가서 처용의 아내와 동침하였다. 처용이 밖에서 돌아와 이것을 보고 노래를 부르며 춤을 추면서 물러나왔다.

東京明期月良 夜入伊遊行如可 入良沙寢矣見昆 脚烏伊四是良羅
동경명기월양 야입이유행여가 입양사침의현곤 각오이사시양라

서라벌 밝은 달 아래에 밤늦게 노닐다가
돌아와서 자리 보니 다리가 넷일러라.

二肹隱吾下於叱古 二肹隱誰支下焉古
이호은오하어질고 이호은수지하언고

둘은 내 것인데 둘은 누구의 것인고.

本矣吾下是如馬於隱 奪叱良乙何如爲理古
본의오하시여마어은 탈질양을하여위이고

본디 내 것이다마는 빼앗긴 것을 어찌하리오.

그러자 역신은 형체를 나타내어 처용 앞에 무릎을 꿇었다. 제가 공의 아내를 너무 사모하여 지금 그녀와 관계하였는데 공은 전혀 노여워하지 않으시니 저는 그저 감동하여 칭송하는 바입니다. 저는 맹세코 두 번 다시 공의 형용(形容)을 그린 것만 보아도 그 문에는 들어가지 않을 것입니다, 하며 물러났다. 이런 일이 있으므로 말미암아 나라 사람들은 처용의 형상을 대문 밖에 붙여서 사귀(邪鬼)를 물리치고 경사를 맞아들이도록 하였다.

헌강대왕이 돌아와서 영축산(靈鷲山) 동쪽 기슭 경치 좋은 곳에 절을 세우도록 하고 망해사(望海寺)라고 이름을 지었다. 또한 신방사(新房寺)라고도 하였으니 용을 위하여 세운 절이다. 영축산은 지금의 울산에 있는 산의 이름이다.

울산 울주군 망해사

울산 망해사에는 부도탑(浮圖塔) 2기가 있으며 1963년 1월 21일에 보물 제173호로 지정되어 보호받는 성보(聖寶)다. 삼국유사에 비록 기록은 없지만, 일설에는 이 탑도 그때 세워진 것이라고 전하고 있다. 원래는 동서(東西)로 두 기가 있었으나 동쪽의 것은 일찍 무너졌던 것을 1960년 11월에 다시 일으켜 세웠다. 이 승탑은 아주 큰 편에 속하여 팔각 원당에 단아한 모습으로 전통적인 통일 신라시대의 부도탑이다.

논산 관촉사 은진미륵불(恩津彌勒佛)

충남 논산 관촉사

논산 관촉사(灌燭寺)에 있는 은진미륵(恩津彌勒)은 정확하게 표현하면 관촉사 석조 미륵보살이며 보물 제218호로 지정된 성보이다. 여기서 은진(恩津)은 옛 지명이 은진현(恩津縣)이었기에 붙여진 것으로 국내 최대의 석조보살입상(石造菩薩立像)으로도 널리 알려져 있다.

1천 년이 훌쩍 넘는 고려 제4대 임금이 통치하던 광종 19년인 968년 어느 봄날. 이곳 반야산(般若山) 아래 사제촌(沙梯村)에 사는 두 여인이 고사리를 꺾으러 반야산에 올랐다. 바구니가 넘칠 만큼 고사리를 꺾고 있었는데 어디선가 아이의 울음소리가 들렸다. 두 여인이 아이의 울음소리를 따라가 보았더니 아이는 보이지 않고 별안간 땅이 울리고 진동하면서 거대한 바위가 솟아오르고 있었다.

이렇듯 괴이한 조화에 두 여인은 황급히 마을로 내려와서 관아에 알렸고 고을 수령은 나졸을 보내어 이러한 사실을 확인하였다. 이러한 사실이 곧 조정에까지 알려지게 되자 임금은 대신들과 이 일을 논의한 끝에 금강산에 수도하는 혜명대사(慧明大師)를 모셔 와서 이 돌을 가지고 불상을 조성하라고 어명을 내렸다.

어명을 받은 혜명대사가 석공 1백 명을 데리고 시진(市津) 고을에 도착해 보니 실로 엄청나게 큰 바위였다. 이에 대사는 여러 날을 깊은 수심에 잠기어 후세에 길이 남을 기도처로 삼기 위하여 고심하였다. 그러던 어느 날 석공에게 이르기를 우선 하반신인 허리 아래만 만들라고 지시하자 석공들은 의아해하면서도 스님의 지시를 따랐다. 이로써 대작 불사는 시작되었다. 여기서 시진(市津)은 은진(恩津)의 옛 지명이다.

충남 논산 관촉사

여러 날이 흘러 하반신 조각을 마치게 되자 혜명 스님은 그곳에서 30리나 떨어진 연산면 우두골에서 역군(役軍) 1천 명을 동원하여 큰 돌을 옮겨와 다시 상반신인 가슴 부분과 불두(佛頭)를 만들도록 하였다. 이로써 은진미륵은 세 부분으로 나누어 일을 시작하여 조각은 36년 만에 마무리하였다. 그러나 이를 세우고 올려서 맞추는 일에 대해서 큰 난관에 봉착하게 되었다.

별다른 묘책이 떠오르지 않던 어느 날 혜명대사는 사제촌(沙梯村) 냇가에서 아이들이 흙으로 불상을 만들고 모래로 언덕을 만들어서 이를 세우고 맞추는 것을 보았다. 이에 영감을 얻은 스님은 다시 공사장으로 돌아가 모래 산을 만들어 작업할 것을 지시하고는 아이들을 다시 찾았다. 그러나 아이들은 그 어디에서도 흔적을 발견할 수가 없었으니 이는 문수와 보현의 화신이라 여기게 되었다. 이러한 연유인지 사제촌은 모래로 된 층계(層階)라는 뜻이다.

충남 논산 관촉사

이렇게 해서 불상을 세우게 되자 갑자기 하늘에서 먹구름이 일더니 큰비가 내려서 불상을 목욕시켰다. 이로써 불사를 시작한 지 37년 만에 마무리하게 되었으니 높이가 18.2m 둘레가 11m 귀의 길이가 3.33m이며 고려 제7대 임금이 통치하던 목종 9년인 1006년에 완성되었다.

충남 논산 관촉사

그로부터 미륵불은 미간의 백호에서 21일간이나 빛을 발하게 되었으니 송나라 지안(知安)대사가 그 빛을 좇아와 배례하고 절 이름을 관촉사(灌燭寺)라고 지어주었다.

은진미륵이 완성된 지 얼마 지나지 않아 북쪽 오랑캐가 쳐들어왔다. 그들이 압록강에 이르렀을 때 어디선가 가사를 수하고 삿갓을 눌러쓴 스님이 나타나 태연하게 압록강을 건넜다. 그것을 보고 오랑캐들도 도강하기 위하여 강에 뛰어들었다가 모두 수장되고 말았다고 한다. 이에 화가 난 오랑캐 장수가 칼을 빼들어 스님의 목을 내리쳤으나 스님의 삿갓 끝부분만 조금 잘려나갔지 스님은 아무런 피해가 없었다고 전한다. 이는 은진미륵이 나라를 구하기 위하여 스님의 모습으로 화현한 것이라고 전하며 이에 따라 은진미륵불의 머리에 있는 큰 관(冠)의 한쪽

귀퉁이가 조금 떨어져 나간 것을 지금도 볼 수가 있다.

세속 사람들은 설사 관촉사를 모른다고 하더라도 은진미륵을 모르는 사람은 드물다. 미륵불을 세우고 350년이 지난 어느 날 목은 이색(牧隱 李穡, 1328~1396)이 은진미륵불을 참배하고 이런 시를 지었다.

馬邑之東百餘里 市津縣中灌燭寺 有大石像彌勒尊 我出我出湧從地
마읍지동백여리 시진현중관촉사 유대석상미륵존 아출아출용종지

마읍(馬邑) 동쪽으로 백여 리
시진(은진의 옛 이름) 고을 관촉사(灌燭寺)가 있네.
엄청나게 큰 석상의 미륵불은
내가 나온다, 내가 나온다, 하고 땅에서 솟아났단다.

巍然雪色臨大野 農夫刈稻充檀施 時時流汗警君臣 不獨口傳藏國史
외연설색림대야 농부예도충단시 시시류한경군신 불독구전장국사

눈갈이 흰빛으로 우뚝이 큰 들에 서 있으니
농부들이 벼를 베어 기꺼이 보시하네.
석상이 때때로 땀을 흘려 군신(君臣)을 놀라게 했다 함이
어찌 구전(口傳)만이랴 국사(國史)에 실려 전해지고 있네.

참고로 충남 부여 대조사(大鳥寺)에도 거대한 석조 미륵보살입상(石造彌勒菩薩立像)이 있으며 보물 제217호이다. 이와 비교하여 살펴볼 필요가 있다.

석씨계고략 마랑부관음(馬郎婦觀音)

서울 성북구 경국사

관세음보살이 중생들의 소망이 각기 다름을 아시고 이들을 교화하기 위하여 32가지 몸으로 응화신(應化身)이 되어 나투었다. 마랑부(馬郎婦)라는 것은 중생들의 소망하는 바에 따라 미녀의 몸으로써 교화하기 위하여 음욕심(淫欲心)을 없애고 오욕(五欲)이 무상함을 깨달아 발심하게 하려고 마(馬)씨 성을 가진 신랑의 부인이 되었다는 내용이다.

석씨계고략(釋氏稽古略) 권3에 의하면 다음과 같은 이야기가 있다.

당(唐)나라 원화(元和) 12년인 817년에 섬우(陝右) 지방에 매우 아름다운 미녀가 살았는데 모든 남자가 그 뛰어난 자태와 미모에 반해 그녀와 혼인하기를 원하였다.

그러자 그 여인이 말하기를 나와 혼인할 남자는 하룻저녁에 능히 보문품(普門品)을 외우는 사람이라야만 된다고 하였다. 하룻밤을 새우고 새벽이 되자 그 조건을 만족시킨 남자가 20명이나 되었다. 그녀는 다시 말하기를 한 여자가 여러 남자와 짝이 될 수 없으니 금강경(金剛經)을 외우는 이에게 응하겠다고 하였다. 다음 날 아침에 10여 명이 금강경을 외우니, 그녀는 다시 법화경(法華經) 7권을 주면서 3일의 기한을 주고 외우도록 하였다. 그러자 기한이 되어 마씨(馬氏)의 아들만이 홀로 외우게 되어 그녀는 예를 갖추고 혼인을 맺었다. 그러나 혼인한 날 그녀가 마침 몸이 편치 않으니 조금 뒤에 몸이 나으면 뵙겠다고 말하였는데 손님들이 돌아가기도 전에 죽고 말았다.

장사를 지내고 며칠이 지나 어떤 노승이 그녀의 무덤에 찾아가 파헤쳐 보니 시신은 없고 황금쇄자골(黃金鎖子骨)만 남아 있었다. 노승이 석장(錫杖)으로 뼈를 흩어 보이며 대중에게 말하기를 이분은 성인(聖人)이다. 그대들의 업장이 두터운 것을 가엾이 여겨 방편으로 교화한 것이라고 말하더니 공중으로 사라져 버렸다. 이로부터 섬우(陝右) 지방에는 불교를 신봉하는 사람이 많아졌다고 한다.

또한 같은 책에 보면 천주찬(泉州粲) 화상이 그녀를 기려서 찬(贊)하였다.

고운 자태의 요조숙녀가 귀밑머리를 휘날리누나! 낭군을 몹시도 속여 법화경을 외우도록 하였네. 백골 한 줌을 쥐어 보여주고 훌쩍 떠난 뒤로는 밝은 달이 누구 집에 떨어지는지 모르겠노라. 丰姿窈窕鬢欹斜 賺殺郎君念法華 一把骨頭挑去後 不知明月落誰家

마랑부관음(馬郎婦觀音)은 33관음 중의 하나이다. 당나라 헌종 때인 9세기 초의 전설로 관세음보살이 미녀로 화현해서 혼인할 상대를 찾으면서 그 조건으로 법화경을 지송하여 그것을 습득한 자로 정하였으니 그때 마(馬)씨 가문의 한 총각이 그 조건을 갖추었기 때문에 그와 혼인하게 되었다. 그러므로 관세음보살이 여인의 몸으로 화현하여서 마(馬)씨 성을 가진 신랑과 혼인하였다고 하여서 마랑부관음이라고 불리는 것이다. 후에 이러한 내용을 전제로 하여 부녀신시현(婦女身示現)에 배당하여 33관음의 하나로 간주하게 되었다.

신라의 충신 박제상(朴堤上)과 은을암

울산 울주군 은을암

신라의 충신 박제상(朴堤上, 삼국유사에는 김제상)은 내물왕(奈勿王) 때부터 눌지왕(訥祇王) 때까지 활동한 인물이지만 그에 대한 생몰연대는 전하는 바가 없다. 그러나 그에 관한 내용은 삼국사기(三國史記)에는 박제상으로 기록되어 있으며, 삼국유사(三國遺事)에는 김제상으로 표기되어 있다. 역사적 바탕으로 써진 삼국유사를 따라 대체로 김제상이라고 한다. 하여튼 두 책에 동시에 등장하고 있지만 약간의 차이는 있다. 여기서 다루고자 하는 것은 삼국유사와 구전으로 전하는 내용으로 벽화를 설명하고자 한다.

신라 제17대 나밀왕(那密王)이 왕위에 오른 지 36년인 390년에 왜왕(倭王)이 사신을 보내어 백제의 죄를 대왕에게 아뢰오니 바라건대, 왕자 한 분을 보내어 성심을 표하라고 하자 나밀왕은 열 살 먹은 셋째 아들 미해(美海, 삼국사기에는 미사흔(未斯欣))를 보내기로 하였다. 그러나 미해가 아직 어려 내신 박사람(朴娑覽)을 함께 보냈으나 왜왕은 이들을 억류하고 30년 동안이나 보내지 아니하였다.

눌지왕이 왕위에 오른 지 3년 만에 고구려 장수왕(長壽王)이 사신을 보내어 화친을 요구하였다. 그 신의를 표하기 위하여 왕의 아우인 보해(寶海, 삼국사기에는 복호(卜好))를 김무알(金武謁)과 더불어 보냈지만, 장수왕은 이들을 억류하고 돌려보내지 아니하였다. 이에 눌지왕이 슬픔으로 괴로워하자 눌지왕 2년인 418년에 제상은 고구려에 들어가 장수왕을 언변으로 회유하여 보해를 구출하였다. 그러나 눌지왕은 보해를 보게 되자 일본에 있는 미해(美海)의 생각이 더욱 간절하게 되었다. 이에 제상은 왜국으로 건너가게 되었다. 왜국으로 건너간 제상은 미해를 탈출시키는 데는 성공하였으나 자신은 붙잡혀서 왜왕 앞으로 끌려나갔다. 왜왕은 그를 신하로 삼기 위하여 온갖 회유와 감언이설을 하였지만 제상은 거절하였다. 차라리 신라의 개나 돼지가 될지언정 결코 왜의 신하가 될 수 없다고 말하며 끝까지 충절을 지키다가 유형(流刑)에 처해 있다가 불에 태워지는 참형(慘刑)을 당하였다.

이를 다시 설화적인 측면에서 살펴보면 박제상의 아내는 남편을 기다리다가 죽어서 망부석이 되었다는 설화가 있다. 그러나 여기서는 은을암(隱乙庵) 벽화를 토대로 하여 민간설화를 바탕으로 살펴보고자 한다.

박제상이 집을 떠나자 부인은 몸부림치면서 울었다. 그래서 박제상이 왜국으로 떠나간 망덕사(望德寺) 앞 모래톱을 장사(長沙)라고 한다. 이에 여러 사람이 울음을 그칠 것을 만류하였지만 이를 뿌리치고 두 다리를 뻗고 대성통곡하였다. 그곳을 벌지지(伐知旨)라고 부른다.

울산 울주군 은을암

부인은 왜국에 간 남편을 그리워하며 치술령(鵄述嶺)에 올라가 매양 남편이 돌아오기를 기다리다가 죽어서 치술령 신모(神母)가 되었다고 한다. 또 다른 구전으로 박제상의 아내가 남편을 그리워하다가 죽어서 치(鵄)라는 새가 되었으며 같이 기다리던 세 딸은 술(鷸)이라는 새가 되었다고 민간에서는 전하고 있다.

또 이들이 떨어져 죽은 치술령 아래에는 은을암(隱乙庵)이 있는데 이 암자는 절벽에서 떨어져 죽을 때 새[乙]가 되어 숨었다고[隱] 하여 은을암이라는 사명(寺名)이 되었다고 전하기도 한다. 여기서 부인과 딸이 죽어서 새가 되었다고 하는 것은 새는 멀리 날아갈 수 있으므로 그리운 사람을 만날 수 있다는 한국인의 애정관(愛情觀)이 나타난 것이다. 딸이 죽어서 새가 되었다고 하는 것도 부녀간의 사랑을 나타내는 표현이다.

삼국유사 손순(孫順)이 아이를 매장하다

충남 서산 개심사

지금의 경북 경주시 건천읍 모량리(牟梁里)라는 마을이 있다. 때는 신라 흥덕왕 때의 일이다. 모량리에 손순(孫順, 고본에는 孫舜)이라는 가난한 사람이 있었다. 그는 아버지가 세상을 떠나자 늙은 어머니를 봉양하기 위하여 아내와 함께 남의 집 날품팔이를 하여 그 대가로 곡식을 받아 어머니를 극진히 봉양하였다. 손순의 아버지는 학산(鶴山)이었으며 어머니 이름은 운오(運烏)였다.

손순에게는 어린아이가 있었다. 아직 철이 없어서 언제나 늙은 어머니의 음식을 빼앗아 먹자 이를 아주 민망히 여겼다. 손순은 아내에게 말하기를 아이는 다시 얻을 수 있지만, 어머니는 다시 모시기 어려운데 철없는 아이는 매양 어머니의 음식을 빼앗아 먹으니 어머니는 얼마나 배가 고프겠소. 그러니 아이를 매장해 버리고 어머니를 배불리 먹이자고 하였고 아내도 이에 동감하였다.

부산 부산진구 선암사

부부는 아이를 업고 모량리 서북쪽에 있는 취산(醉山)으로 가 이내 땅을 파다가 매우 기이한 석종(石鐘)을 얻었다. 이들 부부는 놀라고 괴이하여 나뭇가지 위에 걸고 두드리니 그 소리가 아주 은은하였다. 잠시 후 아내가 말하기를 이렇게 석종을 얻은 것은 아이의 복인 듯하니 묻어서는 안 되겠다고 하였다. 그러자 남편도 이에 동의하였다.

다시 부부는 아이와 석종을 지고 집으로 돌아와서 들보에 달아두고 두드렸다. 그 소리가 대궐까지 들리게 되어 흥덕왕이 신하에게 말하기를 서쪽 교외에서 이상한 종소리가 들리거늘 바로 알아보라고 어명을 내렸다.

이에 왕의 시자가 종소리를 찾아가 보고 종에 얽힌 사연을 왕에게 아뢰었다. 그러자 왕이 옛날 중국 한나라에 곽거(郭巨)라는 이가 집안이 가난하였으나 효성이 매우 지극했다고 말하였다. 그의 어머니가 음식을 끼니때마다 손자에게 나누어 주니 그는 아내와 의논하여 자식은 다시 얻을 수 있지만, 어머니는 다시 모실 수 없는 법이니 이에 아들을 땅에 묻어 버리려고 땅을 석 자가량 팠더니 거기서 황금 솥이 한 개가 나왔는데 솥 위에는 붉은 글씨로 효자 곽거에게 하늘이 주노라고 쓰여 있었다고 하였다. 孝子郭巨 天賜黃金 官不得奪 民不得取

우리 신라에도 손순이 아이를 묻으려고 하자 석종이 나왔으니 전세의 효자와 후세의 효자를 천지가 똑같이 살피신 것이다. 이에 명하여 손순에게 집 한 채를 하사하고 해마다 메벼 50섬을 주었으며 지극한 효도를 표상(表象)하였다. 그러자 손순은 자기가 살던 옛집을 희사하여 그 자리를 절로 삼았으며 그 절 이름을 홍효사(弘孝寺)라 하고 여기에 석종을 매달아 두었다.

진성여왕(眞聖女王) 때 후백제(後百濟)의 횡포한 도적들이 손순의 마을에 쳐들어와서 종을 탈취해 가서 종은 없어지고 다만 절만 남아 있었다. 그 종을 얻은 땅을 완호평(完乎坪)이라고 하였지만, 지금은 잘못 전해져서 지량평(枝良坪)이라고 부르고 있다.

이 이야기는 삼국유사(三國遺事) 제5권 효선편(孝善篇)에 손순매아(孫順埋兒)라는 제목으로 실려 있다.

황해도 해주 속명사(續命寺) 중창기

충북 옥천 송림사

속명사(續命寺)는 황해도 서흥군 서흥면 오운리 오덕산(五德山, 일명 五雲山) 아래에 있던 고찰로 신라 법흥왕 16년인 528년에 아도화상(阿道和尙)이 창건하였다고 전한다. 그러나 이때는 이미 아도화상이 입적한 훗날이므로 신빙성이 없다. 다만 절의 창건 시기는 고려 시대로 추정하며 처음에는 홍사(興寺) 또는 홍풍사(興楓寺)라고 하였다. 조선 초기에는 이미 퇴락하여 폐사(廢寺)된 상태로 있었다.

전하는 바로 고려의 마지막 왕인 공양왕(恭讓王) 초기에 무신이었던 윤이(尹彛)와 이초(李初)라는 사람이 있었다. 이들은 명나라로 건너가 이성계 일당의 정변을 막기 위하여 명나라 주원장에게 공양왕과 이성계가 공모하여 명나라를 칠 것이라고 무고하였다고 한다. 그러므로 윤이와 이초는 이성계의 정적이었다.

1309년 왕방(王昉)과 조반(趙胖)이 명나라에서 귀국하면서 고려 조정에 아뢰기를 윤이와 이초는 고려 국왕의 종실(宗室)도 아니고 이성계의 친척이며 이성계는 이인임(李仁任)의 아들이라면서 이색(李穡)과 이숭인(李崇仁)의 이름으로 명나라 태조 주원장에게 군대를 요청하였다고 아뢰었다. 공양왕은 이러한 사실에 관하여 확인될 때까지 기다리고자 하였으나 이성계 일당은 이들을 형벌에 처할 것을 고집하여 수많은 사람이 형벌에 처해졌다.

곧이어 고려는 무너지고 조선이라는 나라가 들어서자 조반(趙胖)은 이성계의 명을 받들어 이러한 허위사실을 명나라에 바로 알리기 위하여 명나라에 사신으로 가게 되었다. 조반은 일찍이 불교에 귀의한지라 명나라로 가던 중 일행과 더불어 황해도 서흥군에 이르렀다. 오운산의 홍풍사에서 기도를 겸해서 하룻밤을 쉬어가게 되었다. 그러나 홍풍사의 법당은 이미 쓰러질 듯 황폐하고 퇴락해서 머물기가 곤란할 지경이었다. 이에 조반은 신심을 내어 삼천 냥을 서흥군수에게 전하여 홍풍사를 다시 중창하도록 명한 뒤 명나라로 떠났다.

조반은 명나라에 도착하여 명나라 초대 황제인 주원장(朱元璋)에게 윤이와 이초가 무고(誣告)한 사실을 밝히려고 안간힘을 다하였다. 주원장은 이신벌군(以臣伐君)이라 하여 신하 된 자가 군사를 일으켜 임금을 침략함에 대하여 말하며 이성계가 고려를 뒤집어엎고 왕이 되었다는 말만 거듭하였다.

그러자 조반이 말하기를 패즉역적(敗則逆賊)이요, 승즉군왕(勝則君王)이라고 하였으니 패하면 역적이요, 이기면 군왕이라고 하였다. 이는 주원장이야 말로 원나라를 뒤엎고 명나라를 세운 이신벌군의 표본이 아니냐고 한 것이다. 조반의 직간에 격분한 주원장은 노하여 말하였다. 무엄하게 함부로 말하는 조반을 끌어내어 극형에 처하라! 조반은 조선의 체면을 세우려다 그만 형장으로 끌려가는 신세가 되었지만 끌려가면서도 아주 태연했다.

조반은 나라를 위해 일하려다가 오히려 참수형을 당할 운명이 되었지만 속심으로는 관세음보살을 염송하였다. 드디어 참수하는 형리가 나타나 칼을 휘두르며 춤을 추다가 칼을 들어 조반의 목을 내리쳤다. 그러나 조반의 목은 멀쩡하고 청룡도만 두 동강이 나서 땅에 떨어져 버렸다. 세 번이나 연속하였지만 칼만 부러지고 말았다. 이 소식을 들은 주원장은 탄복하며 말하기를 조반은 하늘이 내린 사람

부산 부산진구 선암사

이다. 조선의 태조 이성계도 천운을 타고난 사람이라 국왕의 자리는 피할 수 없는 운명이로다. 주원장은 조반을 다시 불러들여 그의 정당함을 인정하고 조선과의 우호 관계를 맺게 하였다.

조반이 귀국하는 길에 흥풍사에 들렀더니 절은 말끔하게 중수되어 있었다. 조반 일행은 이곳에서 행장을 풀고 하룻밤을 쉬고는 다음 날 예배를 올리기 위해 법당에 들어갔는데 관세음보살의 목 부분에 세 군데 칼자국이 나 있고 피가 맺혀 있는 것을 보고 크게 감동하여 무수 배례를 올렸다. 조반의 보고를 받은 태조는 감격하여 조반 정승의 목숨을 이어주었다는 기적을 기념하기 위하여 속명사(續命寺)라는 사명을 하사하였다고 한다.

조반에 관한 설화는 여러 가지로 전하고 있다. 조반이 명나라로 가서 조선이라는 국호를 받아내었다는 설화와 자신을 대신하여 세 분의 부처님이 머리가 떨어져 나가는 꿈을 꾸고서 참형을 면할 수 있었기에 석불을 찾아 절을 창건하고 목숨을 이었다는 의미로 절의 이름을 속명사(續命寺)라고 하였다는 설화 등도 전하고 있다.

또한 황해도지(1970년)에는 이성계가 조선을 개국하고 명나라의 승인을 받기 위해 조반을 사신으로 보냈다. 하지만 명 황실은 조선을 인정할 수 없다고 오히려 조반을 없애려 하였다. 그의 목을 세 번이나 쳤지만 베어지지 않았기 때문에 명 황제는 이를 천명으로 받아들여 조선을 인정했다고 한다. 조반은 귀국 도중 황해도 서흥에서 숙박했다. 꿈에 세 분의 스님이 나타나서 우리는 오운산의 석불이다. 이번 명나라 황제가 그대의 목을 베려고 했으나 이루지 못한 것은 우리들이 그대의 목을 대신하여 베어졌기 때문이다. 지금 우리는 오운산 바위 밑에 있으니 떨어진 머리를 붙이고 절을 지어 달라. 조반이 꿈에서 깨어나 확인해 보니 사실이었다. 왕에게 이를 알려 절을 지었다고 한다. 이런 까닭으로 목숨을 이었다는 의미에서 절 이름도 속명사라 했다고 한다. 그러나 이러한 설화는 후대에 덧붙여져서 신앙심과 충신이라는 점을 나타내기 위하여 각색(脚色)된 것으로 보인다. 속명사는 아직도 약사전(藥師殿)과 오층석탑, 그리고 수조가 남아 있다.

속명번등(續命幡燈)이라는 표현이 있다. 약사여래의 가피로 수명을 연장하기 위하여 다는 번기(幡旗)와 등불을 말한다. 또한 속명법(續命法)이라는 말은 약사여래의 가피에 의하여 수명을 연장하기 위한 수법으로 길이가 49자인 다섯 가지 색깔의 번기를 달고 또한 칠층탑(七層塔)의 한 층에 7개씩 모두 49개의 등불을 다는 것을 말한다. 이때 매다는 번기를 속명신번(續命神幡) 또는 속명번(續命幡), 수명번(壽命幡)이라고 한다. 그러므로 이를 유추하여 볼 때 속명사는 약사여래 신앙을 근거로 한 도량임을 알 수가 있다.

다만 속명사가 폐사 지경에 이를 때 조반이 명나라로 사신을 가다가 유숙할 때 시주하여 중창하는 데 도움을 주었을지도 모른다. 그리고 홍풍사에 대해서도 홍풍사(興楓寺) 또는 홍풍사(興風寺)라고 전하고 있으나 어느 것이 맞는지는 알 수가 없다.

원효 스님의 척판구중(擲板求衆)

제주 제주시 선림사

척판구중이라는 표현에서 척판(擲板)은 '판자를 날리다'라는 뜻이고, 구중(求衆)은 '대중을 구하였다'라는 뜻이다. 그러므로 판자를 날려 대중을 구하였다는 내용이다. 이러한 설화는 몇 군데에서 전하고 있다. 우선 부산시 기장군 장안읍 장안리에 있는 불광산 척판암(擲板庵)의 유래를 살펴보면 다음과 같다. 원효대사가 척판암에서 선정에 들어 혜안으로 살펴보니 당나라 종남산(終南山)에 있는 태화사 대중 천여 명이 장마로 인하여 산사태가 나서 곧 매몰될 위기에 처했음을 알았다. 하여 널빤지에다 해동원효척판구중(海東元曉擲板求衆)이라는 글을 써서 태화사로 날려보냈다. 그곳에서 수행하던 대중들이 공중에 널빤지가 떠 있는 것을 보고 이를 신기하게 여겨 법당을 뛰쳐나와 구경하던 순간 뒷산이 무너져 절이 파묻혔다. 이러한 인연으로 목숨을 구하게 된 1천여 명의 스님들이 신라로 건너와 원효대사의 제자가 되었다고 한다. 그러자 원효대사는 이들의 일행이 머물 곳을 찾아내어 내원사(內院寺) 부근에 이르렀는데 이미 산신이 마중을 나와 있다가 종적을 감추었다. 이에 원효대사는 대둔사를 창건하고 상 · 중 · 하 내원을 비롯하여 모두 89개의 암자를 세워 1천여 명의 대중들을 상주시켰다고 한다.

경남 양산 노전암

그리고 천성산(千聖山) 정상에서 화엄경을 강론하여 1천여 명의 스님들을 득도시켰다고 전한다. 당시 화엄경을 설한 자리를 화엄벌이라 전하고, 그 가운데 내원암에는 큰 북을 달아 대중을 통솔하였으므로 이를 집붕봉(集朋峰)이라 하며, 1천 명의 스님들이 모두 성인이 되었다고 하여 천성산이라 부르게 되었다고 한다. 이러한 설화는 비단 위에서 소개한 장안사(長安寺)에 딸린 암자였던 척판암에만 전하는 것은 아니다. 내용을 바꾸어 또 다르게 전개되고 있기도 하다.

부산 금정구 범어사

경주시 건천읍에는 단석산(斷石山)이 있다. 원효대사가 단석산의 단석사(斷石寺)에 있을 때의 일이다. 원효 스님의 도력은 이미 당나라에까지 널리 퍼져 있었다. 당나라 장안에는 1천여 명의 스님들이 상주하는 대찰이 있었다. 그러나 그 절의 주지가 성품이 좋지 못하여 수행승들을 매우 괴롭혔다. 원효대사가 이들을 불쌍히 여겨 널빤지에 해동원효(海東元曉)라고 글을 써서 날려보냈다. 대중들이 공중에 떠 있는 널빤지가 신이하여 그걸 구경하는 사이에 절 뒷산의 큰 바위가 굴러떨어져서 그만 주지가 깔려 죽고 말았다. 이러한 연유로 당나라의 1천여 명의 스님들이 신라의 원효대사가 한 일로 알았다. 그 은혜를 갚기 위하여 단석산까지 찾아오게 되었으나 이미 원효대사 사후의 일인지라 1천여 명의 대중들이 스님의 입적을 애석하게 여겨서 석탑 한 기씩을 쌓고 돌아갔으므로 이 바위를 천탑암(千塔巖)이라고 부르게 되었다. 그리고 단석산에는 척반암(擲盤庵)이라는 암자가 있었으나 지금은 전하지 않는다.

또 다른 일화로는 원효대사가 단석산에서 선정삼매에 들었는데 당나라 종남산 운제사가 산사태로 인하여 1천 명의 스님들이 죽게 되리라는 것을 알게 되자 너무나 시급하여 옆에 있던 소반을 던졌다. 이것이 중국으로 날아가 운제사 상공에서 소리를 내며 달처럼 떠 있자 법당에 있던 스님들이 모두 나와 구경하는 사이 산이 무너져서 법당을 순식간에 덮쳤다. 그로 인해 1천 명의 스님들은 목숨을 구했다고 전하기도 한다.

이 외에도 불이 날 것을 미리 알게 되자 달 월(月) 자를 써서 던졌다는 일화도 있고, 1천 명의 스님들을 괴롭히는 요승(妖僧)을 혼내주기 위해 지팡이를 던졌다는 일화도 전해져 내려온다.

충남 금산군 진산면 행정리에 있는 태고사(太古寺)는 대둔산 아래에 자리잡고 있다. 태고사의 설화로는 어느 날 원효대사가 태고사에 유숙하게 되었는데 하늘의 별자리를 보다 중국의 한 절에 불상사가 날 것을 알았다. 그래서 널빤지에 척판구중이라 적어서 당나라로 던졌다고 한다.

또 다른 설화로는 당나라의 어느 절에서는 동자승이 화장실에 앉아 변을 보다가 문득 하늘을 보니 커다란 황금 덩어리가 하늘에 떠 있었다. 그것을 보고 이를 대중들에게 알리자 대중들이 뛰쳐나와 이를 구경하는 사이에 뒷산이 무너져서 금세 절을 덮쳐 버렸다. 이에 놀란 사람들이 황금이 떨어진 곳으로 달려가 보니 황금은 없고 널빤지에는 동방의 원효가 널빤지를 던져서 1천 대중들을 구한다고 적혀 있었다고 전한다.

마이산(馬耳山) 탑사(塔寺)의 내력

전북 진안 탑사

전북 진안군 마령면 동촌리 마이산(馬耳山) 아래에는 탑사(塔寺)가 있다. 마이산은 산의 형세가 마치 말의 귀와 닮았다고 하여 붙여진 이름이다. 이를 다시 암수로 구분하여 암마이봉은 686m, 수마이봉은 680m의 높이로 이루어진 산으로 신라시대에는 서다산(西多山), 고려 시대는 용출산(湧出山)으로 부르다가 조선 시대에 들어오면서 마이산으로 부르게 되었다.

마이산 아래에 자리잡은 탑사는 석탑으로 유명하여 전북지방기념물 제35호로 지정되어 보호받고 있다. 이 석탑은 조선 고종 22년인 1885년에 이갑룡(李甲龍, 1860~1957) 처사가 입산하여 30여 년 동안 120여 기의 석탑을 쌓아올렸다고 전하나 지금은 80기 정도만 보존되어 있다.

마이산 석탑은 가공되지 않은 주변의 막돌을 이용하여 탑을 쌓아올린 그의 정성과 탁월할 솜씨로 이루어졌다. 심한 비바람에도 무너지지 않으며 특히 겨울철에는 탑 단(壇)에 한 사발의 물을 올려 기도하면 역(逆)고드름이 하늘을 향해 자라나는 신기한 현상도 관찰할 수가 있다.

이갑룡(李甲龍)의 본명은 경의(敬儀)이며 자(字)는 갑룡(甲龍)이고, 자호(自號)는 석정(石亭)이며 1860년에 전북 임실군 둔남면 둔덕리에서 태어났다. 그는 약관의 나이에 부모상을 당하자 시묘살이를 하는 동안 생식하는 방법을 배웠으며 또한 시묘살이가 끝나자 전국 여러 명산을 순력(巡歷)하였다고 전한다. (당시의 둔남면은 1992년 8월 행정구역 개편으로 오수면(獒樹面)으로 개칭되었다.)

25세가 되던 어느 봄날에 꿈을 꾸었는데 이때 산신의 계시로 마이산에 들어와 생식으로 연명하고, 나막신을 신고, 무명옷으로 삼동(三冬)의 추위를 이겨내며, 기도가 끝나고 한 해 만에 깊이 깨달은 바가 있었다고 한다. 그는 이때부터 만불탑을 쌓는 데 정성을 기울여 십여 년 만에 천지탑을 비롯하여 백여 기의 탑을 남의 손을 빌리지 아니하고 쌓아올렸다.

이갑룡은 조선 고종 33년인 1896년 여름에 명주 18필(疋)로 두 산꼭대기를 팽팽히 매고 줄 한복판에 신병대장(神兵大將) 이갑룡이라는 깃발을 매달아 놓았는데 이것으로 인하여 당국의 의심을 사서 옥살이를 하기도 하였다. 또한 신서(神書) 30여 권을 써 놓아 뒷날에 영통(靈通)한 사람이 나타나면 해득하리라는 유언을 남기고 95세의 나이로 숨을 거둔 지 34시간 이내에 기적처럼 회생하여 1957년 12월 8일 오시(午時)에 98세의 일기로 마이산 석벽 아래서 숨을 거두었다. 마이산 줄기인 봉두봉(鳳頭峰) 언덕에 그의 묘지가 있다.

금정산(金井山)과 범어사(梵魚寺)

부산 금정구 국청사

부산 범어사(梵魚寺) 뒷산 이름이 금정산(金井山)이다. 금정(金井)은 금샘이라고도 불린다. 금정산은 해발 801.5m로 그리 높지는 않지만, 삼국시대에 축성한 금정산성(金井山城)이 있기도 하다. 동국여지승람(東國輿地勝覽) 또는 동래부지(東萊府志)를 종합해서 살펴보면 금정산은 동래의 북쪽 약 20리 지점에 있는 산이다. 산 정상에는 높이가 약 삼 장(三丈, 약 20척)쯤 되는 바위가 있다. 그 위에 샘이 있는데 둘레는 10여 척이고 깊이는 7치쯤 된다.

아무리 가뭄이 들어도 항상 물이 고여 있을 뿐만 아니라 물색은 황금색이었다. 이에 예로부터 전하기를 금빛을 띤 물고기 한 마리가 오색구름을 타고 범천(梵天)으로부터 내려와서 유희(遊戲)하였다고 하여 산의 이름을 금정산(金井山)이라고 하였다. 산 아래에는 범천의 물고기가 놀았다고 하여 이름 지어진 범어사(梵魚寺)가 있다.

현벽(玄璧) 스님의 법문을 들은 선학(仙鶴)

부산 금정구 국청사

당(唐)나라 시대에 소주(蘇州) 유수사(流水寺)에 주석하셨던 현벽(玄璧) 스님은 언제나 법화경을 독송하고 또한 이를 강설하기도 하였다. 스님은 늘 장좌불와(長坐不臥)를 하면서 법화경을 설하시니 사나운 짐승, 독충, 도깨비, 요귀(妖鬼), 도둑 등이 스님을 해치려고 하였다. 그러나 스님은 조금도 이들을 미워하거나 화를 내지 않았다.

스님이 법화경을 강설할 때면 고을 사람들이 법문을 듣곤 하였는데 어느 날 홀연히 학이 날아와 설법을 다 들은 다음에 날아가곤 하였다. 또한 스님이 춤을 추라면 춤을 추었는데 이를 지켜본 인근의 사람들이 모두 신기하게 생각하였다. 후에 현벽 스님이 언제 어디서 입적하셨는지 아는 사람들이 없다. 스님은 학이 되어 승천하였다는 말만 전한다.

신라 진정법사(眞定法師)와 어머니

강원 춘천 삼운사

삼국유사(三國遺事) 제5권에 보면 진정사 효선쌍미(眞定師 孝善雙美)편에 실려 있는 내용으로 이는 진정법사(眞定法師)의 효도와 선행 모두 아름답다는 뜻이다.

진정법사는 신라 사람이다. 속인으로 있을 때 군대에 예속되어 있었는데 집이 가난해서 장가를 들지 못했다. 군대 복역의 여가에는 품을 팔아 곡식을 얻어 홀어머니를 봉양했는데 집안의 재산이라고는 오직 다리 부러진 솥 하나뿐이었다.

어느 날 어떤 스님이 문간에 와서 절을 지을 쇠붙이를 구하므로 어머니가 솥을 시주했는데 이윽고 진정이 밖에서 돌아오자 어머니는 그 사실을 말하고 또한 아들의 생각이 어떤가를 살피니, 진정이 기쁜 안색을 나타내며 말했다. 불사(佛事)에 시주하는 것이 얼마나 좋은 일입니까. 비록 솥이 없더라도 무엇이 걱정되겠습니까. 이에 와분(瓦盆)을 솥으로 삼아 음식을 익혀 어머니를 봉양했다.

일찍이 군대에 있을 때 사람들이 의상법사(義湘法師)가 태백산맥에서 설법하여 사람을 이롭게 한다는 말을 듣고 금시에 사모하는 마음이 생겨 어머니께 고했다. 효도를 마친 뒤에는 의상법사에게 가서 머리 깎고 도를 배우겠습니다. 어머니는 말했다. 불법(佛法)은 만나기 어렵고, 인생은 너무나 빠른 것이니, 효도를 마친 후라면 또한 늦지 않겠느냐? 그러니 어찌 내 죽기 전에 네가 불도(佛道)를 아는 것만 하겠느냐? 주저하지 말고 빨리하는 것이 좋을 것이다. 이에 진정이 이르기를 어머님 만년에 오직 제가 옆에 있을 뿐이온데 어머니를 버리고 출가하는 일을 어찌 제가 할 수 있겠습니까? 했다.

어머니가 이르기를 아! 나를 위해서 출가하지 못한다면 나를 지옥에 떨어지게 하는 것이다. 비록 생전에 삼뢰칠정(三牢七鼎)으로 나를 봉양하더라도 어찌 가히 효도가 되겠느냐? 나는 의식을 남의 문간에서 얻더라도 또한 가히 천수(天壽)를 누릴 것이니 꼭 내게 효도하고자 하면 내 뜻을 알라고 하였다. 진정은 오랫동안 깊이 생각하는데 어머니가 즉시 일어나서 쌀자루를 모두 털어 보니 쌀 일곱 되가 있었다. 그날, 이 쌀로 밥을 짓고서 어머니는 말했다. 네가 밥을 지어 먹으면서 가자면 더딜까 두려우니 마땅히 내 눈앞에서 그 한 되 밥을 먹고 엿 되 밥은 자루에 싸서 빨리 떠나거라 하였다

진정은 흐느껴 울면서 굳이 사양하며 말했다. 어머님을 버리고 출가함이 그 또한 자식 된 자로 차마 하기 어려운 일이거늘, 하물며 며칠 동안의 미음(米飮)까지 모두 싸서 떠난다면 천지가 저를 무엇이라고 하겠습니까. 세 번 사양했으나 어머니는 세 번 권했다. 진정은 그 뜻을 어기기 어려워서 길을 떠나 밤낮으로 걸어 3일 만에 태백산에 이르러 의상에게 의탁하여 머리 깎고 제자가 되어 이름을 진정이라 했다. 3년 후 어머니의 부고가 오자 진정은 가부좌하고 선정에 들어가 7일 만에 나왔다.

이에 대해 어떤 이는 말하기를 추모와 슬픔이 지극하여 견딜 수 없었으므로 입정에 들어 슬픔을 씻은 것이라고 했다. 혹은 다르게 이르기를 선정(禪定)으로써 어머니께서 계시는 곳을 관찰하였다고도 하고, 또 어떤 이는 이르기를 이와 같이 하여 명복을 빈 것이라고 하였다.

선정에서 깨어나온 뒤에 그 일을 의상 스님에게 고하니 의상 스님께서는 진정의 돌아가신 어머니를 위하여 문도를 거느리고 소백산 추동(錐洞)에 가서 초암(草庵)을 짓고 제자의 무리 3천 명을 모아 90일 동안 화엄대전(華嚴大典)을 강론했다.

강론에 참여한 문인(門人) 지통(智通) 스님이 강연의 요지를 뽑아 책 두 권을 만들고 이름을 추동기(錐洞記)라 하여 세상에 널리 폈다. 강론을 다 마치고 나니 진정의 어머니가 꿈에 나타나서 이르기를 나는 이미 하늘에 환생하였다고 했다

三國遺事卷五 孝善第九 眞定師孝善雙美

法師眞定羅人也 白衣時 隸名卒伍 而家貧不娶 部役之餘 傭作受粟 以養孀母 家中計産 唯折脚一鐺而已 一日有僧到門 求化營寺鐵物 母以鐺施之 旣而定從外歸 母告之故 且虞子意何如爾 定喜現於色曰 施於佛事 何幸如之 雖無

鐺 又何患 乃以瓦盆爲釜 熟食而養之 嘗在行伍間 聞人說義湘法師 在太伯山說法利人 卽有嚮慕之志 告於母曰 畢孝之後 當投於湘法師 落髮學道矣 母曰佛法難遇 人生大速 乃曰畢孝 不亦晩乎 曷若趂予不死 以聞道聞 愼勿因循 速斯可矣 定曰 萱堂晩景 唯我在側 棄而出家 豈敢忍乎 母曰噫爲我妨出家 令我便墮泥黎也 雖生養以三牢七鼎 豈可爲孝 予其衣食於人之門 亦可守其天年 必欲孝我 莫作爾言 定沈思久之 母卽起 罄倒囊儲 有米七升 卽日畢炊 且曰恐汝因熟食經營而行慢也 宜在予目下 喰其一 槖其六 速行速行 定飮泣固辭曰 棄母出家 其亦人子所難忍也 況其杯漿數日之資 盡裹而行 天地其謂我何 三辭三勸之 定重違其志 進途宵征 三日達于大伯山 投湘公 剃染爲弟子 名曰眞定 居三年 母之訃音至 定跏趺入定 七日乃起 說者曰 追傷哀毁之至 殆不能堪 故以定水滌之爾 或曰以定觀察母之所生處也 或曰斯乃如實理薦冥福也 旣出定以後 事告於湘 湘率門徒 歸于小伯山之錐洞 結草爲廬 會徒三千 約九十日 講華嚴大典 門人智通隨講 撮其樞要 成兩卷 名錐洞記 流通於世 講畢 其母現於夢曰 我已生天矣

영원조사(靈源祖師)와 명학(明學) 스님

강원 춘천 삼운사

조선 시대에 영원조사(靈源祖師)는 경남 함양(咸陽) 사람이며 성은 이(李)씨다. 열 살 때 범어사 명학동지(明學同知)라는 스님을 스승으로 하여 출가하였다. 그러나 스승의 도를 구하기보다는 재물 모으기에 급급함을 보고 영원조사는 금강산 영원동(靈源洞)으로 들어가 정진하여 크게 깨달음을 얻었다. 영원 스님이 어느 날 선정에 들어 관하니 명부 세계의 시왕동(十王洞)에서 자신이 범어사에 있을 당시 스승이었던 명학 스님의 죄를 문초하는 소리가 고통스럽게 들려왔다.

영원 스님은 신통력을 발휘하여 명부 세계에 들어가 보니 스승이었던 명학 스님이 탐욕심으로 재물을 축적하고 선행을 하지 않았기에 그 과보로 인하여 구렁이 몸을 받았음을 알았다. 이에 매우 놀란 영원 스님은 스승의 대상(大喪)이 되는 날에 신통력으로 스승의 업신(業身)인 구렁이를 동반하고 범어사로 돌아와 보니 스님들이 명학 스님의 재를 베풀고자 자못 분주하였다.

영원 스님은 스승의 업신(業身)을 생전에 스승이 아끼던 금고에 넣은 뒤 부처님 앞에 예배하고 다시 그 금고에 이르러 스승의 옛 이름을 세 번이나 크게 불렀다. 이 소리를 듣고 금고에서 큰 구렁이가 나오니, 이러한 업신을 받게 된 것은 전생에 탐심으로 재물을 모은 까닭이니 지금부터는 모든 인연을 버리고 몸과 마음을 놓아 버리라고 말하였다. 이에 구렁이가 스스로 머리를 들어 땅에 세 번 곤두박아 죽으면서 업신을 벗어버렸다.

그 후 10여 년이 지나 옛 스승이었던 명학 스님은 이 세상에 다시 태어나 불문에 들어 크게 깨달으니 이분이 곧 우운조사(雨雲祖師)라고 한다. 스승을 제도한 영원조사는 다시 금강산 영원동에 들어가서 열심히 수도하시다가 만년에는 지리산으로 옮겨 영원사(靈源寺)라고 하는 절을 짓고 수도를 하였다고 한다.

그러나 여기에 관한 설화는 또 다르게 구전되어 전하고 있다. 범어사 명학(明學) 스님은 사중 재산을 관리하면서 자기 재물을 불려 나갔다. 그리고 동지(同知)라는 이름뿐인 벼슬을 샀는데 남들이 명학동지(明學同知) 스님이라고 불렀다. 그에게는 영원(靈源)이라는 상좌가 있었는데 수승하게 수행을 잘하였다. 그러기에 어쩌다가 제자인 영원 스님이 찾아오면 나 죽으면 천도재나 잘해 주게나 하고 입

버릇처럼 말하였다.

명학 스님이 영원 상좌를 만나는 날 꿈을 꾸었는데 명학동지가 푸른 물속에서 나오더니 범어사 보제루(普濟樓) 기둥을 타고 올라가기에 꿈에서 깨어나 보제루에 가보니 웬 거지 아이가 거적때기를 덮어쓰고 자고 있었다. 이에 그를 데려와서 함께 생활했다. 어느 날 아이에게 상추를 뜯어 오라고 하였더니 징징거리고 울면서 돌아왔다. 야 이놈아, 손가락을 조금 베었는데 왜 그렇게 우느냐고 하자, 아이가 말하기를 저는 손가락 조금만 베어도 아픈데 상추는 얼마나 아프겠습니까? 하기에 이 아이에게 영원(靈源)이라는 법명을 주어 제자로 삼았다. 영원 스님은 자경문(自警文) 마지막 게송을 읽다가 이승에 수도에 전념하지 않으면 내세에는 크게 후회한다는 내용에 이르러 그는 스승을 떠나 금강산으로 가고자 하였다. 그러나 스승이 놓아주지 아니하자 스님 몰래 금강산 장안사(長安寺)로 떠나 영원암에서 수행하였다.

어느 해 여름 금강산 시왕봉(十王峯)이 늘어서 있는 남혈봉(南穴峯) 아래에서 죄인을 문초하는 소리가 들려왔다. 이에 다시 살펴보니 염라대왕이 판관(判官)과 녹사(錄事) 등과 함께 범어사에 있는 명학동지 스님을 문초하면서 그 지은 바 과보에 따라 구렁이 몸을 받게 하여 금사굴(金蛇窟)에서 살게 하였다.

이에 영원 스님은 시왕봉 금사굴 앞에서 염불하고 나서 스승의 49재가 되던 날에 범어사로 내려와 보니 많은 사람이 모여 있었다. 오래간만에 나타난 상좌를 보고 대중들은 영원 스님이 재물을 탐내어 왔다고 빈정거리고 있었다. 그러나 영원 스님은 죽을 쑤어서 보제루 앞마당에 놓아두고 뒷산에 올라가 바위 앞에서 '스님 나오십시오' 하니 커다란 구렁이 한 마리가 나왔다. 구렁이는 무쇠솥에 있는 죽을 다 먹고는 무쇠솥에 머리를 세 번 찧고 죽더니 푸른빛이 나면서 사라졌다. 이에 영원 스님이 빛을 좇아 따라가니 어느 농가의 돼지우리로 들어가려고 하자 주장자를 후려치며 호통을 쳐서 금강산으로 데리고 왔다.

마침 그 집에 사십이 넘은 가난한 부부가 슬하에 자식이 없거늘 푸른빛은 그 집으로 쑥 들어갔다. 영원 스님은 그 집에 말하기를 앞으로 태기가 있을 것이고 사내아이가 분명 태어날 것이며 앞으로 스님이 될 것이라고 하였다.

영원 스님은 아이가 성장하자 금강산으로 데리고 와 방안에 문을 잠그고 바늘로 구멍을 뚫고 하는 말이, 황소 한 마리가 구멍으로 들어오면 두 손으로 뿔을 꽉 잡고 나를 부르라고 하였다. 그러던 어느 날 황소가 바늘구멍으로 들어온다고 꼬마가 소리치는 것을 봄에, 꼬마의 숙명통이 열렸다. 이에 꼬마는 영원 스님을 불러놓고 스님이 전생에 내 상좌였구려. 이제 스님은 나의 스승이 되시고 내가 어린 상좌가 되었습니다 하고 말하였다. 이러한 인연으로 두 분은 오랫동안 같이 수행하였다고 한다.

허공에 달걀을 쌓은 서산대사(西山大師)

강원 춘천 삼운사

조선 시대의 고승인 청허휴정(淸虛休靜, 1520~1604) 스님은 세속에서는 서산대사(西山大師)로 더 알려져 있다. 스님의 법호가 청허(淸虛)와 서산(西山) 두 가지이기 때문이다. 스님은 73세의 노구에도 불구하고 왕명으로 팔도십육종도총섭(八道十六宗都摠攝)이 되어 승병(僧兵) 1,500명을 모아 명나라 군대와 합세하여 한양(漢陽) 수복에 혁혁한 공을 세웠다. 그 후에는 제자 유정(惟政)에게 승병을 맡기고 묘향산(妙香山) 원적암(圓寂庵)에서 여생을 보냈다. 사명대사로 알려진 유정(惟政) 스님의 법호는 사명(四溟) 또는 송운(松雲)이며, 임진왜란이 일어나자 휴정(休靜) 스님의 휘하로 들어가 승군도총섭(僧軍都摠攝)이 되어 크나큰 공을 세웠다. 그리고 선조 37년인 1604년에 선조의 친서를 휴대하고 일본으로 건너가 왜장인 도쿠가와 이에야스(德川家康)와 담판을 벌여 강화(講和)를 맺고 이듬해 임진왜란 때 잡혀간 조선인 3,000여 명을 인솔하여 귀국했다.

전하는 설화에 의하면 사명대사가 축지법을 써서 묘향산으로 달려간 것은 서산대사와 도술을 겨루고 싶었기 때문이다. 사명대사가 금강산 장안사 골짜기에 다다르자 서산대사는 상좌를 불러 이르기를 지금 산에서 내려가 사명대사를 마중하라고 하였다. 상좌가 어이가 없다는 듯이 아무런 전갈이 없었다고 하자, 아무 소리 말고 이 골짜기에 내려가면 흐르는 물이 역류하는 곳에 지금 사명 스님이 오고 있을 거라고 일러주었다. 이 말을 듣고 골짜기를 내려가자 과연 역류하는 곳에 사명 스님이 오고 있었다. 이 사연을 들은 사명 스님은 속으로 흠칫 놀랐으나 내색하지 아니하고 장안사까지 당도했다.

서산대사가 법당에서 나오자 사명대사는 날아가는 참새 한 마리를 낚아채고는 내 손아귀에 있는 참새는 죽을까요? 살까요? 하고 포문을 열었다. 그러자 서산대사가 말하기를 지금 나의 발이 한쪽은 법당에 있고 한쪽은 댓돌에 있는데 그러면 이 몸이 나가겠습니까? 들어가겠습니까? 되물었다.

사명대사는 다시 자신의 바랑에서 바늘이 가득 담긴 발우를 꺼내더니 발우를 응시하자 바늘이 국수로 변하자 서산대사와 더불어 국수 공양하였다. 그리고 잠시 후 서산대사는 입에서 바늘을 모두 뱉어내었다.

그러자 사명대사는 달걀을 꺼내어 한 줄로 곧게 쌓아올리자 서산대사는 그와 반대로 공중에서 아래로 달걀을 쌓아 내려왔다. 사명대사는 잠시 후 하늘을 우러러보는가 싶더니 맑은 하늘에서 갑자기 소낙비처럼 비가 내렸다. 그러자 서산대사가 잠시 하늘을 쳐다보는가 싶더니 비가 뚝 그치면서 지금까지 내려왔던 비가 다시 하늘로 올라갔다. 이에 사명대사가 서산대사의 제자 되기를 청하여 그날로부터 서산대사의 제자가 되어 용맹정진하였다고 한다.

나주 불회사(佛會寺) 중창 설화

전남 나주 불회사

전남 나주시 다도면 마산리에 있는 불회사(佛會寺)는 백제불교의 시발점과 더불어 돌장승으로도 유명한 사찰이다. 처음에는 불호사(佛護寺)라고 하였으나 조선 시대 원진국사(元禛國師)가 중창하면서 불회사로 개칭하였다고 전한다. 고려(高麗)가 기울어가던 시절에 문신 조한룡(曺漢龍, ?~1414)이 있었다. 그는 고려 시중(侍中) 조정통(曺精通)의 셋째 아들로 큰형 조경룡(曺景龍), 작은형 조견룡(曺見龍)과 더불어 문과에 합격하여 벼슬에 나아갔다. 그러나 고려가 망하자 충신불사이군(忠臣不事二君)이라는 패(牌)를 착용하며 뜻을 같이하던 서견(徐甄) 등과 함께 금천(衿川)에 숨어 살다가 불교에 입문하여 세염(洗染)이라는 법명을 얻고 다시 고향으로 돌아왔다.

그러나 어머니의 반대가 극심하여 다시 벼슬길에 나아가 명나라 사신으로도 갔다오기도 하였다. 어머니가 임종하자 다시 해인사(海印寺)에 들어가 축발하였으며 그 후 도갑사(道甲寺)를 거쳐 불회사로 들어와서 수행하게 되었다. 태종 13년인 1413년에 영남의 갑부 김상(金相)의 시주를 얻어 불회사를 삼창(三創)하고 다시 화순에 만연사(萬淵寺) 법당을 중건한 후에 원정국사(元禎國師)라는 법호를 얻었다. 이명(異名)으로 원진국사(元禛國師)라고도 한다.

세염 스님이 불회사에 머무를 때 인근으로 시주를 나갔다가 돌아오는 길에 어디선가 호랑이 우는 소리가 들려왔다. 그 호랑이는 무언가 불편한 듯 스님에게 도움을 요청하는 모습인지라 스님이 호랑이에게 다가가 보니 호랑이가 입을 벌리고 있었다. 그 안을 살펴보니 목구멍에 커다란 뼈가 걸려 있었다. 이에 스님이 손을 호랑이 아가리에 넣어 뼈를 빼주었더니 호랑이는 고맙다는 시늉을 하면서 사라졌다.

그러던 어느 날 밤중에 세염 스님 방 문밖에서 '쿵' 하는 소리가 들려서 문을 열어보니 호랑이가 한 여인을 물어다 놓고 사라졌다. 잠시 후 낭자가 정신이 들자 그 자초지종을 물으니 내일이면 자신의 생일이라 기쁜 마음으로 일찍 잠자리에 들었는데 호랑이에게 물려 이곳까지 오게 되었다고 하며 자신은 인곡산(仁谷山) 아래에 사는 갑부 김철(金喆)이라는 분의 여식이라고 하였다. 이로써 낭자는 절에서 1년 정도 머무르다가 세염 스님과 함께 꼭 1년 만에 낭자의 집에 돌아가는데 어느덧 밤중이 다 되어 갔다. 낭자의 집에 도착하니 낭자의 제사를 지낼 준비를 한다고 모두 분주하였다. 그런데 스님과 더불어 낭자가 나타났으니 모두가 기뻐서 눈물을 흘리며 낭자를 맞이하였다. 그리고 잠시 후 낭자로부터 그간의 사정 얘기를 듣게 되었다.

다음 날 세염 스님이 불회사로 돌아가려고 하자 낭자의 아비가 스님의 소원이 무엇이냐고 물으니 불회사를 다시 일으켜 세우는 것이라고 하였다. 그러자 낭자의 아비가 기꺼이 들어준다고 하자 스님은 바랑에서 자루를 꺼내더니 여기에 공양미나 좀 달라고 했다. 낭자의 아비는 그것 외에 다른 것도 하고 싶다고 하였으나 스님은 공양미로 충분하다고 하였다. 그러자 하인들을 시켜 쌀을 부었으나 아무리 부어도 쌀자루가 차지 않다가 절을 지을 만큼만 쌀이 자루에 들어가고 더는 들어가지 않았다. 그 쌀자루를 세염 스님은 도술로 불회사로 옮겼다고 한다. 그리고 목수를 구하여 절을 다시 짓게 되었는데 목수는 일하기 전에 항상 목욕재계하고 일을 하였으며, 다른 목수들과는 다르게 큰 나무를 토막 내어 한쪽에 쌓아두고 있었다. 스님은 이를 이상하게 여겨 목수 몰래 나무토막 하나를 슬쩍 감추어 버렸다. 그러자 다음 날 목수는 일하지 아니하고 무언가를 계속 찾고 있었다. 이에 스님이 왜 그러느냐고 하자 나무토막 하나가 없어졌다고 하였다. 이에 스님이 보통 목수가 아님을 알고 감추어 두었던 나무토막을 내어놓자 다시 목수는 토막을 잘랐다. 그리고 1414년에 불회사 대웅전은 마침내 그 위용을 드러내게 되었다. 이러한 일화가 마침내 세조의 귀에까지 들어가 세염 스님에게 원정국사(元禎國師)라는 법호를 내렸다고 한다. 그리고 태종 14년인 1414년에 스님이 입적하자 청간대사(淸簡大師)라는 시호를 내렸다. 스님의 고향은 지금의 나주시 금천면 죽천리다. 여기에 충효사(忠孝祠)가 세워져 있으며 또한 강진군(康津郡) 대계원(大鷄院)과 진도군(珍島郡) 효충사(孝忠祠)에서도 스님을 배향하고 있다.

또 다른 설화에 의하면 불회사는 원진국사(圓眞國師, 1171~1221)가 창건하였다고도 한다. 고려 시대 때 원진국사(圓眞國師)가 중건할 때의 이야기가 전해진다. 원진 스님은 한때 자신에게 은혜를 입은 적 있는 호랑이의 도움으로 경북 안동 땅에서 시주를 얻어 대웅전을 중건하게 되었다. 공사가 이루어지자 스님은 좋은

전남 나주 불회사

날을 택하여 상량식을 가질 예정이었으나, 일의 추진이 늦어져 어느 사이에 하루해가 저물고 말았다. 이에 스님은 산꼭대기에 올라가 기도하여 저물어 가는 해를 붙잡아두고, 예정된 날짜에 상량식을 마쳤다는 것이다. 이때 스님이 기도하던 자리가 바로 일봉암(日封巖)이라고 한다.

그러나 일설에는 일봉암은 운주사(運舟寺)하고도 관련이 이어진다. 천불 천탑을 하루 밤낮에 조성하다가 석양이 다 되어 가자 해를 붙잡아서 봉(封)해 놓았다고 하여 일봉암(日封庵)이라 한다는 전설도 있다. 또한 화기를 살펴보면 원진국사(元稹國師)라 했는데 기록상은 원진국사(圓眞國師)이다.

여기서 삼창(三創)이라는 표현은 초창(初創)은 마라난타 스님, 중창(重創)은 희연조사(熙演祖師), 세 번째 불사를 크게 일으킨 삼창(三創)은 조선 정조 22년인 1798년에 불이 나서 소실되자 1799년 5월에 지명(知明) 스님이 세 번째로 절을 중수하였다고 전하고 있다. 그러나 벽화에는 원진국사 삼창불회도라는 화기가 있으므로 혼란스럽다.

또한 원진국사의 표현에도 불회사 사이트에서는 원진국사(元稹國師), 화기에는 원진국사(元稹國師), 부도에는 원진국사(圓眞國師)라고 각각 소개하고 있다. 그러나 조선총독부에서 발행한 조선사찰사료에서는 불호사창건주원진국사전말사적(佛護寺創建主元稹國師顚末事蹟)으로 기록되어 있다. 왜 이렇듯 혼잡스러울까?

한국불교 인명사전에는 원진(元稹) 스님이다. 원진(圓眞) 스님은 한글로 발음하면 동명이인이다. 원진(元稹, ?~1414) 스님은 고려 말 조선 초(初)의 스님으로 불회사를 중건하였다고 기록하고 있다. 첫 법명은 세염(世染)이었으나 벼슬길에 나서 참의(參議)에 올라 보의(保義) 장군이라고 불렀으나 모친이 별세하자 3년 상을 치르고 다시 출가하여 그때 얻은 법명이 원진(元稹)이라고 한다.

어느 날 호남 순찰사의 행렬이 나주를 지나갈 때, 스님이 길 가운데서 버티고 비켜주지 않자, 이를 관찰사가 왕에게 고하였다. 그러자 왕은 오히려 그를 가상히 여겨 곡식과 비단을 내려 불회사 불사에 도움을 주었다고 전한다. 1414년 태종 14년에 입적하였으나 국사(國師)라는 칭호는 세조(世祖)가 시호(諡號)를 내린 것이다. 스님의 속명은 조한룡(曺漢龍)이다.

그리고 또 한 분의 스님 가운데 원진(圓眞, 1172년(명종 2)~1221년(고종 8))은 고려 중기의 스님으로 승형(承逈) 스님을 말한다. 그러므로 원진(元稹) 스님과 원진(圓眞) 스님은 반드시 정리해야 할 부분이다.

창원 성주사(聖住寺) 곰 절의 유래

경남 창원 성주사

경남 창원시 천선동 102번지 불모산(佛母山) 아래에 자리잡은 성주사는 신라 흥덕왕 때 무염국사(無染國師, 801~888)가 왜구(倭寇)를 도력으로 물리치자 이 공을 높이 치하하여 국사로 삼고, 논 360결과 노비 100호를 하사하여 무염국사가 왜구를 물리친 자리에 절을 세웠으니 흥덕왕 10년인 835년의 일이다. 그리고 사명(寺名)을 성인이 상주하는 곳이라 하여 성주사(聖住寺)라고 하였다. 그러나 성주사지의 유물은 현재 어느 것도 전하는 것이 없다.

그러나 임진왜란 때 전재로 인하여 절이 소실되자 1604년인 선조 37년에 진경대사(眞鏡大師)가 다시 절을 중창하기 위하여 불이 난 옛 절터에 목재를 쌓아두었는데, 이때 곰들이 하룻밤 사이에 지금의 자리로 옮겨 놓았다고 하여 그 후로부터 세인들은 곰절 또는 웅신사(熊神寺)라고 부르게 되었다. 그러므로 원래 성주사가 있었던 성주사지(聖住寺址)는 창원시 천선동 141번지다. 이 사지(寺址)는 현 성주사의 남동(南東)편 일대에 위치하여 있었다. 그리고 성주사 창건 역사에 대해서는 여러 가지 설이 있다. 하나는 가야 시대의 장유화상(長游和尙, 허보옥)이고 또 하나는 신라 흥덕왕 10년인 무염국사(無染國師)이다. 장유화상 창건을 주장하는 학자들의 가야불교 존재는 인도 불교가 중국을 거치지 아니하고 가야로 곧장 들어왔다고 보는 견해이며, 무염국사 창건은 무염국사가 왜구를 물리친 공덕으로 흥덕왕이 국사로 삼고 창건하였다는 설이다. 다만 현존하는 지금의 성주사에 있는 고려 초기의 3층 석탑 등으로 미루어 볼 때 무염국사 창건설이 좀 더 설득력이 있다.

성주사 곰절에 대해서는 또 전하는 다른 설화가 있다. 아득한 옛날 어느 때에 성주사 뒤편 불모산에는 곰들이 살고 있었다. 이때 불모산에 살던 곰이 배가 고파 허기를 때우려고 절에 내려왔으나 스님들은 좌선(坐禪)하여 삼매에 들어 있었다. 그러자 곰도 자기의 배고픔을 잊고 스님들의 자세를 흉내를 내곤 하였는데 이것이 큰 공덕으로 자리하여 후세에 그 곰이 사람으로 태어나게 되었다.

그 사람이 자라면서 인연을 따라 절에서 필요한 땔나무를 하는 부목(負木)으로 있게 되었는데 전생이 곰이었기에 어느 날 밥을 짓다가 밥이 타는지도 모르고 삼매에 들었다. 이때 공양간을 지나던 주지 스님이 그 광경을 보고는 주장자로 머리를 치며 깨우는 순간 크게 깨닫게 되었다. 그제야 그는 자신의 전생이 곰이었고 스님 흉내를 내다가 인간으로 태어난 사실을 전해 듣고는 더욱 정진하여 큰스님이 되었다. 스님의 이와 같은 인연으로 인하여 이 절을 곰절이라 부르게 되었다고 한다.

경남 창원 성주사

금정산 미륵암(彌勒庵)과 원효대사 호로병

강원 춘천 삼운사

부산시 동래구 온천동 금정산 아래에는 미륵암(彌勒庵)이 있다. 신라시대 원효대사(元曉大師)가 미륵암에서 주석하며 수행하고 있을 때였다. 어느 날 원효 스님께서 바닷가를 바라보니 왜적 5만 명이 수백 척의 배를 거느리고 수영만(水營灣)으로 들어오는 것을 혜안을 통하여 알게 되었다. 그러자 사람들은 불안해하며 어쩔 줄을 모르고 있었다.

부처님 가르침에는 살생(殺生)을 제일 엄금하는지라 원효 스님은 왜적을 모두 죽일 수 없기에 원효굴로 들어가 사미승을 불러 너는 빨리 마을로 내려가서 호로병처럼 생긴 조롱박 다섯 개를 구해 오라 분부하였다. 그리고 독성각 오른쪽에 있는 미륵바위에 신라군의 장군 기를 꽂아두고는 사미승에게 다시 이르기를 너는 마을로 내려가서 수상한 자가 있거든 즉시 절로 데려오라고 일렀다. 수영만(水營灣)으로 침투한 왜군은 신라군의 움직임이 없자 이를 수상히 여겨 우선 부하 두 명을 보내 신라의 적정을 살피고 오라고 먼저 정탐(偵探)을 보냈다. 이들이 뭍으로 들어와 정탐하였고, 이를 발견한 사미승이 정탐병(偵探兵)을 미륵암으로 유인하려는데 이들은 신라군의 방어 태세가 전혀 안 된 것을 알고 되돌아가려 했다. 그 찰나에 장군 기를 꽂아둔 미륵바위에서 우렁찬 소리가 들려왔다.

그대들은 가는 길을 멈추시오 하면서 이들을 미륵암으로 유인하였다. 그리고 큰소리로 말하기를 그대들은 어부로 위장을 한 왜군의 첩자가 아닌가? 그러자 왜병 한 명이 잽싸게 칼을 빼서 원효를 겨누려고 하자 원효 스님은 도술을 발휘해 다시 큰소리로 나무랐고 왜병들은 맥없이 쓰러지며 살려 달라고 애걸복걸하였다.

이에 원효 스님은 사미승에게 호로병 다섯 개를 가져오라고 하였다. 그리고 잘록한 호로병의 목 부위에 붓으로 선을 그리자 첩자들의 목이 조여들었다. 그리고 다시 말하기를 내가 만약 호로병을 깨트리면 너희들은 피를 토하며 그 자리에서 죽을 것이다. 그러자 왜병들은 목숨만 살려 달라고 다시 애걸하였다.

이에 원효 스님은 나머지 세 개의 호로병을 주면서 너희 대장에게 이 사실을 알리라고 하였다. 그들은 곧장 호로병을 왜장에게 보이며 그간의 자초지종을 설명하였다. 그러자 왜장이 말하기를 허무맹랑한 소리를 하느냐고 하면서 단칼에 호로병을 베어버렸고, 그 순간 왜장은 피를 토하고 그 자리에서 죽고 말았다. 그러자 모든 왜병은 싸움을 포기하고 달아나기에 급급하였다고 한다.

부산 마하사(摩訶寺) 나한의 영험

부산 연제구 마하사

부산시 연제구 연산동 금련산(金蓮山) 아래에는 세칭 물만골이라고 하는 곳에 나한도량으로 유명한 마하사(摩訶寺)가 있다. 여기서 마하(摩訶)라는 뜻은 대(大)라고 한역하며 또한 승(勝)이나 묘(妙)라는 뜻도 가지고 있다. 마하사는 신라시대 아도화상(阿道和尙)이 창건한 절로 전해지고 있다. 임진왜란 때는 왜놈들의 방화로 소실되었다가 중창을 거듭하여 오늘에 이르렀다. 마하사에는 나한과 관련된 설화가 지금까지 전해지고 있다.

조선 선조 임금이 통치하던 어느 해에 동짓날 전후의 일이었다. 동지를 준비하려고 하던 어느 날 새벽 일찍 공양주 소임을 맡은 스님이 팥죽을 쑤려고 부엌에 들어가 보니 잿더미에 묻어 놓은 불씨가 그만 사그라져서 불씨를 얻을 수 없었다. 그러자 얼른 팥을 솥에다 앉혀두고 불씨를 구하기 위하여 절 아래에 있는 마을의 산지기에게 내려갔다. 그런데 그가 하는 말이 조금 전 행자가 불을 얻으러 왔기에 불씨를 주고 또한 우리집에서 쑤어 놓은 팥죽을 공양하고 갔노라고 하였다. 이 말을 들은 공양주는 참으로 이상한 일이라고 생각하였다. 절에는 행자도 없을뿐더러 더구나 불씨를 구해 오라고 보낸 일조차도 없었기 때문이다. 이에 급히 절로 돌아와 보니 화로에 불덩이가 벌겋게 들어 있었다. 공양주는 이를 이상하게 여기면서 동지 팥죽을 쑤었다. 팥죽을 쑤어 나한전에 공양 올리려고 갔더니 십육 나한

부산 연제구 마하사

가운데 오른쪽 세 번째 나한 입술에 팥죽이 묻어 있었다. 그제야 스님은 나한이 동자로 화신하여 산지기에게 내려가 불씨를 구해 왔음을 알게 되었다.

어느 해 마하사에 참새 떼가 몰려와 짹짹거리며 햇볕에 말리고 있는 곡식들을 쪼아먹어 피해를 주는 정도가 심하였다. 그러자 스님은 나한전에 가서 참새를 몰아내 달라고 기도하였다. 그러던 어느 날 참새 한 마리가 뜰에 떨어져 죽더니 그 이후로는 해마다 나타나던 참새 떼가 다시는 마하사에 나타나지 않았다. 그렇기에 이를 나한의 신통이라 여기고 있다.

시주 공덕의 무거운 은혜

경남 진주 청곡사

옛날 어떤 수행자가 어느 절에 큰스님이 있다는 소문을 듣고 스님에게 가르침을 받고자 찾아가는 중이었다. 이윽고 수행자는 큰절 입구까지 와서 잠시 땀을 씻으며 정신을 가다듬기 위해 개울에 가서 세수하였다. 그런데 절 위에서 흘러내려 오는 개울물에 콩나물 한 개가 둥둥 떠내려고 오고 있었다.

이를 본 스님은 크게 실망하면서 이 절에 고승이 있다고 하여 찾아왔더니 괜한 헛소문이었구나 하며 발길을 돌려서 내려가려고 하였다. 그러던 그때 절 쪽에서 한 행자가 헐레벌떡 뛰어내려 오면서 저기 떠내려가는 콩나물 좀 건져 달라고 소리를 치는 게 아닌가. 그러자 수행자는 역시 큰스님이 계시는 곳은 다르다면서 발길을 돌려 큰스님 문하로 들어가 수행하였다고 한다. 이러한 설화의 가르침은 시주자의 은혜가 태산같이 무거운 줄을 깨우쳐 주는 교훈이다.

의상 스님과 법계도, 낙산사, 부석사

강원 양양 낙산사

의상(義湘, 625~702) 스님은 19세 때 경주 황복사(皇福寺)에서 출가하였다. 그 후 의상 스님과 원효(元曉) 스님은 서로 도반이 되어 당나라로 유학을 떠나기 위해 요동(遼東)으로 갔다. 그러나 이내 고구려의 순라군(巡邏軍)에게 붙들려 정탐자로 오인을 받아 수십 일 동안 잡혀 있다가 돌아왔다. 서해안에 도착하여 하룻밤을 노숙하고 그다음 날 원효는 간밤에 자신이 마신 물이 해골바가지에 고인 물이라는 사실을 알고 토하다가 불현듯 느낀 바가 있어 다시 신라로 돌아가고 이에 의상 스님 홀로 당나라 산동반도 양주(揚州) 땅에 이르렀다.

의상 스님의 몸은 지칠 대로 지쳐서 병을 얻게 되어 양주성의 주장(州將)인 유지인(劉至仁)의 관아(官衙)에 머물면서 병을 치료하던 중 그의 딸 선묘(善妙)라는 처녀가 의상 스님에게 연정을 느껴 청혼하였다. 스님은 이를 받아들이지 아니하고 부처님의 법을 일러주어 제자로 삼았다. 얼마 뒤에 의상 스님은 종남산(終南山) 지상사(至相寺)에서 주석하시는 지엄(智嚴) 스님을 찾아가 제자 되기를 청하였다. 지엄 스님은 전날 밤에 해동에 큰 나무가 나서 잎과 가지가 무성하여 당나라까지 와서 덮더니만 그 위에는 봉황의 집이 있는지라 올라가 보니 한 개의 마니보주 광명이 널리 비추는 꿈을 꾸었기에 흔쾌히 이를 수락하면서 화엄경(華嚴經)의 도리를 낱낱이 가르쳐 주었다.

강원 양양 낙산사

제주 제주시 선림사

화엄경을 공부한 의상 스님은 화엄경의 사상을 밝히는 내용을 210자로 하여금 그 도리를 고스란히 드러내고 있으니 이를 화엄일승법계도(華嚴一乘法界圖)라고 흔히 말한다. 전하는 말에 의하면 의상 스님이 지엄 스님 문하에서 수행할 때 어느 날 꿈속에서 형상이 기이한 신인(神人)이 나타나 말하기를 너 자신이 깨달은 바를 남에게 줌이 마땅하다 하고 사라졌다. 그리고 또 꿈에 선재동자가 총명약(聰明藥) 10여 알을 주었고, 청의동자가 세 번째로 비결을 주었다. 이 사실을 지엄 스님에게 말하자 지엄 스님이 말하기를 신인이 신령스러운 것을 나에게는 한번밖에 준 적이 없는데 너는 세 번이니 그 통보(通報)를 표현하라고 하였다. 이에 의상 스님은 대승장(大乘章) 10권을 엮어서 지엄 스님에게 보이니 뜻은 좋으나 말이 옹색하여 막힘이 많다고 하였다.

이에 의상 스님은 이를 다시 고쳐서 스승과 함께 부처님 전에 나아가 그것을 불사르며 제가 지은 이 글이 부처님의 뜻과 계합이 된다면 원하건대 불에 타지 않기를 바란다고 기도하였다. 불이 사그라지고 불길 속에 타지 않고 남은 것을 수습해 보니 210자가 되었다. 이에 의상 스님이 간절히 발원하며 다시 불 속에 던졌으나 타지 아니하였다. 이후 문을 걸어 잠그고 한 달 만에 이 글을 연결하여 7언 30구의 게송으로 화엄일승법계도(華嚴一乘法界圖)를 만들었으며 이를 달리 표현하여 해인도(海印圖)라고 한다. 이는 삼관(三觀)의 깊은 뜻과 십현(十玄)의 아름다움을 보여주고 있는 명문이다.

참고로 화엄일승법계도는 누가 지었는지 정확하게 밝혀진 바는 없다. 다만 미루어 짐작하여 의상 스님이라고 추측하는 것이다.

의상 스님은 유학을 마치고 다시 신라로 돌아오게 되었다. 이에 의상 스님이 귀국하기 위하여 양주 항구에 나타났다는 소문을 들은 선묘 낭자는 단걸음에 항구

강원 양양 낙산사

강원 양양 낙산사

로 나갔으나 배는 이미 떠나고 없었다. 그러자 죽어서 넋이라도 의상 스님과 함께 하기 위하여 바다에 몸을 던져 용이 된 선묘는 의상 스님이 탄 배를 호위하여 신라까지 무사히 도착하도록 보살폈다고 한다.

의상 스님은 귀국하여 강원도 양양에 낙산사(洛山寺)를 세우고 그다음으로는 영주 부석사(浮石寺)를 세우면서 화엄학(華嚴學)을 널리 폈다. 이로써 우리나라 화엄초조(華嚴初祖)가 되는 것이다.

여기서 낙산사에 대한 설화를 살펴보자. 낙산사(洛山寺)는 강원도 양양군 강현면 전진리에 있으며 의상 스님이 창건한 절이다. 삼국유사에 보면 의상 스님이 당나라로부터 귀국하여 이곳으로 와서 관세음보살을 친견하기 위하여 7일 동안 기도하였다. 그 후 새벽에 방석을 물 위에 띄웠더니 용천팔부(龍天八部)와 그를 시종하는 무리가 의상을 이끌고 굴로 들어갔다. 이에 의상 스님이 공중에서 참례하니 수정으로 만든 염주 한 꾸러미를 내어주기에 이를 받아 나왔으며 또한 동해의 용왕이 여의주 1과(顆)를 바치므로 이를 받들고 나왔다고 한다.

의상 스님은 다시 7일 동안 재계하니 이내 관세음보살의 진용(眞容)을 친견할 수가 있었다. 좌상(座上)이 있는 산 정상에서 쌍죽(雙竹)이 솟아난 곳에 불전을 지으라는 관세음보살이 일러준 대로 금당을 짓고 소상을 만들어 봉안하였더니 홀연히 대나무가 없어지므로 그 자리가 곧 관세음보살의 진신(眞身)이 있는 곳임을 알아 절의 이름을 낙산사라고 하였다고 한다. 지금의 부석사(浮石寺)는 고려 시대

강원 양양 낙산사

에는 선달사(善達寺) 또는 흥교사(興教寺)라고 불렀다.

송고승전(宋高僧傳)에는 의상대사에 대한 설화가 실려 있다. 의상대사가 귀국하여 화엄의 전법을 펼치려고 적당한 곳을 찾았으나 거기에는 5백여 명의 잡귀의 무리가 이미 자리를 차지하고 있어서 절을 짓는 것을 훼방하였다.

그러자 대사를 흠모하다가 용으로 변한 선묘가 커다란 바위로 변화하여 가람의 정상을 덮으면서 떨어질 듯 말 듯 하니 이에 잡귀들이 놀라서 혼비백산하여 달아나므로 그 자리에 절을 지어서 사명을 부석사라고 하였다. 지금도 무량수전(無量壽殿) 뒤쪽에 있는 바위를 부석(浮石)이라고 부르고 있다. 스님은 이곳에서 화엄경의 도리를 널리 폈다. 화엄종(華嚴宗)을 다르게 표현하여 부석종(浮石宗)이라 하기도 하였으며 또한 의상 스님을 부석존자(浮石尊者)라고 부르기도 하였다.

울진 불영사(佛影寺)의 유래

강원 춘천 삼운사

의상(義湘) 스님이 당나라에서 귀국하여 신라 천지에 화엄법회를 열고 부처님의 말씀을 전하면서 노고를 마다하지 아니하고 힘을 기울이던 어느 날 노인 한 사람이 여덟 명의 동자를 데리고 의상 스님을 찾아왔다. 노인이 하는 말이 대사님이시여! 우리는 동해안을 수호하는 호법 신장이오나 이제 인연이 다하여 이곳을 떠나면서 스님께 부탁의 말씀을 드리고자 왔노라고 하였다. 의상 스님이 나에게 청하는 부탁이 무엇이냐고 묻자 노인이 말하였다. 저희는 이곳에 부처님을 모시고자 원을 세웠으나 아직 마땅한 스님이 없어서 원을 성취하지 못하였으나 이제 스님께서 저희가 살아온 도량에서 불사의 인연을 맺어 준다면 더없이 감사하겠습니다. 이 말을 마치고는 홀연히 종적을 감추었다.

며칠 후 의상 스님은 불사의 인연을 찾기 위해 동해안 바닷가로 나섰다. 어디선가 한 마리 용이 나타나 앞장서서 의상 스님을 인도하여 스님이 울진포(蔚珍浦)에 이르자 용은 바닷속으로 사라졌다. 곧이어 오색안개가 자욱하더니 의상 스님을 사모하던 선묘가 용으로 변해 나타나 스님을 인도하여 천축산 입구에서 걸음을 멈추고 하는 말이 이제부터는 힘드시더라도 스님께서 직접 인연 터를 찾아야겠습니다 하고 사라졌다.

의상 스님은 여러 날을 천축산(天竺山)을 돌면서 자리를 구하고자 하였으나 마땅한 자리를 찾지 못하였다. 몹시 피곤하던 차에 연못가에서 잠시 쉬면서 물끄러미 연못을 바라보다가 흠칫 놀라고 말았다. 연못에 부처님의 형상이 고스란히 비추고 있는 것이 아닌가? 그리고 주위를 둘러보니 마치 부처님의 형상처럼 우뚝 솟은 바위가 있었다.

아, 이곳이 여덟 명의 호법 신장들이 기거하던 연못이로구나! 이곳에 절을 세워 화엄도량으로 삼아 많은 중생에게 포교하리라 마음먹고 우선 노인과 여덟 명의 동자들을 위하여 화엄경의 말씀을 일러주었다. 설법을 마치자 노인과 여덟 명의 동자들은 용으로 변하여 승천하였다.

이곳에 절을 지어 부처님의 영상이 나타나는 곳이라고 하여 절의 이름을 불영사(佛影寺)라고 하였으며, 부처님의 영상이 나타난 곳에 탑을 세워 무영탑(無影塔)이라 이름하고, 연못에 비추는 부처님 형상의 바위를 부처바위 혹은 탑과 같다고 하여 탑(塔)바위라고 하였다. 또한 연꽃 형상을 한 봉우리는 연화봉(蓮花峯), 산의 이름은 천축산(天竺山)이라고 하며 불영사 계곡을 광천계곡 또는 구룡(九龍)계곡이라고 한다.

보덕(普德)화상의 비래방장(飛來方丈)

경북 울진 불영사

고구려 소수림왕(小獸林王) 2년에 중국을 통하여 고구려에 불교가 들어오자 불교는 민중을 향하여 들불처럼 급속히 퍼져나갔다. 그러나 제28대 보장왕(寶藏王)에 이르러 중국 도교에서 성행하던 오두미교(五斗米敎)를 보장왕이 받아들여 숭상하자 반룡사(盤龍寺)에서 수행하던 보덕 스님은 이를 여러 차례 진언하였으나 별 소용이 없었다. 이를 삼국유사(三國遺事)를 통하여 살펴보자.

고구려본기(高句麗本紀)에 이런 말이 있다. 고구려 말기인 보장왕 시기에 백성들은 오두미교를 숭상하는 이가 많았다. 당나라 고조(高祖)는 이 소식을 접하자마자 도사(道士)를 시켜 천존상(天尊像)을 보내오고 또한 도덕경(道德經)을 가르치게 하니 왕은 백성들과 더불어 강의를 들었다. 때는 고구려 제27대 영류왕(榮留王) 즉위 7년인 624년이었다. 이듬해 고구려는 당나라로 사신을 보내어 불교와 도교를 배우고자 청하니 당나라 황제인 고조가 이를 허락하였다. 보장왕이 고구려 제28대 왕으로 등극하여 유교, 불교, 도교를 모두 일으키려고 하자 연개소문(淵蓋蘇文)이 왕에게 말하기를 고구려에는 유교와 불교는 성하나 도교는 그러하지 못하니 특별히 당나라에 사신을 보내어 도교를 구하자고 간청하였다.

이때 보덕(普德)화상은 평안남도 용강군에 있는 절 반룡사(盤龍寺)에 주석하고 있었는데 도교와 불교는 서로 대치함으로 이는 국운을 위태하게 할 것이라고 왕에게 여러 번 간청하였으나 왕은 끝내 들어주지 않았다. 이에 신력으로 방장(方丈)을 날려 남쪽 완산주의 고대산(孤大山)에 옮겨 살았다고 하였으니 지금의 전북 완주군 고달산에 있던 경복사(景福寺)라는 절이다. 그리고 얼마 지나지 않아 나라가 망했다. 고대산은 동국여지승람(東國輿地勝覽)에는 고달산(高達山)으로 기록되어 있다. 이상이 삼국유사에 기록된 대략이다.

또한 고려의 문신인 이규보(李奎報)가 저술한 동국이상국집(東國李相國集)에 보면 고구려의 실질적인 권력자 연개소문(淵蓋蘇文)은 도교를 숭상하였다. 보덕스님은 도교의 폐단을 여러 번 간했지만 별 소용이 없었다. 어느 날 제자들에게 묻기를 고구려는 오래가지 못하니 피난하여야겠다. 그러니 어디 마땅한 곳이 있느냐고 하자, 제자 명덕(明德)이 말하기를 완산주 고대산이 편안하여 머물 수 있는 땅이라고 하였다.

이에 보덕화상은 신통을 부려 밤새 절을 1천 리나 떨어진 고대산으로 이운하였다. 아침에 제자들이 일어나 보니 벌써 절은 남쪽으로 내려와 있었다. 제자인 명덕 스님이 주위를 둘러보고 이 산은 비록 절경이 기이하지만 샘물이 없음을 알고서 말하기를, 내가 만약 스승이 옮겨올 줄 알았다면 옛터의 샘물까지도 옮겨왔을 텐데 하고 아쉬워하였다. 이 말을 들은 보덕 스님이 지팡이를 두드리니 샘물이 풍부하게 나왔다고 한다.

보덕화상이 반룡사의 절을 신통력으로 옮겼다는 경복사는 현재 폐사(廢寺)가 되었으며 전북 완주군 구이면 광곡리 화원마을에 있던 절이다. 지금도 이곳 사지(寺址)에는 우물터 등이 남아 있다. 경복사에 대해서는 위에서 소개한 삼국유사와 더불어 삼국사기에도 기록되어 있다. 경복사는 백제에서는 열반종(涅槃宗)으로 있었다. 그리고 신라 고려 시대에까지 절에 향화를 올리며 존속하여 세종(世宗) 6년에는 36개소의 본사(本寺)로 지정되기도 하였다. 그 후 사명을 상원사(上院寺)로 개칭하고 임진왜란 이후까지 존속하였으나 조선 말기에 이르러 폐사된 것으로 보인다. 또한 삼국유사와 삼국사기에는 고대산(孤大山)으로 나오지만, 그 후 고려 말에 와서는 고달산(高達山)으로 불렀다.

앞의 벽화는 불영사에 있는 벽화다. 화제가 온전히 보이지 않으나 고달사지(高達寺址) 사적기가 아니라 경복사지(景福寺址)라고 해야 맞는 표현이다. 그리고 비래방장(飛來方丈)이라는 표현에서 방장(方丈)은 고승이 거처하는 곳을 말하는 것으로 여기서는 절을 말하는 것이다. 비래(飛來)는 공중으로 날아왔다는 것이니 곧 보덕화상의 신통력으로 절을 옮겼다는 표현이다. 이를 삼국유사에서는 보장봉노 보덕이암(寶藏奉老 普德移庵)이라고 표현하였다.

이 설화와 별개로 삼국유사 고구려의 영탑사(靈塔寺)편 고승전(高僧傳)에 보면 보덕 스님의 자(字)는 지법(智法)이며 늘 평양성에 살았다. 어느 날 산방(山房)의 노승이 찾아와서 불경을 강의해 주기를 청하였으나 거듭 사양하다가 마지못해

가서 열반경 40여 권을 강의하였다.

강설(講說) 법회를 마치고 성(城)의 서쪽에 있는 대보산(大寶山) 바위굴 밑에 이르러 참선에 들었다. 그러자 신인이 나타나 청하기를 스님은 이곳에 사시는 것이 좋겠다고 하며, 지팡이를 앞에 놓고 그 땅을 가리키면서 이 땅속을 파면 팔면칠층 석탑(八面七層石塔)이 있을 것이라고 말하고 홀연히 사라졌다. 이에 보덕 스님이 그 땅을 파보니 과연 신인의 말은 사실이었다. 그로 인하여 그 자리에 절을 짓고 영탑사(靈塔寺)라 이름하고 그 자리에서 살았다.

송고승전 비둘기가 죽어서 사람이 되다

경남 산청 정각사

중국 송고승전(宋高僧傳)에 보면 당(唐)나라 병주(竝州)의 석벽사(石壁寺)에는 명도(明度) 스님이 있었는데 스님에 대한 이력은 전하는 바가 없다. 스님은 항상 금강경(金剛經) 독송을 철저히 수행하여 삼업(三業)을 닦았으며 또한 자비심이 많아서 중생 제도를 게을리하지 않았다. 어느 날 스님은 여느 때와 다를 바 없이 금강경을 독송하고 있었다. 그런데 어미를 잃은 비둘기 새끼 두 마리가 집 안으로 들어오는지라 스님은 이를 잡아서 둥지를 만들어 주고 또한 죽을 쑤어서 먹을 것을 주며 보살폈다.

그런데 두 마리 비둘기는 구구대며 울다가도 스님의 금강경 독경 소리만 나면 울지 아니하고 금강경 독경 소리를 골똘히 들었다. 이를 갸륵하게 여긴 스님은 너희들도 어서 빨리 커서 자유롭게 날갯짓하며 살도록 하여라. 그렇게 이들을 날려 보냈더니 비둘기는 하늘을 날아 올라가다가 그만 떨어져 죽고 말았다. 이를 불쌍히 여긴 스님은 비둘기들을 양지바른 곳에 묻어주고 금강경을 지극한 마음으로 독송하여 주었다. 그러던 어느 날 꿈을 꾸었다. 어떤 아이 둘이 와서 말하기를 저희는 옛날 스님께서 그토록 보살펴주던 비둘기입니다. 스님께서 금강경을 읽어 준 공덕으로 인하여 사람의 몸을 받아서 다시 환생하여 여기서부터 십여 리 떨어진 아무개 집에 태어났습니다.

꿈에서 깨어난 스님은 간밤의 꿈이 너무나 생생하여 그 집을 물어물어 찾아가 보니 과연 그 집에 쌍둥이가 있었다. 그리고 그들의 이름을 합아(鴿兒)라고 부르고 있었다. 이에 스님은 그들의 부모들에게 이름에 얽힌 사연을 물어보니 그들의

경북 울진 불영사

부모가 말하기를 비둘기 두 마리가 품안으로 들어오는 꿈을 꾸고서 쌍둥이를 잉태하였다고 하였다. 또한 어린 쌍둥이들은 스님을 보자마자 자신을 낳아준 부모님처럼 아주 잘 따랐다. 그러므로 이를 합아전생담(鴿兒前生譚)이라고 한다. 참고로 이 설화에 관한 내용은 울진 불영사에 두 개나 있다. 화제(畫題)에 명도(明道)스님이라고 적어 놓았는데, 이는 오기이며 명도(明度)가 올바른 표기이다.

통영 벽방산 해월 선사의 10년 장좌불와

강원 춘천 삼운사

남해(南海) 어느 섬에서 살던 부부는 슬하에 자식이 없어서 애간장을 태웠으나 늘그막에 자식이 생겨서 여간 기쁘지 아니하였다. 그러자 그들은 앞으로 태어날 자식을 위하여 고단하고 힘든 섬 생활을 청산하고 뭍에 나가 살기로 마음을 먹고 배를 타고 노를 저어서 들뜬 기분으로 뭍으로 이사 가고자 하였다. 그러나 배가 어느 정도나 왔을까. 갑자기 배가 움직이지 않았다. 이에 부부는 이 고비를 넘기고자 있는 힘을 다해 노를 저었으나 배는 미동도 하지 않았다. 예기치 못한 일에 부부는 너무나 난감하여 바다 주변을 살펴보니 일렁거리던 바다의 물살도 마치 잠자듯이 아주 고요하였다. 이러한 이변이 생기자 부부는 어리둥절하였는데, 갑자기 부인이 배 안에서 해산하여 사내아이를 얻게 되었다. 부부는 아이의 탯줄을 끊어 바다에 던졌는데 갑자기 바닷물이 출렁거리더니 배가 움직이기 시작하였다. 그래서 아이의 이름을 해월(海月)이라고 지었다. 이렇게 태어난 아이는 세월이 지남에 따라 아주 무럭무럭 자랐으며, 여느 아이들과 다르게 재주가 비범하고 책 읽기를 좋아하였다. 열 살이 되던 어느 날 해월은 출가하고자 부모님께 청을 드렸다. 부모는 펄쩍 뛰며 이를 만류하였으나 해월의 뜻이 워낙 강한지라 결국은 출가를 허락하였다.

해월은 그 길로 통영시 광도면 안정리 상촌마을 뒤 벽방산 은봉암(碧芳山 隱鳳庵)에 도착하여서 한 도승을 만나 제자 되기를 청하였다. 스님이 나이가 어리다는 이유로 물리치자 암자와 조금 떨어진 바위에 좌정하여 수행하였다. 도승은 이를 만류하였으나 해월은 날이 갈수록 더더욱 용맹하게 정진하였다. 이렇게 하여 10년째가 되던 어느 날 도승은 해월을 안타까이 여겨 잣죽을 끓여 해월에게 공양할 것을 권하면서 너의 정진이 어지간하니 이 잣죽 먹고 깨달음을 얻으라고 하였다. 그러나 해월은 아무런 응답이 없었다. 도승은 해월을 찬찬히 살펴보고 깨달음의 경지가 임박하였음을 알아차렸다. 그리고 잠시 후 쾌청하던 하늘에서 갑자기 뇌성벽력이 일어나더니 해월이 앉은 바위를 둘로 갈라 버렸다.

그제야 해월은 몸을 털고 일어나면서 스님, 너무 오랫동안 심려를 끼쳐드려 송구하옵니다. 도승은 해월의 깨달음을 인가하였다. 그 후 종열(宗烈)이라는 젊은이가 이 바위에서 10년 정진 후 또한 깨달음을 얻었다. 마을 사람들은 도승과 해월, 그리고 종열 등 세 명이 깨달음을 얻어 도인이 되었으므로 이 바위를 삼도사(三道師) 바위라고 불렀다. 지금도 은봉암에는 은봉성석(隱鳳聖石)이라는 바위가 극락보전 옆에 서 있다. 원래는 세 개였는데 하나가 무너질 때마다 도인이 나왔으니 해월, 종열 두 도인이 나오고 현재는 하나만 남아서 다음 도인이 나올 거라고 마을 사람들은 믿고 있다. 여기에 대해서는 또 다른 설화가 구전으로 전해지고 있다. 옛날에 거제도에서 어린 자식 하나를 데리고 고성 땅으로 배를 타고 가던 만삭의 아낙네가 있었다. 얼마나 지났을까. 만삭의 아낙네는 배 안에서 사내아이를 낳게 되었는데 그 순간 배가 꼼짝달싹도 하지 않는 이변이 일어났다. 이에 놀란 사공은 이는 용왕님이 조화를 부린 것으로 방금 태어난 아기를 용왕님께 바쳐야 한다고 하였다. 산모가 절대로 그렇게 할 수 없다며 대신 아이의 탯줄을 잘라 바다에 던지니 다시 배가 움직이기 시작하였다. 지금의 통영시 광도면 황리 해안에 어린 아들을 걸리고 갓난아기를 안은 채 내려서 추원포(秋原浦)에 정착하여 살았다. 그로부터 십여 년이 지나자 벽방산 은봉암(隱鳳庵) 노스님이 찾아와 그대의 집은 비록 누추하지만 서기가 비추고 있으니 장차 큰 인물이 날 것이라고 하면서 지난날 배에서 출생한 둘째 아들의 출가를 권유하여 득도케 하였으니 해월(海月)이었다. 해월 스님이 입산하여 수행하던 어느 날, 입석 하나가 큰소리를 내며 넘어지는 순간 해월 스님은 크게 깨달음을 얻어서 법당 밖으로 나갔다고 한다. 그 이후, 300년 전에도 바위 하나가 무너지더니 종열(宗烈) 스님이 크게 깨달음을 얻었다고 한다.

이제 마지막 하나의 바위가 남아 있는데 세상 사람들은 그 바위가 무너질 때 또 한 분의 도인이 출현할 것이라고 믿고 있다. 그래서 이 바위를 삼도사(三道士) 바위 또는 낙하암이문(落下巖異聞)이라 부른다고 지금까지 전하고 있다.

순천 송광사 혜린(慧璘) 선사의 수행

강원 춘천 삼운사

전남 순천시 송광면 신평리에 있는 송광사(松廣寺)는 우리나라 삼보사찰 가운데 16명의 국사(國師)를 배출하였기에 승보종찰(僧寶宗刹)이라고 한다. 신라시대에 창건한 송광사의 애당초 사명은 길상사(吉祥寺)이며 혜린(慧璘) 스님이 창건한 곳으로 전하고 있다. 때는 신라 말엽에 혜린 선사는 제자들과 함께 만행에 나섰다가 깊은 산중에서 노숙하게 되었다. 당시 나라 전체에 호열자(虎列剌)가 돌아 민심이 흉흉하던 시기였다. 그런데 일행 중에 두 스님의 몸이 불덩이처럼 고열이 나기 시작하였다. 이에 제자들이 이러한 사실을 스님에게 알리면서 심상치 않은 일이라고 하였다. 스님은 대수롭지 않게 말하기를 날이 밝으면 이내 약초를 구해 볼 것이니 너희들은 기도를 열심히 하라고 당부하였다.

날이 밝자 혜린 스님은 약초를 구해 달여 먹였고 별다른 효험 없이 제자들은 하나둘씩 주저앉기 시작하였다. 이에 예사롭지 않은 병이라는 것을 느낀 혜린 스님은 제자들에게 말하기를 우리는 중생을 제도하기 위하여 출가한 사문이다. 그러므로 우리가 이만한 병고를 이기지 못한다면 어찌 중생을 제도한다고 하겠느냐? 나는 오늘부터 정진에 들 것이니 너희들도 한마음이 되어 기도한다면 필시 부처님의 가피가 있을 것이라고 일러주었다.

이에 기도처를 물색하고자 주변을 살피니 가까운 곳에 연잎이 무성하게 어우러진 연못이 있고 그 가운데는 문수보살 석상이 있었다. 이에 혜린 스님과 제자들은 문수보살을 향해 기도에 들어갔다. 7일째가 되던 날 밤 꿈속에서 가피를 받기를 이제 모든 시련은 끝났으니 안심하여라. 그리고 새로운 절터를 찾아 부지런히 기도하라 하고 사라졌다. 이에 깜짝 놀라 혜린 스님이 깨어나 보니 모든 제자의 호열자가 깨끗하게 완치되어 있었다.

그리고 이내 어디선가 나타난 노스님 한 분이 서 계셨다. 이에 혜린 스님은 정중히 배례하고 노스님은 어디서 오셨느냐고 묻자, 저는 석가세존께서 스님에게 전하라고 하는 분부를 받든다며 홍(紅)가사 한 벌과 발우(鉢盂), 그리고 부처님 진골사리 일부를 건네주었다. 이에 혜린 스님이 너무나 감격하자 노스님은 다시 이르기를 제자들을 데리고 전라도로 가면 송광산(松廣山)이 있을 터이니 그리로 가서 절을 짓고 불법을 펼치라고 일러주었다.

이에 혜린 스님은 제자들과 더불어 남쪽으로 길을 재촉하여 지금의 송광사가 있는 마을 어귀에 이르렀을 때 백발이 성성한 촌로를 만나게 되었다. 노인이 스님을 보고 무엇하려고 이곳까지 오게 되었느냐고 묻자, 이곳에 절을 세워서 중생을 포교하고자 한다고 하자 촌로가 말하였다. 예로부터 전해오기를 이 산에는 18명의 큰스님이 출현하여 불법을 널리 포교할 것이라는 전설이 있습니다. 송(松)은 十八(木), 그리고 공(公)을 가리키는 글자로 18명의 큰스님을 말하고 광(廣)은 널리 불법을 펴라는 뜻으로 18명의 큰스님이 나서 불법을 크게 펼친다는 뜻이기에 마을 사람들은 이 산에서 성인이 나오기를 기다립니다.

말을 마치자 갑자기 송광산(松廣山) 기슭에서 오색 무지개가 피어올랐다. 혜린 스님이 그곳에 자리를 잡고 절을 짓게 되자 마을 원근의 사람들이 흔쾌히 동참하면서 절 짓는 일을 마무리하였다. 이에 절이 완공되어 부처님의 사리를 모시던 첫날밤 절 안에는 상서로운 기운이 돌기 시작하였다. 그래서 혜린 스님은 사명(寺名)을 길상사(吉祥寺)라고 하였다. 이로부터 이 절에서 16명의 국사를 배출하여 불법을 중흥하였으니 길상사는 지금의 승보종찰 송광사(松廣寺)다.

포항 천곡사(泉谷寺)와 선덕여왕

경북 포항 천곡사

천곡사(泉谷寺)는 경북 포항시 흥해읍 도음산(禱陰山) 아래에 있는 천년 고찰이다. 천곡사 창건 설화를 살펴보면 다음과 같다.

신라 선덕여왕이 피부병에 걸려서 이를 완치하기 위하여 백약을 다 써왔으나 별다른 효험이 없었다.

어느 날 한 신하의 권유에 따라 동해안의 천곡령(泉谷嶺) 아래에 있는 약수(藥水)로 며칠간 목욕을 하자 피부병이 말끔히 나았다고 한다. 이러한 인연으로 선덕여왕은 자장율사에게 그곳에 절을 짓도록 하고 절의 이름을 천곡사라고 하였다.

그러나 그 이후에는 이렇다 할 내력은 전해지는 것이 없다. 1950년에 일어난 한국전쟁 이전까지만 하여도 천곡사는 13동의 건물이 있었다고 전하고 있으니 대찰로 여겨진다. 지금도 천곡사에는 석정(石井)이 있는데 이 우물이 바로 선덕여왕이 목욕한 우물이라고 전해지고 있다. 그리고 조선 말기만 하여도 세조의 어필(御筆)이 있었다고 하나 현재 전하는 것이 없다.

사냥꾼과 가사(袈裟) 공양

제주 제주시 문강사

황해도 안악군 안악면 연곡리 고령산 아래에는 고려 때 중국의 연등(燃燈) 스님이 창건한 연등사(燃燈寺)라는 절이 있었다. 어느 날 이 절에서는 가사(袈裟) 불사를 하게 되었는데 사냥꾼 이춘화(李春和)의 젊은 아내도 동참하게 되었다. 낮에는 남편이 사냥을 나가고 나면 집안일을 열심히 하고서 밤이면 산사로 올라가 가사

불사에 동참하여 열심히 한 땀 한 땀 바느질하였다.

남편인 사냥꾼은 이를 탐탁하게 여기지 않아서 부인에게 절에 그만 갈 것을 요구하였다. 그러나 아내는 며칠만 더하면 가사가 마무리된다며 밤마다 절에 가서 가사 짓는 일을 계속하였다. 그러던 어느 날 아내는 남편에게 말하기를 오늘 절에서 스님께서 법문하시기를 살생을 많이 한 사람은 단명의 과보를 벗어나기가 어려우며 죽어서는 지옥에 떨어진다고 하셨으니 이제 우리도 사냥을 그만두고 농사라도 지으며 살자고 하였다. 그러자 불같은 성질을 가진 사냥꾼 이춘화는 호랑이 한 마리를 잡아서 그 가죽을 팔면 3년이나 먹고사는데 무슨 농사를 지어서 입에 풀칠하느냐고 다시는 절에 다니지 말 것을 종용하였다. 그러나 부인은 가사 불사를 마무리하기 위하여 여러 사람과 어울려 절에서 가사 불사를 서두르다가 밤이 늦어 바느질하던 사람과 함께 절에서 잠을 자고 새벽녘에 귀가하였다.

사냥꾼은 부인이 필시 바람이 났을 거라고 예단하여 죽여 버릴 것을 작정하였다. 아무것도 모르는 부인은 물을 길어오기 위해 우물가로 가서 물동이에 물을 채워 오고 있었다. 사냥꾼 이춘화는 부인에게 화살을 날렸는데 부인은 계속 걸어오고 있었다. 활 솜씨가 뛰어난 사냥꾼은 의아해하며 다시 한 발의 화살을 날렸으나 부인은 계속 물동이를 이고 집으로 걸어 들어왔다. 사냥꾼 남편은 집에 들어온 부인에게 다시 이르기를 절대 절에는 가지 말라고 하였다. 그러나 그날 밤은 가사 불사를 회향하는 날이라 부인은 여러 사람과 함께 다시 가사 불사를 마무리 짓기 위하여 절로 올라갔다. 그러자 사냥꾼 이춘화는 화가 치밀어 올라 다시 부인을 죽이고자 화살을 준비하고 절 밖에 숨어 있었다. 그리고 얼마나 지났을까. 갑자기 창호문에 비친 그림자를 보니 부인이 일어나더니 스님을 덥석 안고 있는 모습이었다. 사냥꾼 이춘화는 화살을 날려 이를 명중시켰다. 그리고 집으로 돌아왔는데 늦은 밤에 부인이 멀쩡하게 돌아왔으나 안색이 아주 좋지를 않았다.

사냥꾼 남편은 부인이 멀쩡하게 나타나 내심 놀랐지만, 더욱이나 부인의 안색이 사색이 될 정도로 좋지 못하자 자초지종을 물었다. 부인이 전하기를 가사 짓기를 마무리하여 일어서서 가사를 반으로 접고 있었는데 그만 어디선가 화살이 날아와 가사를 통과하여 가사가 못 쓰게 되었다고 하였다. 부인의 말을 들은 사냥꾼 이춘화는 그동안 자신의 저지른 일과 오해를 부인에게 말하고 부인과 함께 스님을 찾아가 자기 잘못을 빌었다. 그러자 스님은 태연하게 말하기를 한쪽 구멍은 까마귀를 수놓아 메우고 또 한 구멍은 토끼를 수놓아 메우라고 하였다. 이는 까마귀는 해를 상징하고 토끼는 달을 상징하여 세월 늦기 전에 수행을 열심히 하라는 가르침이었다. 이에 사냥꾼 이춘화는 크게 뉘우치고 참다운 불제자가 되었다고 한다.

삼국유사 관세음보살과 청조(青鳥)

경남 양산 자장암

당나라에서 귀국한 의상 스님은 관음보살의 전신이 동해 바닷가 낙산 굴속에 있다는 말을 들었다. 관음보살을 친견하고자 7일 동안 굴 앞에서 기도한 후 가부좌한 상태로 물속에 뛰어들자 팔부신중들이 나타나 의상 스님을 굴속으로 안내하였다. 의상 스님이 굴속에서 예를 올리니 동해의 용이 수정 염주 한 꾸러미와 여의보주를 주었다. 이를 가지고 나온 의상 스님은 다시 7일 동안 용맹정진하며 기도하였다. 이번에는 관음보살이 홀연히 나타나서 지금 내가 앉은 자리 위의 산꼭대기에 쌍죽이 솟아날 것이니 그 자리에 법당을 지으라고 하였다. 그로 인하여 의상 스님이 지은 절이 낙산사(洛山寺)이다.

그러자 의상 스님과 쌍벽을 이루던 원효 스님 역시 관음보살을 친견하기 위하여 이곳을 찾아오던 중에 관음보살의 화신을 만나게 된다. 그 과정이 삼국유사에 기록되어 있다. 삼국유사(三國遺事) 제3권 탑상편(塔像篇)에 보면 원효 스님이 강원도 양양 부근까지 왔을 때 논 가운데서 흰옷을 입은 한 여인이 벼를 베고 있었다. 원효 스님은 장난삼아 말하기를 그 벼를 저에게 줄 수 있느냐고 하자 여인은 벼가 아직 여물지도 않았다고 장난삼아 대답하였다.

다시 원효 스님은 길을 재촉하여 개울가 다리 밑에 이르니 한 여인이 개짐을 씻고 있었다. 원효 스님은 여인에게 먹을 물을 달라고 했다. 여인은 그 더러운 물을 원효 스님에게 떠서 올렸다. 그러자 원효 스님은 그 물을 엎질러 버리고 다시 냇물을 떠서 마셨다.

이때 들 가운데 있던 소나무 위에서 파랑새 한 마리가 말하기를 제호(醍醐) 스님은 가지 마십시오 하더니 갑자기 숲으로 사라지고 다시는 보이지 않았다. 그리고 그 소나무 아래에는 신 한 짝이 벗겨져 있었다. 원효 스님이 다시 길을 재촉하여 낙산에 이르고 보니 관음보살상 밑에 신 한 짝이 벗겨져 있음을 보고 그제야 자신이 만났던 여인이 관음보살의 화신임을 깨달았다. 그로부터 사람들은 그 소나무를 관음송(觀音松)이라고 하였다. 원효 스님은 의상 스님이 관음보살에게 염주와 여의주를 받았다는 성굴(聖窟)로 들어가서 관음보살의 진용(眞容)을 보고자 하였으나 풍랑이 심하게 일어 들어가 보지 못하고 떠나게 되었다.

원효 스님은 흰옷을 입고 벼를 베고 있는 여인이 관음보살임을 암시하였으나 알아보지 못하였다. 또한 벼가 아직 열매를 맺지 아니하였노라고 답을 하였을 때 이를 알아차리지 못하고 떠남은 원효 스님이 더이상 법문을 청하지 못한 것을 의미한다. 그리고 개짐을 빤 물을 마시지 못했던 것은 원효 스님이 부처님께서 말씀하신 삼계가 오직 마음뿐이라는 것을 깨닫지 못함을 비유한 것이다. 여기서 '제호 스님은 가지 말라'는 표현은 아직 불성을 볼 능력이 없음을 말하는 것이다.

원주 치악산 상원사 동종 이야기

부산 부산진구 삼광사

강원도 원주시 신림면 성남리에 있는 치악산 상원사(上院寺)에는 보은의 전설이 지금까지 전하고 있다.

한 선비가 과거를 보기 위하여 한양으로 향하던 중에 숲속에서 꿩의 비명이 들려왔다. 소리 나는 곳을 쳐다보니 잔솔밭 아래서 구렁이가 꿩을 잡아먹기 위하여 똬리를 틀고 있었다. 선비는 꿩을 살리려고 화살을 날려서 구렁이를 명중시켜 죽여 버렸다.

발길을 재촉하여 한양으로 걸어가던 중 날은 어두워지고 민가는 찾기가 힘들었다. 그래서 계속 걸어가고 있었는데 산중에서 허물어질 듯한 작은 암자가 있기에 하룻밤 유숙하려고 청하였더니 이상하게도 소복을 입은 여인이 나타나 흔쾌히 허락하였다. 그리고 여인이 지어 준 저녁밥을 먹고 피곤한 나머지 이내 깊은 잠이 들어버렸다. 그런데 얼마 지나지 않아 이상하게 몸이 부자유하여서 잠을 깨보니 커다란 구렁이 한 마리가 자기 몸을 칭칭 감고 있었다. 선비는 놀란 나머지 뱀에게 말하기를 너는 아무리 미물이라고 할지라도 어찌 선비를 해칠 수 있느냐고 소리를 질렀다. 그러자 구렁이가 하는 말이 그대는 오늘 낮에 구렁이 한 마리를 죽였다. 그 구렁이는 바로 내 남편이다. 그러니 살려 줄 수가 없다고 하였다. 이에 선비는 뱀에게 살려 달라고 빌면서 간청하였다. 그러자 구렁이가 하는 말이 이 산 뒤에 빈 암자가 있는데 거기에 있는 종을 새벽 예불 시간까지 세 번만 울리면 살려 주겠다고 하였다.

느닷없는 이러한 제안에 이제는 죽었다고 생각하는데 이윽고 새벽이 되자 종소리가 뎅 뎅 뎅 하고 들려왔다. 그러자 자신을 감싸고 있던 구렁이는 온데간데없이 사라져 버렸다. 새벽은 가고 날이 밝아오자 종이 있는 곳을 가보니 꿩 세 마리가 머리가 터진 채 죽어 있었다. 이는 낮에 살려준 꿩이 은혜를 갚기 위하여 자신의 식솔과 더불어 머리를 종에 부딪쳐 종소리를 낸 것이다.

그 종이 바로 원주 치악산 상원사 동종이다. 그리고 이 산의 이름은 원래 적악산(赤岳山)이었으나 꿩이 죽음으로 목숨을 구했다고 하여 보은으로 치악산이라 이름 붙여졌다.

치악산에서 치(雉)는 꿩을 나타내는 글자이다. 그리고 여기에 관한 전설은 등장

인물과 더불어 다양하게 이야기를 전개하여 지금까지 전해지고 있다. 원주 구룡사 사적기(龜龍寺 事蹟記)에는 조선 초기에 무학대사(無學大師)가 상원사를 찾았다가 지은 시 한 수가 전해진다.

蛇沒雉岳兩鮮空 大小盤音四更中 雉蛇兩寃半宵鮮 正知無着報酬鐘

사몰치악양선공 대소반음사경중 치사양원반소선 정지무착보수종

뱀이 죽은 치악산의 맑은 하늘가로

크고 작은 종소리 새벽에 울려

꿩과 뱀의 두 원혼 그 밤으로 풀렸나니

비로소 무착 스님은 보은의 종소리임을 알았네.

영험실화전설집 홍도 비구가 뱀이 되다

경남 진주 청곡사

강원도 회양군 내금강산 만폭동 인근에 돈도암(頓道庵)에서 전하는 이야기에 따르면 홍도(弘道) 비구가 오랫동안 병을 앓다가 어느 날 소나무 밑에서 자리를 펴고 누웠다. 그런데 갑자기 회오리바람이 불어 자리를 걷어치우기를 세 번이나 거듭하자 그만 성이 나서 악담을 하였는데 이 과보로 뱀의 몸을 받았다. 이를 본 객스님이 측은한 마음이 들어 삼칠일 동안 기도하고 회향하였다. 그날 밤 꿈에 뱀의 전신인 홍도 비구가 객스님을 보고 스님의 공덕으로 천상에 태어났다고 하면서 뱀이 꼬리로 부엌의 재[灰]에 다음과 같은 게송을 쓰면서 홍도 비구의 후신이라고 하였다.

幸逢佛法得人身 多劫修行近成佛 松風吹打病中席 一起嗔心受蛇報

행봉불법득인신 다겁수행근성불 송풍취타병중석 일기진심수사보

나는 다행히 사람 몸 받고 불법을 만난 후
다겁(多劫) 생 동안 수행하여 성불이 가까워졌건만
돌풍이 병석을 휘몰아치므로
한 번 성내는 마음으로 인하여 뱀의 몸을 받았다네.

天堂佛刹輿地獄 唯有人心所作因 我當比丘住此庵 今受此身恨萬端
천당불찰여지옥 유유인심소작인 아당비구주차암 금수차신한만단

천당과 불찰 그리고 지옥은
오직 사람의 마음으로 인하여 창조한 것이다.
나는 비구로서 이 암자에서 수행하였는데
이제 뱀의 몸을 받고 보니 후회막급하구나.

寧碎我身作微塵 要不平生起嗔心 願師還向閻浮提 說我形容誡后人
영쇄아신작미진 요불평생기진심 원사환향염부제 설아형용성후인

차라리 이 몸을 가루처럼 부술지언정
다시는 이 마음에 성내는 마음을 내지 않으리
바라건대 스님께서는 세상 사람을 대하거든
나의 몰골을 일러주어 후인들이 경계토록 하소서.

念情口不能言語 以尾成書露眞情 願師書寫懸壁上 欲起嗔心擧眼看
염정구불능언어 이미성서로진정 원사서사현벽상 욕기진심거안간

맺힌 한을 입으론 말할 길이 없어
이에 꼬리로써 글을 적어 나의 심정을 표하니

바라건대 스님께서는 이 게송을 적어 벽에다 걸어 두고
성내는 마음이 생기거든 이를 보게 하소서.

嗔心一起受蛇身 貪心能斷至菩提 心裡無瞋眞布施 口中無瞋吐妙香
진심일기수사신 탐심능단지보리 심리무진진보시 구중무진토묘향

성내는 마음일랑 한 번만 일으켜도 뱀의 몸을 받나니
성내는 마음이 끊어져야 깨달음을 얻게 된다네.
성내는 마음이 없는 그 마음이 참다운 보시이고
성내는 마음이 없는 입이라야 묘한 향기를 토해내네.

面上無瞋眞供養 無喜無瞋是眞常
면상무진진공양 무희무진시진상

성 안 내는 그 얼굴이 참다운 공양구요,
기꺼움도 생 냄도 없는 담담한 그 자리가 영원한 진실이네.

이러한 이야기는 여러 형태로 전해지고 있다. 어떤 이는 육자염불을 지극정성으로 10년간 하였다. 그러나 마지막 날 소나무 밑에 앉아서 염불하다가 부는 바람에 솔잎이 눈을 찌르자 그만 자신도 모르게 화를 내어 '십 년 염불 도로 아미타불이 되었다'고 한다. '도로아미타불'이 여기에서 유래된 표현이라는 설도 전하고 있다.

고승(高僧)과 선사(禪師)

십우도(十牛圖)·심우도(尋牛圖)

선종(禪宗)에서는 견성(見性)에 이르는 과정을 열 단계로 간명하게 묘사한 그림을 십우도(十牛圖) 혹은 심우도(尋牛圖)라고 한다. 우리나라 대부분 사찰에는 보편적으로 심우도가 많이 그려져 있다.

십우도는 송나라 때 곽암사원(廓庵師遠) 스님이 지은 卍속장에 수록되어 있다. 이는 청거호승(淸居皓昇) 스님이 목우(牧牛)를 주제로 하여 참선하는 수행자가 오도에 이르는 과정을 비유적으로 12도(圖)로 나타내었다고 한다. 그러나 곽암 스님이 이를 기초로 하여 십우도로 다시 재편한 것이다.

목우도는 송나라 인종 시대인 1050년을 전후해서 청거호승(淸居皓昇) 선사가 팔우도(八牛圖)를 그린 것이 시초라고 한다. 이 그림을 바탕으로 하여 곽암(廓庵) 선사가 남송 고종 시대인 1150년을 전후해서 팔우도를 개작하여 십우도를 완성하였다고 전하고 있다. 어떤 학자는 목우도를 그리게 된 배경이 증일아함경(增壹阿含經) 제46~47권 방우품(放牛品)에 의한 것이라고 하기도 한다.

이러한 그림에는 송(宋)나라의 보명(普明) 스님이 그린 목우도와 곽암 스님이 그린 십우도가 있다. 보명 스님의 목우도는 검은 소에서 점점 흰 소로 나아가는, 곧 오염된 성품을 점점 닦아 청정한 성품으로 나아가는 점오(漸悟)의 과정을 나타낸 것이다. 곽암 스님은 검은 소에서 바로 흰 소로 되어 버리는, 곧 등을 돌림으로써 보지 못하게 된 청정한 성품을 돌아서서 단박에 보게 되는 돈오(頓悟)의 과정을 나타낸다. 목우도는 묵조선(默照禪)을, 십우도는 간화선(看話禪)을 반영하고 있는 것이다.

우리나라는 두 종류가 전해 내려와 조선 시대까지는 이 두 가지가 함께 그려졌으나 최근에는 곽암의 십우도가 주로 그려지고 있다. 십우도라는 말은 마음을 찾아가는 과정을 소를 대입시켜서 열 폭의 그림으로 나타내었기에 십우도(十牛圖)라고 하는 것이다. 중국에는 소 대신 말이 등장하는 시마도(十馬圖)가 있으며, 티베트에는 코끼리에 비유하여 시상도(十象圖)가 있다.

1. 심우(尋牛) 소를 찾아 나서다

제주 제주시 불탑사

茫茫撥草去追尋 水闊山遙路更深 力盡神疲無處覓 但聞楓樹晩蟬吟
망망발초거추심 수활산요로경심 력진신피무처멱 단문풍수만선음

아득히 펼쳐진 수풀 헤치고 소를 찾아 나섰으나
물 넓고 산 먼데 길은 더욱 깊구나.
몸과 마음 피로해서 찾을 길 없는데
다만 들리는 건 늦가을 단풍나무 매미 소리뿐.

십우도(十牛圖)에서 소는 본래면목(本來面目)을 말한다. 그러기에 진성(眞性)인 본성(本性)을 찾는 것은 마치 광활하게 우거진 수풀 속에서 길을 찾는 것과 같다. 그만큼 본심을 찾는 것은 어렵고도 힘든 일임을 암시하고 있다. 처음 발심한 수행자는 선(禪)이 무엇인지 본성이 무엇인지 모른다. 이는 마치 길 없는 수풀 속에서 집을 찾아가는 과정과 같다.

십우도의 주인공은 언제나 동자인 소년이다. 이는 아직 때묻지 않은 수행자가 각종 잡다한 지식으로 가득 차 있는 어른들보다는 본성을 찾기가 쉬우므로 소년으로 나타내는 것이다. 선(禪)은 어쩌면 불필요하고 자질구레한 모든 것에서 벗어나고, 나를 속박시키고 옭조이는 그런 것들을 버리고자 하는 공부인지도 모른다. 그런 점에서 어린애들이 어른보다는 욕망의 무게가 적을 것이다.

이러한 표현은 화엄경(華嚴經) 입법계품에 나오는 선재동자(善財童子)와도 의미가 서로 통하는 부분이다. 선재동자가 수많은 선지식을 찾아다니며 성불의 길을 찾았다면, 목우도에 나오는 동자는 소(牛)를 대입시켜 진성(眞性)을 찾고자 함이 다를 뿐이지 알고 보면 오십보백보(五十步百步)다. 동자는 손에 고삐를 쥐고 있다. 고삐를 느슨하게 쥐고 있으면 소가 도망가므로 이는 정진력을 비유한 것이며, 잡다한 수풀은 우리가 가지고 있는 끝없는 욕망을 말하는 것이다. 그리고 십우도에 등장하는 소는 곧 우리의 마음을 상징하는 것이다.

곽암(廓庵) 스님의 생몰에 대해서는 전하는 바가 없다. 다만 임제종(臨濟宗) 양기파(楊岐派)의 스님으로 알려져 있다. 법명은 사원(師遠)이며 법호는 곽암(廓庵)이다. 목우도(牧牛圖)를 참고하여 지은 십우도송(十牛圖頌)의 저자로 전해진다.

2. 견적(見跡) 발자취를 보다

경북 영주 비로사

水邊林下跡偏多 芳草離披見也麽 縱是深山更深處 遼天鼻孔怎藏他

수변림하적편다 방초리피견야마 종시심산경심처 료천비공즘장타

물가 수풀 아래 발자국 어지러우니
방초 헤치고서 그대는 보았는가?
설사 깊은 산 깊은 곳에 있다고 해도
하늘 향한 그 콧구멍을 어찌 숨기리.

두 번째 그림은 동자승이 고삐를 쥐고 소의 발자국을 발견한 모습을 그리고 있다. 이를 견적(見跡)이라고 하는데 이는 흔적을 보았다는 것으로 소의 발자국을 본 것이다. 곧 본성을 찾으려고 일념으로 수행 정진하다 보면 본성의 자취를 어렴풋이나마 알게 된다는 것을 비유하는 것이다. 이것은 우리가 가야 할 길을 보여주는 것으로 스승들, 선인들의 발자취를 찾아가는 것을 의미한다. 향기로운 풀밭에도, 마을에서 먼 깊은 산속에도 소 발자국이 있다.

여기서 우리가 알아야 할 것은 심우(尋牛)는 잃어버린 소를 찾는다는 표현이지만 우리는 단 한 번도 소를 잃어버린 적이 없다. 왜냐하면, 소라는 것은 바로 우리 자신이기 때문이다. 소는 항상 우리와 함께 동고동락하고 있다. 그러나 지금의 우리 마음이 참다운 본성이 아닌 것이 문제다. 선(禪)은 그것을 일시에 타파하여 깨달음을 얻으려는 것이다. 이것을 분명하고 확철하게 알았다면 이를 일러 확철대오(廓徹大悟)라고 한다. 그러므로 실참(實參) 없이 다만 알음알이로 도리를 아는 것은 지해(知解)에 불과하다.

3. 견우(見牛) 소를 보다

경남 밀양 표충사

黃鶯枝上一聲聲 日暖風和岸柳靑 只此更無回避處 森森頭角畵難成

황앵지상일성성 일난풍화안류청 지차경무회피처 삼삼두각화난성

노란 꾀꼬리 가지 위에서 지저귀고
햇볕은 따사하고 산들바람에 언덕 위 버들가지 푸르네.
이곳을 마다하고 어디로 갈까나.
늠름한 쇠뿔(頭角)은 그리기가 어려워라.

세 번째 심우도는 동자승이 소의 일부분을 발견한 그림이다. 여기서 견우(見牛)란 소를 보았다는 뜻으로 각고의 노력 끝에 본성을 어느 정도 깨달았음을 암시한다. 곽암 선사는 나뭇가지 위에 지저귀는 노란 꾀꼬리, 따사롭고 화창한 날 언덕에 살랑거리는 푸른 버들가지, 이 모두가 법을 설하고 있음을 은유적으로 나타내고 있다. 이러한 사실 하나하나가 모두 오묘한 것이거늘 어찌 붓을 들어 물감을 찍어 그림으로 나타낼 수가 있겠느냐고 하고 있다. 그렇다. 우리는 툭하면 마음, 마음 하지만 이것을 어찌 나타낼 방법은 없다. 그렇다고 마음이 없는 것도 아니다.

우리의 본성은 아무리 일러주어도 알 수 없고, 사실 전하고자 하나 전할 수도 없는 것이다. 이것을 체득(體得)하지 않으면 그 실체의 맛을 모르기에 선자(禪子)는 화두를 간택하여 일구월심(日久月深)으로 주야장장(晝夜長長) 밀어붙이는 것이다. 소를 찾기 위하여…….

곽암(廓庵) 스님의 목우도

4. 득우(得牛) 소를 얻다

대구 동구 관음사

竭盡精神獲得渠 心强力壯卒難除 有時才到高原上 又人煙雲深處居

갈진정신획득거 심강력장졸난제 유시재도고원상 우인연운심처거

정신을 다 기울여 소를 잡았으나

힘세고 마음 강해 다루기 어려워라.

어느 때는 높은 산상에 이르고

어느 때는 깊은 구름 속에서 헤매네.

네 번째는 득우(得牛)다. 다시 말해 소를 얻었다는 뜻이다. 이보다 앞서 그림은 견적(見跡)이라고 하여 소 발자국 정도만 보았다. 뒤이어 소의 어느 정도를 보았다는 견우(見牛)에 이어서 나오는 득우(得牛)까지만 살펴보아도 무언가 모르게 생동감 있다. 마치 정중동(靜中動)처럼 보이지 않는 움직임이 있는 것이다.

득우라는 단계에 이르면 선종(禪宗)에서는 견성(見性)이라고 본다. 그러나 아직이 정도로는 안 되고 더더욱 가행정진해야 한다. 땅속의 철광석을 보았다고 하여도 이를 제련(製鍊)하지 아니하면 돌덩이와 다름없듯이 득우는 마치 땅속의 쇳덩이를 발견한 것과 같다.

시경(詩經) 소아편에 보면 타산지석 가이공옥(他山之石 可以攻玉)이라는 말이 있다. 이는 다른 산에서 나는 돌이라도 숫돌로 쓰면 자기(自己)의 옥을 갈 수 있다는 뜻으로 거칠고 나쁜 돌이라도 나의 옥을 가는 데는 큰 도움이 될 수 있다는 표현이다.

심우도에서 소는 항상 자기 자신을 표현하는 것이다. 득우(得牛)의 표현은 항상 소하고 동자 간의 고삐라는 매개체를 가지고 씨름하는 표현이다. 우리의 마음은 그만큼 고집스럽고 완강하다는 의미다. 그래서 마음은 보았지만 참 마음은 아니다.

곽암(廓庵) 스님의 목우도

5. 목우(牧牛) 소를 길들이다

강원 강릉 동명사

鞭索時時不離身 恐伊縱步惹埃塵 相將牧得純和也 羈鎖無拘自遂人

편색시시불리신 공이종보야애진 상장목득순화야 기소무구자수인

채찍과 고삐를 늘 떼놓지 않음은

멋대로 티끌 세계로 들어갈까 두렵다.

잘 길들여 순화되면

고삐 잡지 않아도 스스로 사람을 따르네.

다섯 번째 목우(牧牛)는 소를 먹여서 기른다는 뜻이 아니다. 소를 자연스럽게 놓아두어도 저절로 가야 할 길을 알아서 갈 수 있도록 길들이는 모습이다. 그래서 등장하는 동자승에게 고삐가 없는 모습으로 나타내기도 한다. 그만큼 수행으로 인하여 마음이 무엇인지 제법 많이 알았다는 방증이기도 하다. 소를 길들이지 아니하면 천방지축(天方地軸)이 되어 진흙탕 길이나 가시덤불로 들어갈지도 모를 일이니, 이는 곧 빠져나오기 어려운 삼독(三毒)의 유혹을 말한다. 그러나 이러한 유혹에서 벗어날 정도가 된다면 굳이 코뚜레를 꿰어서 고삐를 손에 쥐고 있을 이유가 없는 것이다. 잘 길들여진 소는 소도 편하고 나 또한 편한 것이다. 그러기에 수행자는 본성(本性)을 찾으려고 안간힘을 쓰는 것이다.

그러지 않으면 언제 또 이 소가 어떤 진흙탕, 어떤 삼독과 유혹 속에 빠질지 모른다. 길을 잘 들이면 소도 점잖아질 것이다. 그때에는 고삐를 풀어줘도 주인을 잘 따를 것이다. 이는 곧 삼독의 애착에서 벗어남을 의미하는 것으로 곧 보임(保任)의 단계를 말한다. 선(禪)에서는 아주 중요한 단계이기도 하다. 보임(保任)이란 선종에서 깨달은 뒤에 더욱더 갈고 닦는 수행법을 말한다. 불교의 해탈 방법은 단번에 궁극적인 본성을 깨닫는 돈오(頓悟)와 점차적인 수행의 단계를 거쳐 오랜 기간의 수행 끝에 부처가 되는 점수(漸修)의 두 가지로 나누어진다. 특히 선종은 돈오와 점수 가운데 돈오를 더 중요시하는 면이 있다. 하여튼 보임(保任)이 완성되어야 본격적인 중생 교화의 길로 나설 수가 있다고 보는 것이다.

참고로 고려 시대에 보조지눌(普照知訥) 스님을 목우자(牧牛子)라고도 하였는데 이러한 표현도 심우(尋牛)에서 나온 표현이다.

6. 기우귀가(騎牛歸家) 소를 타고 집으로 돌아오다

경북 영주 흑석사

騎牛迤邐欲還家 羌笛聲聲送晩霞 一拍一歌無限意 知音何必鼓唇牙

기우이려욕환가 강적성성송만하 일박일가무한의 지음하필고진아

소를 타고 집으로 가노라니

오랑캐 피리 소리 저녁노을 속에 울린다.

한 박자 노래 한 곡마다 한량없는 뜻이 담겨 있으니

곡조를 아는 이가 어찌 헛된 말하리.

여섯 번째는 동자승이 소를 타고 구멍 없는 피리를 불며 집으로 돌아가고 있는 모습이다. 채찍도 필요 없고 고삐도 없으며 코뚜레도 필요 없다. 어디에도 걸림이 없는 무애한 모습이다. 곧 본성의 마음은 그렇게 자유자재하여 어디에도 걸림이 없고 물들래야 물들 수도 없는 것이다. 그러므로 애증(愛憎)도 없고 속박도 없는 것이다.

이러한 경지에 이르면 구멍 없는 피리를 불고 줄이 없는 거문고를 탄다고 표현한다. 선(禪)은 결국 무위법을 추구한다. 그러므로 구멍 있는 피리, 줄이 있는 거문고라면 유위법(有爲法), 구멍 없는 피리, 줄이 없는 거문고는 무위법(無爲法)을 나타낸다. 구멍 없는 피리의 소리는 육안(肉眼)으로는 살펴볼 수 없는 본성에서 저절로 흘러나오는 소리다.

구멍 없는 피리, 다시 말해 무공저(無孔笛)는 구멍 없는 피리를 불 수 없는 것처럼 깨달음의 경지는 생각으로 가늠할 수 없고, 말이나 글로 표현할 수 없음을 비유한 것이다. 우리의 마음도 사실 글이나 말로써 나타내거나 표현할 수 없는 것이다.

이 단계에 이르면 소는 백우(白牛)가 된다. 동자와 소가 혼연일체가 되어서 피안의 세계로 가게 되는 것이다. 그것이 우리들의 본래 고향인 자성(自性)인 것이다. 이때가 되면 심우(尋牛)가 아니라 심우(心牛)가 되는 것이다.

7. 망우존인(忘牛存人) 소는 잊었으나 사람은 남다

경남 합천 황룡사

騎牛己得到家山 牛也空兮人也閑 紅日三竿猶作夢 鞭繩空頓草當間

기우기득도가산 우야공혜인야한 홍일삼간유작몽 편승공돈초당간

소를 타고 집으로 돌아오니

소는 없어지고 사람은 한가롭다.

붉은 해 높이 솟아도 꿈 같으니

소용없는 채찍과 고삐는 띳집에 놓여 있네.

일곱 번째는 소는 없어지고 동자승만 홀연히 앉아 있다. 망우재인(忘牛在人)으로 소는 잊고 사람만 있다. 이를 망우존인(忘牛存人)이라 표현하였다. 곧 집에 돌아와 보니 그렇게도 애써 찾던 소는 온데간데없이 사라지고 오직 자기만 남았다는 내용이다. 그러므로 수행이 완숙하여 물아일여(物我一如)가 되었음을 나타낸 것이다.

그렇다면 본성을 찾아가는데 소는 왜 등장하였을까? 결국 본성으로 귀가하고자 하는데 방편으로 사용한 것이다. 본고향인 진성으로 돌아오면 소라는 것마저도 필요 없는 것이다. 금강경에 뗏목을 타고 강을 건넜으면 뗏목을 버려야 한다는 가르침과 일맥상통한다.

망우존인을 달리 표현하면 도가망우(到家忘牛)라고 한다. 망우존인이나 도가망우는 같은 표현이다. 귀가(歸家)나 도가(到家)는 다를 바가 없기 때문이다.

십우도송 망우존인서(序)에 보면 법에는 두 가지 차별된 법이 없으니 어느 것이나 소가 근본이 되는 것이다. 올무와 토끼는 명칭이 다른 것 같고 통발과 물고기가 구별되는 것은 마찬가지이다. 마치 금이 광석에서 나오는 것과 같으며 달이 구름을 벗어난 것과 흡사하여 한줄기 서늘한 밝은 빛이 위음겁 밖에 있다고 하였다. 法無二法 牛且爲宗 喻蹄兎之異名 顯筌魚之差別 如金出鑛 似月離雲 一道寒光威音劫外

우리나라 사찰 벽화는 팔상도(八相圖)와 심우도(尋牛圖)가 제일 많이 그려져 있다. 여기서 팔상도는 교학적인 특성이 있고 심우도는 수행적인 특징이 있다. 팔상도는 우리에게 불교의 교리를 가르쳐 주고, 심우도는 본래면목(本來面目)에 대해서 가르쳐 주고 있다.

8. 인우구망(人牛俱忘) 자기 자신도 잊다

경북 영천 수도사

鞭索人牛盡屬公 碧天遠闊信難通 紅爐焰上爭容雪 到比方能合祖宗

편색인우진속공 벽천원활신난통 홍로염상쟁용설 도비방능합조종

채찍과 소, 사람 모두 공하니

맑고 푸른 하늘 멀고 넓어 소식 전하기 어렵구나.

붉은 화로의 불꽃이 어찌 흰 눈을 용납하리오.

이 경지에 이르러 비로소 조사의 마음과 하나가 되도다.

심우도 여덟 번째는 인우구망(人牛俱忘)이다. 소도 자기 자신도 완전히 잊어버린 상태를 묘사한 것으로 이를 나타낼 재간이 없으니 둥근 원상(圓相)으로 표현한 것이다. 소를 객관적으로 본다면 주관적인 자신도 잊어버리는 공(空)한 상태가 되어야 비로소 확철대오(廓徹大悟)하게 깨달은 경지인 것이다.

이러한 상태에 이르러야만 시비와 분별, 증오(憎惡)와 애증(愛憎), 유무(有無)의 편견과 집착이 완전히 사라지게 되는 것이다. 그것이 우리가 그토록 찾고자 하는 본성이며 진성(眞性)이다. 이를 곧 불성(佛性)이라고 한다. 이것을 그림으로 나타낸 것이 일원상(一圓相)이다.

결국 일원상은 참나인 진아(眞我)를 말하는 것이다. 참나는 구체적인 현실에 의하지 않은 추상(抽象)에 치우치는 관념적(觀念的)인 것이 아니라 실존적인 것이다. 여기서 한발 더 나아가 주객을 초월한 경지에 이르면 이 세상 전부가 공(空)한 것이다.

인디언의 지혜는 스스로 경험할 때까지는 안다고 말하지 말라고 하였다. 석두희천(石頭希遷) 스님도 스스로 경험해 보지 않고는 결코 이해할 수 없을 것이라고 하였다. 선(禪)은 구두선(口頭禪)이 아닌 실참(實參)이 중요하기 때문이다.

곽암(廓庵) 스님의 목우도

9. 반본환원(返本還源) 본래의 자리로 되돌아오다

경남 산청 수선사

返本還源已費功 爭如直下若盲聾 庵中不見庵前物 水自茫茫花自紅

반본환원기비공 쟁여직하약맹롱 암중불견암전물 수자망망화자홍

근원으로 돌아가 돌이켜보니 온갖 노력 기울였구나!
차라리 당장에 장님, 귀머거리 같을 것을.
암자에 앉아 암자 밖의 사물을 보지 않으니
물 절로 잔잔하고 꽃 절로 붉구나!

반본환원(返本還源)은 곧 주객이 텅 빈 일원상(一圓相) 속에 자기 모습이 있는 그대로 가감 없이 비침을 묘사한 것이다. 자신을 잊고 사사로운 마음 없이 나라는 존재까지도 잊어버려서 모든 번뇌에서 벗어났다면 그것이 곧 확철대오(廓徹大悟)를 바탕으로 이루어지는 해탈(解脫)이다. 그 경지가 되어야 삼라만상(森羅萬象) 두두물물(頭頭物物) 모두가 반본환원(返本還源)이 되는 것이다. 그래서 산은 산이요, 물은 물이라는 일구(一句)가 성립된다.

강은 잔잔히 흐르고 꽃은 저절로 붉었다. 이는 있는 그대로 보는 것이니 곧 여실한 모습을 말하는 것이다. 진리는 알고 보면 원래가 그렇다. 괜히 자기의 식견대로 의미를 붙여서 말하지만 실상은 언제나 그 자리인 것이다. 여기에는 형상에 대한 집착과 그 어떠한 꾸밈도 필요하지 않다. 우리의 근원은 적적(寂寂)하고 성성(惺惺)하기 때문이다. 이것을 체득하여 알고 나면 불생불멸(不生不滅)하는 자리이다. 이는 생사를 뛰어넘는다고 하여 삶과 죽음을 따로 보지 않는 것이다.

반본환원(返本還源), 즉 본래 그 자리로 돌아오면 지금까지 살았던 모든 것은 괜한 헛수고였음을 알게 되는 것이다. 참나를 모르는 진리와 삶은 달팽이 뿔과 같은 삶이며, 조존석망(朝存夕亡)과 같은 삶을 사는 것과 같다. 우리에게는 항상 무상노병(無常老病)이 그림자처럼 따라다니는 것이다.

반본환원의 그림은 아무것도 없는, 있는 그대로 나타내기 위하여 대부분 수록산청(水綠山靑)의 정경으로 나타내곤 한다. 본심은 본래 청정하여 아무 번뇌가 없어 산은 산대로 물은 물대로 있는 그대로를 볼 수 있는 참된 지혜를 얻었음을 비유한 것이다. 다만 우리가 반본환원에 쉽게 이르지 못함은 뿌리 깊은 욕망의 그물에 항상 걸리기 때문이다.

10. 입전수수(入廛垂手) 세상으로 들어가 깨달음을 베풀다

부산 금정구 국청사

露胸跣足入廛來 抹土塗炭笑滿顋 不用神仙眞秘訣 直教枯木放花開

로흉선족입전래 말토도탄소만시 불용신선진비결 직교고목방화개

가슴을 헤치고 맨발로 거리에 서니
흙을 바르고 재투성이지만 얼굴 가득한 웃음.
신선의 비결 쓰지 않아도
당장에 마른나무에 꽃이 피게 하는구나.

십우도의 마지막은 입전수수(入廛垂手)다. 이는 손을 드리우고 세상으로 나간다는 뜻이다. 여기에 관한 그림을 살펴보면 십우도의 주인공인 동자(童子)는 은근슬쩍 사라지고 성인의 사문이 등장한다. 그리고 큰 지팡이에 더러는 포대를 메고 사람들이 많은 속세로 향하여 나아가는 모습으로 나타낸다.

저잣거리로 나간다는 뜻은 이 세상 모두가 도(道)가 아님이 없음을 말하기도 하고, 또한 그동안 수행하여 얻은 모든 것을 세상 사람들에게 전하고 홍법하여 모두가 이 도(道)에 들기를 권하기 위한 다짐이기도 하다. 이것을 자타일시성불도(自他一時成佛道)라고 한다. 술 마시고 흥청대는 곳이나 한푼이라도 더 받으려고 흥정하는 저잣거리나 이런 모든 것은 알고 보면 도(道)가 아님이 없는 것이다. 포대를 짊어지고 나간다는 것은 중생에게 이로운 복(福)과 덕(德)을 담은 것을 나타내서 적극적으로 중생을 제도하고자 하는 마음을 표현한 것이다.

손을 드리우고 세상에 나간다. 옷은 누더기, 때가 찌들어도 언제나 복으로 넘쳐흐른다. 술병을 차고 저잣거리로 나갔다가 지팡이를 짚고 집으로 돌아온다. 술집과 시장으로 가니, 내가 바라보는 모든 사람이 깨닫게 된다. 도(道)를 세상에 돌리니, 남과 내가 하나가 된다.

중생 제도를 위해 자비의 손을 내밀고자 중생이 있는 곳으로 향하는 모습은 다름이 아닌 이타행(利他行)이다. 심우도는 자기완성(自己完成)의 이정표를 알려주고 있다. 그리고 수행자의 회향은 중생 제도다. 그러기 위해서는 심우도를 제대로 알아서 벽화 속의 소를 붙잡고 나와 살아 있는 소로 변모시켜야 한다.

보명(普明) 스님의 목우도

1. 미목(未牧) 소를 길들이기 전

전북 남원 대복사

猙獰頭角恣咆哮 犇走溪山路轉遙 一片黑雲橫谷口 誰知步步犯嘉苗

쟁녕두각자포효 분주계산로전요 일편흑운횡곡구 수지보보범가묘

사납게 생긴 뿔에 크게 멋대로 소리 지르며
산과 계곡을 달려가니 갈 길이 더욱 멀구나!
한 조각 먹구름이 골짜기에 비끼는데
걸음걸음에 애써 가꾼 농사 망칠까 누가 알겠는가.

미목(未牧)이란 소를 길들이기 전의 모습이다. 여기서 소는 우리의 마음을 말하기에 번뇌 망상으로 인하여 오염된 그 마음을 마치 야우(野牛)처럼 비유한 것이다. 자기 자신을 제어하지 못하고 멋대로 방자하게 행동하는 것을 말한다. 이러한 것을 객진번뇌(客塵煩惱)라고 한다. 우리의 마음은 본래 청정한 것이나 그 순수성을 지키지 못하고 번뇌에 물들여진 모습으로 나타나는 것을 말한다. 객(客)이라는 것은 외부로부터 마음을 염오(染汚)시키기 때문에 객이라는 표현을 쓴 것이다.

쟁녕(猙獰)은 성질이 사납고 포악한 것을 말하며 분주(犇走)는 분별하지 못하고 제멋대로 달아나거나 날뛰는 것을 말한다.

두각(頭角)은 짐승한테 난 뿔을 말하므로 여기서는 소뿔이다. 사납게 생긴 뿔소가 성이 나서 으르렁거리는 모습을 말하므로, 곧 조복(調伏) 받지 못한 우리들의 마음을 말하는 것이다.

한 조각 먹구름이 일어나서 농사를 지어 놓은 싹을 망친다고 하였으니 여기서 먹구름은 미망을 말한다. 그러기에 밭인지 벌판인지 구분도 못하므로 힘들여 농사지은 것을 망치게 되는 것이니 이는 진리에 계합하지 못하는 것을 말한다.

보명(普明) 스님의 목우도

2. 초조(初調) 소를 길들이기 시작하다

충남 서산 개심사

我有芒繩驀鼻穿 一迴奔競痛加鞭 從來劣性難調制 猶得山童盡力牽

아유망승맥비천 일회분경통가편 종래열성난조제 유득산동진력견

나에게 고삐가 있어 달려들어 코를 뚫어서
한바탕 달아나면 아프도록 채찍질하지만
본래부터 있던 습성 다스리기 어려우니
오히려 저 목동이 힘을 다해 이끄는구나!

망승(芒繩)은 고삐를 말한다. 맥(驀)은 금세, 쏜살같이, 곧장, 이러한 뜻이다. 미목에서 야성을 버리지 못한 소를 이제 길들이고자 하는 것이다. 이는 우리를 미혹함에서 벗어나게끔 하기 위한 것이다. 왜냐하면 미혹만 벗어나면 참 성품은 저절로 드러나기 때문이다.

그러기에 망승(芒繩)인 고삐는 수행의 고삐를 말하는 것이다. 또한 아프도록 채찍질을 한다는 것은 곧 정진을 독려한다는 표현이다. 더욱이 무시이래(無始以來)로 습성에 박혀버린 미혹한 마음을 정진의 고삐를 바짝 쥐어서 헤쳐 나가야 하는 것이다.

3. 수제(受制) 소가 길들어가다

충남 서산 개심사

漸調漸伏息奔馳 渡水穿雲步步隨 手把芒繩無少緩 牧童終日自忘疲

점조점복식분치 도수천운보보수 수파망승무소완 목동종일자망피

점차 조복되고 길들어 날뛰던 마음이 그치게 되니
물 건너고 구름 헤치고 걸음걸음 뒤따라온다.
손에 고삐 잡아 잠시라도 늦추지 아니하고
목동이 종일토록 스스로 피곤함을 잊었노라.

수행과 끝없는 정진으로 인하여 이제 점점 자신의 본성을 되찾아 가는 모습이다. 그리고 분치(奔馳)라고 하는 것은 빨리 달린다는 의미가 있으니 앞서 설명한 분주(犇走)함과 같은 표현이다.

객진번뇌에 물들여진 이 마음은 남을 원망하여서 해결될 문제가 아니고 자기 내면을 들여다보고 각성(覺醒)하여 정진해야 해결할 수 있다. 그러기에 보명(普明) 선사는 잠시라도 자기 내면을 들여다보고 관조하는 수행의 끈을 결코 놓쳐서는 안 된다고 경책하는 것이다.

목동이 종일토록 피곤함을 잊었다고 하였으니 여기서 목동은 바로 남이 아닌 나 자신이다. 수행도 정진의 힘이 붙으면 태산을 움직일 힘이 생기는 것이다. 그러므로 잠시라도 고삐를 놓아서는 안 된다.

4. 회수(廻首) 변화되어 가다

전북 남원 대복사

日久功深始轉頭 顚狂心力漸調柔 山童未肯全相許 猶把芒繩且繫留
일구공심시전두 전광심력점조유 산동미긍전상허 유파망승차계류

날이 가고 공(功)이 깊어 비로소 머리 돌리니
길길이 날뛰던 성품은 점차로 순해지네.
하지만 목동은 아직 잠시라도 마음을 놓칠 수 없어
오히려 고삐를 잡아당겨 매어 놓도다.

회수(廻首)는 머리를 돌린다는 뜻이니 이는 변화되어 가는 것을 의미하는 표현이다. 그러기에 우리는 정진해야 한다. 옛 속담에 미련한 곰이 범 잡는다고 하였다. 수행은 우직하게 해야지 너무 단시간에 효과를 보려고 하면 자기 자신도 모르게 지쳐서 물러서게 되는 법이다.

일구(日久)는 세월이 가는 것을 말한다. 수행은 머리가 좋다고 깨달아 얻는 것이 아니라 세월의 흐름을 더해야 하는 것이다. 이에 부처님은 우리에게 이러한 가르치심을 몸소 보이고자 6년 고행을 자처하신 것이다.

전광(顚狂)은 우리들의 마음을 제정신을 못 차리는 미치광이로 비유한 것이다. 우리들의 마음을 야성(野性)에 비유하였으니 이는 마음이 이토록 길들기 어렵다는 말이다.

자신의 참된 마음을 찾는 수행은 잠시도 방일한 것을 허용하지 않는다. 간극(間隙)이 벌어지면 사마(邪魔)가 침범하기 때문이다. 그러니 정진의 끈은 잠시도 놓으면 안 되는 것이다.

5. 순복(馴伏) 길들어 고삐를 놓아 버리다

경남 산청 대원사

綠楊陰下古溪邊 放去收來得自然 日暮碧雲芳草地 牧童歸去不須牽

녹양음하고계변 방거수래득자연 일모벽운방초지 목동귀거불수견

푸른 버드나무 아래 그 옛날 시냇가에

풀어놓고 잡아들임이 이제는 자유로우니

해 저물고 구름 낀 방초(芳草)의 들판에서
목동은 돌아가지만 굳이 이끌 고삐가 필요가 없네.

순복(馴伏)은 야성을 가진 소가 길들었다는 표현이다. 그러니 먹구름은 사라지고 또한 소가 길들었으니 이제는 고삐가 오히려 짐이 되는 것이다. 이제는 쉬는 것도 자유자재함이니 순경(順境)에 들어선 것이다. 이로써 정진은 순일하게 이루어지게 되는 것이다.

보명(普明) 스님의 목우도

6. 무애(無碍) 걸림이 없다

충남 서산 개심사

露地安眠意自如 不勞鞭策永無拘 山童穩坐青松下 一曲昇平樂有餘

노지안면의자여 불로편책영무구 산동온좌청송하 일곡승평낙유여

들판에 누워 자도 마음은 자유롭고
수고롭게 채찍질하지 아니하여도 영원히 거리낌이 없네.
소치는 목동은 푸른 소나무 그늘에 한가로이 앉아
한 곡조의 태평가를 부르니 즐거움이 넘쳐나네.

무애(無礙)는 어디에도 걸림이 없음을 말한다. 장애가 없다는 것이므로 이는 어떠한 것에서도 장애를 받지 않는다는 것을 말한다. 그러므로 중아함경(中阿含經)에서는 바위를 통과하는 것이 마치 허공을 통과하는 것과 같아서 막힘이 없고 땅속으로 들어가는 것이 마치 물속에 들어가는 것과 같으며, 물을 밟는 것이 땅을 밟는 것과 같아서 물에 빠지지 않는다고 하였다. 徹過石壁 如空無礙 出入於地 猶若如水 履水如地 而不陷沒

노지(露地)라는 것은 이슬 내린 땅이라는 것이니 맨땅을 말하는 것이다. 이는 곧 어느 곳에도 걸림이 없는 마음을 그렇게 표현한 것이다. 그러므로 수고롭게 채찍질하는 따위는 이제 더 필요 없는 일인 것이다.

승평(昇平)은 나라가 태평한 것을 말하는 것이니 여기서는 태평가(太平歌)를 말한다. 마음이 태평하면 콧노래를 흥얼거려도 태평가가 되는 것이다. 그렇다고 진성(眞性)을 찾는 수행이 완전하게 끝난 것은 아니다.

보명(普明) 스님의 목우도

7. 임운(任運) 소에게 맡기다

경남 산청 정각사

柳岸春波夕照中 淡煙芳草綠茸茸 饑食渴飲隨時過 石上山童睡正濃

류안춘파석조중 담연방초녹용용 기식갈음수시과 석상산동수정농

버드나무 언덕과 봄 물결에 황혼이 비추어 오고
아지랑이 풀밭에는 녹음이 짙어 오네.
배고프면 밥 먹고 목마르면 물을 마시며 보내니
바위 위의 목동은 깊은 잠이 들었네.

임운(任運)은 마음대로 맡긴다는 뜻이다. 이는 어디에도 휘둘림 없이 평온하고 자유로운 경계인 것이다. 그러므로 행주좌와(行住坐臥)에 있어서 번뇌의 경계가 아니라 비로소 법안(法眼)이 열리게 되는 것이다.

담연(淡烟)은 옅은 아지랑이나 안개를 말한다. 그리고 마지막 게송에 있는 정농(正濃)은 진정 농후하다는 뜻이나 여기서는 목동이 반석 위에 있으니 졸음에 깊이 빠져들었다는 표현이다.

버드나무와 언덕, 봄날에 바람이 살랑 일어서 생기는 물결, 아지랑이, 풀밭 등을 열거한 것은 모두 무심의 경지를 말한다. 이러한 무심의 경지를 백우(白牛)로 나타낸 것이다. 왜냐하면 흰색은 순수함을 말하기에 이를 마음에 비유하면 무심의 경지가 되는 것이다.

기식갈음수시과(饑食渴飮隨時過)는 배고프면 밥 먹고, 목마르면 물 마시며 보낸다는 표현이다. 우리들의 일상사를 말한다. 도(道)를 찾는다고 하여 심산유곡(深山幽谷)을 헤맬 필요는 없다.

도는 언제나 나와 함께하는 것이다. 그러므로 도는 일상에 있는 것이다. 채근담

(菜根譚)에도 선종의 말을 빌려 말하였다.

饑來喫飯倦來眠

기래끽반권래면

배고프면 밥을 먹고 피곤하면 잠을 잔다.

이러한 가르침은 모두 평범함 속에 도(道)가 있다고 하는 것이다.

보명(普明) 스님의 목우도

8. 상망(相忘) 서로 잊는다

충북 옥천 송림사

白牛常在白雲中 人自無心牛亦同 月透白雲雲影白 白雲明月任西東

백우상재백운중 인자무심우역동 월투백운운영백 백운명월임서동

흰 소는 구름 속에 항상 있나니
사람 마음 무심하고 소도 역시 그와 같네!
밝은 달이 구름을 뚫고 드러나니 구름 자취 열어지고
흰 구름 속의 명월은 동서를 오고 가네.

상망(相忘)은 서로가 자신의 존재를 잊어버린다는 뜻이다. 정진의 극치를 보여주는 것이다. 그러기에 백우(白牛), 백운(白雲), 무심(無心), 명월(明月) 등의 시구(詩句)로 이를 은연중에 보여주고 있다.

서로가 잊어버린다는 뜻은 곧 무심삼매(無心三昧), 선정삼매(禪定三昧), 법성삼매(法性三昧)를 말한다. 이를 어찌 말로써 표현할 수가 있겠는가? 그러므로 삼라만상의 자연을 빌려 백운(白雲), 명월(明月)이니 하고 열거한 것이다.

백우(白牛)는 어디에도 물들지 아니한 순수하고 자유로운 마음을 말한다. 법화경(法華經)에서는 일승(一乘)을 백우(白牛)에 비유하였다. 그러기에 흰 소가 끄는 수레를 백우거(白牛車)라고 한다.

상망(相忘)에서 백우(白牛)는 본래면목(本來面目)을 말한다. 그러므로 심우도는 우리가 가지고 있는 본래면목을 찾아가는 수행인 것이다.

보명(普明) 스님의 목우도

9. 독조(獨照) 소는 없고 사람만 남다

충북 옥천 송림사

牛兒無處牧童閑 一片孤雲碧嶂間 拍手高歌明月下 歸來猶有一重關

우아무처목동한 일편고운벽장간 박수고가명월하 귀래유유일중관

소는 온데간데없고 목동만 홀로 한가하니
한 조각 뜬구름은 푸른 산에 걸려 있네.
밝은 달 바라보며 손뼉 치고 노래하니
돌아오는 길에 오히려 한 관문(關門)이 남아 있네.

홀로 비춘다는 것은 곧 자기 자신의 내면을 환하게 비춘다는 표현이다. 이는 자각(自覺)한 수행자만 알 수 있는 경지다. 이를 증과(證果)라고 한다.

깨달음에도 본각(本覺)과 시각(始覺)이 있다. 본각은 본래부터 지닌 각성을 말하는 것이며 이는 시각과 대칭되는 표현이다. 본각이라는 것은 타고나면서부터 본래로 가지고 있을 뿐만 아니라, 번뇌에 오염되거나 상에 미혹되지 않는 본래 청정한 깨달음의 본체를 말한다. 여기에 반하여 시각이라는 것은 후천적인 것으로, 무시이래의 미혹을 끊어 점차 타고난 마음의 근원을 알아차려서 깨닫는 것을 말한다.

그러나 본각과 시각은 하나이지 결코 둘은 아니다. 그러기에 마음을 나타낸 심우(心牛)와 목동(牧童)은 하나로 둘이 아닌 것이다. 처음에는 목동과 심우가 서로 대립하였지만, 수행함으로써 결코 둘이 아닌 하나라는 것을 자각하는 것이다.

박수고가(拍手高歌)는 손뼉 치고 소리 높여 노래 부르는 것을 말한다. 깨달음에 심취(心醉)하였음을 표현한 것이다. 그러니 명월(明月)은 밝은 달을 말하는 것으로 곧 깨달음을 은유적으로 비유한 것이다.

보명(普明) 스님의 목우도

10. 쌍민(雙泯) 소와 사람이 자취를 감추고 원상만 드러나다

충북 옥천 송림사

人牛不見杳無蹤 明月光寒萬象空 若問其中端的意 野花芳草自叢叢

인우불견묘무종 명월광한만상공 약문기중단적의 야화방초자총총

사람도 소도 보이지 아니하고 자취가 묘연하여
밝은 달빛만 차가우니 만상이 모두 공(空)하도다.
누가 만일 그 가운데에 진실한 뜻을 묻는다면
들꽃과 녹음방초는 저절로 무성하다 하리라.

쌍민(雙泯)은 둘 다 없어져서 자취를 감추었다는 표현이다. 선(禪)의 궁극적인 이치는 어디에도 걸림이 없는 자유로움이다. 이를 진인(眞人)이라 하고 각자(覺者)라 하기도 한다. 그러므로 이는 절대적인 자유를 말하는 것이기에 무위(無爲)이다.

만상(萬象)은 삼라만상(森羅萬象)을 말한다. 온 우주를 가리키는 표현이다. 밝은 달빛만 차갑다고 하였으니, 이는 적적(寂寂)하고 요요(寥寥)한 경지를 말한다. 단적의(端的意)는 단적으로 그 뜻을 드러낸다는 것이니, 곧 분명하다는 뜻이다. 선(禪)은 머뭇거리면 자기의 견해를 이미 벗어나기에 진정한 견해가 아니다. 그러기에 선종에서는 앵무새의 소리를 싫어하는 것이다.

야화(野花)와 방초(芳草)가 저절로 무성하다는 것은 삼라만상 모든 것이 진리가 아님이 없음을 뜻한다. 그 자리는 부처도 없고 중생도 없는 자리다. 그러므로 법은 평등(平等)하여 일여(一如)한 것이다.

보명(普明) 선사의 목우도는 좀처럼 보기가 어려우나 충남 서산 개심사(開心寺), 전북 남원의 대복사(大福寺), 경남 산청의 대원사(大源寺), 충북 옥천의 송림사(松林寺)에 가면 볼 수가 있다. 그러나 개심사의 목우도는 순서가 뒤바뀐 것이 있다. 그리고 보명 선사에 대한 기록은 무엇 하나 전하는 것이 없다. 다만 속장경(續藏經) 등에 목우도송이 전하고 있을 뿐이다. 목우도에서 소는 법신(法身), 진여(眞如), 불성(佛性), 본심(本心), 진인(眞人)을 말하는 것이다. 그러기에 목(牧)은 이를 찾아가는 수행이다.

이외에도 거철(巨徹) 선사의 화백우도송(和白牛圖頌)이라고 있는데 이 역시도 십우도로 이루어져 있다. 실우(失牛)-심우(尋牛)-견적(見迹)-견우(見牛)-득우(得牛)-호우(護牛)-기귀(騎歸)-망우(忘牛)-쌍민(雙泯)-입랑(入廊)으로 전개되고 있다. 하지만 어디서도 아직 해당 벽화를 보지 못하여 지면에 싣지 못하였다. 그리고 경허(鏡虛) 선사의 십우송, 만해(卍海) 스님의 십우도송 등이 있지만 이 역시 그림은 거의 찾아볼 수 없다.

서역에서 건너온 보리달마(菩提達磨)

경남 양산 통도사

달마대사가 중국 선종(禪宗)에 끼친 영향은 아주 대단하다. 지금도 달마대사는 살아서 선기(禪氣)를 풍기며 숨쉬고 있다.

Bodhi dharma를 한역하여 보리달마(菩提達磨)라 말하며, 중국 선종의 초조(初祖)가 된다. 달마를 한자로 나타낼 때는 달마(達摩)라 하고, 나중에 달마(達磨)

로 정착되었으나 아직도 두 가지 표기를 병행하고 있다.

달마의 생몰연대에 대해서는 확실한 근거가 없다. 달마는 중국 선종의 초조이나 서천(西天)으로 따지면 28조(祖)로 추앙을 받는다. 달마의 전기를 최초로 기록한 책은 당고승전(唐高僧傳)으로 이는 달마 사후 100년 정도쯤 지난 기록이다.

달마의 출신지에 대한 나라 이름은 기록자마다 다 다르다. 그만큼 달마에 대해 첨삭(添削)과 가필(加筆)이 많았다는 방증이기도 하다. 그러나 달마는 아직도 우리와 함께 숨쉬고 있는 고승(高僧)이며 신인(神人)이다.

달마대사가 양자강을 건너다

서울 강남구 봉은사

달마대사가 갈댓잎을 타고 강을 건너는 장면의 불화를 절로도강(折蘆渡江)이라 한다. 보림전(寶林傳)에 보면 달마는 양나라 보통 8년인 서기 527년 9월 21일 광주에 도착하였다고 구체적인 기록이 서술되어 있다. 이 시기를 기록한 것은 보림전(寶林傳)이 최초이지만 이렇다 할 신빙성은 없다.

그리고 달마와 양나라 무제와의 문답을 기록한 책은 보리달마남종정시비론(菩提達摩南宗定是非論)과 문답잡징(問答雜徵)이라는 책이다. 그 이전의 자료에는 이러한 기록이 아예 없다.

벽암록(碧巖錄)에 보면 양(梁)나라 무제(武帝)가 달마에게 물었다. 어떤 것이 성스러운 진리의 핵심인가? 달마가 말하기를 텅 비어서 성스러운 진리마저 없다. 무제는 어리둥절하여 다시 물었다. 그렇다면 짐을 대하는 자는 누구인가? 이에 달마가 말하기를 나도 모른다. 짐은 많은 절을 짓고 많은 사람이 승려가 되게 하였다. 이러한 공덕은 얼마나 되겠는가? 달마는 양나라 무제의 면전에 면박을 주듯이 답을 하였다. 하나도 없다.

무제는 달마의 말뜻을 알아듣지 못했다. 이에 달마는 갈댓잎을 타고 양자강(揚子江)을 건너 위(魏)나라로 가 버렸다. 달마가 돌아가고 난 뒤 무제는 지공에게 오늘 낮에 벌어진 일에 관하여 물었다. 그러자 지공은 탄식하며 그는 바로 관음보살의 화신이라고 하였다. 무제는 사신을 보내어 달마를 다시 모셔 오려고 하였지만, 지공이 말하기를 온 나라 사람을 사신으로 보내도 그는 다시 돌아오지 않을 것이라고 하였다.

달마대사가 양무제에게 무공덕(無功德)을 말했다는 기록은 조당집(祖堂集)이 그 시초이다. 그 이전의 기록에는 이 같은 문구가 없다.

달마대사 면벽구년(面壁九年)

경남 양산 자장암

면벽(面壁)은 벽을 향하여 좌선(坐禪)하였다는 뜻으로 달마는 9년간 좌선하였다. 이를 달마면벽구년 혹은 구년면벽 또는 면벽구재(面壁九載)라 하기도 한다.

중국 송나라 시대에 목암선경(睦庵善卿)이 편찬한 조정사원(祖庭事苑)이라는 책에 보면 소림사(少林寺)는 위나라 발타 스님이 세운 절이다. 달마는 배를 타고 이 나라에 이르러 무제 임금을 만났으나 말이 통하지 않자 마침내 위나라 낙양(洛陽)으로 가서 숭산(崇山) 소림사에 머무르며 벽을 향하여 9년간이나 좌선하며 온종일 묵언 정진하였다.

그러나 역대법기에 보면 달마는 소림사에서 6년간 수행하였던 것으로 서술하고 있기도 하다. 또 전법정종기(傳法正宗記)에 보면 달마는 520년에 숭산(崇山)에 와서 9년간 수행하였다고 기록되어 있다. 중국 선종에서는 이 기록을 근거로 하여 달마대사가 9년간 면벽 수행을 하였다고 기정사실화했다. 벽암록(碧巖錄)에도 달마는 양무제(梁武帝)와 헤어진 후 위나라 소림사에 가서 사람들 앞에 나타나지 않고 9년간 수행하였다고 하고 있다.

여기서 우리는 달마가 면벽을 6년을 하였든 9년을 하였든 이에 얽매여서는 안 된다. 그는 자신의 마음을 관(觀)하여 깨달음을 얻을 수 있다는 선종(禪宗)의 독특한 수행법을 제시하였다는 것이 핵심이다.

경덕전등록(景德傳燈錄)에 보면 달마는 묵언하며 면벽 정진하였으나 아무도 그 뜻을 헤아리지 못하였다고 밝히고 있다. 그래서 당시 사람들은 달마를 벽관바라문(壁觀婆羅門)이라고 불렀다고 하였다.

혜가(慧可) 스님이 팔을 자르다

전남 보성 대원사

달마대사의 법맥을 이은 혜가 스님이 팔을 자르는 장면이 바로 혜가단비도(慧可斷臂圖)다. 혜가 스님이 달마 스님 문하에 입문(入門)을 청하였으나 달마 스님이 냉정히 거절하자 혜가는 자신의 의지를 보이려고 왼쪽 팔을 절단하고 나서야 비로소 허락받았다는 이야기다.

혜가(慧可)는 달마대사의 제자다. 혜가는 중국 낙양의 무뢰(武牢) 지방의 사람이며 어릴 때의 이름은 신광(神光)이다. 어느 날 불경을 읽다가 문득 얻은 바가 있어 출가하기로 마음먹고 낙양 향산사로 출가한 신광은 8년여 동안 좌선에 몰두하였다. 어느 날 신광 스님이 선정에 들었는데 혼연히 한 신인이 나타나 말하길, 머지않아 과위를 얻을 그대가 어찌하여 여기에 막혀 있는가? 남쪽으로 가라. 이튿날 신광 스님은 머리가 터질 것처럼 아파왔다.

이를 본 그의 스승 보정(寶靜) 선사가 병으로 생각하고 고쳐주려 하자 하늘에서 큰소리가 들리기를, 지금 신광은 뼈를 바꾸고 있는 중이다. 예사의 아픔으로 생각하지 마라! 그제야 신광은 스승에게 신인이 말한 바를 이야기하였다. 스승이 말하길, 네 얼굴이 길고 상서로우니 반드시 얻는 바가 있으리라. 남쪽으로 가라고 함은 소림(少林)을 일컫는 것이니 필시 달마대사가 너의 스승이리라.

이것이 신광(神光) 스님이 은사 스님을 떠나 소림굴의 달마대사를 찾아가게 되는 동기이다. 그때 달마대사는 9년 동안 면벽하여 법을 전할 때가 무르익기만을 기다리고 있었다. 신광은 오로지 답답한 마음을 풀려고 아침저녁으로 달마대사를 섬기며 법을 물었다. 그러나 달마대사는 언제나 묵묵부답이었고, 그럴수록 신광은 더욱 자신을 채찍질하며 정진하였다.

옛사람들은 도를 구하고자 하여 뼈를 깨뜨려 골수를 빼내고, 피를 뽑아 주린 이를 구제하고, 머리카락을 진흙땅에 펴고, 벼랑에서 떨어져 굶주린 호랑이의 먹이가 되기도 하였다. 그렇다면 나는 지금 무엇을 하고 있는가? 그해 동짓달 초아흐레 날, 밤새 큰 눈이 내렸으니 온 세상이 하얐다. 신광 스님은 달마대사가 선정(禪定)에 든 굴 밖에 서서 꼼짝도 안 하고 밤을 지새웠다. 새벽이 되자 눈은 무릎이 넘도록 쌓였고, 달마대사는 그제야 아직도 꼼짝하지 않고 눈 속에 서 있는 신광을 보았다. 이때의 장면을 그린 그림이 입설구법도(立雪求法圖)이다.

네가 눈 속에서 그토록 오래 서 있으니 무엇을 구하고자 함이냐? 바라건대 스님께서는 감로의 문을 여시어 어리석은 중생을 제도해 주소서! 부처님의 위없는 도는 오랫동안을 부지런히 정진하며 행하기 어려운 일을 능히 행하고, 참기 어려운 일을 능히 참아야 얻을 수 있다. 그러하거늘 너는 아주 작은 공덕과 하잘것없는 지혜와 경솔하고 교만한 마음을 지니고 있으면서 참다운 법을 바라는가? 모두 헛수고일 뿐이다.

달마대사의 이 말씀을 듣고 있던 신광은 홀연히 칼을 뽑아 자기의 왼쪽 팔을 잘랐다. 그러자 때아닌 파초(芭蕉)가 피어나 잘린 팔을 고이 받치는 것이었다. 신광의 구도심이 이처럼 열렬함을 본 달마대사는 말하였다. 모든 부처님들이 처음에 도를 구할 때는 법을 위하여 자기 몸을 잊었다. 네가 지금 팔을 잘라 내 앞에 내놓으니 이제 구함을 얻을 것이다.

제주 제주시 제석사

이때의 장면을 그림으로 나타낸 것이 혜가단비도(慧可斷臂圖) 혹은 입설단비도(立雪斷臂圖), 다른 표현으로는 설중단비도(雪中斷臂圖)라고 한다. 달마대사는 신광에게 혜가라는 새 이름을 지어 주었다. 그러자 혜가의 왼팔이 다시 본디의 자리로 가 붙었다.

부처님의 법인을 들려주소서. 부처님의 법인은 남에게서 얻는 것이 아니니라. 제 마음이 편안하지 못합니다. 스님께서 편안하게 하여 주소서!

불안한 네 마음을 여기에 가져오너라. 그러면 편안하게 해 주겠다. 마음을 아무리 찾아도 얻을 수 없습니다. 내 이미 너를 편안케 하였느니라.

이 말 끝에 혜가는 크게 깨달음을 얻었다. 달마대사의 전등(傳燈)은 이렇게 시작하는 것이다. 스승도 파격적으로 면벽구년이라는 도를 행하고 제자인 혜가(慧可) 역시도 입설(立雪)하고 단비(斷臂)를 하는 등 달마의 제자다운 면모와 기개를 보인다. 그 이후 중국 스님들의 한 손으로 합장하는 예법(禮法)이 등장하였다는 설도 있다.

혜가는 달마대사로부터 법을 이어받아 중국 선종의 제2대 조사(祖師)가 되었다. 혜가대사는 34년 동안 중생을 교화하다가 교학승(敎學僧) 들에 의해 이단으로 몰려 처형당하였다. 교종이 중국 천지를 뒤덮고 있을 때 혜가 스님은 단비(斷臂)를 하였을 때처럼 위법망구(爲法忘軀)로 희생하여 오늘날 선종이 이어지는 데 가교의 역할을 하였다. 혜가 스님의 법은 제자인 승찬(僧璨, ?~606) 스님에게 전법을 하였다.

달마대사와 송운(宋雲)의 만남

경남 진주 보경사

스님으로서 달마대사만큼 알려진 분도 없다. 달마대사는 인도(印度) 출신으로 중국으로 건너와 선(禪)이라는 특유한 수행 가풍을 전하게 되어서 중국 선종(禪宗)의 초조(初祖)로 숭앙받고 있다. 당시 중국에는 교학이 크게 위세를 떨치던 시기여서 양나라 무제(武帝)도 엄청난 불사를 하였던 시기다. 그러므로 나라 전체가 불교의 위세가 대단하였던 시기에 달마대사는 인도에서 중국으로 건너와 이러한 수행 가풍에 대해 선(禪)이라는 명목과 사상적인 면에서 일대 혁신을 일으킨 장본인이다.

당시 사회에 퍼져 있던 사상을 정면으로 비판하며 마음이 곧 부처라는 명제를 중국 사회에 던지면서 새로운 가치관으로 전법을 시작하였다. 마음이 곧 부처요, 부처가 곧 마음이라. 이것이 곧 심즉시불 불즉시심(心卽是佛 佛卽是心)이다. 달마의 이러한 사상은 중국 천하를 일시적으로 암흑 상태로 만들어 버렸다. 예나 지금이나 기존 사고의 틀을 깨트려 버린다는 것은 쉽게 있을 수 없는 어려운 일이다. 그러나 달마는 이러한 사고의 틀을 깨부순 장본인이므로 지금도 추앙을 받고 존숭(尊崇)을 받는 것이다.

위 벽화는 총령도중 수휴척리(蔥嶺道中 手携隻履)다. 달마대사가 소림사(少林寺)에서 9년 면벽하며 수행하고 있을 때였다. 어느 겨울날 매섭도록 추운 날씨에 눈이 내리던 날 혜가(慧可)를 만나서 법을 잇게 하였다. 그 후 달마대사는 무려 다섯 번이나 독살을 당하게 되지만 법력으로 모두 물리치고 여섯 번째는 이제 인연이 다하였음을 알고, 독극물이 든 음식을 받아먹고 입적하게 된다. 그러자 사람들은 달마를 웅이산(熊耳山)에 매장하였다.

그 후 3년이 지나서 위(魏)나라의 사신(使臣) 송운(宋雲)이라는 사람이 서역을 갔다가 귀국하면서 총령(蔥嶺)에서 달마대사를 만나게 되었다. 스님은 짚신 한 짝을 지팡이에 걸고 인도로 돌아가고 있었다. 송운이 여쭙기를 대사는 지금 어디로 가시고 있습니까? 대사가 말하기를 나는 지금 서천(西天)으로 간다. 그리고 사신에게 이르기를 네 임금도 이미 죽었다 하고 알려주었다. 사신이 반신반의하면서 위나라로 돌아와 보니 정말로 주군(主君)은 죽어서 이미 효장왕(孝莊王)이 즉위하여 통치하고 있었다.

사신 송운이 달마를 만난 이야기를 왕에게 아뢰자 그럴 리가 없다면서 말하기를 달마는 죽은 지 이미 3년이 넘었다고 하였다. 그러나 송운이 달마를 만난 사실이 너무나 명확하므로 달마대사의 무덤을 파 보니 관 속에는 짚신 한 짝만 덩그러니 있었다. 여기서 재의식(齋儀式)을 살펴보자. 재식에는 착어(着語)가 있다. 이는 영가에게 들려주는 법문이다.

靈源湛寂 無古無今 妙體圓明 何生何死 便是 釋迦世尊 摩竭掩關之時節 達摩大師 少林面壁之家風 所以 泥蓮河側 槨示雙趺 總嶺途中 手携隻履 諸佛子還會得 湛寂圓明底 一句麼

이를 풀어서 살펴보면 다음과 같다.

신령스러운 근원은 맑고도 고요하여 예나 지금이 다르지 않고, 묘한 본체는 뚜렷이 밝은데, 어떤 것을 태어남이라 하고 어떤 것을 죽음이라 하는가? 이 도리는 석가세존께서 마갈다국에서 묵묵히 앉아 계신 참다운 도리이며, 달마대사는 소림굴에서 면벽하신 소식이네. 이런 까닭으로 니련선하 쿠시나가라에서 세존께서 관 밖으로 두 발을 보이셨고, 총령(蔥嶺)을 넘어가는 달마대사는 짚신 한 짝만 들어 보이셨네. 모든 불자시여, 한 생각 돌이키면 맑고 고요하고 뚜렷이 빛나는 근원을 얻을 것이니 말을 여윈 제 일구(一句)가 무엇인지 아십니까?

달마대사의 이러한 일화가 망자의 재의식(齋儀式)에 왜 나타나는지 스스로 관조해 보라. 달마가 동쪽으로 온 까닭은 무엇인가?

송운(松雲)의 생몰연대는 전하는 것이 없다. 다만 북위(北魏) 때 돈황(燉煌) 출신의 관리이다. 518년 호태후(胡太后)의 명을 받고 사신으로 법력(法力) 스님, 혜생(慧生) 스님 등과 함께 낙양(洛陽)에서 출발하여 적령(赤嶺), 토곡혼(吐谷渾), 선선

(鄯善), 우전(于闐), 파사(波斯), 사미(賖彌) 등 서역 지방을 거쳐 519년 북인도 오장국(烏萇國)에 이르렀다. 이듬해는 건다라국(乾陀羅國)에 도달하였으며 이후 작리부도(雀離浮圖)와 대탑(大塔) 등의 불교 유적을 순례한 뒤 범어와 대승경전 170부를 가지고 낙양으로 돌아왔으나 그 뒤의 행적에 대해서는 전하는 것이 없다.

그가 쓴 여행기 송운행기(松雲行紀)는 낙양가람기(洛陽伽藍記)에 실려 있다. 이 내용 안에 선종사에서 아주 유명한 이야기가 수록되어 있다. 송운이 총령(葱嶺, 파미르 고원)에서 한 손에 외짝 신발을 들고 가던 달마대사를 만났다는 이야기다. 이를 척리서귀(隻履西歸) 또는 척리달마(隻履達磨)라고 흔히 말한다.

혜능(慧能) 스님이 방아를 찧다

경남 합천 해인사

대감혜능(大鑑慧能) 스님은 글을 모르는 젊은이였다. 저잣거리에 나무를 팔러 갔다가 우연히 장터에서 금강경(金剛經) 설법을 듣고 발심하여 홍인(弘忍)대사를 찾아갔다. 홍인은 혜능을 보자마자 법기(法器)임을 알고 방앗간에서 방아를 찧는 소임을 맡긴다.

제자가 들어오면 너는 어느 지방 사람이며 학력은 어떻게 되느냐 등등 시시콜콜한 이야기를 하는데 홍인 선사는 단박에 그를 법기임을 알아차렸으니 보통 도인이 아니다. 비록 글을 모르는 혜능 또한 스승이 왜 방아를 찧으라고 하는지 말하기 이전에 알아차려서 묵묵히 방아를 찧는 소임을 맡는다. 그래서 불법(佛法)은 이심전심(以心傳心)이며 불립문자(不立文字)이다.

경북 안동 봉정사

세월이 흘러 어느 날 홍인 선사는 전법을 하겠노라고 말씀하면서 누구든지 공부한 바를 적어 오라고 하였다. 이때 대중 가운데 신수(神秀) 스님이 글로 표현하기를 아래와 같이 하였다.

身是菩提樹 心如明鏡臺 時時勤拂拭 勿使惹塵埃
신시보리수 심여명경대 시시근불식 물사야진애

몸은 보리(菩提)의 나무요,
마음은 밝은 거울이라.
때때로 부지런히 털고 닦아서
티끌 끼지 않도록 하라.

신수 스님은 우쭐하여 자신이 홍인대사의 법맥(法脈)을 잇게 될 것을 장담하였다. 그때 글 모르는 혜능은 남에게 대필하여 아래와 같은 견해를 나타내었다.

菩提本無樹 明鏡亦非臺 本來無一物 何處惹塵埃
보리본무수 명경역비대 본래무일물 하처야진애

보리나무는 본래 없고,
밝은 거울 또한 받침대 없네.
본래 부처의 성품은 항상 깨끗하거니
어느 곳에 티끌과 먼지가 있으리오.

이 게송을 보고 홍인은 방아를 찧고 있는 혜능을 찾아가 물었다. 방아는 다 찧었느냐. 혜능 스님이 답하기를 방아는 이미 다 찧었으나 간택(揀擇)하지 못하였습니다. 그러자 홍인 스님은 막대기로 방아를 세 번 툭툭 치고는 말없이 뒷짐을 지고 자신의 처소로 돌아갔다.

그날 밤 야반 삼경에 혜능은 뒷문으로 홍인 스님의 방으로 들어가서 홍인 스님의 법통(法統)을 이어받아 육조(六祖) 혜능이 된다. 혜능은 남쪽으로 내려가서 훗날 남종선(南宗禪)을 꽃피우게 되고 신수(神秀)의 무리는 북종선(北宗禪)을 이끌어 가게 된다. 여기서 생각해 보면 신수(神秀)의 시에 혜능(慧能)은 반어(反語)를 사용하였다. 그때 만약에 혜능이 먼저 시를 짓고 신수가 나중에 지었더라면 역사는 어떻게 바뀌었을까? 이로써 생각해 보면 신수도 보통의 선기(禪氣)를 가진 스님은 아니다.

위와 같은 내용을 표현한 벽화를 육조도정도(六祖搗精圖) 혹은 육조점두(六祖點頭)라 한다. 또한 간택(揀擇)은 간변(揀辯)과도 같은 뜻이 있다. 이는 사물의 본질을 잘 분별하여 깨닫는 것을 말한다.

신심명(信心銘)에 보면 지극한 도는 어려움이 없으나 오로지 간택만을 꺼린다. 다만 미워하고 사랑하는 것 등 두 가지로 분별하는 마음이 없으면 명백하게 드러난다고 하였다. 至道無難 唯嫌揀擇 但莫憎愛 洞然明白

혜능(慧能) 스님의 마지막 인사

경남 김해 동림사

혜능(慧能) 스님은 밤에 빛이 새나가지 않도록 휘장(揮帳)을 치고 홍인(弘忍)대사에게 금강경(金剛經) 설법을 듣는 순간 '응당 머무는 바 없이 그 마음을 내어라(應無所住 而生其心)'에서 다시 한번 크게 깨우친다. 그리고는 홍인 스님에게 다음과 같은 말씀으로 인가(認可)를 받는다.

자성이 어찌 스스로 청정함을 알았으리오.
자성이 어찌 스스로 부동함을 알았으리오.
자성이 어찌 스스로 생멸이 없음을 알았으리오.
자성이 어찌 스스로 만법을 냄을 알았으리오.

본 성품을 알지 못하면
법을 배워도 유익함이 없고,
제 성품을 알면 곧 이것이 대장부요
천상과 인간의 스승이며 부처이니라.

이 말씀과 함께 홍인대사는 부처님으로부터 내려온 가사(袈裟)와 발우(鉢盂)를 전하면서 말하였다.

이제 너는 선종(禪宗)의 육조가 되었다. 법을 잘 받들고 널리 중생을 제도하여라. 달마대사께서 처음 이 땅에 오셨을 때 사람들이 믿음이 없었으므로 가사와 발우를 전하여 믿음의 표시로 삼았다. 그러나 이제 사람들이 믿음은 없고 오직 가사와 발우를 탐할 것이니 이 이후(以後)로는 전하지 말도록 하여라. 그리고 나쁜 무리가 너를 해치고서 가사와 발우를 빼앗을 것이니 오늘 밤 이곳을 떠나거라.

홍인대사의 부촉(咐囑)과 분부를 받은 혜능은 그날 밤 홍인 스님의 도움으로 강가에 이르러서 남쪽으로 가는 배를 타게 된다. 홍인대사가 제자의 마지막 배웅을 나와 내가 손수 노를 저어 강을 건너주겠다고 말씀하셨다. 혜능이 답하기를 아닙니다. 제가 스스로 노를 저어 가겠습니다. 제가 아는 바가 없을 때 스승님께서는 저에게 노(櫓)가 되어 주십시오 하고 말하였다.

홍인대사가 말하기를 참으로 그렇다. 앞으로 불법이 너로 인하여 남방(南方)에서 크게 융창(隆昌)할 것이다. 나는 삼 년이 지나면 이 세상을 뜰 것이니 너는 남방으로 내려가서 때가 될 때까지 나타나지 말고 기다리거라. 이렇게 스승과 제자는 이 세상에서 두 번 다시 만나지 못할 마지막 작별 인사를 나누었다.

연민의 정을 가진 두 사람이 서로 사랑한다고 맹세하는 것이 아니다. 그리고 다시 만나자고 정표를 주며 굳게 언약하는 것도 아니다. 스승과 제자가 불법의 홍성을 위해 야심한 밤 강가에서 작별하는 모습을 상상해 보자. 그리고 우리도 그러한 작별을 준비해 보자.

혜능(慧能) 스님과 도명 스님

경남 김해 동림사

혜능(慧能) 스님은 홍인(弘忍)의 법맥을 이어 남방으로 내려가서 숨어 지내게 된다. 이때 신수(神秀) 스님을 추종하던 무리가 불만을 품게 되는데 그때 불만을 가진 스님 중 한 분이 도명(道明) 스님이다. 궁지(窮地)에 몰리게 된 혜능 스님은 홍인에게 물려받은 법의(法衣)를 바위 위에 올려놓고 자신은 바위 뒤에 몸을 숨기게 되는 처지에 놓이게 된다.

여기서 이야기를 잠시 다른 각도로 살펴보면 스승에게 법을 받았다는 증표가 바로 5조 홍인으로부터 시작되는 것이다. 그래서 법을 받았다는 이야기를 의발(衣鉢)을 전수했다고 한다. 의발은 바로 가사(袈裟)와 발우(鉢盂)를 말한다.

도명 스님은 바위 위의 법의를 보고 자신이 가지려고 아무리 힘을 써도 법의는 바위 위에서 꼼짝도 하지 않았다. 그때 도명 스님이 뉘우치기를 부처님의 뜻은 인간의 힘으로 함부로 바꿀 수 있는 것이 아니로구나 하고 크게 참회(懺悔)하게 된다. 이에 도명 스님은 혜능 스님에게 자기 잘못을 구하고 더더욱 열심히 수행 정진하여 도를 이루었다.

이를 좀 더 살펴보면 도명의발(道明衣鉢)이라는 말이 있다. 선종 6조 혜능 스님이 5조 홍인 스님으로부터 전법을 받았다. 그 증표로 가사와 발우를 전해 받고 남쪽으로 피신하자 몽산도명(蒙山道明) 스님이 이를 뒤쫓아간 일을 두고 생긴 공안이다.

선문염송(禪門拈頌)에 보면 홍인 스님이 혜능 스님에게 전해준 의발을 빼앗으려고 혜능 스님의 뒤를 쫓아가다가 대유령(大庾嶺)에 이르렀을 때 도명 스님이 바짝 뒤쫓아오자 혜능 스님은 전수받은 의발을 바위 위에 올려놓고 말하였다. 이 가사는 전법을 신임하는 징표이거늘 어찌 힘으로 빼앗으려고 그러느냐. 그대가 가지고 갈 수 있다면 일임하겠노라 하였다. 이에 도명 스님이 의발을 가져가려고 하였으나 의발은 산과 같이 움직이지 아니하였다고 하는 기록이 있다.

부설(浮雪)거사가 병(甁)을 치다

부산 부산진구 선암사

거사(居士)는 출가하지 아니하고 세속에서 부처님의 법을 구하는 사람을 말한다. 부처님 당시에도 유명한 거사가 있었으니 바로 유마거사이며, 우리나라에는 신라 선덕여왕 시대에 살았던 진광세(陣光世)다. 그는 20세에 경주 불국사 원정(圓淨) 선사에게 찾아가 축발을 하여 법명을 받았으니 그 법명이 부설(浮雪, 681~691)이다.

부설 스님은 영희(靈熙), 영조(靈照) 스님과 더불어 수행하였다. 그 후 두 스님과 함께 지리산, 천관산, 능가산 등지에서 수행하였다. 그러다 다시 문수도량인 오대산(五臺山)으로 가는 도중 비를 만나서 전북 김제군 성덕면 묘화리에 있는 구무원(仇無寃)의 집에서 여장을 풀기로 하였다.

구 씨는 늦은 나이에 무남독녀인 벙어리 외동딸을 두고 있었는데 이름이 묘화(妙花)이며 비록 벙어리이지만 절세미인이었다. 여러 총각이 구혼을 요청하였지만 모두 거절당하였다. 그러던 어느 날 묘화의 나이 스무 살에 걸망을 지고 경문을 외우면서 수도승 세 분이 자기 집에 머물게 되자 그의 집안에서는 정성을 다하여 공양을 올렸다.

그때 묘화가 말하기를 부설 스님과 소녀는 전생에도 인연이 있었고, 이승에도 인연이 있으니 인과의 도리를 따르는 것이 바로 불법(佛法)이니 죽기를 맹세하고 부설 스님을 지아비로 섬기겠다고 애원하였다. 부설 스님이 단호히 거절하자 묘

충북 보은 법주사

화는 자살을 기도하게 된다. 이에 따라 느닷없이 말문이 터지게 되었다고 한다.

부설 스님은 인과는 어쩔 수 없는 법이라면서 두 스님과는 작별하고 묘화의 집에 머물면서 두 사람은 모든 마을 사람들이 지켜보는 가운데 혼례를 올렸다. 그렇게 환속하였으니 그 순간부터는 스님이 아니고 거사(居士)라고 하는 것이다. 그 후 두 사람은 바로 이웃 마을인 월미산 아래 고현리(古縣里)에 새 보금자리를 마련했다. 두 사람 사이에 자녀를 두었으니 아들은 등운(登雲)이며, 딸은 월명(月明)으로 모두 부인에게 맡기고 부설거사는 별당(別堂)을 지어서 오직 수행에만 전력을 다하였다. 혹은 부설거사가 병이 났다는 핑계를 삼아 강변에 초가집을 짓고 망해사(望海寺)라고 이름을 지어 수행하였다고도 한다.

세월이 흘러 영희, 영조 두 스님이 망해사(별당)를 찾아 부설 당신은 파계하였다고 희롱(戱弄)을 하니, 부설거사는 처마 끝에 떨어지는 낙숫물을 병에 받아 나뭇가지에 매달고 지팡이로 때려보자고 하였다. 두 스님은 병을 깨트리자 물이 쏟아지고 부설거사는 병을 깨트렸으나 물이 공중에서 쏟아지지 않았다고 하는 내용의 벽화다. 그러고 나서 부설거사는 영조, 영희 스님에게 법문을 하였다.

신령스러운 광명이 홀로 나타나서 번뇌 망상을 멀리 벗어버리니 몸에 본성(本性)의 진상이 삶과 죽음을 따라서 옮겨 흐르는 것은 병이 깨어져 부서지는 것과 같으며, 진성(眞性)은 본래 신통하고 영묘하여 밝음이 항상 머물러 있는 것은 물이 공중에 매달려 있는 것과 마찬가지다. 그대들이 두루 높은 지식 있는 이를 찾아보았고 오랫동안 절에서 세월을 보냈는데 어찌하여 생(生)과 멸(滅)을 자비심으로 돌보고 보호하며 진상(眞常)으로 삼고 환화(幻化)를 공(空)으로 하여 우주에 존재하는 모든 사물의 본성을 지키지 못하는가? 다가오는 업(業)에 자유가 없음을 증험하고자 하니 상심(常心)이 평등(平等)한가 평등하지 못한가를 알아야 한다. 그러나 오늘날 이미 그러하지 못하니 지난날의 엎질러진 물을 다시 담자는 경계는 어디로 갔다는 것이며 함께하자는 맹세는 아득히 멀구나! 靈光獨露 適脫根塵 體露眞常 不拘生滅 幻身隋生滅遷流者 似擺之破碎 眞性本靈明常住者 如水之縣空 公等遍參知識 久歷叢林豈不攝生滅爲眞常 空幻化守法性乎 欲驗來業自由不自由 便知常心平等不平等 今旣不然 曩日返水之戒安在 雙行之誓邈矣

그 후 영희, 영조 스님도 더더욱 망혹(妄惑)을 버리고 한층 더 수행에 전념하였으며, 등운과 월명 두 자녀도 입산 수행하게 된다. 그때 두 자녀가 지은 절이 변산반도(邊山半島)에 있는 등운암(登雲庵), 그리고 월명암(月明庵)이라고 한다. 마지막으로 부설거사는 망해사에서 입적하였으며 임종게는 다음과 같다.

目無所見無分別 耳聽無聲絶是非 分別是非都故下 但看心佛自歸依
목무소견무분별 이청무성절시비 분별시비도고하 단간심불자귀의

눈으로 보는 바가 없으니 분별할 것이 없고,
귀로 듣는 소리가 없으니 시비가 끊어진다.
분별과 시비를 모두 놓아 버리고,
다만 마음의 부처로 돌아가 의지하겠노라.

입산하여 출가하지 않아도 얼마든지 수행자를 능가하여 해탈을 얻어 성불을 할 수 있다는 이야기다. 참고로 인도에는 유마거사(維摩居士)가 있고 중국에는 방거사(龐居士), 우리나라에는 부설거사(浮雪居士)가 있다. 부설거사 게송 중에 유명한 팔죽시(八竹詩)가 있다.

此竹彼竹化去竹 風打之竹浪打竹 粥粥飯飯生此竹 是是非非看彼竹
차죽피죽화거죽 풍타지죽랑타죽 죽죽반반생차죽 시시비비간피죽

이런대로 저런대로 되어가는 대로
바람 부는 대로 물결치는 대로
죽이면 죽, 밥이면 밥, 이런대로 살고
옳으면 옳고 그르면 그르고, 저런대로 보고

賓客接待家勢竹 市井賣買歲月竹 萬事不如吾心竹 然然然世過然竹
빈객접대가세죽 시정매매세월죽 만사불여오심죽 연연연세과연죽

손님 접대는 집안 형편대로
시장 물건 사고파는 것은 시세대로
세상만사 내 맘대로 되지 않아도
그렇고 그런 세상 그런대로 보내네.

황벽희운(黃蘗希運) 선사와 어머니

제주 제주시 우리절

중국 선종의 제10조인 황벽희운(黃蘗希運, ?~?) 선사는 푸젠성[福建省] 출생이며 어려서 홍주(洪州) 황벽산(황보산)에서 불문에 들었다. 9대 백장회해(百丈懷海)의 법을 이어 임제의현(臨濟義玄)에게 전등을 하였다. 스님은 백장청규(百丈淸規)의 저자로도 유명하다.

나중에 종릉(鍾陵)의 용흥사(龍興寺)와 848년에는 배상국(裵相國)의 청으로 완릉(宛陵)의 개원사(開元寺)에도 머무르면서 찾아드는 학인들을 제접(提接)하였으며 황벽산에서 최후를 맞았다. 그래서 황벽희운이라고도 부른다. 문하에 임제종(臨濟宗)의 개조(開祖)인 임제의현(臨濟義玄) 스님이 있고, 그의 법어를 배휴(裵休)가 집대성하여 황벽산단제선사 전심법요(傳心法要) 1권을 남겼다.

옛날 중국의 대의강(大義江) 근처에 황벽(黃蘗) 스님이 계셨는데 아마 건장한 체구에 훤칠한 키를 가지셨던 스님인가 보다. 스님의 이마에는 주먹만 한 혹이 있고 오른쪽 발등에는 콩알만 한 사마귀가 있었다. 스님은 외아들이었지만 뜻한 바가 있어 일찍 출가하였다. 스님의 어머니는 일찍 남편과 사별하고 아들마저도 출가하다 보니 가세가 기울어져서 온갖 궂은일을 도맡아 하여 그만 시력이 떨어져서 앞을 보지 못하는 봉사가 되고 말았다.

어머니는 아들이 출가하긴 했어도 아들이 너무 보고 싶어 나루터 주막에서 일을 시작했다. 그리고 온종일 지나가는 스님들이 있으면 냄새나는 발을 정성 들여 씻겨주는 일을 하였다. 그런데 왜 하필 발 씻기는 일을 하느냐 하면 아들의 오른쪽 발등에 콩알만 한 사마귀가 있어서 아들을 만나 보고픈 일구월심(日久月深)의 마음이 있었기 때문이다. 또 어떤 기록에는 황벽 선사는 태어날 때부터 오른쪽 발가락이 하나가 없었다는 설도 있다.

중국 고승전(高僧傳)에 보면 황벽 스님은 출가한 지 20여 년 만에 고향을 찾아갔다. 외아들이 출가하자 황벽 스님의 어머니는 매양 자식을 기다리다가 그만 눈이 멀고 말았다. 그렇지만 황벽 스님의 어머니는 혹시 아들을 만날 수 있을까 하고 저잣거리에 객승들이 유숙할 수 있도록 초제사(招提寺)라는 절을 짓고 찾아오는 객승마다 아들의 소식을 물어보곤 하였다.

어느 날 황벽 스님은 초제사(招提寺)에 들러 짐짓 말하기를 할머니 안녕하십니까? 아드님이 출가하였다고 하는 소문이 있던데 혹시 소식은 들어 보았습니까? 하고 여쭈었다. 아니요, 아직 만나지 못했습니다 하면서 눈물을 흘렸다. 그리고 여느 때처럼 스님들의 발 씻어 주기를 하였다.

스님도 왼쪽 발을 씻고 나서 노파가 오른쪽 발을 내어 달라고 하자 그 스님은 오른쪽 발 씻기를 거절하는 것이었다. 스님께서는 왜 오른쪽 발은 씻기를 거절하시는지요? 예. 제가 오른쪽 발에 부스럼이 있어서 그렇습니다. 아들과 어머니가 이렇게 만나는 모습을 가슴속으로 생각하면서 그 장면을 떠올려 보자. 아니면 우리가 아들이 되어서 황벽 스님의 입장으로 돌아가 그 상황을 상상해 보자. 그렇게 헤어진 황벽 스님은 그날 밤 주막에서 도저히 잠을 잘 수가 없어서 나루터로 나가 다시 배를 타고 강을 건너가 버렸다.

부산 부산진구 선암사

그러나 그 모습을 지켜본 주막 주인이 노파에게 말하기를 방금 오른쪽 발 씻기를 거부한 스님이 바로 당신의 아들입니다. 이 말은 들은 어머니는 황벽 스님의 이름을 부르며 무작정 나루터로 달려갔다. 아들의 배는 이미 떠나고 어머니는 아들을 부르면서 물속에 빠져서 죽고 말았다. 황벽 스님은 배를 타고 가면서 그 모습을 지켜보았지만 배가 너무 멀어져서 손을 쓸 겨를이 없었다.

또 다르게 전하는 말은 황벽 선사가 큰 냇가를 건너서 가자 늦게야 방금 발을 씻은 스님이 아들임을 알아차렸다. 그리고 아들의 이름을 부르며 강도 물도 다 잊어버리고 물속으로 뛰어가다가 그만 물에 빠져 죽고 말았다는 설화도 있다. 그래서 후일에 사람들이 그 개천을 복천(福川)이라고 불렀다고 하기도 한다.

황벽 스님은 고함을 질렀다. 부처께서 말씀하시길 한 집안에 한 사람이 출가해 수도자가 되면 삼족(三族)이 천상에서 태어난다고 하셨는데 어찌하여 저를 속였습니까? 황벽 스님은 울부짖으며 돌아와 어머니를 화장하면서 다음과 같은 게송을 읊었다.

태어나는 것도 본래로 태어남이 없음이요,
멸(滅)하는 것도 본래로 멸함이 없도다.
나고 죽음이 본래로 비었으니
실상(實相)만이 항상 머물도다.

그러자 하늘에서 서광(瑞光)이 비치며 소리가 들리기를 '고맙구나! 너의 법력으로 내가 극락으로 가게 된다.'고 하였다는 일화가 있다. 이후 황벽 스님은 더더욱 발심하여 수행하였다. 스님의 열반송은 다음과 같다.

塵勞逈脫事非常 緊把繩頭做一場 不是一番寒徹骨 爭得梅花撲鼻香

진로형탈사비상 긴파승두주일장 부시일번한철골 쟁득매화박비향

생사 해탈하는 일은 예삿일이 아니니
화두를 단단히 잡고 한바탕 공부할지어다.
추위가 한 번 뼈에 사무치지 않을 것 같으면
어찌 코를 찌르는 매화 향기를 얻을 수 있으리오.

천태지의(天台智顗) 스님이 사냥꾼을 제도하다

경남 김해 동림사

양(梁)나라 양무제가 통치하던 시절에 고승 천태지의(天台智顗, 538~597) 스님은 법화경 이론에 가장 뛰어났다. 또한 천태종(天台宗)을 창종(創宗)한 스님으로도 아주 유명하며 우리에게도 이미 익숙한 고승이다. 어느 날 지의(智顗) 스님이 천태산에서 수행할 때 선정에 들어서 지관삼매(止觀三昧)에 들었다.

그때 지의 스님 앞으로 산돼지 한 마리가 쏜살같이 지나가더니 이내 활을 든 사냥꾼이 나타났다. 그가 지의 스님에게 묻기를 산돼지 한 마리가 이리로 지나갔는데, 어느 쪽으로 갔는지 아십니까? 스님은 대답 대신 사냥꾼을 앉게 한 다음 한 수의 노래를 불렀다.

烏飛梨落破蛇頭 蛇變爲猪轉石雉 雉作獵人欲射猪 道師爲說解寃結
오비이락파사두 사변위저전석치 치작렵인욕사저 도사위설해원결

까마귀 날자 배 떨어지니 뱀의 머리가 부서졌도다.
죽은 뱀은 돼지가 되어 돌을 굴려 꿩을 쳤다네!
죽은 꿩이 포수가 되어 다시 돼지를 쏘려 함에
빈승이 그 인연을 밝혀 맺힌 원한을 풀어 주려 하네.

그리고 지의 스님은 사냥꾼에게 삼매에 들었을 때 삼세인연(三世因緣)을 들려주었다.

들어보시구려. 지금부터 삼생(三生) 전에 까마귀 한 마리가 배나무 가지 위에 앉아 놀다가 다른 곳으로 날아갔다. 그때 배나무 가지가 흔들리면서 다 익은 배 하나가 뚝 뱀의 머리 위에 떨어져서 뱀은 죽고 말았다. 죽은 뱀은 다시 멧돼지로 태어나서 살았으며 까마귀는 꿩으로 태어났다. 꿩은 땅바닥에서 먹이를 줍다가 칡뿌리를 캐기 위해 멧돼지가 건드려 굴린 그 돌에 깔려 죽고 말았다.

엽사(獵師)여, 그때 꿩이 죽어서 당신의 몸이 되었다. 그래서 지금 반드시 활로 멧돼지를 잡고 말겠다고 생각하는 것이다. 이렇듯 우리가 알게 모르게 지은 업은 반드시 그 과보를 받게 될 것이니 당신은 어떻게 하겠는가?

지의 스님 말씀을 들은 엽사는 활을 버리고 참회하면서 지의 스님의 제자가 되었다.

오비이락(烏飛梨落)이라는 말이 있다. '까마귀 날자 배 떨어진다'는 여기서부터 시작되는 성어(成語)다. 무심코 까마귀는 날았지만 배가 떨어져서 뱀을 죽게 하여 그 과보를 받았다. 혹시 우리가 사냥, 낚시 등을 취미로 삼는다면 생각해 볼 일이다. 지은 과보는 반드시 받고야 마는 것이다.

그러나 이는 와전된 설화로 천태지의(天台智顗) 스님에 관해서는 앞에 나오는 한시(漢詩)도 없거니와 이러한 설화 역시 중국에는 없다.

원효(元曉) 스님이 해골 물을 마시다

경북 경산 경흥사

원효대사(元曉大師, 617~686)는 지금의 경북 경산군 자인 지방인 압량군 불지촌(현 경산군 압량면 신월동으로 추측)에서 태어났다. 세속의 성은 설(薛)씨이며, 법명은 원효(元曉)다. 이는 불교를 새로 빛나게 한다는 뜻이며, 당시 사람들은 새벽[始旦]이라는 뜻의 우리말로 불렀다고 전해진다.

15세 무렵 집안의 재산을 희사하고 출가하여 자기 집을 절로 지어 초개사(初開寺)라고 하였다. 그리고 자신이 태어난 사라수(裟羅樹) 곁에 사라사(沙羅寺)를 세웠다. 삼국유사에 따르면 낭지(朗智)와 혜공(惠空) 등의 고승에게 불법을 배웠다고 전해지며, 완산주(完山州)에 머무르며 열반종(涅槃宗)을 강론하던 고구려의 보덕(普德) 스님에게 열반경과 유마경 등을 배웠다는 기록도 있다. 그러나 특별하게 한 명의 스승을 정해놓고 배우지는 않았으며, 스스로 깨달음을 얻었다고 전해진다. 648년(진덕여왕 2년)에는 황룡사(皇龍寺)에서 불경을 연구하며 수도하였다.

진덕여왕 4년에 원효 스님은 일곱 살 아래인 의상(義湘) 스님과 함께 당나라에 들어가 현장(玄奘) 스님이 인도에서 새로 들여온 신유식(新唯識)을 배우기 위하여 동행하였다. 그러던 중에 요동(遼東)에서 고구려 국경을 넘다가 그곳을 지키는 병졸들에게 잡혀 첩자로 몰려 많은 괴로움을 겪고 다시 신라로 돌아왔다.

661년인 문무왕 1년에 원효 스님은 의상 스님과 함께 다시 구법(求法)의 길을 떠나는데 처음과는 달리 배를 타고 가기 위해 당항성(唐項城, 지금의 경기도 화성시) 산속에서 노숙하게 되었다. 두 스님은 바람과 한기를 피하여 무덤 사이에 잠자리를 구하고 잠을 청하였다. 잠을 자던 원효가 몹시 심한 갈증을 느껴 눈을 떠보니 캄캄한 밤중이었다. 물을 찾아 주위를 살펴보니 어둠 속에 바가지 같은 것이 있어 다가가 보니 물이 고여 있었다. 물맛을 보니 굉장히 달콤하였다. 스님은 단숨에 그 물을 들이켜고 안락한 기분으로 새벽까지 깊이 잠들었다.

이튿날 아침, 잠에서 깨어난 스님은 간밤에 자신이 마신 바가지를 찾으려고 주위를 살펴보았더니 간밤에 마신 물은 해골바가지에 고인 물이었다. 그러자 갑자기 더러운 생각이 들어 토하기 시작하였고, 그 순간 원효는 문득 깨달았다. 간밤에 아무것도 모르고 마신 물은 달콤하였는데, 해골에 고인 빗물임을 알자 온갖 추한 생각과 함께 구역질이 일어나다니! 그리하여 원효대사는 순식간에 깨달음을 얻고 그때의 심경을 다음과 같이 표현했다.

心生則 種種法生 心滅則 龕墳不二
심생즉 종종법생 심멸즉 감분불이

마음이 생하는 까닭에 여러 가지 법이 생기고
마음이 멸하면 감(龕)과 분(墳)이 다르지 않네.

三界唯心 萬法唯識 心外無法 胡用別求
삼계유심 만법유식 심외무법 호용별구

삼계가 오직 마음이요, 모든 현상이 또한 식(識)에 기초한다.
마음밖에 아무것도 없는데 어디서 무엇을 따로 구하랴!

원효대사는 이 말을 남기고 의상대사와 헤어졌다. 그 길로 신라로 되돌아와 많은 중생을 위하여 설법하였고 많은 저술을 남겼다. 요석공주(瑤石公主)와의 인연으로 아들을 낳으니 그가 바로 이두(吏讀) 문자를 만든 설총(薛聰)이다.

대사는 그때부터 머리를 기르고 스스로 소성거사(小姓居士) 또는 복성거사(卜性居士)라 자칭하며, 광대들이 굴리는 큰 박을 가지고 화엄경에 나오는 일체무애인 일도출생사(一切無碍人 一道出生死)라는 말에서 무애를 따다가 무애무(無碍舞)라는 춤을 추고 무애가(无涯歌)를 지어 노래하며 다녔다. 이는 빈부귀천을 넘어 부처님의 가르침을 전하기 위함이었으며, 이로써 신라의 불교를 널리 대중화시켜 화쟁(和諍) 사상의 신라 불교(新羅佛教)를 꽃피웠다.

설총(薛聰, 655? ~ ?)에 대한 생몰연대는 정확하게 전하는 것이 없다. 신라 중기

시대인 신문왕 때의 학자다. 삼국사기(三國史記) 설총전에 따르면 자(字)는 총지(聰智)이며, 호는 빙월당(氷月堂)이며, 아버지는 원효대사다. 어머니는 태종 무열왕 김춘수(金春洙)의 딸인 요석공주(瑤石公主)다. 그는 재주가 비상하여 신라 십현(十賢)의 한 사람으로 벼슬은 한림(翰林)에 이르렀다. 이는 주로 왕의 국정운영에 대한 자문 역할을 하는 것이며, 한문에 토를 다는 방법인 이두(吏讀)를 집대성하였다. 그는 아버지 원효대사가 입적하자 다비를 한 후 유골을 부수어 가루로 만든 뒤 흙과 함께 이겨서 소상(塑像)을 조성하여 경주 분황사(芬皇寺)에 안치하였다.

원효(元曉)대사와 의상(義湘)대사

경남 통영 미래사

전하는 설화에 의하면 원효(元曉)대사는 설악산 신흥사(新興寺)에서 수행하였으며, 의상(義湘)대사는 양양 낙산사(洛山寺) 터에 토굴을 짓고 수행하였다고 한다. 어느 날 원효 스님은 의상 스님을 찾아가 법담을 나누었다. 이윽고 저녁 공양 시간이 되자 원효 스님은 시장기가 있는지라 은근하게 공양 주기를 기다렸지만, 의상 스님은 공양을 줄 생각이 없는 듯했다. 다만 빈 발우만 상 위에 올려놓고 눈을 지그시 감고 입정(入定)에 들어 버리는 것이었다.

이를 이상하게 여긴 원효 스님도 입정에 들어 관(觀)해 보니 의상 스님은 하늘에서 내려주는 공양인 천공(天供)을 기다리는 중이었다. 이를 알아차린 원효 스님은 도술을 부려 동서남북 사방의 문을 막아 버렸다. 의상 스님은 아무리 기다려도 천공이 내려오지 않자 이상하게 여기다가 비로소 원효 스님이 도술로 막아 버린 것을 알았다.

원효 스님은 의상 스님에게 말하기를 인간 세상에 살면서 하늘의 천공을 받는다는 것은 옳지 못한 일이며, 이는 수행자가 할 일이 아니라고 핀잔하였다. 의상 스님은 이 말을 듣고 사과하였다고 한다.

충북 보은 법주사

원효 스님은 다시 신흥사로 돌아오던 중에 짚고 온 지팡이를 높이 던지며 말했다. 이곳에는 우물이 없어서 물이 부족할 것이요. 그러니 내가 지팡이를 꽂은 자리에 우물을 파서 공양을 지어 드시길 바랍니다. 그리고 떠나갔다.

뒤이어 그 자리에 우물을 파니 물이 아주 좋았다고 한다. 지금 낙산사 앞에 있는 우물이 바로 이 설화의 우물이다. 또한 경북 울진군 근남면 행곡리에 있었던 천량암(天糧庵)의 유래도 이와 비슷하다.

도림(道林) 선사와 백거이(白居易)의 만남

충북 보은 법주사

세상의 진리는 알고 보면 아주 보편적인 일상에 있다. 중국에는 도림 선사(道林禪師)와 당대의 문장가이며 시인이었던 백거이(白居易)에 얽힌 이야기가 있는데 그 한 토막이 그러하다. 후세에 전해지고 있는 설화는 도림 선사와 백거이가 주고받은 문답으로 도림불법(道林佛法)이라고 한다.

조과도림(鳥窠道林, 741~824) 선사는 중국 항주(杭州)의 희작사(喜鵲寺)에서 수행하였으며, 법명은 도림(道林)이다. 선사는 우두종(牛頭宗)의 경산도흠(徑山道欽) 선사에게 수행하였다. 선사는 훗날 절강성 진망산(浙江省 秦望山)으로 들어가 주석하여 수행을 이어 나갔다. 그리고 소나무 위에 거처를 마련하여 지냈으므로 세인들은 선사를 조과(鳥窠) 선사라고 부르게 되었다. 여기서 조과(鳥窠)는 새집 혹은 새 둥지라는 뜻이며 작소화상(鵲巢和尙)이라 불리기도 하였다.

백거이(白居易, 772~846)는 당나라 시인이다. 자호(自號)가 낙천(樂天)이어서 백거이라는 이름보다는 백낙천(白樂天)으로 더 알려져 있다. 그의 문장은 상당히 대중적이며 평이(平易)한 문장으로 서민들에게도 널리 사랑받았다. 관직에도 나아가서 형부상서(刑部尙書)에 이르렀으나 중년에는 불교에 귀의한 인물이다.

선문염송(禪門拈頌) 설화를 바탕으로 도림 선사와 백거이의 문답을 살펴보자.

어느 날 도림 선사를 찾아간 백거이가 물었다. 불법의 대의(大意)가 무엇입니까? 이에 도림 선사가 말씀하셨다.

諸惡莫作 衆善奉行 自淨其意 是諸佛敎
제악막작 중선봉행 자정기의 시제불교

모든 악(惡)을 저지르지 말고,
모든 선(善)을 받들어 행하라.
스스로 그 뜻을 깨끗이 하라.
이것이 모든 부처님의 가르침이다.

백거이는 이에 말하기를 세 살 된 아이도 그렇게 말할 줄 압니다. 도림 선사가 이어 말씀하기를 세 살 된 아이도 비록 말할 수 있지만 팔십이 된 노인도 실행하기가 어렵습니다. 여기서 이 말뜻을 살펴보고 넘어가자. 모든 악(諸惡)은 곧 십악(十惡)을 말한다. 십악은 다음과 같다.

살생(殺生) 살아 있는 생명을 죽이는 일.
투도(偸盜) 남의 물건을 도둑질하는 일.
사음(邪淫) 아내나 남편이 아닌 자와 하는 음탕한 짓.
양설(兩舌) 이간질하는 말.
악구(惡口) 남의 흠을 들추어 헐뜯거나 험상궂은 욕.
기어(綺語) 교묘하게 꾸며내는 말.
망어(妄語) 사실이 아닌 것을 사실인 것처럼 꾸며내어 하는 말.
탐심(貪心) 마음속으로 남의 물건을 탐하는 마음.
진심(嗔心) 왈칵 성을 내는 마음.
치심(癡心) 어리석은 마음.

모든 악을 저지르지 말라고 하는 것은 십악(十惡)을 십선(十善)으로 바꾸라는 가르침이 숨어 있는 것이다. 다시 말해 팔만사천 가지의 번뇌의 문(門)을 바꾸어 팔만사천 가지의 바라밀(波羅蜜)의 문으로 바꾸라는 준엄한 가르침인 것이다.

세 살 된 아이의 말(三歲孩兒)은 말하기는 쉬워도 실천하기가 매우 어렵다는 말이다. 여기서 백거이는 도림 선사의 말씀을 꿰뚫어 보지를 못하였다. 훗날 대혜종고(大慧宗杲) 선사는 이 화두를 들고, 이제 마음의 노력을 아끼고자 한다면 저 세 살 된 아이가 말을 할 수 있는지 없는지, 그리고 팔십 노인이 실행할 수 있는지 없는지 상관 말고 다만 모든 악을 저지르지 말라는 뜻을 바로 알아 깨달으면 된다고 말하였다.

경덕전등록(景德傳燈錄)에도 도림 선사와 백거이(白居易)에 관한 문답이 실려 있다. 백거이가 태수(太守) 시절에 도림 선사를 찾아가 여쭈었다. 스님께서 머무는 곳이 대단히 위험해 보이는군요? 이에 도림 선사는 말씀하기를 제가 보기에는 태수의 위험이 더 큽니다. 저의 지위는 한 고을의 강산을 누르고 있는데 어떤 위험이 있습니까? 태수의 성품은 불같은 성질인데 어찌 위험하지 않을 수 있겠습니까? 기분이 상한 태수 백거이는 불법의 큰 뜻은 무엇입니까(如何是佛法大意)? 모든 악을 저지르지 말고 모든 착함을 받들어 행하는 것입니다. 그거야 세 살 된 아이도 말할 줄 아는 것이지 않습니까? 세 살 된 아이도 비록 말할 수 있지만 팔십 노인도 지키기 어렵습니다. 당나라 우두종(牛頭宗)의 도림 선사는 824년에 좌탈입망(坐脫立亡)하였다.

도림(道林) 선사가 백낙천(白樂天)에게 전한 말은 법구경(法句經), 출요경(出曜經), 대반열반경(大般涅槃經)에도 나오는 말씀이다. 또한 이 말씀은 칠불통계(七佛通戒)라고도 한다. 여기서 칠불(七佛)은 석가모니불과 더불어 과거에 출현했던 비바시불(毘婆尸佛) · 시기불(尸棄佛) · 비사부불(毗娑浮佛) · 구류손불(拘留孫佛) · 구나함모니불(倶那含牟尼佛) · 가섭불(迦葉佛) 여섯 부처님을 말한다. 일곱 부처님의 공통된 가르침은 무엇인가. 바로 제악막작 중선봉행(諸惡莫作 衆善奉行)이다. 그래서 칠불통계(七佛通戒)라고 하는 것이며 불교에서 말하고자 하는 보편타당한 진리로 영원불변한 가르침이다.

삼국유사 혜통(惠通) 스님이 화로(火爐)를 이다

제주 제주시 금룡사

혜통(惠通) 스님이 출가하다

혜통(惠通) 스님은 신라시대의 스님으로 진언종(眞言宗)을 여신 스님이시다. 삼국유사를 통하여 스님의 이력을 살펴보자.

혜통(惠通)은 그 씨족을 자세히 알 수 없으나 백의(白衣)로 있을 때 그의 집은 남산 서쪽 기슭인 은천동(銀川洞) 어귀(지금의 남간사南澗寺 동리東里)에 있었다. 어느 날 집 동쪽 시내에서 놀다가 수달[獺] 한 마리를 잡아죽이고 그 뼈를 동산 안에 버렸다. 그런데 이튿날 새벽에 그 뼈가 없어졌으므로 핏자국을 따라 찾아가니 뼈는 전에 살던 굴로 되돌아가서 새끼 다섯 마리를 안고 쭈그리고 있었다. 혜통이 바라보고 한참이나 놀라고 이상히 여겨 감탄하고 망설이다가 마침내 속세를 버리고 중이 되어 이름을 혜통으로 바꿨다.

당나라에 가서 무외삼장(無畏三藏)을 뵙고 배우기를 청하니 삼장이 말하기를, 우이(嵎夷, 신라)의 사람이 어떻게 법기가 될 수 있겠는가 하고 가르쳐 주지 않았다. 그러나 혜통은 쉽게 물러가지 않고 3년 동안이나 부지런히 섬겼다. 그래도 무외(無畏)가 허락하지 않자 혜통은 이에 분하고 애가 타서 뜰에 서서 화로를 머리에 이고 있었다. 조금 후에 정수리가 터지는데 소리가 천둥과 같았다. 삼장(三藏)이 이 소리를 듣고 와 화로를 치우고 손가락으로 터진 곳을 만지면서 신주(神呪)를 외니 상처는 이내 아물어서 전과 같이 되었다. 그러나 흉터가 생겨 왕자(王字) 무늬와 같으므로 왕화상(王和尙)이라고 하여 그의 인품을 깊이 인정하고 인결(印訣)을 전했다.

이때 당나라 황실에서는 공주가 병이 있어 고종(高宗)은 삼장에게 치료해 줄 것을 청하였고 삼장은 자기 대신 혜통을 천거했다. 혜통이 가르침을 받고 딴 곳에 기거하면서 흰콩 한 말을 은그릇 속에 넣고 주문을 외니, 그 콩이 변해서 흰 갑옷을 입은 신병(新兵)이 되어 병마(病魔)들을 쫓았으나 이기지 못했다. 이에 다시 검은 콩 한 말을 금그릇에 넣고 주문을 외니, 콩이 변해서 검은 갑옷 입은 신병이 되었다. 두 빛의 신병이 함께 병마를 쫓으니 갑자기 교룡(蛟龍)이 나와 달아나고 공주의 병이 나았다.

독룡이 신라로 가서 해악을 끼치다

용은 혜통이 자기를 쫓은 것을 원망하여 신라 문잉림(文仍林)에 와서 인명(人命)을 몹시 해쳤다. 당시 정공(鄭恭)이 당에 사신으로 갔다가 혜통에게 말했다. 스님이 쫓아낸 독룡(毒龍)이 본국에 와서 해(害)가 심하니 빨리 가서 없애 주십시오. 혜통은 이에 정공과 함께 인덕(麟德) 2년 을축년(乙丑年, 665)에 본국에 돌아와 용을 쫓아버렸다.

용은 또 정공을 원망하여 이번에는 버드나무로 변해서 정 씨 집 문밖에 우뚝 섰다. 정공은 알지 못하고 다만 그 무성한 것만 좋아하여 무척 사랑했다. 신문왕(神文王)이 죽고 효소왕(孝昭王)이 즉위하여 산릉(山陵)을 닦고 장사지내는 길을 만드는데, 정 씨 집 버드나무가 길을 가로막고 있어 유사(有司)가 베어버리려 하자 정공이 노해서 말했다. 차라리 내 머리를 벨지언정 이 나무는 베지 못한다. 유사가 이 말을 왕에게 아뢰니 왕은 몹시 노해서 법관(法官)에게 명령했다. 정공이 왕화상의 신술(神術)만 믿고 장차 불손한 일을 도모하려 하여 왕명을 업신여기고 거역하며 차라리 제 머리를 베라고 하니 마땅히 제가 좋아하는 대로 할 것이다. 이리하여 그를 베어 죽이고 그 집을 흙으로 묻어 버리고 나서 조정에서 의론했다. 왕화상이 정공과 매우 친하여 반드시 연루된 혐의가 있을 것이니 마땅히 먼저 없애야 할 것입니다. 이에 갑옷 입은 병사를 시켜 그를 잡게 했다.

혜통이 왕망사(王望寺)에 있다가 갑옷 입은 병사가 오는 것을 보고 지붕에 올라가서 사기병과 붉은 먹을 찍은 붓을 가지고 그들에게 소리쳤다. 내가 하는 것을 보라. 그리고 병의 목에다 한 획을 그으면서 말한다. 너희들은 모두 너희들의 목을 보라. 목을 보니 모두 붉은 획이 그어져 있으므로 서로 보면서 놀랐다. 혜통은 또 소리쳤다. 내가 만일 이 병의 목을 자르면 너희들의 목도 잘릴 것이다. 어찌하려느냐. 병사들이 달려와서 붉은 획이 그어진 자기네 목을 왕에게 보이니 왕이 말하기를, 화상의 신통력을 어찌 사람의 힘으로 막을 수 있겠느냐 하고 그대로 내버려 두었다.

왕녀(王女)가 갑자기 병이 나자 왕은 혜통을 불러서 치료하게 하니 병이 나았으므로 왕은 크게 기뻐했다. 혜통은 이것을 보고 말했다. 정공은 독룡의 해를 입어서 죄 없이 국가의 형벌을 받았습니다. 왕은 이 말을 듣고 마음속으로 후회했다. 이에 정공의 처자는 죄를 면하고 혜통을 국사(國師)로 삼았다.

혜통 스님의 갖가지 기적

용은 이미 정공에게 원수를 갚자 기장산(機張山)에 가서 웅신(熊神)이 되어 해독을 끼치는 것이 더욱 심하여 백성들이 몹시 괴로워했다. 혜통은 산속에 이르러 용을 달래어 불살계(不殺戒)를 주니 그제야 웅신의 해독이 그쳤다. 처음에 신문왕이 등창이 나서 혜통에게 치료해 주기를 청하므로 혜통이 와서 주문을 외니, 그 자리에서 병이 나았다. 이에 혜통이 말했다. 폐하께서 전생에 재상의 몸으로 장인(臧人) 신충(信忠)이란 사람을 잘못 판결하여 종으로 삼으셨으므로 신충이 원한을 품고 윤회 환생할 때마다 보복하는 것입니다. 지금 이 등창도 역시 신충의 탈이오니 마땅히 신충을 위해서 절을 세워 그 명복을 빌어서 원한을 풀게 하십시오. 왕이 옳다고 생각하여 절을 세워 이름을 신충봉성사(信忠奉聖寺)라고 했다. 절이 다 이루어지자 공중에서 노래하는 소리가 났다. 왕이 절을 지어 주셨기 때문에 괴로움에서 벗어나 하늘에 태어났으니, 원한은 이미 풀렸습니다. (어떤 책에는 이 사실이 진표眞表의 전기傳記에 실려 있으나 이는 잘못된 것이다.) 또 노래 부른 곳에 절원당(折怨堂)을 지었는데 그 당(堂)과 절이 지금도 남아 있다.

고승 명랑이 밀교를 크게 일으키다

이보다 앞서 밀본 법사(密本法師)의 뒤에 고승 명랑(明郎)이 있었다. 용궁(龍宮)에 들어가서 신인(神人, 범서梵書엔 문두루文豆婁라고 했는데, 여기에는 신인神人이라고 했다.)을 얻어 신유림(神遊林, 지금의 천왕사天王寺)을 처음 세우고, 여러 번 이웃

나라가 침입해 온 것을 기도로 물리쳤다. 이에 화상은 무외삼장(無畏三藏)의 골자(骨子)를 전하고, 속세를 두루 다니면서 사람을 구제하고 만물을 감화시켰다. 또 숙명(宿明)의 밝은 지혜로 절을 세워 원망을 풀게 하니 밀교(密敎)의 도가 이에 크게 떨쳤다. 천마산(天磨山) 총지암(總持庵)과 무악(毋岳)의 주석원(呪錫院) 등은 모두 그 지류(支流)다.

어떤 사람이 말하기를, 혜통의 세속 이름은 존승각간(尊勝角干)이라고 하는데 각간은 곧 신라의 재상과 같은 높은 벼슬인데 혜통이 벼슬을 지냈다는 말은 듣지 못했다. 또 어떤 사람은 시랑(豺狼)을 쏘아 잡았다고 하지만 모두 자세히 알 수 없다. 찬(讚)하여 말한다.

山桃溪杏映籬斜 一徑春深兩岸花 賴得郎君閑捕獺 盡敎魔外遠京華
산도계행영리사 일경춘심양안화 뢰득랑군한포달 진교마외원경화

산속의 복숭아와 냇가의 살구는 울타리에 비쳤는데,
오솔길에 봄이 깊어 두 언덕 꽃이 피었네.
낭군(혜통)이 수달을 잡음으로써
마귀와 외도를 모두 경성에서 내쫓아 버렸다.

배휴(裵休)가 출가하는 아들을 떠나보내다

경남 합천 영암사

唐朝著名宰相 裴休 送子出家詩

당조저명재상 배휴 송자출가시

출가하게 되었으니 꼭 뜻을 세우거라. 스승 만나 배우기 쉬운 일이 아니니라. 향 사르고 물 올릴 때 정성 다하고 부처님과 스님 계신 곳 부지런히 쓸고 닦아라. 게으름 피우지 말고 시시덕거리지도 말고 밖에 나갈 때는 분명하게 가는 곳을 말하거라. 때 되거나 때 안 되어 집에 오지 말고 듣지 못한 가르침 하나라도 더 배우거라. 汝及出家須立志 求師學道非容易 燒香換水要殷勤 佛殿僧堂勤掃拭 莫閑游 莫嬉戲 出外分明說去處 三朝五日不歸家 妙法何曾聞一句

사형을 공경하고 사제를 가르치며 쓸데없는 일로 불문에서 화내며 다투지 말아라. 손위와 손아래 공경하며 화목하고 가문을 내세워 다른 사람 깔보지 마라. 옷과 밥 얻기가 쉽지 않은 것들인데 어째 꼭 반들거리고 윤기 흘러야 하겠느냐? 채식과 묽은 죽 보통으로 여기고 거친 베옷이라도 형편을 따르거라. 敬師兄 訓師弟 莫在佛門爭閑氣 上恭下敬要謙和 莫輕他人自逞勢 衣食難 非容易 何必千般求細膩 淸齋薄粥但尋常 粗布麻衣隨分際

영화는 금빛 나는 비단옷에 버렸거늘 수행자에게 황금이 귀할 이유가 있겠느냐? 공에 대한 이치와 지혜 밝게 깨우쳐 수다원(須陀洹)을 넘어 십지보살에 이르러야 하느니라. 관세음보살과 대세지보살께 예를 올리고 다른 사람 잠잘 때도 너는 깨어 있어라. 깊은 밤에 잠들고 새벽녘에 일어나며 부처님 계신 불당 안을 좋아하거라. 榮華止在紫羅袍 有道何須黃金貴 解三空 明四智 要超初果至十地 禮觀音 持勢至 別人睡時你休睡 三更宿盡五更初 好向釋迦金殿內

등불 심지 돋우고 맑은 물을 올리고 부처님께 절하며 지혜와 능력을 갖추거라. 그것이 길러준 부모님 은혜에 보답하는 길이며 천룡팔부의 신중들이 모두 기뻐할 것이다. 剔明燈 換淨水 禮拜如來求智能 報答爹娘養育恩 天龍八部生歡喜

배휴(裵休, 791~846)의 자(字)는 공미(公美)이며 중국 당나라 때의 관리로 허난성(河南省) 혹은 산시성(山西省) 출신이라고도 한다. 그는 여러 벼슬을 지냈으며 그로 인하여 많은 별호가 따르는데 배상국(裵相國), 배상공(裵相公), 배공(裵公) 등으로도 불리고 있다. 그는 유학자로서 지조가 있는 참된 선비여서 선종(宣宗)은 그를 참된 유자(儒者)라고 극찬하였다.

또한 그는 문장이 뛰어나서 징관(澄觀, 738~839), 종밀(宗密, 780~841) 스님 등의 비문을 찬하기도 하였다. 배휴는 특이하게도 유학자이면서도 종밀 스님의 문하에서 화엄경을 공부한 적이 있어서 종밀 스님은 저술할 때마다 그를 불러서 서문을 쓰도록 하였다. 또한 황벽희운(黃檗希運) 선사는 자신의 관내에 있던 용흥사(龍興

寺) 그리고 개원사(開元寺)로 초빙하여 수시로 조석으로 문답을 나누었는데 이 대화를 바탕으로 쓴 책이 바로 완릉록(宛陵錄)이다. 이를 바탕으로 황벽 선사는 자신의 철학이 담긴 황벽의 선(禪)을 세상에 알렸다.

또한 황벽 선사의 어록을 모은 전심법요(傳心法要) 1권을 편찬하기도 하였다. 중국 불교가 정치적으로 혹독한 탄압을 받을 때도 조정 중신의 신분임에도 불구하고 불교를 적극적으로 옹호하고 호위하였던 인물이다. 중년 이후에는 육식을 전혀 하지 않고 향 사르고 경전을 독송하였으므로 세상 사람들은 그를 하동대사(河東大師)라고 불렀다. 그의 저서로는 권발보리심문(勸發菩提心文)이 있다.

위의 시는 배휴가 둘째 아들 문덕(文德)이 출가할 때 지어 준 경책잠(警策箴)인데 배문덕의 출가에는 다음과 같은 사연이 전한다.

당시 황제의 아들이 중병을 앓고 있었는데 온갖 약을 써보아도 차도가 없었다. 배휴는 한 고승에게 황제의 아들이 출가해야 제 수명을 지킬 수 있다는 이야기를 들었다. 배휴는 황제의 아들을 대신하여 자신의 둘째 아들을 출가시킬 뜻을 황제에게 아뢰었고 황제는 기뻐하며 문덕에게 법해(法海)라는 법명을 내렸다. 문덕은 이미 과거에 장원으로 급제한 뒤라 조정에서는 그에게 한림학사(翰林學士)를 제수할 방침이었지만 불법에 뜻을 둔 배휴의 아들은 출가를 하였다.

원광법사(圓光法師)와 두 청년

경남 합천 해인사

원광(圓光)법사가 가르친 세속오계(世俗五戒)에 대해서 삼국유사(三國遺事)를 통하여 살펴보자. 신라 사량부(沙梁部)에 사는 귀산(貴山)은 젊을 때 같은 부(部) 사람 추항(箒項)과 친구가 되었다. 두 사람이 서로 우리가 군자와 놀기를 기약하여 먼저 마음을 바르게 하고 몸을 닦지 않으면 욕된 일을 당하지 않을까 두렵다며, 어진 이의 곁에 가서 도를 닦자고 서로 약속하였다. 이때 원광법사가 수(隋)나라에 가서 유학하고 돌아와 가실사(加悉寺, 지금의 운문사)에 머물며 사람들의 존경을 받고 있었다.

귀산(貴山)과 추항(箒項)은 스님의 문하에 가서 가르침을 구하였다. 이에 법사는 불교의 계율에는 보살계가 있는데 그 종목이 10가지라서 너희처럼 남의 신하된 자로서는 아마 감당하기 어려울 것이라며 세속오계(五戒)를 설하였다.

사군이충(事君以忠) 충성으로써 임금을 섬긴다.
사친이효(事親以孝) 효도로써 어버이를 섬긴다.
교우이신(交友以信) 믿음으로써 벗을 사귄다.
임전무퇴(臨戰無退) 싸움에 임해서는 물러남이 없다.
살생유택(殺生有擇) 살생하는 데에는 가림이 있다.

살생하는 데에 가림이 있다는 말은 산 것을 죽임에 있어 육재일(六齋日: 여섯 재일로 매월 8 · 14 · 15 · 23 · 29 · 30일)과 봄 · 여름을 피하는 것으로 시기를 가리는 것이요, 말 · 소 · 닭 · 개와 같은 가축과 작은 물건을 죽이지 않는 것으로 대상을 가리는 것이며, 이것도 필요 이상으로 살생하여 취하지 않는다고 하였다.

두 사람은 원광법사의 가르침을 받들어 실천하였으며, 그 뒤 전쟁에 나가 모두 나라에 큰 공을 세웠다는 내용이다.

무착(無着) 스님과 문수보살

충북 보은 법주사

중국 오대산(五臺山) 중턱의 외딴 암자 금강굴(金剛窟)에서 무착문희(無着文喜, 811~900) 스님이 손수 공양을 해결하며 기도하고 있었다. 스님은 어려서 출가하여 계율과 교학을 공부하다가 문수보살의 영지(靈地)인 오대산에 들어가서 문수보살을 친견하고자 기도하였다. 하루는 식량이 떨어져 산 아랫마을에 내려가 양식을 탁발해 올라오다가 소를 몰고 가는 한 노인을 만나게 되었는데 노인의 모습이 범상치 않음을 보고 자기도 모르게 뒤를 따라갔다.

한참을 뒤쫓아가다 보니 전혀 보지 못했던 커다란 절 한 채가 나타났다. 노인이 문 앞에 서서 균제야! 하고 부르니 한 동자가 뛰어나와 소고삐를 잡아들고 안으로 들어갔다. 방안에 따라 들어가 노인에게 인사를 드렸더니, 동자가 아주 향기로운 차를 한 잔 내왔다. 노인이 묻기를 자네는 오대산에 무엇하러 왔는가? 저는 문수보살을 친견하고자 찾아왔습니다. 자네가 가히 문수를 만날 수 있을까? 자네 살던 절에는 대중은 얼마나 되고 어떻게 살아가는가? 300여 명 되는 대중이 경전도 읽고 계율도 익히면서 살고 있습니다. 이곳은 어떠한지요? 전삼삼 후삼삼(前三三 後三三)이요, 용사혼잡 범성교참(龍蛇混雜 凡聖交參)이라 용과 뱀이 뒤섞여 산다네.

무착은 도무지 무슨 뜻인지 알 수가 없었다. 어느새 밖은 어두워져서 무착은 노인에게 하룻밤 쉬어갈 것을 청하였더니 애착이 남아 있는 사람은 이곳에서 자고 갈 수 없네 하고 동자에게 배웅을 부탁하며 방으로 들어가 버렸다.

어둑해진 길가에 나와서 무착은 동자에게 물었다. 아까 노인에게 이곳 대중의 수효를 물었더니 전삼삼 후삼삼이라고 하시던데 도대체 무슨 뜻인가? 하고 물으니, 동자가 큰소리로 무착(無着)아! 하고 부르니 엉겁결에 예! 하고 대답하자, 수효(數爻)가 얼마나 되는고? 하며 동자가 다그쳐 묻는 것이었다. 무착은 또다시 말문이 막혀 동자를 쳐다보며 이 절 이름은 무엇입니까? 하니 반야사(般若寺)라고 하며 가리키는 곳을 쳐다보니 웅장하던 절은 금세 간 곳이 없었다. 깜짝 놀라 돌아보니 동자도 사라지고 없는데, 허공에 오색구름 가운데서 한 구절 게송이 들려오는 것이었다.

面上無瞋供養具 口裡無瞋吐妙香 心裡無瞋是眞寶 無染無垢是眞常

면상무진공양구 구리무진토묘향 심리무진시진보 무염무구시진상

성 안 내는 그 얼굴이 참다운 공양구요,
부드러운 말 한마디 미묘한 향이로다.
깨끗해 티가 없는 진실한 그 마음이
언제나 한결같은 부처님 마음일세!

莫妄想 好參禪 不知終日爲誰忙 若知忙中眞消息 一孕紅蓮生沸湯
막망상 호삼선 부지종일위수망 약지망중진소식 일잉홍연생비탕

쓸데없는 생각 말고 부지런히 공부하라.
날마다 온종일 누굴 위해 바쁠 건가.
바쁜 중에 한가로운 소식을 알면
한 송이 연꽃이 끓는 물에 피리라.

이렇게 문수보살을 친견하고도 알아보지 못한 자신의 어리석음을 한탄하며, 무착은 더욱 수행에 힘써 앙산혜적(仰山慧寂, 807~883)의 법(法)을 이어받아 어디에도 거리낌이 없는 대자유인이 되었다.

그러던 어느 해 겨울, 동짓날이 되어 팥죽을 쑤고 있는데 김이 무럭무럭 나는 죽 속에서 거룩하신 문수보살이 장엄하게 나타나서는 무착은 그동안 무고한가? 하며 옛날 오대산에서 있었던 일을 회상시키며 먼저 인사말을 건넸다.

그런데 무착 스님은 팥죽을 젓고 있던 주걱으로 문수보살의 얼굴을 사정없이 후려갈겼다. 문수보살은 놀라서 어이, 무착 내가 바로 자네가 그렇게도 만나고 싶어 하던 문수라네 하였다. 이 말을 받은 무착 스님은 문수는 문수요, 무착은 무착이다. 만일 문수가 아니라 석가나 미륵이 나타날지라도 내 주걱 맛을 보여주리라고 대꾸하는 것이었다. 이에 문수보살은 자취를 감추며 일러주었다.

爾三大劫修行 還被老僧嫌疑 苦瓠連根苦 甘菰徹蒂甘
이삼대겁수행 환피로승혐의 고호연근고 감고철체감

내가 삼대겁을 수행하였건만
오늘 노승의 괄시를 받고 돌아가는구나.
쓴 조롱박은 뿌리까지 쓰고
단 참외는 꼭지까지 달도다.

깨달음을 얻기 전에는 문수보살을 친견하기 위해 오대산 금강굴에서 3년간이나 기도하고, 또 문수보살을 원불로 모시고 다녔던 무착이었건만 깨달음을 성취한 뒤에는 문수보살이 스스로 나타나셨어도 도리어 호령하고 주걱으로 얼굴을 갈긴 것이었다. 이것이 바로 진리를 체득한 선사들의 기백이며 선기(禪機)다.

참고로 종감법림(宗鑑法林)에는 고호연근고 첨과철체첨 수행삼대겁 각피노승혐(苦瓠連根苦 甜瓜徹蔕甜 修行三大劫 卻被老僧嫌)이라 되어 있으나 뜻은 별 차이가 없다. 그리고 국내 대부분 책은 '감고철대감'이라고 하며 '대'를 한자로 나타내지 못하고 있으나 이는 '대'가 아니고 꼭지를 나타내는 체(蔕)자다.

대정신수대장경(大正新脩大藏經)에서는 고호련근고 첨과철체첨 시오기삼계 각피가사혐(苦瓠連根苦 甜瓜徹蔕甜 是吾起三界 卻彼可師嫌)이라 되어 있다. 그리고 대정신수대장경을 줄여서 흔히 신수대장경(新脩大藏經)이라고 한다.

무착문희(無着文喜) 스님은 중국 위앙종(潙仰宗)의 스님으로 앙산혜적(仰山慧寂) 스님의 제자다. 중국 절강성 출신으로 속성은 주(朱)씨다. 스님은 837년 당시 7세 때 하북성 조군(趙郡)에서 비구계를 받은 뒤 처음으로 사분율(四分律)을 배웠다. 그러나 회창폐불(會昌廢佛) 시대를 맞이하여 일시적으로 환속하여 지내다가

847년경에 절강성 제풍사(齊豊寺)에 들어갔으며 그 후 절강성 대자산(大慈山)에서 성공(性空)대사 환중(寰中)을 친견하였다. 862년 절강성 관음원(觀音院)에 이르러 앙산혜적(仰山慧寂) 선사에게 법을 묻고 그 자리에서 깨달았다.

그 뒤 천경산(千頃山)에 주석하다가 887년 오월왕(五越王) 전씨(錢氏)의 청에 따라 항주에 있는 용천원(龍泉院)에 주석하기도 하였다. 890년에 전왕(錢王)이 자의(紫衣)를 하사하였고 897년에는 무착(無着)이라는 호를 받았다. 그 후 영은산(靈隱山)에서 입적하여 매장하였는데 육신이 그대로 보존되고 모발과 손톱이 자라나자 전왕은 이를 기이한 조짐으로 받아들여 다시 후하게 장례를 치렀다고 한다.

또한 벽암록(碧巖錄) 35칙에는 무착 선사가 오대산(五臺山)에 올라 문수보살을 만나 문답을 나누었다고 하는 내용이 있다. 그러나 그 주인공이 정확하게 일치하는지는 알 수 없다.

한산(寒山)과 습득(拾得)

전남 곡성 태안사 봉서암

한산(寒山)과 습득(拾得)은 중국 당나라 때의 사람들로 스승 풍간 선사(豊干禪師)와 함께 국청사(國淸寺)에서 살았다. 그들은 모이면 손뼉 치며 웃고 떠들고, 때로는 이상한 행동을 하기도 하고, 때로는 대중에게 거침없는 말을 하여 당황하게 하였으나 모두 불도의 이치에 맞는 말을 하였다.

그리하여 사람들은 국청사에 숨어사는 성인이라 하여 국청삼성(國淸三聖), 국청삼은(國淸三隱)이라 불렀다. 세 분은 곧 불보살의 나투심이니 풍간 스님은 아미타불의 화현이고 한산은 문수보살, 습득은 보현보살의 화현이라고 한다. 그러나 당시의 사람들은 그들의 말과 행동을 미치광이 정도로 생각하고 멸시하였다.

풍간 선사는 국청사에서 대중 양식에 쓸 방아를 찧고, 길을 나설 때는 호랑이를 데리고 다녀서 사람들이 두려워했다고 한다. 한산은 그가 사는 곳의 지명을 따라 부른 이름이었다. 평생 신을 신지 않았으며, 베옷을 입고 숲과 동굴에서 잠을 잤다. 때때로 국청사에서 밥을 얻어먹고 남은 것은 대통에 넣어 한암(한산)의 바위굴로 돌아갔다. 달을 보고 웃고 바람을 보고 중얼거렸기에 사람들에게 손가락질 받았는데 그때마다 개의치 않고 큰소리로 웃었다.

어느 날 스님들이 가지를 굽고 있는데 한산이 와서 가는 꼬챙이를 들고 한 스님의 등허리를 내리쳤다. 스님이 머리를 들자 그 꼬챙이를 들고 물었다. 이것이 무엇이냐? 이 미친놈아. 그때 한산이 옆의 스님을 바라보면서 말했다. 모두가 큰스님들인데도 똑같이 절의 소금과 간장만 낭비하고 있구려.

습득은 풍간 선사가 길에서 울고 있는 아이를 주워다 길렀다고 하여 습득이라 하였다. 그는 공양간에서 그릇을 닦거나 불을 때며 심부름했다. 그리고는 대중들이 먹고 남은 밥과 반찬 등을 모아 두었다 한산이 오면 주었다.

어느 날 고두밥을 쪄서 멍석에 말리며 습득에게 지키라고 하였다. 습득은 고두밥을 지키다가 잠이 들었는데 깨어보니 새들이 날아와서 먹어버리고 말았다. 습득은 사천왕이 있는 곳으로 달려가서 스님들의 공양을 먹어버린 새도 못 지키는 주제에 어찌 감히 절을 지킨다고 할 수 있겠는가? 라고 하면서 막대기로 사천왕을 힘껏 때렸다.

그때 주지 스님의 꿈에 사천왕이 나타나서 스님 습득이 저희를 마구 때립니다 라고 하였다. 깜짝 놀란 주지 스님이 일어나 사천왕에게 가 보았더니 습득이 사천왕을 때리고 있었다.

당시 그 고을의 자사인 여구윤(閭丘胤)이 심한 병을 앓고 있었는데 좋다는 약을 다 써보았으나 차도가 없었다. 자사는 일찍이 국청사에 계시는 풍간 스님의 명성을 들어온지라 그를 찾아갔다. 풍간 스님은 병세를 듣고 깊은 골짜기의 깨끗한 물을 떠다가 그의 몸에 뿌리니 씻은 듯이 병이 나았다.

자사는 감사한 마음에 보답하려 했다. 스님의 크신 은혜를 갚고 싶습니다. 그렇다면 지금 국청사에 계시는 문수보살과 보현보살을 찾아가서 물어보시오.

자사는 국청사 경내의 많은 전각과 누각들을 돌아보며 찾아보았으나 보살들의 모습은 보이지 않았다. 다리도 아프고 목이 마른 자사는 갈증을 해소하기 위해 공양간으로 들어갔다. 마침 불을 때고 있던 불목하니 두 사람은 자사에게 공손히 물을 떠드렸는데 그들의 생김새가 매우 볼품없고 우스꽝스러웠다.

보살들을 찾으려다 지친 자사는 풍간 선사에게 다시 와서 조금은 짜증 섞인 말로 아니 어디에 보살님들이 계신다는 말씀입니까? 풍간 선사는 웃으면서, 허허 이미 만나 뵙지 않았습니까? 놀란 자사는 갑자기 공양간의 두 사람이 생각나서 벌떡 일어나 뛰어나갔다.

한산과 습득은 자사가 헐레벌떡 뛰어들어오는 것을 보고 풍간이 쓸데없는 말을 했군. 그가 바로 아미타불이라네. 그리고는 뒤도 돌아보지 않고 달려나갔다. 자사는 얼른 말에 올라타고 채찍을 힘껏 치며 뒤를 쫓았으나 그들과 점점 멀어져 갔다. 드디어 두 사람은 바위굴 속으로 들어가 버리고, 얼마 후 자사도 말을 몰아 굴 속으로 들어가려는데 돌문이 닫혀버렸다.

성인을 알아보지 못한 자사 여구윤은 못내 안타까워했다. 그리하여 대나무, 돌벽, 절이나 인가의 흙벽 등에 써놓은 세 분의 시를 모아 삼은집(三隱集)이란 책으로 엮었는데 그것이 오늘날 한산시(寒山詩)로 전해 오고 있다.

풍간(豊干) 선사

전남 보성 대원사

풍간(豊干) 선사는 당나라 때 천태산 국청사(國淸寺)의 선승(禪僧)이라고 알려져 있으나 이력에 대해서는 전하는 바가 없다. 머리는 묶고 눈썹을 다듬으며 모피(毛皮)를 덧붙인 누더기를 입고 수행하였다고 한다. 누가 찾아와 불교의 교리를 물으면 늘 수시(隨時)라고 답하였다고 한다. 풍간은 호랑이를 타고 다니면서 도가(道歌)를 흥얼거리며 문으로 들어오곤 하였다고 한다.

선사가 버려진 한 아이를 데리고 와 길렀는데 길에서 주워 왔다고 하여 습득(拾得)이라고 하였다. 습득은 이 산에 사는 한산(寒山)과 친하여 교류하였다. 국청사 주방에서 한산과 습득은 아궁이에 불을 지피며 마주앉아 온종일 이야기를 나누었는데 그 말이 무슨 말인지 알아들을 수가 없어 사람들은 그들을 미친 사람이라고 여겼다. 풍간만이 이 말을 알아듣고 이 두 사람을 따랐다고 한다. 어느 날 여구윤(閭丘胤) 지사가 국청사 아궁이에서 설거지하는 한산과 습득을 보고 문수와 보현의 화신이라고 하였다고 한다.

전등록(傳燈錄) 권제27에서는 다음과 같은 말씀이 있다.

그는 어떤 사람인지 모른다. 천태산 국청사에서 머리 깎고, 눈썹을 다듬으며, 베 두루마기를 입었다. 사람들이 불법의 이치를 물으면 늘 수시(隨時, 때에 따른다)라는 두 마디만 할 뿐이었다. 일찍이 도가(道歌)를 부르면서 호랑이를 타고 소나무를 헤치고 문 안으로 들어오니, 대중들이 놀란 일이 있었다. 국청사의 주방에 두 고행자가 있었으니 한산(寒山)과 습득(拾得)이었다. 두 사람이 같이 공양을 지으며 날마다 중얼거리고 이야기하건만 아무도 무슨 말인지 알 수 없어서 사람들은 그들을 미친 사람이라 했다. 그러나 풍간은 이를 알아들었다.

어느 날 한산이 물었다. 옛 거울이라도 닦지 않으면 어찌 비추겠습니까? 풍간이 답하기를 얼음 항아리는 그림자가 없는데, 원숭이는 물속의 달을 건진다. 이건 비추지 못하니, 선사께서 다시 말씀해 주십시오. 만 가지 덕(德)도 장차 가져오지 못하는데, 나에게 무엇을 말하라 하는가? 그러자 한산과 습득이 함께 절을 했다.

풍간은 홀로 오대산에 들어가 순례하다가 한 늙은이를 만났다. 풍간은 그에게 문수가 아닙니까? 하였더니, 어찌 두 문수가 있으리오. 풍간이 절을 하고 채 일어나기 전에 홀연히 사라졌다. 조주(趙州)의 사미가 화상에게 아뢰니 조주가 풍간을 대신해서 말하되 문수다, 문수다라고 하였다.

여구윤(閭丘胤)이 단구(丹丘) 지방을 지키려 건거(巾車)를 치려고 하였는데 갑자기 머리가 아팠으니 여러 의원도 고치지 못하였다. 풍간이 그를 만나기 위하여 찾아갔고 병이 났다고 하자 풍간이 물을 머리에 뿜자 금세 나았다. 여구윤이 이를 이상히 여겨 한마디 해 달라고 하자, 임지(任地)에 가거든 문수와 보현을 만나 보라고 하였다. 알고 보니 한산과 습득이었다. 국청사를 찾아가 풍간을 만나려고 하였으나 도교(道翹)라는 스님이 장경각 뒷방에 있다고 하여 문을 열어 보았으나 호랑이 발자국만 보였다.

풍간(豊干)과 한산(寒山), 그리고 습득(拾得)이 실재하는 인물이 아니라는 설도 많다.

대전(大顚) 선사와 한유(韓愈)

경남 합천 해인사

중국 당나라 남양의 등주(登州) 땅에서 태어난 한유(韓愈, 768~824)는 자(字)는 퇴지(退之)이며, 3세 때 고아가 되어 형수의 손에서 성장하였다. 그는 당송팔대가(唐宋八大家)의 한 사람으로 도가(道家)와 불가(佛家)를 배척하여 기회가 있을 때마다 불교를 배척하는 상소를 올렸다.

819년 헌종이 칙명으로 산시성 법문사(法門寺)에 불골(佛骨) 사리를 봉안하며, 3일 동안 예경법회를 열고 장안(長安)의 열 개 사찰에 이운하여 친견토록 하니 빈부귀천을 가리지 않고 사리를 친견하였다. 이에 한유(韓愈)가 이 일을 반대하는 불골표(佛骨表)라는 상소문을 올리자 헌종은 진노하여 한유를 사형에 처할 것을 명하였으나 배도(裵度) 등의 만류로 죄를 감하여 변방 지역인 조주(潮州)의 자사(刺史)로 좌천되었다.

벽화에 등장하는 스님은 대전보통(大顚寶通, 732~824) 선사다. 스님은 당나라 영천(潁川) 출신이며, 속성은 진(陳)이라고 하나 일설에는 양(楊)이라는 주장도 있다. 법호는 보통(寶通)이며 자호(自號)는 대전(大顚)이다.

조주부지(潮州府志)에 보면 대략 년간(大歷年間, 766~779)에 약산유엄(藥山惟儼) 선사와 더불어 서산(西山)에서 혜조(惠照) 선사로부터 선법을 배우고 다시 그와 더불어 남악으로 가서 석두희천(石頭希遷) 선사를 친견하고 선(禪)의 종지를 깨달았다고 한다. 그 후 조주(潮州)의 서유령(西幽嶺) 아래서 영산선원(靈山禪院)을 창건하고 많은 납자들을 지도하였으니 이때는 제자만 하여도 천여 명이 되었다고 한다.

이때 한유는 조주 땅에서 귀양살이를 와서 술과 시로 세월을 보냈다. 그러던 중 서유령 아래에서 수도하는 대전(大顚) 선사가 생불로 추앙을 받자 이를 깎아내리고자 조주에서 으뜸가는 미인인 기생 홍련(紅蓮)으로 하여금 미인계를 써서 파계를 유도하였다.

홍련은 해 질 무렵에 암자에 도착해 기도를 가장하여 대전 선사를 유혹하려 하였으나 좀처럼 기미가 보이지 않자 홍련은 스님에게 크게 감화받아 여기에 올라오게 된 사실을 스님에게 말하였다. 제가 여기서 그냥 내려가면 자사에게 큰 화를 당할 것이라면서 이를 어쩌면 좋겠느냐고 하소연 아닌 하소연을 하였다. 그러자 선사는 홍련의 치맛자락에 한 수의 시를 적어 내려갔다.

十年不下祝靈峰 觀色觀空卽色空
십년불하축령봉 관색관공즉색공

如何一適曹溪水 背墮紅蓮一葉中
여하일적조계수 배타홍련일엽중

십 년 동안 축령봉을 떠나지 않고 수행하였더니
색(色)을 보고 공(空)을 보니 색이 곧 공인데
내 어찌 조계(曹溪)의 물 한 방울을
홍련의 잎사귀에 떨어뜨리겠는가.

이 시는 후일에 누가 보탠 것으로 보인다. 어떤 어록에도 여기에 관한 시가 없기 때문이다. 또한 축령봉(祝靈峰)이라는 내용은 어느 어록에도 없다. 그러므로 이도 오류다. 왜냐하면 대전 선사는 서유령(西幽嶺)에서 영산선원을 새로 세워 수도하였기 때문이다.

홍련이 하산하여 이 시를 보여주자 한유는 직접 선사를 찾아갔다. 선사가 물었다. 한(韓) 대감은 불교의 어느 경전을 보았습니까? 별로 뚜렷하게 본 경전은 없습니다. 이에 선사는 노(怒)하여 그대는 지금까지 이렇다 할 경전을 한 줄도 읽은 바 없는 사람으로 불교를 비방한 것이니, 이는 자신을 속인 것과 같다고 나무랐다. 이에 한유는 깊이 뉘우치고 불법에 귀의하였다. 한유의 시를 한번 살펴보자.

徑截之言問大顚 文公良馬暗窺鞭
경절지언문대전 문공양마암규편

敏手三平加智拔 中霄雲散月當天
민수삼평가지발 중소운산월당천

지름길을 가는 법을 대전 선사에게 물었더니
문공! 좋은 말은 채찍 그림자를 보고 뛰는 법이라 하네.
시자 삼평(三平)이 재빨리 거듭 가리켜 뽑아버리니
한밤중에 구름이 흩어지고 달이 밝게 떴도다.

위의 시도 남송 시대 때 법응(法應)이 집(集)하고 원나라 때 노암보회(魯庵普會)가 속집(續集)하여 40권으로 이루어진 선종송고연주통집(禪宗頌古聯珠通集) 권15에 나오는 내용이다.

그러나 한퇴지(韓退之)와 대전(大顚) 선사, 그리고 홍련(紅蓮)이라는 기생 이야기는 어느 때인가부터 구전으로 만들어진 일화로 보인다. 왜냐하면 조정사원(祖庭事苑)에 보면 한유가 대전 선사의 명성을 듣고 몇 번이고 초대하였으나 응하지 아니하였는데 대전 선사 스스로가 한퇴지를 찾아갔다.

이에 한유가 말하기를 그토록 청하여도 안 오시더니 오늘은 청하지도 아니하였는데 어떻게 왔느냐고 영문을 묻자 대전 선사가 말하였다. 당신을 다시는 번거롭게 하지 않기 위한 것이며, 부르지도 않았지만 오늘 여기에 온 것은 부처님의 광명을 전하기 위함이다. 한유가 대뜸 말하기를 부처님의 광명이 어떤 것입니까. 대전 선사는 자세히 잘 살펴보라고 응수하고 그 자리를 떠났다. 聆大顚禪師之名 累邀之不至 一日 大顚特往謁之 愈曰 三請不來 不召何來 曰 三請不來 爲侍郎 不召而來 爲佛光 愈曰 如何是佛光 顚曰 看看

여기에 관한 고사성어(故事成語)를 대전불광(大顚佛光)이라고 한다.

그리고 인터넷 등에서 대전(大顚) 선사를 태전(太顚) 선사라고 소개하고 있는 것은 명백한 오류다.

찬즙(贊汁)대사와 관음바위

울산 울주군 삼밀불원

조선 영조 24년(1748)에 지금의 서울 서대문구 봉원동에 있는 봉원사(奉元寺)에 어명이 내려졌다. 사찰의 땅을 나라에서 사용코자 하니 비켜 달라는 것이었다. 이에 찬즙대사(贊汁大師)는 법당으로 들어가 100일 기도에 들어갔다.

100일이 되던 날 새벽 비몽사몽 간에 한 여인이 나타나서 말하였다. 지금의 도량은 내가 머물기에 적합하지 아니하니 대사께서 부디 좋은 터를 잡아 좋은 절을 지어 주시기를 바란다고 하였다. 대사는 소리 나는 쪽을 바라보니 바위 옆에 물병을 든 한 여인이 동자와 함께 서 있었다.

이에 스님은 소승의 혜안이 부족하오니, 부디 길을 인도하여 주시길 바란다고 애원하였다. 그러자 여인은 홀연히 자취를 감추고 동자만이 산 아래로 날듯이 내려갔다. 대사는 동자를 쫓으려 급히 발을 옮기려다 그만 바위 아래로 굴러떨어졌고 나뭇가지라도 잡으려고 안간힘을 쓰는데 누군가가 흔드는 바람에 정신을 차리고 깨어보니 법당이었다. 대사는 대중 몰래 동자승 도원만을 데리고 꿈에 본 곳을 찾아 길을 나섰다. 그러나 아무리 찾아봐도 꿈에서 본 큰 바위와 절터를 찾을 수가 없었다.

절터를 찾아 헤매다가 노상에서 떡장수를 만났는데 떡을 사서 도원 동자승에게 주고 스님도 떡을 먹으려고 하는데 떡장수 노파가 하는 말이 신심이 강해야 부처님을 뵙는다는 말이 있듯, 시장이 지극하면 내 떡 맛도 괜찮을 것입니다. 스님은 아직 덜 시장하신가 보구려. 이 말에 스님은 기분이 언짢아서 일어서려는데 어딜 다녀왔는지 노파가 하는 말이 살다 보니 별꼴 다 보겠네. 저쪽 장터에 가보니 개 눈을 가려놓고 먹을 것을 주니, 눈 가린 것을 풀 생각은 하지 않고 먹이 생각만 하는 것이 꼭 봉원사 주지 찬즙 같지 않겠느냐고 하는 것이었다.

스님은 당장 노파가 일러준 장터를 가보니 아무도 없었으며 다시 돌아와 보니 떡장수 노파도 없었다. 날은 덥고 다시 걸어가는데 개울을 만났다. 그런데 도원 동자승이 불쑥하는 말이, 스님 더운데 등목이나 하시지요. 이에 스님이 등목하려고 하자 도원 동자승이 스님 등줄기를 후려치며 하는 말이, 법당은 좋은데 부처가 영험이 없다고 하는 것이었다. 스님은 가슴이 뜨끔했다. 스님이 다시 동자승을 등목하려고 하는데 등짝은 제대로 보는데 어찌 부처는 제대로 못 보는가 하는 소리가 들려왔다.

스님은 가람터를 찾지 못하고 봉원사로 돌아와서 기진맥진하여 쓰러져 버렸다. 동자승이 쪽박으로 물을 길어와 물을 겨우 마셨더니 언제 그랬냐고 하듯이 힘이 나고 정신이 돌아왔다. 스님은 다시 동자승과 함께 샘터로 가서, 가람터를 찾지 못하였으니 부처님 부디 저의 소원을 들어주십시오 하고 탄식하였다. 그러자 동자승이 하는 말이 말을 한들 알까, 보여준들 알까. 물이 덥고 시원함은 마셔봐야 알 것을. 이 말을 듣던 스님은 종소리에 정신을 차렸더니 증암(增巖) 선사가 주석하는 반야암(般若庵)에서 들려오는 것이었다. 자세히 보니 바위 전체가 꿈에서 본 자비로운 관음보살의 모습과 똑같았다.

이에 스님이 반야암을 찾으니 증암 선사가 반색하며 하는 말이 대사였구려. 오늘 아침 예불을 마치고 나오는데 웬 동자가 와서 도량을 크게 일으킬 사람이 올 테니 도와주라고 하지 않겠소. 그래서 기다리던 중이라고 하였다. 이에 찬즙대사는 감격의 눈물을 흘리며 무수배례(無數拜禮)를 하며 그곳에 절을 지었다. 그러자 도성(都城)의 사람들은 그곳에 새로운 절이 지어졌다고 하여서 봉원사를 '새절'이이라고 불렀다. 지금도 절 뒤쪽 능선에 거대한 관음바위가 있고 약수를 찾는 이가 줄을 잇고 있다. 봉원사는 서울시 서대문구 봉원동 산1번지에 자리잡고 있다.

원효 스님이 소를 타고 가며 경전을 쓰다

경남 통영 미래사

신라시대 무열왕(武烈王)이 고승 대덕 100명을 초청하여 인왕반야경(仁王般若經)을 강설할 스님을 구하고 있을 때 누군가가 원효대사(元曉大師)를 추천했다. 무열왕도 원효 스님이 불경에 깊이 통달해 있음을 잘 아는지라 허락하였다. 그러나 세상은 반대파가 항상 있는 법이다. 원효를 시기 질투하는 스님들이 원효는 스님으로서 요석공주(瑤石公主)와 파계하여 자신을 스스로 소성거사(小性居士) 혹은 복성거사(卜性居士)라 하고, 저잣거리 사람들과 춤추고 노래 부르며 돌아다니는 기이한 행을 하므로 백고좌법회(百高座法會)에 참가할 자격이 없다고 상소를 올려 백고좌법회에 끼지 못하였다.

그 무렵 원효는 호거사(虎居寺)에서 우연히 금강삼매경(金剛三昧經)이란 처음 보는 경을 연구하면서 허드렛일을 하며 지내고 있었다. 이 무렵 무열왕은 당나라로부터 금강삼매경을 선물 받고 고승들에게 연구하여 강론시키기로 마음먹고 황룡사(黃龍寺)에 대규모 법회를 열도록 명하고 경을 강론할 스님을 찾던 중 대안(大安) 스님이 원효 스님을 추천했다. 원효 스님은 몇 날 며칠을 꼬박 밤을 새우며 금강삼매경론 5권을 백고좌법회가 열리기 전날까지 완성하여 날이 밝기를 기다리던 중 밤사이에 원효 스님을 시기 질투하던 무리가 책을 몽땅 훔쳐갔다.

날이 밝아 책이 없어진 것을 안 스님은 황룡사로 향하는 길에 소달구지를 타고 가면서 소머리에 난 양 뿔 사이에 책상을 놓고 금강삼매경 5권을 줄여 3권의 책을 다시 써서 황룡사에 도착하였다. 드디어 금강삼매경 강론이 시작되자 원효대사를 시기 질투하던 스님들도 그의 강설에 저절로 찬양의 목소리가 흘러나왔다. 법회를 성황리에 마치고 마지막에 원효대사가 지난날 나라에서 100개의 서까래를 구할 때는 그 속에 끼일 수 없더니 오늘 아침 한 개의 대들보를 구하는 일에 나 홀로구나! 라고 하자, 그 자리에 참석한 스님들은 부끄러워하면서 깊이 참회하였다고 한다.

구정선사(九鼎禪師) 이야기

경남 창녕 관룡사

비단을 팔아서 살아가는 청년이 있었다. 어느 날 강원도 대관령(大關嶺) 고개를 넘어가다가 고갯마루에서 쉬고 있는데 누더기를 입은 노스님 한 분이 꼼짝도 아니하고 오랜 시간 동안 서 있는 것을 보았다. 이를 궁금하게 여긴 비단 장수 청년이 스님께서는 여기서 무엇을 하고 계십니까? 하고 여쭈었다.

그러자 노스님은 말하기를 잠시 중생들에게 공양시키는 중이라고 하였다. 이 말을 들은 청년은 더더욱 궁금하여 어떤 중생들에게 무슨 공양을 베풀고 계십니까? 하고 재차 묻자, 내가 움직이면 옷 속에 있는 이나 벼룩이 피를 빨아먹기에 불편할 것이 아닌가. 그래서 내가 잠시 꼼짝하지 않고 서 있는 것이라고 하였다.

이 말을 들은 청년은 크게 감동하여 노스님의 제자가 되고 싶은 생각이 일어나자 제자 되기를 청하였다. 이렇게 하여 비단 장수 청년은 노스님의 뒤를 따라 오대산의 동대(東臺)에 있는 관음암(觀音庵)까지 오게 되었다. 관음암에 도착하여 다시 제자 되기를 청하자 네가 중이 되겠다고 한다면 오늘부터 내가 시키는 일은 무엇이든지 다 할 수 있겠느냐? 하고 재차 다짐을 받고 제자로 받아들였다.

다음 날부터 노스님께서는 새로 들어온 행자에게 인욕(忍辱)과 하심(下心)을 가르쳐 주기 위한 방편으로 부엌에 있는 가마솥을 옮겨서 다시 거는 일을 시켰다. 비단 장수에서 행자로 신분이 바뀐 청년은 노스님이 시키는 대로 진흙을 파다가 물을 섞어 이기고 하여 솥을 부엌에 걸어 마쳤을 때는 해가 벌써 중천을 훌쩍 넘어버렸다.

노스님이 부엌에 들어와 솥 걸어 놓은 것을 보고 무엇이 언짢은 듯 다시 솥을 걸라고 하였다. 다음날도 또 다음날도 이런저런 핑계로 솥을 다시 걸라고 하였다. 계속 다시 걸라고 지시하기를 아홉 번이나 하였지만, 불평불만 없이 묵묵히 솥을 다시 거는 것을 지켜보던 노스님은 청년의 인욕심과 하심을 흡족하게 여겨 제자로 삼았다. 그리고 솥을 아홉 번이나 고쳐 걸었다는 의미에서 구정(九鼎)이라는 법명을 내렸다고 한다.

삼국유사 자장율사(慈藏律師) 이야기

충북 보은 법주사

자장(慈藏) 스님은 신라 진평왕(眞平王) 12년(590)에 진골(眞骨) 출신으로 소판 벼슬을 지낸 김무림(金茂林)의 아들로 태어났다. 늙도록 자식이 없던 김무림은 부인과 함께 불교에 귀의하여 관음보살 전에 나아가 지성으로 기도하며 발원하기를 아들을 낳으면 시주하여 법해(法海)의 진량(津梁)이 되게 할 것을 축원하면서, 천부관세음보살(千部觀世音菩薩)에게 나아가 득남하기를 기도하였다. 어느 날 어머니가 별이 떨어져 품안으로 들어오는 태몽을 꾸고 석가모니가 탄생한 4월 초파일에 자장을 낳았으므로 세간 사람들은 그를 선종랑(善宗郞)이라고 불렀다.

자장은 부모를 여읜 뒤로 인생의 무상함을 깨닫고 처자를 버리고 원녕사(元寧寺)라는 절을 짓고 수도의 길로 들어섰다. 주변을 가시덤불로 둘러막고 발가벗은 몸으로 그 속에 앉아 움직이기만 하면 곧 가시에 찔리도록 하였고, 끈으로 머리를 들보에 매달아 정신의 혼미함을 물리쳤다. 그때 조정의 재상 자리가 비어 있어서 그를 기용하려 몇 번이나 불렀으나 부름에 응하지 않았으므로, 왕은 취임하지 않으면 곧 목을 베라는 어명을 내렸다. 그는 칙명을 듣고서 게송을 지어 계를 수지(受持)하였다.

吾寧一日持戒而死 不願百年破戒而生
오녕일일지계이사 불원백년파계이생

내 차라리 계(戒)를 지키고 하루를 살지언정
계를 파하고 백년 살기를 원하지 않는다.

이 말을 전해 들은 왕은 출가를 허락하였다. 이에 여러 바위 사이에 숨어살아서 아무도 먹을 것을 가져다주지 않았다. 이때 이상한 새가 과실을 물어다가 바치니 손으로 받아서 공양하였다.

어느 날 갑자기 꿈에 천인이 와서 오계를 주므로 그때야 비로소 산에서 나왔으니 향읍(鄕邑)의 남녀들이 와서 다투어 계를 받았다고 한다.

문수보살과 자장율사

부산 부산진구 삼광사

세상 인연이 얼마 남지 않았음을 감지한 자장율사(慈藏律師)는 강원도 강릉에 수다사(水多寺)를 세우고 다시 정진하며 이생에서 마지막으로 문수보살을 친견하기를 발원하였다. 그러던 어느 날 밤 꿈속에서 중국 오대산 북대에서 범어로 게송을 읊던 노스님을 만났다. 노스님이 이르는 말이 소승은 문수보살의 말씀을 전하기 위해 여기에 왔다고 하면서 태백산 갈반지(葛蟠地)에서 만나자고 하고는 홀연히 사라졌다.

꿈에서 깬 자장 스님은 갈반지를 찾아 태백산을 헤매고 다녔다. 그러면서 갈반지의 갈(葛)은 칡을 이야기하는 것인데, 그것참 묘한 지명이구나 하는 생각이 들었다. 인근의 여러 사람에게 물어도 갈반지라는 지명을 아는 사람은 아무도 없었다. 스님은 계속 갈반지를 찾아 헤매다가 칡넝쿨 위에 있는 10여 마리의 구렁이를 보게 되었다. 이에 스님은 아, 저곳이 갈반지이구나! 여기서 내가 할 일은 구렁이를 제도하는 일이다 하고 화엄경을 독송하자 구렁이들이 스스로 몸을 풀고 사라졌다.

그날 밤 자장 스님의 꿈속에서 뱀이 울면서 말했다. 우리는 전생에 스님이었으나 수행을 게을리하고 시주물(施主物)을 낭비하여 그 과보로 뱀의 몸을 받았으나 스님이 저희를 천도하여 주십시오. 그리고 법문을 좀 더 들려주기를 원한다고 하면서 뱀이 있던 자리 땅을 파보면 금은보화가 있을 것이니 그 재물로 절을 창건하라고 하였다. 이에 자장 스님이 경전을 독송하여 주었더니 뱀은 죽고 말았다.

그렇게 세운 절이 정선 정암사(淨巖寺)다. 그 후 자장 스님이 정암사에 탑을 세우려고 하니 자꾸 쓰러져서 100일 기도에 들어갔다. 그러던 어느 날 밤 눈 덮인 산속에서 세 줄기 칡뿌리가 내려오는 꿈을 꾸고 그 자리에 탑을 세우니 수마노탑이다. 그래서 정암사를 다른 표현으로 갈래사(葛來寺)라고 하였다. 여기서 수마노탑이란 서해 용왕이 물속에서 마노석을 운반하여 세운 탑이라는 뜻이다. 탑을 세운 자장 스님은 다시 문수보살을 친견하고자 기도하였다.

어느 날 옷이 다 해지고 떨어진 늙은이가 칡으로 만든 삼태기에 죽은 강아지를 메고 와서 스님의 법명을 부르면서 내가 자장을 만나러 왔다고 전하라고 하였다. 그러자 자장 스님은 그를 만나려 하지 않고 시자를 불러 내쫓아 버렸다. 그러자 늙은 거지 같은 거사가 말하기를 아상(我相)을 가진 자가 어찌 나를 보겠느냐면서 삼태기를 거꾸로 쏟자 그 안에 있던 죽은 강아지가 사자로 변하였고 노인은 사자를 타고 허공으로 사라졌다.

이에 탄식한 자장 스님은 육신으로는 문수보살을 만날 수가 없어 이곳에서 입정에 들어 3개월간 참회할 것이니 너희들은 내 몸을 잘 관리하도록 하여라 하고 바위에서 입적하였다. 3개월이 넘도록 자장 스님은 안색이 변하지 않으나 대중들의 다비식을 하자는 의견이 분분하여 다비식을 가졌다. 그때 허공에서 자장율사가 말하기를 내 몸은 이미 티끌이 되었으니 의탁할 곳이 없구나! 너희들은 계율에 의존하여 생사고해를 건너도록 하여라 하였다 한다.

통도사 자장암(慈藏庵) 금개구리

경남 양산 자장암

경남 양산시 통도사에는 산내 암자인 자장암(慈藏庵)이 있다. 이 자장암 법당 뒤 절벽의 바위에는 금개구리가 살고 있다고 하여 세상 사람들은 이 개구리를 금와(金蛙) 보살이라고 한다. 자장 스님이 통도사를 세우기 전에 석벽 아래에서 움집을 짓고 수행하였다.

어느 날 저녁 무렵 자장 스님은 공양미를 씻으러 암벽 아래에 있는 석간수가 나오는 샘물로 갔는데 금개구리 한 쌍이 샘물을 흐리게 해놓아 물을 뜰 수가 없었다. 그러자 스님은 개구리를 건져서 다른 곳으로 옮겨 놓았는데 그 이튿날 아침에 가보니 그 개구리들이 다시 와서 물을 흐리게 하고 있었다. 그러자 스님은 그 샘물을 개구리에게 양보하였다.

세월이 흘러 겨울이 다가오는데 개구리들은 우물 속에서 놀고 있으므로 얼어 죽을 것을 염려한 자장 스님은 절 뒤 암벽을 손가락으로 눌러 구멍을 낸 다음 개구리들을 구멍 속에 놓아주면서 너희들은 죽지 말고 이곳에 살면서 지장암을 지키도록 하라고 하였다. 그리고 이름을 금와 보살이라고 하였다. 그래서 신도들은 그 개구리를 금와 보살, 개구리가 사는 바위 구멍을 금와 석굴이라고 부르는 것이다.

전하는 이야기에 의하면 어떤 관리가 금개구리 이야기를 듣고 자장암을 찾아와 금개구리를 함 속에 넣고 가려고 하였다. 스님들은 이를 만류하였으나 그 관리가 우기면서 가져가서 함을 열어보니 금개구리는 없었다고 한다. 지금도 통도사 자장암을 참배하는 불자들은 금와 보살을 친견하려고 줄을 잇는다.

동사열전 진묵대사(震默大師)와 나한 동자

전북 완주 봉서사

진묵대사(震默大師)가 어느 절에 계실 때 한 보살이 득남하기 위해 기도를 왔다. 진묵대사는 곡차를 가져온다면 기도해 주겠다고 했다. 보살은 매일 곡차를 올렸지만 대사가 한 번도 법당에 들어오지 않자 섭섭한 마음으로 매일 곡차만 드시고 기도는 안 하시니 너무 하신다고 하였다.

그러자 내가 나한님에게 득남을 할 수 있게 부탁을 드려보지요. 진묵대사는 나한전에 들어가 보살이 득남이 소원인데 한 번 들어주지, 하면서 나한의 빰을 일일이 때렸다. 그날 밤 그 보살의 꿈에 나한님들이 나타나서 진묵대사가 우리들의 빰을 때려서 몹시 아프니 득남의 소원은 들어줄 테니 제발 진묵대사에게 다시는 그러한 청은 드리지 말라고 정중히 부탁하면서 사려졌다. 그 후 보살은 득남하게 되었고 많은 사람이 그 절에서 기도한 후 영험을 보았다고 한다. 그 후 진묵대사는 인연이 다 되어서 그 절을 떠나려고 걸음을 옮기는데 길에서 우연히 한 사미(沙彌)를 만나게 되어 이런저런 이야기를 하면서 내려오다 요수천(樂水川)에 이르렀다.

사미가 말하기를 스님 냇물이 깊은 것 같은데 제가 먼저 건너갈 테니 제가 간 길만 따라오시면 안전할 것이라며 냇물로 들어갔다. 보기에는 냇물이 깊어 보이는데 사미가 냇물 중간쯤에 가도 발목까지밖에 잠기지 않았다.

경남 진주 청곡사

진묵대사도 안심하고 곧 사미를 따라갔다. 그런데 어찌 된 영문인지 사미는 발목까지밖에 잠기지 않았는데 진묵대사가 냇물 중간쯤에 가니 가슴까지 물이 차올랐다. 어렵게 강을 건너고 보니 사미는 홀연히 사라졌다. 이에 나한에게 희롱당한 것을 알고서는 송(頌)하였다.

寄汝靈山十六愚 樂村齋飯幾時休 神通妙用雖難及 大道應問老比丘
기여영산십육우 낙촌재반기시휴 신통묘용수난급 대도응문노비구

저 영산의 어리석은 십육 나한이여!
마을의 잿밥 즐김은 어느 때나 그만둘꼬.
신통과 묘용은 비록 너희에게 못 미치지만
대도는 응당 이 늙은 비구에게 물어야 할 것이다.

진묵대사 어머니의 묘

전북 완주 봉서사

진묵대사(震黙大師, 1562~1633)는 조선 명종 17년인 1562년 전북 김제시 만경면 화포리 성모암(聖母庵) 자리에서 태어나셨다. 법명은 일옥(一玉)이며 법호가 진묵(震黙)이다. 스님은 많은 이적을 보이시어 세인들은 동방의 소(小) 석가(釋迦)라고 불렀다. 김제시 만경면 화포리의 성모암에 가면 그 옆에 자그마한 묘소가 하나 있다. 이 묘소가 진묵대사의 어머니 묘이다.

어머니 조의씨(調意氏)가 돌아가시자 진묵대사는 이곳 유앙산(維仰山) 자락 연화부수형에 자리를 잡고 말하기를 이 자리는 천하명당이라 무자손천년향화지지(無子孫千年香火之地)라 누구든지 이 묘소에 향을 피우고 제사를 지내면 한 가지 소원은 이루어진다고 하였다. 그러기에 지금도 참배객이 끊이지 않는 명당자리라고 한다. 진묵대사 어머니의 다례(茶禮)는 매년 음력 3월 8일에 봉행한다.

초의(草衣) 선사가 지은 진묵대사유적고(震黙大師遺蹟攷)에 보면 대사는 동양의 소 석가이지만 또한 효를 몸소 실천한 민족의 대 스승이라고 높이 추앙하였다. 진묵대사는 효성이 지극한 분으로 어머니가 돌아가셨을 때 영전에 49재 제문(祭文)을 지어 올렸는데 그 제문이 지금도 전하고 있다.

胎中十月之恩 何以報也 膝下三年之養 未能忘矣
태중십월지은 하이보야 슬하삼년지양 미능망의

열 달 동안 태중에서 길러주신 은혜를 어찌 갚으리까.
슬하에서 3년을 키워주신 은혜도 잊을 수가 없나이다.

萬歲上更加萬歲 子之心猶爲嫌焉 百年內未萬百年 母之壽何其短也
만세상경가만세 자지심유위혐언 백년내미만백년 모지수하기단야

만세를 사시고 만세를 더 사신다고 하여도 자식의 마음은 오히려 부족한데,
백년도 채우지 못하시니 어머니 수명은 이다지도 짧으시옵니까?

單瓢路上行乞一僧 旣云已矣 橫釵閨中未婚小妹 寧不哀哉
단표로상행걸일승 기운이의 횡채규중미혼소매 영불애재

표주박 한 개로 노상에서 걸식으로 사는 중이야 그렇다고 하더라도,
혼인도 못하고 규중에 있는 혼자 남은 어린 누이가 어찌 가엽지도 않습니까?

上壇了 下壇罷 僧尋各房
상단요 하단파 승심각방

불공도 마치고 하단의 제사도 마치고
스님들은 제각기 방으로 돌아가고,

前山疊 後山重 魂歸何處
전산첩 후산중 혼귀하처

앞산은 첩첩하고 뒷산도 겹겹인데,
어머니의 혼신은 어디로 돌아갔습니까?

嗚呼哀哉
오호애재

아! 슬프고 슬프도다.

진묵대사(震黙大師)의 신통력

경북 군위 법주사

진묵대사(震黙大師, 1562~1633)는 조선 명종 17년에 전북 김제군 만경면 화포리에서 태어나셨으며 본명은 일옥(一玉)이다. 7세 때 출가하였는데 불경을 한번 읽으면 그대로 기억하였기에 모두 신동이라고 하였다. 스님은 신통한 묘술과 이적을 자주 보이셨으니 사람들은 스님을 일러 부처님의 소화신(小化身)이라고 하였다.

위 벽화는 진묵대사가 완주 봉서사(鳳棲寺)에서 수행할 때 멀리 합천 해인사 장경각에서 불이 난 것을 혜안으로 보시고 상추에 물을 적신 뒤 해인사 장경각에까지 뿌려서 불을 껐다는 일화를 담은 것이다. 이와 관련된 또 다른 설화에서는 진묵대사가 사미(沙彌) 시절 경북 문경에 있는 사불산 금룡사(四佛山 金龍寺)에서 수행하실 때 점심때가 되어 상추를 씻으러 나갔다가 금룡사에서 10여 리 정도 떨어진 경북 문경에 있는 대승사(大乘寺)에 불이 난 것을 도력으로 아시고 상추에 물을 적셔서 대승사를 향해 뿌려서 불을 껐으나 상추는 먹지 못하게 되어 대중들에게 질책을 받았다. 그러나 며칠 후 대승사에 불이 났었다는 소식을 접한 금룡사 대중들이 대승사에 들렀다. 대승사 스님들이 하는 말이 대승사에 불이 났었는데 갑자기 하늘에서 소낙비가 쏟아져서 불이 일시에 꺼졌다고 하면서 이상한 일은 주위에 상추들이 널려 있었다고 하였다. 그제야 모든 사람이 진묵대사의 신통력임을 알았다고 하였다.

전남 구례 화엄사

여기에 관한 일화는 다양하게 전하고 있다. 어느 날 진묵대사가 합천 해인사에서 점심 공양을 하다가 갑자기 물을 찾았다. 이에 시자가 급한 김에 얼른 쌀뜨물을 가져다 드리니 그 뜨물을 입에 머금고는 해인사 쪽을 향하여 내뿜었다. 그러고는 스님은 아무 일 없었다는 듯이 태연하게 공양을 마저 하셨다. 나중에 듣기로 합천 해인사에 큰불이 났는데 난데없이 희뿌연 빗물이 내려서 화재를 진압하였다고 하였다. 그 시간을 유추해 보니 진묵대사가 공양 중에 쌀뜨물을 내뿜은 시간과 똑같기에 대중들은 진묵대사의 신통력에 놀랐다고 한다.

진묵대사가 책을 버리다

전북 김제 조앙사

진묵조사유적고서(震默祖師遺蹟攷序)에 보면 진묵 스님은 당시 유생이었던 봉곡 김동준(鳳谷 金東準) 선생과 아주 각별하게 지냈음을 알 수가 있다. 봉곡 선생은 성리학(性理學)에 밝았던 학자다. 그가 죽은 후에 묘비명을 우암 송시열(尤菴 宋時烈) 선생이 지었음만 보아도 봉곡 선생의 위상을 알 수 있는 대목이다. 또한 호남절의록(湖南節義錄)에도 봉곡 선생과 진묵대사와의 교류를 적고 있다. 진묵대사소사전에 보면 하루는 봉곡 선생이 대사에게 송나라 주희(朱熹)가 서술한 역사책인 자치통감강목(資治通鑑綱目)을 빌려주고 사람을 시켜 뒤따라가며 살펴보게 하였는데 대사는 책을 바랑에 넣고 한 권씩 꺼내어 죽 훑어보는 것 같더니 땅바닥에 훌쩍 버리곤 하였다. 그러기를 계속하여 절에 다다랐을 때는 한 권의 책도 수중에 남아 있지 아니하였다. 그러자 대사를 뒤따라가며 이 모습을 지켜보던 하인이 급히 봉곡 선생에게 가서 이러한 사실을 알렸다.

훗날 봉곡 선생이 대사에게 묻기를 책을 빌려 가서 버리는 것은 무엇 때문에 그러하였는가 묻자 대사가 말하기를 고기를 잡으면 통발을 잊어버리는 것이라고 하였다. 그러자 봉곡 선생이 책을 꺼내어 한 구절의 내용을 물으니 대사는 한 자도 틀리지 아니하고 답을 하였다고 한다.

이와 유사한 이야기는 장자(莊子) 잡편 가운데 외물(外物)에 있는 통발은 물고기를 잡는 데 필요한 것이기에 물고기를 잡고 나면 통발 따위는 잊게 되고, 올가미는 토끼를 잡는 데 필요하기에 토끼를 잡고 나면 올가미는 잊어버리게 된다는 가르침과 유사하다. 筌者所以在魚 得魚而忘筌 蹄者所以在兎 得兎而忘蹄

금강경(金剛經) 정신희유분에 보면 부처님께서 말씀하시기를 그대 비구들은 나의 설법을 뗏목의 비유처럼 알아라. 옳은 법도 버리거늘 하물며 그른 법이야 말할 나위가 있겠는가 하셨다. 汝等比丘 知我說法 如筏喩者 法尙應捨 何況非法

위에서 설명한 장자의 가르침을 흔히 득어망전(得魚忘筌)이라고 하고, 금강경의 가르침을 사벌등안(捨筏登岸)이라고 한다.

진묵대사의 업신조복(業身調伏)

경남 진주 청곡사

대사가 어느 날 목욕하고 옷을 갈아입고 지팡이를 끌면서 냇가를 따라 걷다가 잠시 멈추어 냇물 가까이 서서 손으로 물속에 비친 자기 그림자를 가리키면서 사미(沙彌)에게 말하였다. 저것이 바로 석가모니 부처님의 그림자라. 사미가 이것은 바로 대사님의 그림자입니다 하니 대사가 너는 나의 가짜 그림자만 알았지, 석가모니 부처님의 참모습을 알지 못하구나! 라고 하였다.

이 말씀을 마치자 방으로 들어가 결가부좌하고 제자들을 모아 놓고 나는 가겠으니 너희는 물을 것이 있으면 모두 물으라 하였다. 제자가 묻기를 스님이 가시면 100년 뒤에 종승(宗乘)은 누가 잇겠습니까 하자 무슨 종승이 있느냐고 하였다. 제자들이 거듭 청하자 서산대사(西山大師)가 이을 것이라 하고 편안히 입적하시니 세수 72세, 법랍 52세로 1632년 10월 28일이다.

진묵대사가 석양에 누님을 50리를 가게 하다

경남 진주 청곡사

진묵대사는 생가에 누님이 있었다. 누님은 가난하게 사는지라 어느 날 진묵대사를 찾아갔는데 이미 해가 뉘엿뉘엿 지고 있었다. 대사가 쌀 몇 되를 주면서 이걸 가지고 가서 끼니를 해결하라고 하였다. 그사이 해는 더 저물어서 사방이 어둑어둑해져 누님이 집으로 가자면 어두컴컴해서 걱정이라고 하자, 대사는 누님이 집에 도착할 때까지는 어두워지지 않을 것이라고 하였다.

절에서 누님의 집까지는 족히 50리가 되었다. 요즘 거리로 환산하면 약 20km나 되는 거리다. 과연 누님이 동네 앞에 들어서자 그때서야 해가 넘어가 어두워졌다. 이를 두고 진묵대사가 해를 붙잡아 두었거나 혹은 축지법을 썼다고 이야기한다.

살던 절을 옮겨오다

보덕화상(普德和尙)의 신통

경남 합천 해인사

보덕화상(普德和尙)은 고구려 보장왕(寶藏王) 때의 고승이다. 고구려는 소수림왕(小獸林王) 2년에 처음 불교를 받아들인 이후 대대로 불법을 받들어 왔으나, 27대 임금인 영류왕 때에 이르러 도교를 받아들이면서 차츰 불교를 멀리하기 시작하였다. 그 뒤를 이은 28대 보장왕은 본격적으로 도교를 숭상하더니 불교를 아예 배척하는 것이었다. 그렇게 되면서 도교의 경전만을 배워 강설하는 것이 사회의 풍조가 되었다. 심지어 불교 사원을 폐지하여 도교의 도관(道館)을 만들고 도교의 도사들만 우대하면서 불교 승려들을 박해하기에 이르렀다.

이에 못 이겨 혜편(惠便), 혜자(惠慈), 승륭(僧隆), 혜관(惠灌) 같은 고승들은 그들이 사람들의 교화에 힘쓰면서 수행하던 절을 도교에 빼앗기고 일본으로 건너가고 말았다. 그뿐만 아니라 일반 백성들에게는 쌀을 다섯 말씩 바치게 하는 오두미교(五斗米敎)를 시행하여 백성들의 원망이 점차 커졌다.

보덕화상은 이런 현실을 안타까워하던 끝에 결심을 굳게 하고 왕에게 나아가 말하였다. 이 나라는 처음부터 불교를 받아들여 부처님의 자비와 화합 정신으로 모든 사람이 화목하고 복되게 지내왔습니다. 그런데 임금께서는 도교만을 숭상하며 불교를 박해하시니, 백성들로부터 존경받던 고승들은 나라 밖으로 떠나고 백성들의 원망은 자꾸 높아가고 있습니다. 이렇게 되면 민심이 분열될 것이니 나라의 앞날이 참으로 걱정입니다.

듣기 싫소. 음식도 바꾸어 먹어야 구미가 당기는 법이고, 옷도 새것으로 갈아입어야 산뜻한 기분이 드는 법이오. 그러니 화상은 내가 행하는 일이 정녕 못마땅하면 이곳을 떠나시오. 왕의 말에 보덕화상은 나라가 어지러우니 임금의 눈도 흐려지는구나. 이것 역시 천운(天運)이다. 아무리 간하여도 소용이 없으니, 내가 떠나는 것이 낫겠다 하고 생각하며 절로 돌아와 제자들에게 말하였다.

내일 아침 일찍 이곳을 떠나야겠으니 준비를 하도록 해라. 혹시 너희들 중에 수도하기에 알맞은 좋은 도량을 보아둔 사람이 있느냐?

제자 가운데 한 사람이 대답하였다. 몇 해 전에 남쪽의 완산주 고달산을 찾았는데, 수도 도량으로 마땅한 곳이라고 생각했습니다. 이에 보덕화상은 그러면 내일부터 그곳으로 옮겨가 수도를 할 터이니 그렇게 알고 있으라 하였다.

이튿날 새벽 제자들이 일찍 일어나 도량석(道場釋)을 하며 주변을 살펴보니, 살던 절은 그대로인데 산천의 풍경이 낯설어 보였다. 이상하게 생각하여 자세히 살펴보니 이제까지 살던 곳과 완전히 다른 곳이었다. 깜짝 놀라 스승에게 달려가 말씀드렸더니 보덕화상이 대답하였다. 간밤에 내가 우리가 수행하던 평양의 반룡사를 이곳 완산주 고달산으로 옮겨온 것이니 이상하게 생각할 것 없다. 이것은 고구려 보장왕 9년(650)의 일이다.

수행과 학식이 높았던 보덕화상은 특히 열반경(涅槃經)에 능통하여 열반종의 종조가 되었으며, 원효대사도 보덕화상에게 열반경을 배웠다고 전해진다. 이렇듯 보덕화상의 수행과 학식이 뛰어나다는 이야기를 듣고 스님이 머무는 곳에는 많은 사람이 찾아왔는데 보덕화상은 그때마다 내 고향에서 손님이 오셨으니 잘 대접해 보내라고 일렀다.

제자들은 스님의 말대로 잘 대접해서 보냈는데, 사람들이 찾아올 때마다 고향 사람이라고 하는 스님의 말이 궁금해지기 시작했다. 그래서 손님들에게 물어보면 고향이 같지 않다고 말하는 것이었다. 한 제자가 투정 섞인 목소리로 물었다. 스님, 다음부터는 고향 사람인지 아닌지를 똑똑히 분간하여 저희에게 일러주십시오. 그래야 진짜 고향 사람들에게 좀 더 잘 대접하지 않겠습니까?

이에 보덕화상이 말하기를 모르는 소리를 하지 마라. 우리의 인생은 알 수 없는 곳에서부터 나온 것이 같고 죽어 돌아갈 때도 알 수 없는 곳으로 가는 것이 같으니, 어찌 모두 같은 고향 사람이 아니겠느냐? 또한 모든 생명은 부처님을 어진 어버이로 모시는 자식과도 같지 않으냐. 어찌 형제를 차별하여 대접할 수 있겠느냐? 내 절에 찾아오는 사람은 누구든지 빈부귀천을 가리지 말고 평등하게 정성껏 대접하도록 하여라. 이 말씀에 제자들은 감동하여 그 뒤로는 모두 다 고향 사람이라는 데에 아무런 의문을 품지 않았다고 한다. 완산주(完山州)는 지금의 전주이며, 고달산(高達山)은 전주의 고덕산을 말한다.

손가락을 자른 구지(俱胝) 화상

충북 보은 법주사

중국 당나라 때의 선승 구지(俱胝) 화상은 생몰연대에 대해서 전하는 바가 없다. 다만 중국 선종 제7대 조사인 남악회양(南岳懷讓) 스님의 계열로 알려졌다. 스님은 항상 구지관음주(俱胝觀音呪)를 염송하였으므로 구지(俱胝)라고 부르게 되었다고 전하고 있다.

스님은 무주(婺州)에 있는 금화산(金華山)에서 주석하였으나 실제(實際) 비구니 스님의 질문에 답을 하지 못하자 이를 자책하여 절을 버리고 여러 지방을 떠돌아다니며 수행하였다.

어느 날 대매법상(大梅法常) 제자인 천룡(天龍) 스님에게 찾아가 물으니 천룡(天龍) 화상은 제자에게 늘 한 손가락을 세워서 설법했던 것처럼 이번에도 손가락 하나를 들어 보이자 구지 스님은 그 자리에서 활연(豁然)이 개오(開悟)를 하였다. 그 후 구지 선사도 다른 이가 불법의 대의를 물으면 손가락 하나를 들어 답을 하였다. 그로부터 이를 지칭하여 일지두선(一指頭禪) 또는 구지일지(俱胝一指)라고 하였다. 지금부터 그 일화를 다시 살펴보자.

구지(俱胝) 선사는 누가 찾아와서 무엇을 묻든 손가락 하나를 세워 보이는 것으로 유명했다. 선사는 무엇을 물어보든 손가락 하나만 들어 올리고는 그것으로 그만이었다. 사람들이 모여서 설법을 청해도 그저 손가락 하나를 들어 보이면 그것으로 끝이었다.

시봉을 하던 시자 스님은 속으로 생각하기를 세상에 설법하는 일처럼 쉬운 일은 없군. 그저 손가락 하나만 세우면 되는구먼! 이렇게 생각했다. 어느 날 구지 선사가 출타 중인데 어떤 스님이 찾아왔다.

스님께 법문을 들으러 왔는데 안 계시다니 어쩔 수가 없구나. 그러자 시자가 냉큼 말하기를 제가 대신 법문을 해드리겠다고 하였다. 찾아온 스님이 무엇을 묻든간에 시자는 손가락 하나만 치켜세웠다. 이에 선객은 다시 큰스님을 만날 때까지 기다렸다. 이윽고 큰스님이 돌아오시자 질문하였다. 스님 역시 손가락만 치켜세울 뿐 아무런 말이 없었다. 이에 선객은 시자와 스승의 법이 어찌 그리 똑같을 수가 있느냐면서 낮에 있었던 이야기를 했다. 그러자 구지 스님은 소매 끝에 칼을 감추고는 시자를 불렀다.

어떤 것이 진리의 요체이냐? 시자는 자기도 모르게 손가락 하나를 번쩍 들어 보였다. 그러자 구지 선사는 시자의 손가락을 순식간에 베어 버렸다. 시자는 다친 손을 다른 손으로 감싸 쥐고는 울면서 도망치자 그 순간 구지 선사가 벽력같이 큰소리로 외쳤다. 시자야! 어떤 것이 진리의 요체냐? 그러자 시자는 자신도 모르게 또 손가락을 번쩍 쳐들었다. 그리고 다시 보니 손가락이 잘려나가고 없었다. 그 순간에 시자의 머릿속에 번개처럼 스쳐 지나가는 것이 있어 큰스님이 그동안 손가락을 들어 보인 궁극적인 이유를 깨닫게 되었다.

경덕전등록(景德傳燈錄)의 구지화상전(俱指和尚傳)에는 임종 때 나는 천룡(天龍) 선사의 일지선을 터득하여 일생토록 받아썼으나 다함이 없었다고 기록하고 있다. 吾得天龍一指禪 一生受用不盡

호랑이를 타고 다녔던 환적(幻寂)대사

경남 합천 해인사

환적(幻寂, 1603~1690) 스님은 조선시대의 스님으로 1603년에 태어나 11세 때에 속리산 복천암(福泉庵)에서 출가하였다. 그 후 스님은 81세 때에 이르러 가야산 백련암 환적대(白蓮庵 幻寂臺)에 토굴을 마련하고 그곳에서 동자승 한 명과 더불어 정진하였다. 그때 호랑이 한 마리가 가끔 나타나 고개를 수그리고 앉아 있었다. 이에 스님은 호랑이에게 법문하기를, 이승에는 축생의 몸을 받았지만 다음 생은 사람으로 태어나라는 법문을 하여 주었다. 이에 호랑이는 스님이 출타할 때마다 스님을 태우고 다녔다고 한다. 하루는 환적 스님이 아랫마을로 탁발을 나가고 암자에 남아 있던 상좌는 저녁 공양을 준비하기 위해 샘물가에서 나물을 썰다가 잘못하여 손가락을 베었다. 그래서 상좌 스님은 베인 손가락이 아프긴 하지만 그 빨간 핏방울이 아까워서 호랑이 입에 떨구어 주었다.

그랬더니 호랑이는 금세 본성을 드러내어 피맛을 알아 그만 어린 상좌 스님을 잡아먹어 버렸다. 이윽고 해는 지고 환적 스님이 탁발을 마치고 암자로 돌아오자 상좌는 보이지 않고 샘물이 있는 수곽(水廓)만 어수선하였다. 호랑이도 자기 잘못을 아는지라 문지방 가에서 쭈그리고 앉아서 어쩔 줄을 몰랐다. 이에 크게 노하신 환적대사는 가야산 산신을 불러 호랑이 앞에다 앉혀놓고 이르기를, 앞으로 이런 일이 다시 일어나면 산중의 호랑이는 물론 산신도 이 산에서 살지를 못하게 하겠다고 크게 꾸지람을 주면서 나무랐다. 그러자 호랑이는 눈물을 뚝뚝 흘리며 참회하고, 산신도 앞으로는 다시 이런 일이 일어나지 않도록 감독하겠다고 맹세하였다. 그 후부터 가야산에서는 아무리 깊은 산중에 혼자 밤길을 걸어가더라도 호랑이한테 해를 입는 호환(虎患)을 당하는 사람이 단 한 번도 일어나지 않았다고 한다.

이러한 일화는 해인사 백련암에서 전해오는 백련 선사 이야기와도 비슷하다.

벌이 창문을 뚫고 나가려고 하다

고령신찬(古靈神贊) 선사가 스승을 일깨우다

전남 곡성 태안사 봉서암

오등회원(五燈會元) 4권에 보면 중국 당나라 때 고령신찬(古靈神贊) 선사는 복주(福州) 부용산(芙蓉山)에 있는 대중사(大中寺)라는 절에서 계현(戒賢) 화상에게 축발을 하여 불문에 들었다. 그의 은사 계현(戒賢) 법사는 경전만 의지하고 참선하지 않으므로 신찬 스님은 스승의 곁을 떠나 당대의 고승으로 선풍을 날렸던 백장회해(百丈懷海) 선사의 문하로 들어가 참선 수행하였다. 이에 크게 느끼고 깨달은 바가 있어 다시 대중사의 계현 스님에게로 돌아왔다.

어느 날 은사 스님이 신찬(神贊)에게 묻기를 너는 그동안 어디서 무엇을 하고 왔느냐? 그리고 그동안 공부해서 얻은 바가 무엇이냐 하고 힐난하였다. 이에 신찬 스님은 아무것도 얻은 바가 없습니다. 이것을 선문(禪門)에서는 본래무일물(本來無一物)이라고 한다. 이는 본래로부터 한 물건이 없다는 뜻인데, 스승은 이 말의 참뜻을 알아채지 못하였다. 이에 스승은 신찬에게 사중에 일어나는 허드렛일을 많이 시켰다. 그러나 신찬은 불평은커녕 한 번도 싫은 내색을 하지 않았다. 어느 날 계현 스님은 신찬 스님과 목욕을 하게 되었는데 신찬 스님은 스승의 등을 밀면서 중얼거리기를 법당은 좋지만 부처가 영험하지 못하다고 말하였다.

스승이 이 소리를 듣고 힐끗 돌아보자 제자인 신찬은 다시 말하기를 부처가 영험은 없으나 방광은 하는구나. 그러나 스승은 그 말마저도 알아듣지 못하고 그냥 지나쳐 버렸다. 어느 봄날에 계현 법사는 경전을 읽고 있었는데 벌 한 마리가 방안으로 들어와서 다시 나가려고 무진 애를 쓰고 있었다. 옆에는 반쯤 열린 문이 있었으나 벌은 굳이 창호지를 뚫고 나가려고 안간힘을 쓰고 있었다. 그때 신찬 스님은 게송을 지어 노래를 불렀다.

空門不肯出 投窓也太癡 百年鑽古紙 何日出頭時
공문불긍출 투창야태치 백년찬고지 하일출두시

활짝 열어 놓은 저 문은 마다하고 굳게 닫힌 창문만을 두드리는구나!
백년 동안 옛 종이를 뚫으려 한들 어느 때에 벗어나길 기약하리오.

제자의 게송을 조용히 들은 스승은 제자의 수학(修學)이 보통이 아님을 알아차리고 제자에게 다그쳐 물었다. 너는 그동안 어디서 공부하고 왔느냐? 제자는 그제야 백장회해 선사 문하에서 참선 수행하였노라고 답을 하였다. 이에 계현 스님은 대중을 운집하게 하여 제자인 신찬 스님의 법을 듣도록 하였다. 이에 신찬 스님은 법상에 올라 설법하였다.

靈光獨露 迥脫根塵 體露眞常 不拘文字
영광독로 형탈근진 체로진상 불구문자

신령한 빛이 홀로 드러나 육근 육진의 모든 세계를 벗어났으니
그 참모습이 항상 드러나서 말과 문자에 걸림이 없도다.

心性無染 本自圓成 但離妄緣 卽如如佛
심성무염 본자원성 단리망연 즉여여불

심성은 더럽혀지지 않고 스스로 원만히 이루어져 있으니
다만 망령된 인연만 떨쳐버리면 곧 그대가 부처이니라.

제자의 법문을 조용히 듣고 있던 스승 계현 스님은 남모르게 눈물을 흘리면서 내 어찌 늙어서 상좌의 지극한 가르침을 들을 수 있으리라 짐작했으리오. 모두 부처님의 은혜라고 감탄하였다. 송나라 임제종의 선사인 백운수단(白雲守端, 1025~1072) 스님의 선시에도 이와 비슷한 내용이 있다.

蠅愛尋光紙上鑽 不能透處幾多難 忽然撞著來時路 始覺平生被眼瞞
승애심광지상찬 불능투처기다난 홀연당저래시로 시각평생피안만

파리가 빛을 찾아 아무리 창호 위를 맴돌지만
제아무리 애를 써도 종이를 뚫지 못함이로다.
홀연히 부딪쳐 찾아낸 새로운 길 하나
평생 잘못 보고 살았음을 그제야 알았네.

직지심경(直指心經)에는 다음과 같은 내용이 있다.

세계는 이처럼 광활한데 기꺼이 나가지 않고 저 낡은 종이만 뚫으려는 것은 무엇을 하자는 것인가? 世界與麼廣闊不肯出 鑽他故紙作麼作

또 다른 기록에도 이와 비슷한 말씀들이 있다.

好好法堂 佛無靈驗
호호법당 불무영험

법당은 참 좋은데 부처가 영험이 없구나!

佛雖無靈 且能放光
불수무령 차능방광

부처가 영험은 없어도 방광을 할 줄 아는구나!

소에게 법문을 하는 한산습득(寒山拾得)

경남 양산 주진동 불광사

한산습득(寒山拾得)이라는 표현은 한산과 습득이라는 두 인물을 말하는 것이다. 그리고 한산과 습득이 가상의 인물인지 실존 인물인지에 대해서도 확실하지 않지만, 이 두 사람은 풍간(豊干) 선사와 함께 천태산 국청사(國清寺)에 은거하였다고 한다. 풍간 선사는 아미타불, 한산은 문수보살, 습득은 보현보살 화신이라고 전하나 이는 중국 사람들의 특유한 비유 수법이기도 하다.

어느 날 주지 스님이 출타하자 한산과 습득은 산 아래 목장에서 소 떼와 더불어 놀고 있다가 한산이 먼저 소 떼를 보고 필시 본사(本寺)에 알 만한 대덕 스님이시군! 하면서 말하기를 스님들이시여! 그래 소 노릇을 하는 기분이 어떠한지요? 시주 밥 얻어먹고 놀기만 하더니 기어코 축생의 과보를 받으셨구나! 하면서 호명하는 대로 앞으로 나오시게나 하였다. 전생에 율사 홍정(弘靖) 스님! 하고 호명하니 흰 소 한 마리가 나왔으며, 다음은 전생에 전좌(典座) 소임을 맡았던 광초(光超) 스님을 부르니 검은 소 한 마리가 답을 하였으며, 그리고 전생에 지사(知事) 소임을 맡았던 법충(法忠) 스님 등을 차례로 불렀다. 그리고 계를 설하였다.

前生不持戒 人面而畜生 爾今招此咎 怨恨于何人 佛力雖然大 爾却辜佛恩
전생불지계 인면이축생 이금초차구 원한우하인 불력수연대 이각고불은

전생에 계를 지키지 아니하더니
사람의 몸에서 축생의 과보를 받았구나!
네가 지금의 허물을 부른 것이니
어찌 다른 사람을 원망하리.
부처님의 위신력이 비록 크다고 하나
너는 부처님의 은혜를 물리쳤음이라.

출타하고 돌아오던 길에 주지 스님이 멀리서 이 광경을 지켜보고는 등골이 오싹함과 동시에 한산과 습득은 미치광이인 줄 알았더니 오늘 보니 성인의 후신임이 틀림없구나! 라고 탄식하였다.

전좌(典座)는 선원에서 식사, 의복, 방석, 이부자리 등을 관리하는 직책을 맡은 스님을 말하며, 지사(知事)는 절에서 일어나는 용무(用務)를 맡아보는 직책을 가진 스님을 말한다.

우리나라에 소개되는 내용은 동화사 경진 율사, 천관사 현진 법사 등등 이렇게 30여 마리의 소들을 호명하였다고 소개하고 있으나 이는 원문에는 없는 내용이다.

조선시대 용파(龍波) 스님의 원력

부산 부산진구 선암사

용파(龍波) 스님은 무너져 가는 조선의 불교를 다시 세우고 싶어서 거제도(巨濟島)로 들어가 일념으로 기도하였다. 조선 제22대 왕 정조(1776~1800 재위) 때의 일이다. 이 당시에도 배불(排佛) 정책이 극심하였다. 당시에 유명한 암행어사(暗行御史) 박문수(朴文秀)가 있었는데 그는 모든 일 처리를 할 때 공평하기로 소문이 자자하였다. 박문수가 사불산 대승사(大乘寺)에 이르렀을 때, 마침 젊은 스님들이 옹기종기 모여앉아 장기를 두고 있었다. 훈수에 싸움이 일어나는 것을 보고 박문수는 법당을 향해 소변을 보았다. 그러자 장기를 두던 스님 한 분이 그를 나무랐다. 그러나 박문수는 부처님 도량이면 응당 염불 소리가 나야 하거늘 장기 훈수 소리만 나다니 그게 말이나 되는 법이요? 하고 되물었다. 그리고 박문수는 조정에 이러한 사실을 알렸다.

경남 산청 정각사

그러자 정조는 전국 사찰에 명을 내리거늘 남부지방 사찰에는 종이를 뜨고, 산간 사찰에는 잣을 생산하여 진상을 올리라고 하였다. 이에 스님들은 제지(製紙)와 잣을 생산하는 부역에 시달리자 수행은커녕 힘이 들어서 환속하는 예도 비일비재하였다. 그러므로 용파 스님은 정조에게 상소를 올리기도 하고 온갖 방법을 다 동원하여 스님들의 부역을 중지시키려 했으나 허사로 돌아가자 거제도로 내려가 100일 기도로 이 난국을 타개하고자 하였다. 스님은 마음먹기를 내가 죽는 한이 있더라도 이 일을 막겠다 하는 원을 세웠다. 기도 정진하던 날 하루는 어떤 노인이 나타나 말하기를 여기서 이렇게 기도한다고 누가 알아주겠습니까? 하면서 스님이 미련하다고 책망하였다. 노파가 말하기를 이제 양식도 얼마 남지 않았을 것인데, 아래 바닷가에 가서 석화(石花)라도 채취하여 끼니를 때우라고 일러주었다. 그 바닷가로 가보니 과연 석화가 많이 있었다. 그러고 나서 며칠을 더 기도하니 엄청난 바람과 함께 파도가 일어 배 한 척이 해변에 정박했다. 거기에는 소금 한 말과 쌀 두 가마니가 실려 있었다. 그러나 용파 스님은 사문은 주지 않는 물건은 취할 수가 없음을 알고 빈손으로 돌아왔다. 그러자 그 노인이 다시 나타나서 길을

경북 울진 불영사

가로막으면서 어찌 빈손으로 오십니까? 하였다. 그러면서 노인이 말하기를 이는 부처님의 가피이니 가져다가 공양하라고 하며 사라져 버렸다.

이후 스님은 가행정진하여 신통을 얻어서 거제도로 들어갈 때는 배를 타고 들어갔으나 나올 때는 바다 위를 걸어서 나왔다. 충무에 사는 사람들이 이 모습을 지켜보고 용이 파도를 타고 나오는 것과 같다고 하여 용파(龍波) 스님 혹은 낭파(浪波) 스님이라고 하였다. 스님은 한양으로 올라와 물장사를 했다. 남대문 밖에서 물을 길어 광화문 네거리에 와서 팔곤 하면서 임금 만나기를 기도하였다. 그러던 어느 날 정조가 무예청 별감을 대동하고 민정 시찰을 나가던 중 한강 쪽에서 오색구름이 일고 있는 것을 보았다. 저것이 무엇이더냐? 별감이 서기가 솟아오르는 것을 보고 아무래도 좋은 징조인 것 같다고 하자 정조는 뉘 집에서 왜 일어나는지 소상히 알아보도록 하라고 하였다. 그 빛은 다 쓰러져 가는 오두막에서 나오고 있었다. 그는 원인이 용파 스님이라는 것을 알고 자초지종을 말하자 스님은 임금을 한번 뵙기를 청하였다. 스님은 임금을 만나자 스님들의 부역이 부당함을 말하였다. 그에 정조는 조건을 달았다. 내 왕통을 이을 후사가 없으니 그 뜻을 이루면 해결하겠노라. 이에 도반 농산 스님과 함께 기도하기를 청하였다.

용파 스님은 수락산 내원암에서 기도하고, 농산 스님은 삼각산 금선암에서 기도하였다. 그러던 어느 날 용파 스님은 삼매에 들어 혜안으로 살펴보니 왕자로 태어날 사람이 흔치 않았다. 그래서 농산 스님이나 자신이 아니고는 불가능함을 알았다. 그러나 용파 스님은 불사(佛事)하는 중이었고 농산 스님은 벌려놓은 불사가 없었다. 이에 농산 스님에게 편지를 썼다. 우린 다같이 부처님 은혜로 살고 있거늘 조선에 스님들의 부역이 사라진다면 부처님 은혜를 갚는 길이니, 스님께서 궁중의 왕자로 태어남이 좋겠다고 하였다. 농산 스님은 생각했다. 내 한 생을 늦추더라도 조선의 불교를 위해서 내 몸을 바치리라. 그리고 용파 스님에게 그리하겠노라고 답신을 보냈다.

하루는 정조(正祖)의 꿈속에 한 스님이 나타나 말했다. 소승은 삼각산 금선암에서 전하의 왕손을 빌던 농산입니다. 저와 같이 기도하는 용파 스님의 권유로 상감마마의 대를 이어 왕자로 태어나고자 왔사오니 물리치지 마옵소서. 정조대왕은 꿈에서 깨어나 이 사실을 왕비에게 말하였더니 왕비도 똑같은 꿈을 꾸었다는 것이다. 임금은 사람을 시켜 금선암에 보내어 사실을 알아보게 하였더니 과연 농산스님이 삼백일 기도를 마치던 날 세상을 떠났다는 것이다. 이 사실을 보고받은 정조 임금은 쌀과 온갖 비용을 넉넉히 보내어 농산 스님의 장례를 치르도록 주선했고 용파 스님에게도 큰 상을 내려 그 공적을 치하했다. 얼마 후 왕비가 잉태했고 그리하여 태어난 이가 정조의 뒤를 이은 순조(純祖) 임금이라고 한다. 그러므로 순조 임금의 전생은 다른 사람이 아니라 바로 삼각산 금선암에서 기도 정진하던 농산 스님이었다.

덕산선감(德山宣鑑) 스님과 떡 파는 노파

제주 서귀포시 선덕사

당나라 선승 덕산(德山, 782~865) 스님의 속성은 주(周)씨다. 스님은 금강경에 해박하고 정통하여 세인들은 그를 주금강(周金剛)이라고 불렀다. 스님은 선자(禪子)를 대할 때 봉(棒)을 잘 썼으므로 덕산의 봉(棒)이라는 별호도 가지고 있었다.

그 무렵 중국 불교 북쪽에는 교종(敎宗)이 성한 데 반하여 남쪽에는 선종(禪宗)이 성하였다. 덕산 스님은 남쪽에서는 교학을 무시하고 견성성불(見性成佛), 교외별전(敎外別傳)을 주장하는 선종의 무리가 있다는 말을 듣고 분개하여 그들을 만나기 위해 평생을 기울여 만든 금강경소초(金剛經疏鈔)를 짊어지고 남쪽으로 갔다. 남쪽에 도착하니 마침 점심때인지라 허기를 채우려고 시장에서 떡 파는 노파에게 떡을 사려고 하니 노파가 스님은 무얼 그리 지고 다니십니까? 하고 물었다. 그러자 덕산 스님은 자랑스럽게 이것이 금강경의 핵심을 서술한 금강경소초라고 은근하게 자랑하였다.

그러자 노파는 반색하며 나도 금강경을 읽고 있는데 경중(經中)에 과거심불가득(過去心不可得), 현재심불가득(現在心不可得), 미래심불가득(未來心不可得)이라는 말이 있는데 이 말은 과거의 마음도 얻을 수 없고, 현재의 마음도 얻을 수 없고, 미래의 마음도 얻을 수 없다는 뜻이라고 했습니다. 그렇다면 삼세(三世)가 불가득(不可得)인데 스님은 어디에다 점심(點心)을 하겠습니까? 만약 여기에 대한 답을 주시면 제가 떡을 그냥 공양 올리겠습니다.

덕산 스님의 분서(焚書), 경북 영주 비로사

이에 덕산 스님은 노파의 일격에 당하여 말을 하지 못했다. 그러자 노파는 제대로 공부하시려면 용담숭신((龍潭崇信, 782~865) 선사가 있는 용담원(龍潭院)이라는 절에 가보라고 일러주었다. 덕산 스님이 용담 스님을 찾아가도 아무도 반기는 이가 없었다. 그러나 덕산 스님은 아직도 호기(豪氣)가 남아 있어서 말하기를 용담에 와보니 물도 없고 용도 없구나! 라고 하였다. 潭又不見 龍又不現

그러자 용담 선사는 자네가 참으로 용담(龍潭)에 왔네! 이에 덕산 스님은 또 말이 막혀 버렸다. 하루는 밤이 깊도록 용담 선사 방에서 공부한 뒤에 자기 방으로 돌아가려고 방문을 나서자 밖이 너무 어두웠다. 그때 용담 선사가 종이로 만든 초롱에 불을 켜서 덕산 스님에게 건네주는데, 덕산 스님이 초롱을 받자마자 용담 선사가 초롱의 불을 확 불어 꺼버렸다. 바로 이때 덕산 스님은 활연이 깨쳤다. 이에 덕산 스님이 용담 선사에게 절을 올리자 용담 스님이 말하기를 너는 어째 나에게 절을 하느냐? 덕산 스님이 말하기를 이제부터는 천하의 화상들을 다시는 의심하지 않겠습니다.

다음 날 덕산 스님은 금강경소초를 모두 불살라 버리면서 말하였다. 모든 현현(玄玄)한 웅변(雄辯)으로써 진리의 법을 설한다고 하더라도 한 올의 터럭을 허공에 날리는 것과 다를 바 없음이요, 모든 세상의 요긴한 기틀을 다하더라도 한 방울의 물을 계수(溪水)에 던지는 것과 같음이라.

이로부터 덕산 스님의 문하에 도인이 나왔는데, 그중 천하에 유명한 설봉(雪峰) 스님, 암두(巖頭) 스님이 나왔으며, 운문(雲門) 스님의 운문종(雲門宗)과 법안 스님의 법안종(法眼宗)이 또한 이 몽둥이 밑에서 나왔다. 이렇듯 깨달음이란 오직 마음을 닦아서 삼매를 성취해야 하는 것이지, 언어나 문자에 있는 것이 절대 아님을 깨우쳐 주는 설화다.

두운(杜雲)대사와 호랑이

경북 울진 불영사

신라 선덕여왕 때 두운(杜雲)대사는 경북 영주시 풍기에 있는 소백산 기슭에서 수행하고 있었다. 수행하는 도중 가끔 호랑이가 찾아와 외호(外護)를 하다가 가곤 하였다. 그러던 어느 날 석양 무렵에 호랑이가 다시 찾아와서 입을 벌리며 괴로워 하였다. 이에 목구멍을 보니 금비녀가 목에 걸려 있었다. 두운대사는 비녀를 꺼낸 뒤에 호랑이에게 너는 산속에도 너의 먹이가 충분하거늘 사람을 잡아먹으려고 하느냐며 추상같이 호통을 쳤다.

며칠 뒤에 호랑이는 두운대사가 있는 곳에 산돼지 새끼 두 마리를 물어다 놓았다. 아마 감사하는 마음으로 보은하고 싶었던 모양이다. 그러자 이번에도 스님이 어찌 육식을 하라고 하느냐 하며 다시 나무랐다.

스님이 수행을 다시 이어가던 어느 봄날에 호랑이는 스님을 이끌고 폭포로 데려갔다. 그곳에 가보니 낭자 한 사람이 정신을 잃고 쓰러져 있었다. 이에 두운 스님은 극진하게 간호하여 낭자를 회복시켰다. 그러자 낭자는 서라벌(徐羅伐)에 사는 유호장(柳戶長)의 무남독녀로 무언가에 덮침을 당하여 이곳까지 오게 되었다고 하였다.

이에 원기를 회복한 낭자는 스님과 함께 서라벌 집으로 돌아갔다. 이에 집에서는 죽었다고 여겼던 딸이 다시 돌아오니 큰 경사를 맞이하였다. 그 일로 낭자의 아버지 유호장은 스님을 위하여 절을 세워 드렸다.

그리고 유호장이 아주 기쁜 소식을 들려준 방위라고 하여 절 이름을 희방사(喜方寺)라고 했으면 하고 건의하였다. 두운 스님은 이를 흔쾌히 수락하며 사명(寺名)을 희방사라 하였으니, 때는 선덕여왕 12년인 643년의 일이다. 낭자가 정신을 잃고 쓰러졌던 폭포는 희방폭포(喜方瀑布)다.

희방사 아래는 수철리(水鐵里)라는 마을이 있다. 이는 유호장이 두운대사를 위하여 농토를 희사하고 또한 계곡의 다리를 쇠로 놓아서 스님이 건너다니는 데 불편함이 없도록 하였다. 이 다리 이름을 수철교(水鐵橋)라고 하였다. 이로써 호랑이가 스님의 은혜를 갚았다는 보은 설화다.

두운(杜雲) 스님에 관한 생몰연대는 알 수가 없으나 신라 말 고려 초에 수행하던 스님이시다. 신라 경문왕(景文王) 10년인 870년에 경북 예천 용문사(龍門寺)를 창건하고 또한 경북 영주시 풍기읍에 있는 희방사(喜方寺)를 창건하였다. 두운 스님이 용문사에 주석할 때 고려 태조가 남쪽으로 가는 길에 스님의 법력에 대한 명성을 듣고 참방(參訪)하였다고 전한다.

혜공(惠空) 스님과 오어사(吾魚寺)

부산 부산진구 삼광사

경북 포항시 오천읍 항사리에는 오어사(吾魚寺)라는 절이 있다. 여기서 오어(吾魚)는 '나의 고기'라는 뜻이다. 삼국유사 의해편(義解篇)에 보면 여기에 얽힌 일화가 전해지고 있다. 혜공(惠空) 스님은 천진공(天眞公)의 집에서 품팔이하던 노파의 아들로 태어났으며, 어릴 적 이름은 우조(憂助)였다. 천진공은 우연히 몹쓸 종기 병에 걸려 백약을 사용해 보았으나 무효하여 죽을 지경에 이르자 많은 사람이 문병을 왔다.

이때 우조(憂助)의 나이가 일곱 살이 되었을 때인데 그는 자기 어머니에게 주인의 악병(惡病)을 고쳐보겠다고 하였다. 이를 들은 어머니는 하도 이상스러워 혹시나 하고 집주인에게 말씀을 드렸고 천진공은 우조를 불러들였다. 그러나 우조는 아무 말도 하지 않고 평상 밑에 앉아 있었는데 얼마 지나지 않아 종기가 터져서 완치되었다. 그 후 우조는 주인의 매를 기르는 일을 하였는데 천진공의 동생이 벼슬을 얻어 지방으로 부임하게 되자 천진공은 매 중에서 가장 좋은 매를 동생에게 선물로 주었다. 그러던 어느 날 저녁 주인은 매가 보고 싶어서 이튿날 새벽에 우조에게 매를 가져오라고 하였다. 잠깐 사이에 우조는 매를 가지고 왔다. 이에 공(公)이 매우 놀라고 말았다.

얼마 지나지 않아 우조는 출가하였는데 이때 받은 법명이 혜공(惠空)이다. 그는 출가해서 어느 작은 절에 살면서 언제나 미친 사람처럼 크게 취해서 삼태기를 지고 거리에서 노래하고 춤을 추곤 하였다. 이에 사람들은 그를 부궤(負簣) 스님이라고 불렀다. 그리고 혜공 스님이 있던 절을 부개사(夫蓋寺)라고 불렀다. 이는 절에 작은 우물이 있었는데 우물에 한 번 들어가면 몇 달씩 나오지 않았다. 그리고 우물에서 나올 때는 언제나 푸른 옷을 입은 신동(神童)이 나왔으며, 우물에서 나온다고 하더라도 옷은 하나도 젖지 않았다고 한다.

혜공 스님은 만년에 지금의 포항시 오천읍 항사리에서 살았는데 그 절 이름이 오어사(吾魚寺)이며, 원래 절 이름은 항사사(恒沙寺)다. 그러나 민간에서는 항하사 모래알처럼 많은 사람이 출세하였다고 항사동(恒寺洞)이라 하였다고 한다.

이 당시에 원효 스님은 여러 불경에 주소(注疏)를 달거나 찬술(撰述)하였는데 언제나 혜공 스님을 찾아가 질의를 하거나 말장난하곤 하였다. 어느 날 혜공 스님과 원효 스님이 시냇가의 물고기와 새우를 잡아먹고 돌 위에 올라가 대변을 보았는데 이때 혜공 스님이 그것을 가리켜서 장난하면서 하는 말이 스님이 똥 눈 것은 내가 잡은 물고기일 것이라고 하였다. 그래서 내가 잡은 물고기라는 뜻으로 절 이름이 오어사(吾魚寺)가 되었다. 민간에서는 그 시내를 일러 모의천(芼矣川)이라고 부른다. 이외에도 혜공 스님의 이적(異蹟)은 삼국유사에 서너 편이 더 전하고 있다. 그리고 혜공 스님이 죽을 때는 공중에 떠서 입적하였다고 전한다.

회소(懷素) 스님이 파초(芭蕉)에 글을 쓰다

대구 동구 동화사

중국 북송(北宋) 때 한림학사를 역임한 도곡(陶穀)이라는 사람이 편찬한 청이록(淸異錄)에 보면 녹천암(綠天庵)에 관한 기록이 나온다. 여기에 보면 당나라 승려 회소(懷素, 725~785)는 영릉(零陵) 동교에 살면서 파초를 아주 많이 심었다. 회소 스님은 종이 대신에 그 잎을 따서 글씨를 썼으며 스님이 살던 절 이름을 녹천암(綠天庵)이라고 하였다. 여기서 녹천(綠天)은 다름 아닌 파초의 잎을 말하는 것이다.

스님은 호남성 영릉현(零陵顯)에서 태어났다. 성은 전(錢)씨이며, 자(字)는 장진(藏眞)이며, 법명은 회소(懷素)다. 그러나 어려서 장사(長沙)로 이주하여 살았다.

어려서부터 불교에 강한 믿음을 보이더니 출가하여 승려가 되었으며 초서 예술에 심취하였다. 스님의 서체는 탈속적(脫俗的)인 초서에 매우 탁월하여 안진경(顏真卿) 등 서예가와 시인 등 당시 명사와 귀족들의 찬송을 받았다.

녹천암은 현재 후난성에 있는 고산사(高山寺) 대웅전 뒤쪽을 말하며 스님은 당대에 유명한 서예가(書藝家)로도 이름을 올렸다. 스님은 홀로 서예를 익혔으며 또한 수행의 방편으로 곡차를 마시곤 하였다. 그래서 그런지 스님의 초서(草書)는

대구 동구 파계사

아주 멋들어진 글씨였으므로 세상 사람들은 스님의 글씨를 광초(狂草)라고 하였다. 또 스님은 생전에 이백(李白)과도 교류를 하였으며 이백 또한 스님의 초서를 천하제일로 손꼽았다. 스님의 초서는 낭시에 서예가인 장욱(張旭)과 함께 쌍수를 이루었던 글씨다. 그러나 녹천암은 청나라 함풍제(咸豊帝)때 전화(戰禍)로 훼손되었으며 후대에 다시 복원하였다.

회소 스님에 관한 그림을 녹천암도(綠天庵圖)라고 하는데 우리나라에서 이러한 벽화는 대구 동화사(桐華寺), 파계사(把溪寺) 등에서 볼 수 있다.

삼국유사 순교자 이차돈(異次頓)

경남 밀양 문수사

이차돈(異次頓, 506~527)은 불교 전파를 위해 기꺼이 목숨을 내놓았다. 그는 신라 법흥왕 때에 하급 관리로 남모르게 불교를 믿었던 사람이다. 그의 성은 박(朴)이며 이름을 염촉(厭髑)이라 하였다. 염촉은 한자식으로 표현한 이름인데, 염(厭)을 신라 말로 이차(異次)라 하고, 촉(髑)은 돈(頓)이라 하여 우리는 흔히 이차돈으로 부른다.

당시 고구려는 소수림왕 2년인 372년에 불교를 받아들여 신행하였다. 신라에도 여러 승려가 방문하여 불교를 전파하고자 하였으나 그 기대는 아주 미미하였다. 신라는 민간신앙이 아주 강하여 불교를 배척했기 때문이다. 그러나 이차돈은 26세의 젊은 나이로 남몰래 불도를 닦던 사람이다.

신라는 법흥왕 시대에 이르러 불교의 모습을 갖추어 가기 시작하였으나 기존 세력의 반발이 아주 거센 시기였다. 이차돈은 법흥왕에게 나라의 평안과 불교를 받아들일 수 있다면 저의 목숨을 내놓을 것이니, 저에게 거짓 죄를 씌워서 자신을 죽여주기를 청하면서 아뢰었다. 뭐라 해도 제 목숨만큼 버리기 어려운 것은 없을 것입니다. 그러나 제가 저녁에 죽어 커다란 가르침이 아침에 행해지면 부처님의 날이 다시 설 것이요, 임금께서 길이 평안하실 것입니다.

이에 왕이 말하기를 살을 베어 저울에 달아 새 한 마리를 살리려 했고 피를 뿌려 생명을 끊어 짐승 일곱 마리를 스스로 불쌍히 여겼다. 너의 뜻은 사람을 이롭게 하는 힘에 있는데 어찌 무죄한 사람을 죽이겠는가 하였다. 그러나 이차돈은 제 뜻을 굽히지 않았다.

이차돈은 말하기를 일체 버리기 어려운 것은 자신의 신명(身命)입니다. 그러나 소신은 저녁에 죽어 불교가 아침에 평해지면 불법은 다시 일어나고 성주(聖主)께서는 길이 편안해질 것이라고 거듭 간청하였다.

왕의 명령에 따라 형리(刑吏)가 이차돈의 목을 베었더니 흰 젖이 솟아나 한길이나 되었다고 한다. 그리고 잘린 머리는 경주의 북쪽 산에 떨어졌는데 거기에 무덤을 만들었다. 두고두고 사람들이 이러한 순교의 거룩함을 기렸으며 이로써 신라의 불교는 받아들여졌다.

해인사(海印寺)와 희랑대사(希朗大師)

경남 합천 해인사

균여전(均如傳)과 동국여지승람(東國輿地勝覽)에 보면 희랑대사(希朗大師)는 신라 말기의 스님으로 지금의 거창에서 태어났다. 속성은 주(朱)씨이고 신라 헌강왕 때 15세의 나이로 해인사로 출가해 화엄경에 정통하여 화엄학의 대가로 커다란 명성을 떨쳤다. 또한 스님은 최치원과 시문(詩文)으로 많은 교류가 있었고, 고려 태조 왕건과 후백제 견훤(甄萱)의 정신적인 귀의처가 되기도 하였다.

통일 신라가 무너짐으로써 나라는 삼국으로 나뉘어 한창 어지럽던 무렵 왕건(王建)은 백제의 왕손인 월광과 합천 미숭산(美崇山)에서 서로 대치하고 있었다. 지리적으로 해인사는 후백제에서 신라로 이르는 중간 지역에 자리잡고 있어서 군사적으로 전략의 요충지였다. 어느 날 왕건은 월광의 전략에 말려들어 아주 고립된 채 위급한 상황에 부닥치게 되자 해인사의 희랑 스님에게 사신을 보내어 도움을 구하였다. 그러자 스님은 화엄삼매에 들어가 화엄 신장들을 불러서 궁지에 빠진 왕건을 돕게 하였다.

왕건의 진영으로 쳐들어가던 월광의 군사들은 하늘에 가득히 신병(神兵)이 에워싸고 있는 모습을 보게 되자 기겁하여 모두 달아나 버렸다. 이 일로 인하여 왕건은 희랑 스님께서 주석하던 해인사를 크게 중건하였다는 기록이 전하고 있다.

해인사의 백련암으로 올라가는 길목의 왼쪽에 있는 지족암(知足庵)으로 가는 길을 가다 보면 계곡 옆으로 희랑대(希朗臺)라는 암자로 올라가는 길이 있다. 여기에 있는 희랑대는 희랑대사가 창건하고 정진하던 기도처로 알려져 있다. 또한 해인사 보장전(寶藏殿)에 봉안된 목조 소상(塑像)은 희랑대사의 모습을 따서 조성한 것으로 여기고 있다. 희랑대사의 학통을 이어받은 스님으로는 보현십종원생가(普賢十種願往歌)로 널리 알려진 균여대사가 있다. 균여대사가 지은 균여전을 보면 희랑대사에 관한 짤막한 기록이 나온다.

포대(布袋)화상

경남 합천 해인사

포대(布袋)화상의 본명은 계차(階次)로 중국의 스님으로 알려졌다. 그의 모습은 항상 뚱뚱한 모습과 배불뚝이로 나타내며 거주하는 곳이 일정하지 않았다고 전한다. 지팡이에 자루를 걸머메고 포대 속에 있는 물건들을 여러 사람에게 나누어 주었으므로 세상 사람들은 별호(別號)를 지어서 포대화상 또는 장정자(長汀子)라고 불렀다. 또한 포대화상은 사람의 길흉화복을 예언하였는데 맞지 않는 일이 없었다고 전한다. 포대화상의 게송 가운데 다음과 같은 게송이 전해지고 있다.

一鉢千家飯 孤身萬里遊 靑日親人少 問路白雲頭

일발천가반 고신만리유 청일친인소 문로백운두

발우 하나로 여러 집을 탁발하고
혼자 정처 없이 노니네.
맑은 날에도 사람 만나기가 어렵고
길을 묻는 사이 머리에는 백발이 내렸네.

포대화상은 걸림 없는 수행을 하다가 양나라 정명 3년인 917년 3월에 명주 악림사(嶽林寺) 동쪽 반석에서 좌탈입망(坐脫立亡)하기 전에 게송을 지어 남겼다.

彌勒眞彌勒 分身百千億 時時示時人 時人自不識

미륵진미륵 분신백천억 시시시시인 시인자불식

미륵불 진짜 미륵불은
분신하여 천백억으로 나투었네!
시시로 사람들 앞에 보였지만
사람들은 알아보지 못했다네.

이에 세상 사람들은 포대화상을 미륵보살의 화신(化身)으로 여기게 되었다고 한다. 송나라 휘종(徽宗)은 그를 정음대사로 추증하였다. 포대화상에 관한 기록은 송고승전(宋高僧傳)에 최초 기록되었으며, 경덕전등록(景德傳燈錄)에도 기록되어 있다.

선문(禪門)에서는 현달(顯達)한 사람으로 세상에 이름을 드러내지 않은 열 사람을 꼽고 있다. 그들은 보지(寶誌) 선사, 선혜(善慧)대사, 혜사(慧思)대사, 지의(智顗) 선사, 승가(僧伽) 화상, 법운공(法雲公), 풍간(豊干) 선사, 한산자(寒山子), 습득(拾得), 포대(布袋)화상 등이다.

용수보살 대해보궁 현세 출현도

경남 김해 흥덕사

용수보살(龍樹菩薩)이 용궁(龍宮)으로 들어가서 화엄경을 가져왔다고 전하는 내용이다. 이 설화를 흔히 화엄경 용궁장래설(華嚴經 龍宮將來說)이라고 말한다. 화엄경은 석가모니 부처님께서 설법하신 내용을 문수보살이 편찬했다고 전하며, 이를 용수보살이 용궁으로 들어가서 보고 외우고 하여서 뭍으로 나와 다시 편찬하였다고 하는 설화다. 용수보살이 설산에서 수행 도중 우연히 노스님을 만나서 스님의 안내로 용궁으로 들어갔는데 그곳에서 화엄경을 보게 되었다.

화엄경은 본래 여섯 본(本)이 있다고 하는데 항본(恒本), 대본(大本), 상본(上本), 중본(中本), 하본(下本), 약본(略本)이라고 한다. 용수보살이 처음으로 본 것은 항본(恒本)인데 이는 비로자나불이 항상 머물러서 설하는 경이라 도저히 인간들이 이해할 수가 없었다. 그래서 이를 포기하고 대본(大本)을 가져오려고 보았는데 이것 역시 항본과 별반 다를 바가 없는지라 대본(大本), 중본(中本)도 포기하고 하본(下本)을 가지고 뭍으로 나왔다고 한다.

그러나 하본도 그 내용이 만만치 않아서 게송만 하여도 10만 송이나 되므로, 이것을 다시 줄여서 60 화엄경 또 80 화엄경을 편찬하였다고 한다. 그러나 여기에 관한 설화는 중국인들 특유의 거창한 과장됨이 엿보이기도 한다.

또 다른 이설(異說)에는 용수(龍樹)는 출가한 지 90일 만에 모든 경전에 대해서 통달하게 된다. 하지만 이에 성이 차지 않은 용수는 설산에 들어가 노(老) 비구로부터 대승경전을 처음으로 얻어 보게 되었다. 이에 대승의 눈을 뜬 용수는 다른 대승경전을 구하여 보려고 하였으나 구할 수가 없게 되자 외도의 논서들을 모조리 정복하게 되었다. 그러자 그는 자신도 모르게 교만이 생겨 불교를 얕잡아 보는 등 방자하게 되자 대룡(大龍) 보살이 이를 측은하게 여겨 바닷속 용궁으로 데려가 칠보로 된 상자를 열어서 화엄경을 건네주었다. 용수는 화엄경을 보고 크게 깨달음을 얻어 이 경전을 등에 지고 뭍으로 나와서 불법을 크게 펼쳤다고 한다.

우리가 독송하는 화엄경 약찬게는 80권 화엄경의 전체 내용을 칠언절구로 지은 것인데 이는 110구절 770자로 이루어져 있다. 앞서 밝힌 바와 같이 화엄경은 용수보살이 용궁에 가서 세 본의 화엄경을 보았는데 상본(上本)과 중본(中本)은 너무 방대하여 가져오지 못하고 하본(下本) 48품만 가져와서 유통시켰다고 전해진다.

칠처구회(七處九會)는 80권본 화엄경을 일곱 곳의 아홉 회상(會上)에서 설하셨다. 이 가운데 보광명전(普光明殿)은 세 번이나 설하셨는데 2회, 7회, 8회이다.

칠처팔회(七處八會)는 60권본 화엄경을 설하신 일곱 곳에서 여덟 번 모여 34품을 설하였는데 이는 보광명전에 3차 설법이 없기 때문이다. 그리고 40권 화엄경은 입법계품(入法界品) 단 한 품밖에 없다.

치계전생담(雉鷄前生譚) 꿩이 사람의 몸을 받다

충북 옥천 송림사

이러한 벽화는 보기가 참 어렵다. 벽화의 내용은 치계전생담(雉鷄前生譚) 또는 치계청법전세(雉鷄聽法轉世)라고 한다.

옛날 서역 천축(天竺)에 구마라(鳩摩羅) 존자가 옥옥산(玉屋山)에서 20여 명의 학인을 모아 놓고 경을 설하여 법을 전하였다. 하루는 존자가 열반경(涅槃經)을 강의하는데 느닷없이 꿩 한 마리가 날아들어 법문을 경청하였다. 이에 학인들이 말하기를 저 날짐승은 영험이 있는 괴물(怪物)이 아닌지요. 어찌하여 열반경(涅槃經)을 경청하는 것입니까? 이에 존자가 말하기를 저 꿩은 비록 축생이지만 불법을 듣는 것은 사람의 몸을 받기 위함이라고 하였더니 꿩은 다시 산으로 날아가 버렸다.

세월이 흘러 무평(武平, 1780) 4년에 존자가 학인과 동행하여 월주(越州) 성내에 나아가서 포교하는데 한 여자아이가 문 앞에 놀고 있는 것을 보고 말하기를 네가 예전에 꿩의 몸으로 열반경(涅槃經)을 듣더니 이제 사람의 몸을 받았구나! 라고

전북 남원 대복사

하였다. 그러자 사람들이 의아히 여기기에 존자가 여자아이를 향하여 꿩아 하고 부르자 그 아이가 다가와서 인사를 올렸다. 그의 어머니가 신이하게 여기자 존자는 그 사연을 일러주었다.

그러자 그의 모친은 이 아이가 태어날 때 꿩의 털이 세 개나 있어서 모두 이상하게 여겨서 이름을 치계라 하였다고 말했다. 그리고 아이를 존자에게 보내어 더더욱 불도를 수행하게 하였다. 아이는 존자 문하에서 수행하다가 3년 만에 대도를 성취하였다. 그리고 앉은 자세로 홀연히 공중으로 몸을 감추면서 치계녀(雉鷄女)는 게송 하나를 남겼다.

玉屋山后身居住 飛來座下聽佛法 十八年前身掛毛 聞經脫畜轉人身
옥옥산후신거주 비래좌하청불법 십팔년전신괘모 문경탈축전인신

옥옥산 위에 몸을 묻어 살다가
법상 밑에 날아와 부처님 법을 들었네
18년 전 몸에 꿩 털이 난 축생이
경소리를 듣고 사람 되어 축생의 과보를 벗었네.

蒙師指出西方路 這走人間只一遭 扁毛聞經成正覺 爲人不信往徒勞
몽사지출서방로 저주인간지일조 편모문경성정각 위인불신왕도로

이제 존자의 가르침으로 서방정토에 나고자 하니
이번에 인간 세상에 나왔으니 한 번으로 충분하네.
축생의 이 몸도 불법을 들어 정각을 이루었지만
사람 되어도 믿지 않으면 이 세상에 온 것도 헛수고라네.

백장회해 선사와 황벽희운 선사

경남 산청 정각사

당나라 후기에 복주(福州)에서 태어난 황벽희운(黃檗希運) 선사가 일찍 황벽산(黃檗山)에서 주석하고 있던 고령(古靈) 선사를 스승으로 삼아 수행하였다. 그러다 고령 선사의 권유로 마조도일(馬祖道一) 스님 문하에서 지도받고자 찾아갔으나 이미 마조도일(馬祖道一) 선사가 입적한 지 3일이 지나 버렸다.

이에 희운 스님이 크게 한탄하며 말하기를 천 리 밖에서 스승을 찾아왔더니 어찌 벌써 열반에 드셨습니까? 하고 자신의 박복함을 탄식하였다. 그러자 마조 스님의 제자인 백장회해(百丈懷海) 선사가 희운 스님에게 말하기를 우리 스님께서는 이미 열반에 드셨으나 또 다른 선지식이 있어서 그 법이 아직 동토에 남아 있으니 크게 염려하지 말라고 하였다. 이에 희운 스님은 백장 스님을 스승으로 모시고 3년간이나 시봉하면서 참선의 가르침을 받았다. 어느 날 백장 스님은 일부러 병을 핑계 삼아 자리에 누워서 희운 스님을 시험하였다. 내가 신열이 나고 목이 말라서 고통이구나. 깊은 못의 물을 마시고 싶은데 어찌하면 좋겠느냐고 하니, 희운 스님이 선사에게 말하기를 제가 물을 뜨러 가겠습니다.

백장 스님이 근심하며 말하기를 못까지 가려면 길이 멀고 날씨도 추우니 거기까지는 가기가 어렵다고 하자, 희운 스님이 답하기를 그래도 제가 물을 뜨러 가겠습니다 하고 길을 나섰다. 추운 날씨에 못에 도착하여 물을 담아서 돌아올 때는 갑자기 날씨가 개고 햇볕이 따사롭게 비추었다. 그러자 희운 스님은 읊조리기를 다음과 같이 하였다.

광풍이 오는 비를 맞고 가니
별이 밝고 달이 뜨네.
몸에 고통이 있는 것도 잊어버리고
스님의 병이 낫지 않을까 걱정이구나.

이를 알아차린 백장 스님은 다시 한번 희운 스님의 마음을 시험해 보기 위하여 늙은 호랑이로 변해서 희운 스님이 오는 길을 떡하니 막아섰다. 그러자 희운 스님이 노호(老虎)에게 말하기를 내가 전세의 업이 있어서 너에게 잡아먹힐 일이라면 우리 스님에게 물을 전하여 병을 고치고 나면 내가 다시 이 자리에 와서 너의 먹잇감이 되겠노라고 하자 노호가 물러나 길을 터주었다.

경남 산청 정각사

물을 길어서 백장 스님에게 물을 공양 올리고 나서 하직 인사하기를 제가 이제 스님의 큰 은혜를 갚지 못하고 떠나게 되어서 죄송합니다. 그리고 노호와 약속한 장소에 갔지만 노호는 그 자리에 없었다. 그러자 다시 돌아와 시봉을 청하니 백장 선사는 내심 탄복하여 말하기를 너는 과연 진실한 사람임을 알았다며 자신의 법을 희운 스님에게 전해 주었다. 황벽희운 선사의 법은 임제의현(臨濟義玄) 스님과 배휴(裴休) 거사에게 전해지게 되었다. 희운 스님은 다시 황벽산으로 돌아와 자신의 은사인 고령 스님의 눈을 뜨게 하였다.

백장(百丈) 선사의 개전(開田)

부산 부산진구 선암사

백장회해(百丈懷海, 720~814) 선사는 중국 당나라 때의 스님이며 20세에 서산혜조(西山慧照) 스님을 은사로 하여 출가하였다. 그 뒤 마조도일(馬祖道一) 스님 문하에서 수행하여 인가받았던 고승이다. 백장회해 선사의 제자 가운데 백장유정(百丈惟政)이라는 제자가 있었다.

위의 벽화는 백장개전(百丈開田)이라는 일화가 담긴 내용이다. 여기에서 백장 선사는 백장회해 스님의 제자인 백장유정을 말한다. 유정 선사가 학인에게 밭을 개간하고 난 다음에 불법의 대의를 말해 주겠노라고 하는 장치를 세워서 학인들을 점검하였다는 고사다.

고려 시대에 각운(覺雲) 스님이 엮은 선문염송설화(禪門拈頌說話)에 보면 백장산(百丈山)의 유정 선사가 어느 날 대중들에게 말하기를 그대들이 나와 더불어 밭을 개간하고 나면 내가 그대들에게 불법의 대의(大義)를 설해 줄 것이라고 하였다. 이에 대중들이 개간을 마치고 한 수좌가 선사에게 이제 개간을 다하였으니 대의를 일러주라고 청하자 유정 선사는 두 손을 펴 보였다. 百丈山惟政禪師 一日謂衆曰 汝與我開田了 我爲汝說大義 衆開田了 首座請師說大義 師乃展開兩手

조당집(祖堂集)에 보면 백장(百丈) 정(政) 화상은 마조의 법을 이었고 강서(江西)에서 수행하였다. 그의 행적과 그의 생애에 대해서는 전혀 알 수가 없다.

선사께서 학인에게 말했다. 그대가 나를 위하여 밭을 일구어 주면 나는 그대에게 불법의 큰 이치를 말해 주리라 하자, 학인이 말하기를 밭을 다 일구었으니 스님께서는 불법의 큰 이치를 말씀해 주십시오. 이에 선사께서 두 손을 활짝 펴 보이셨다.

어떤 노숙(老宿)이 창틈으로 햇살이 스쳐가는 것을 보고 묻기를 창이 해 곁으로 갔습니까? 아니면 해가 창 곁으로 왔습니까? 하자 선사가 답하기를 장로(長老)의 방에 손님이 오셨으니 가보시는 것이 좋겠다고 하였다. 百丈政和尙嗣馬大師 在江西 未睹行錄 不決化緣始終 師向僧道 汝與我開田了 爲汝說大義 僧云 開田了 請師說大義 師乃展開兩手 有老宿見日影透過窗 問 爲復窗就日 爲復日就窗 師云 長老房內有客 且歸去好

부산 선암사 칠성각에 있는 벽화다. 그러나 화기(畫記)는 오기(誤記)이므로 백장 선사(百丈禪師)가 옳은 표현이다.

백장야호(百丈野狐)

부산 부산진구 선암사

백장야호(百丈野狐)에서 백장은 백장회해(百丈懷海) 선사를 말함이고, 야호(野狐)는 오백세 동안 여우의 몸을 받았던 어떤 수행자를 말한다. 두 사람 간의 문답은 인과(因果)의 도리를 드러내고 있다. 간화선을 하는 수행자들은 이를 공안(公案)으로 삼아 수행하였기에 이를 백장야호라고 하는 것이다.

남송 시대의 선승 무문혜개(無門慧開)가 지은 무문관(無門關) 제2칙이나 고려 시대 각운(覺雲) 스님이 지은 선문염송설화(禪門拈頌說話) 제184칙 등에도 수록되어 있다. 백장 선사가 설법할 때마다 어떤 노인이 대중과 함께 법문을 듣다가 법문이 끝나면 함께 물러가곤 하였다. 여느 때와 같이 백장 선사가 법문을 하자 이 노인도 함께 듣다가 법문이 끝났음에도 불구하고 나가지 아니하자 백장 선사가 물었다. 지금 내 앞에 서 있는 그대는 누구인가? 그러자 노인이 대답하기를 저는 사람이 아니라 가섭불(迦葉佛) 시대에 이 산에 살았는데 어떤 학인이 묻기를 큰 수행을 하는 이도 인과에 떨어집니까? [大修行底人還落因果也無] 하고 묻자, 제가 말하기를 인과에 떨어지지 않는다고 답을 하였는데 그때의 과보로 여우(野狐)의 몸을 받았습니다.

경남 산청 정각사

바라옵건대 지금 스님께서 저를 대신하여 제가 깨달음을 얻을 수 있는 한마디의 법을 일러주시기를 간청합니다. 그러자 백장 선사가 말하기를 그러면 물어보거라 하니, 노인이 말하기를 크게 수행하는 이도 인과에 떨어집니까? 라고 묻자, 백장 선사가 말하기를 인과에 매혹(魅惑)되지 않는다고 답하였다. 노인은 그 자리에서 깨달음을 얻고 하직 인사를 하면서 말하였다. 저는 이미 여우의 몸을 벗었습니다. 이 산 뒤에 죽은 여우의 몸이 있을 것이니, 죽은 스님을 천도하듯이 법식을 갖추어 천도해 주시옵소서! 하며 사라졌다. 선사가 유나(維那)를 시켜 대종을 울리게 하여 공양을 마치면 오늘 울력은 시다림을 하는 것이라고 하자 대중들은 어리둥절하였다. 만참(晩參) 법회 때가 되자 백장 스님은 대중들 앞에서 다시 이 인연을 들었다.

황벽(黃蘗) 스님이 백장 선사에게 묻기를 옛사람들은 말 한마디 잘못으로 여우의 몸을 받았거니, 그렇다면 지금 사람들이 다음다음 잘못하지 않을 때는 어찌하오리까? 하니 선사가 답하기를 이리 가까이 오너라. 내가 그대에게 말해 주리라. 황벽이 가까이 가면서 선사의 빰을 한 대 후려갈기니 이에 선사가 껄껄하고 웃으면서 오랑캐의 수염이 붉다고 여겼더니 붉은 수염의 오랑캐도 있었구나 하였다.

원래 여우라는 동물은 천성적으로 의심이 많은 놈이다. 그러므로 얼음을 지나더라도 한 발짝 걷고는 얼음의 소리를 듣는다고 하였다. 그러기에 그 노인은 수행자 시절에 의심이 많아 여우의 몸을 받았고 뒤에 백장 스님의 법문을 듣고 의심이 단박에 끊어져서 여우의 몸을 벗은 것이다. 만참 법문에 황벽이 선사의 빰을 때렸다고 하는 것은 더더욱 틀리지 않았다는 뜻이다.

백장(百丈) 선사의 일일부작 일일불식

서울 동대문구 청량사

중국 당나라 백장회해(百丈懷海, 720~814) 스님은 복주(福州) 장락(長樂) 출신으로 어릴 때부터 절에 가서 노는 것을 좋아하였다고 한다. 20세에 서산혜조(西山慧照) 스님 문하로 들어가 불문에 들었다. 그리고 마조도일(馬祖道一) 스님 문하에서 가르침을 받아 개오하였다. 그 후 서당지장(西堂智藏) 스님, 남전보원(南泉普願) 스님과 더불어 입실(入室)하여 마조 스님 문하의 삼대사(三大士)라고 일컬었다.

스님은 백장산(百丈山)에서 선원을 열어서 청규를 제정하여 대중을 이끌고 선농(禪農)을 병행하며 대중들과 더불어 수행하였다. 여기서 '백장부작불식(百丈不作不食)'을 살펴보면 '일하지 않으면 먹지도 않는다'라는 백장 스님이 운영하던 총림(叢林)의 법도다. 중국 선종에서 처음으로 이러한 청규(清規)를 제정하였으며, 백장 스님 또한 누구보다도 앞장서서 청규를 지킨 장본인이다. 백장 스님이 노령에 이른 어느 날 감사(監寺)를 맡은 스님이 스님은 이제 연세가 있으시니 일을 그만하시고 좀 쉬라고 건의를 드렸지만 백장 스님은 계속 일하였다. 어느 날 일하는 도구를 숨겨 버렸고 일할 수가 없게 되자 공양하지 않았다. 이로써 일하지 않으면 하루 먹지를 않는다고 하는 선농일치(禪農一致)의 교훈이 생겨났다. 이를 일일부작 일일불식(一日不作 一日不食)이라고 한다.

백장 스님이 선농일치(禪農一致)를 주장하는 것은 평상심(平常心)이 도(道)라는 것을 후학들에게 보여준 것으로써 이러한 사상은 후대에 이르기까지 큰 영향을 끼쳤다.

허당화상어록(虛堂和尙語錄)에 보면 황벽(黃檗), 오봉(五峰), 평전(平田), 고령(古靈), 위산(潙山), 나안(懶安) 등 내로라하는 제자들이 백장 스님의 울력함을 만류하려고 몰래 도구를 감추어 버렸다. 그러자 백장 스님은 말하기를 노승이 복이 없어서 앉아 신도들의 보시물(布施物)만 낭비하는구나! 하시면서 마침내 공양을 물리치고 입적하였다고 기록하고 있다.

백장 스님의 이러한 사상을 축약하여 백장부작불식(百丈不作不食)이라고 한다. 스님은 당시의 걸출한 선승이다. 그러므로 선문의 공안(公案) 가운데 백장야호(百丈野狐), 백장권석(百丈捲席), 백장야압자(百丈野鴨子), 백장개전(百丈開田), 백장거좌인연(百丈據座因緣), 백장입리지문(百丈入理之門) 등은 모두 백장 선사의 가르침으로 인해 생겨난 화두인 것이다.

완릉록(宛陵錄) 배휴(裵休) 불상 이름 짓기

강원 평창 상원사

당나라의 배휴(裵休)가 848년에 안휘성(安徽省)에 있는 완릉(宛陵)의 관찰사로 부임을 하였을 때 황벽희운(黃檗希運) 선사를 능양산 개원사(陵陽山 開元寺)에 모시고 황벽 스님의 가르침을 받았다. 그때의 가르침을 기록한 것이 황벽단제선사 완릉록(黃壁斷際禪師宛陵錄)이며, 줄여서 완릉록(宛陵錄)이라고 한다.

완릉록에 나오는 배휴의 헌시(獻詩)에 보면 신심이 깊었던 배휴는 스스로 목불을 깎아서 불상을 만들었다. 그러던 어느 날 배휴는 불상 한 구를 대사 앞에 내밀면서 무릎을 꿇고 합장하며 말하기를 부탁하건대 스님께서 이 불상의 이름을 지어 주셨으면 합니다. 그러자 그 말이 떨어지기가 무섭게 스님은 배휴(裵休) 하면서 이름을 부르자 배휴는 얼떨결에 예, 하고 대답하였다. 그러자 내가 그대에게 이름을 지어 주었노라고 하시자 배휴는 즉시 일어나서 절을 올리며 예를 표하였다. 이어지는 어록을 보면 하루는 배상공이 대사에게 시 한 수를 지어 올리자 대사는 거들떠보지도 아니하고 그대로 자리에 깔고 앉으면서 물었다. 알겠느냐? 모르겠습니다. 이처럼 몰라야 조금은 나을 거다. 만약 종이와 먹으로 선문(禪門)을 형용할 수가 있겠느냐? 배상공의 시는 다음과 같았다.

自從大士傳心印 額有圓珠七尺身 挂錫十年棲蜀水 浮盃今日渡漳濱
자종대사전심인 액유원주칠척신 괘석십년서촉수 부배금일도장빈

대사께서 심인을 전하신 후
이마에는 둥근 구슬 몸은 칠척장신이로다.
석장을 걸어두신 지 십 년 촉(蜀)나라 물가에 쉬시고
부배(浮杯)에서 오늘날 장(漳)의 물가를 건너왔네.

一千龍象隨高步 萬里香花結勝因 擬欲事師爲弟子 不知將法付何人
일천용상수고보 만리향화결승인 의욕사사위제자 부지장법부하인

일천 무리들의 용산대덕들은 높은 걸음걸이 뒤따르고
만 리에 뻗친 향기로운 꽃은 수승한 인연을 맺었도다.
스승으로 섬겨 제자 되고자 하오니
장차 법을 누구에게 부촉하시렵니까?

그러자 대사께서 답하여 읊으셨다.

心如大海無邊際 口吐紅蓮養病身 雖有一雙無事手 不曾祇揖等閒人
심여대해무변제 구토홍련양병신 수유일쌍무사수 부증기읍등한인

마음은 큰 바다와 같아 끝이 없고
입으로는 붉은 연꽃을 토하여 병든 몸을 기르네.
비록 한 쌍의 일 없는 손이 있으나
한가한 사람에게 일찍이 공경히 읍(揖)한 적이 없노라.

남악회양(南岳懷讓) 선사의 기와로 거울 만들기

제주 제주시 월영사

남악회양(南岳懷讓) 선사가 남악(南岳)의 반야사(般若寺)에 머무르며 수행할 때, 어느 날 선객(禪客) 마조도일(馬祖道一) 스님이 찾아왔다. 회양 선사가 물었다. 좌선은 무엇하려고 하느냐? 그야 성불하려고 하는 거지요.

마조의 대답에 회양 선사는 아무런 대꾸도 하지 않은 채 근처에 있는 기와를 숫돌에 갈기 시작하였다. 이를 지켜보던 마조 스님이 이상히 여겨 묻기를, 스님은 무엇하시려고 기와를 갈고 있습니까? 그야 기와를 갈아서 거울을 만들려고 하는 중이네. 말도 안 되는 소리에 마조 스님이 툭 하니 말하기를, 기와를 갈아서 어찌 거울이 된다는 말입니까? 그러자 회양 선사가 답하기를, 기와를 갈아서 거울을 만들 수 없다면 좌선을 한다고 해서 성불할 수 있겠는가? 그렇다면 어찌해야 하오리까? 磨磚旣不能成鏡 坐禪怎能成佛

달구지가 움직이지 아니하면 채찍은 소를 때려야 하나 달구지를 때려야 하나 말해 보게. 그러나 마조 스님은 아무런 대답을 하지 못하고 머뭇거리자 회양 선사는 준엄하게 마조 스님을 꾸짖기를, 좌선한다면서 가만히 앉아 있는 것은 그냥 부처를 흉내내는 것이니 그것은 오히려 부처를 죽이는 일이다.

잘 알아들으시게나. 선(禪)이라는 것은 앉거나 눕거나 상관없는 것이며, 부처는 가만히 있는 것이 아니다. 집착하고 취사(取捨)가 없는 것이 제대로 된 참선이다. 알겠는가? 이 말에 마조 스님은 제호(醍醐)를 마신 듯 크게 동(動)하는 바가 있어 절하며 물었다. 마음을 어떻게 써야 삼매에 부합하겠습니까? 그러자 남악회양 선사가 말하기를, 그대가 심지법문(心地法門)을 배움은 씨를 뿌리는 것과 같음이며, 내가 법요를 설하는 것은 하늘이 비를 내려 적셔줌과 같음이니, 도는 볼 수 있는 모양이 아니거늘 어찌 본다는 말인가? 마음의 눈이 도를 볼 수 있으니 모양 없는 삼매도 역시 그렇게 보는 것이다. 그러면 거기에는 생성과 파괴가 있습니까? 생성과 파괴, 모임과 흩어짐이 있다면 이는 도를 보는 것이 아니므로 너는 나의 게송을 잘 들어라.

心地含諸種 遇澤悉皆萌 三昧華無相 何壞復何成

심지함제종 우택실개맹 삼매화무상 하괴복하성

마음 땅(心地)은 모든 종자를 머금어 있기에
촉촉한 비를 만나면 어김없이 싹튼다.
삼매의 꽃은 모습 없는데
어떻게 파괴되고 어떻게 이루어지랴?

회양 선사가 마조 스님에게 가르친 마지막 말은 결국 밖으로 드러난 모습에만 집착한다면 그대는 영원히 부처의 참모습을 볼 수 없는 멍청이가 된다는 가르침이었다. 어떤 책에는 기와가 아닌 벽돌로 나오기도 한다.

이러한 설화를 남악마전(南嶽磨磚)이라 하기도 하고 마전작경(磨磚作鏡)이라 하기도 한다. 그리고 여기에 관한 일화는 경덕전등록(景德傳燈錄)에도 실려 있다.

단하천연(丹霞天然) 선사가 목불을 불태우다

제주 서귀포시 선덕사

단하천연(丹霞天然) 스님은 유학을 공부해 과거를 보기 위하여 장안으로 가다가 우연히 한 스님을 만나 법문을 듣고는 과거를 포기하고 불문에 들었다. 그가 마조도일 스님 문하에서 수행하던 중 법당에 들어가 불상의 목에 걸터앉았다. 이에 대중들이 매우 놀라 곧바로 마조 스님에게 알렸다. 이에 마조 스님이 법당에 들어가 이르기를 천연(天然)하도다 하니, 곧바로 내려와 마조 스님에게 갖은 예를 올리면서, 큰스님께서 내리신 법호에 감사드린다고 말하였다. 이로써 단하 스님은 천연이라는 법호를 받았다.

경덕전등록(景德傳燈錄)에 보면 단하천연 선사가 낙양(洛陽)에서 하룻밤을 유숙하려고 혜림사(惠林寺)를 찾았으나 그날은 엄동설한에 몹시도 추운 날씨였다. 이에 단하 스님은 법당의 목불을 끄집어내어 도끼로 쪼갠 뒤 불을 지펴 몸을 녹이고 있었다. 이에 연락을 받은 원주(院主) 스님이 황급히 뛰쳐나와 어쩌자고 목불을 쪼개어 불을 지피고 있느냐고 격앙된 목소리로 힐책하였다.

그러자 단하 스님이 대수롭지 않은 것처럼 천연덕스럽게 부지깽이로 숯덩이를 뒤적이면서 저는 목불을 태워 사리를 찾는 중이라고 하였다.

원주가 다시 말하기를 목불인데 어찌 사리가 나오겠는가? 그러자 단하 스님이 말하기를 사리가 나오지 않을 바에야 나무토막에 불과하지, 부처라고 어찌 말할 수 있겠습니까? 법당에 남아 있는 나머지 두 분의 목불도 마저 불태워 버려야겠다고 말을 하였다.

후일에 이 고사(故事)가 단하소불(丹霞燒佛)이라고 하여 참선하는 이들의 공안(公案)이 되었다. 단하 선사는 세연이 다하였음을 미리 알아차리고 어느 날 목욕재계를 하고 갓을 쓰고 지팡이를 들고 신을 신은 다음에 한 발을 떼고 그 발이 미쳐 땅에 떨어지기 전에 홀연히 입적하였다고 전한다. 단하소불에 관한 어록은 송전등록(宋傳燈錄), 조당집(祖堂集), 전등록(傳燈錄) 등에 실려서 전해져 오고 있다.

단하 스님은 목불이 그저 나무로 만든 형상일 뿐임을 가르치고 있다. 그러므로 제대로 된 믿음이라면 어떤 형상에도 집착해서 사로잡히지 말 것을 보여주고 있다. 종교라는 이름으로 인간을 억압하는 모든 것으로부터 자유로워져야 참된 종교임을 단하 스님은 이미 알아차리고 있었다. 그러나 정작 불자는 불상에 사로잡혀서 집착하고, 교인들은 십자가에 집착하여 허우적거리는 일들이 비일비재하다.

충북 단양군 대강면 사인암리 청련암(青蓮庵)에서 수행하시던 우리나라의 조성원(趙聖元) 스님도 한창 수행하실 때, 내가 부처라고 외치면서 아미타 불상을 도끼로 쪼아서 불살라 버렸다. 그래서 지금 청련암에는 대세지보살상만 있고 관세음보살은 제천 원각사에 봉안되어 있다.

등은봉(鄧隱峰) 선사와 수레

전남 담양 용흥사

등은봉(鄧隱峰) 선사는 중국 복건성(福建省) 소무(邵武) 출신이며 속성은 등(鄧)씨고 호는 오대(五臺)다. 처음에는 마조도일(馬祖道一) 스님의 문하에서 수행하다가 후일에는 석두희천(石頭希遷) 선사를 찾아가 수행하였으나 별다른 소득이 없자, 다시 마조 스님을 찾아가서 수행하여 깨달음을 얻었다고 전하고 있다.

등은봉 스님이 은사인 마조 스님과 함께 수행하던 어느 날 일이었다. 등은봉 스님이 흙을 실어 나르던 수레를 밀고 가고 있었는데 마조 스님이 길바닥에 다리를 쭉 펴고 앉아 있었다. 스님, 수레가 지나가니 다리를 오므려 주세요 하고 말하자, 스승인 마조 스님은 이미 폈으니 오므릴 수가 없다.

그러자 등은봉 스님이 말하기를 그러면 수레도 이미 굴러가고 있으니 물러나지 못합니다. 그러면서 수레를 밀고 가다가 마조 스님의 다리를 다치게 하였다.

울력이 끝나고 저녁 공양을 마치고 소참법문(小參法門) 시간에 마조 스님은 도끼를 들고나와서 호령하였다. 조금 전에 수레를 밀어서 내 다리를 다치게 한 놈은 이리 나오너라. 그러자 등은봉 스님이 태연하게 나오더니 자신의 목을 쭉 하니 빼서 내밀었다. 그러자 마조 스님은 도끼를 거두어들였다.

이를 선종에서는 이진불퇴(已進不退)라고 하여 공안으로 자리를 잡게 되었다. 이진불퇴(已進不退)라는 말은 '이미 들어왔으니 물러서지 않는다'는 뜻이다.

등은봉(鄧隱峰) 선사의 물구나무 입적

전남 담양 용흥사

등은봉(鄧隱峰) 스님은 좀 괴팍한 성격을 가졌던 모양이다. 그러나 행하는 모든 바가 선기(禪氣)가 철철 넘쳐흐르고 있었다. 한때 등은봉 스님이 세연이 다하여 오대산 금강굴(金剛窟) 앞에서 열반에 들려고 할 때 그 자리에 있던 대중들에게 물었다.

그대들은 지금껏 사중(寺中)에 살았으니 제방의 선지식들이 입적할 때 앉아서 입적하거나 누워서 입적하는 것을 보았을 터이니 혹여 서서 입적하는 선객도 있었는가? 그러자 대중들이 말하기를 이미 있습니다. 그러면 거꾸로 입적하는 도인도 있었는가? 그건 아직 듣지도 보지도 못했습니다.

그러자 등은봉 스님은 물구나무서듯이 몸을 거꾸로 하여 입적하였으니 옷은 흘러내리지 아니하고 본래 모습대로 있었다. 대중들이 중지(衆志)를 모아 법체를 다비장으로 운구하려고 하였다. 그러나 전혀 움직이지 아니하니 모든 대중이 스님의 도력을 흠모하면서 탄복하였다.

등은봉 스님의 여동생이 있었는데 출가하여 비구니가 되어서 수행하였다. 오빠인 등은봉 스님의 입적 소식을 듣고 한걸음에 달려왔다. 그리고 등은봉 스님의 모습을 보고 말하기를 아이고 오라버니는 살아서도 율행(律行)을 지키지 않으시더니만 죽어서도 여러 사람을 미혹시키는구려! 하면서 손으로 슬쩍 미니 법체(法體)가 옆으로 쓰러졌다. 이에 대중들이 법신을 이운하여 다비(茶毘)하였다.

백양사(白羊寺)와 환양(喚羊) 선사

전남 장성 백양사 약사암

백양사(白羊寺)는 전남 장성군 북하면 약수리 백암산(白巖山) 아래에 자리잡고 있으며, 대한불교 조계종 제18교구 본사다. 백제 무왕(武王) 33년인 632년에 여환(如幻) 스님이 창건하고 사명을 백암사(白巖寺)라고 하였다. 그러나 고려 덕종(德宗) 3년인 1034년에 중연(中延) 스님이 중창하면서 절 이름을 정토사(淨土寺)라고 고쳐 부르게 되었다.

그 후 중창을 거듭하다가 조선 선조 7년인 1574년에 환양(喚羊) 스님이 절을 다시 중창하면서 백양사(白羊寺)라고 하였으니 여기에는 그만한 사연이 있었음을 전하고 있다.

환양 스님이 백양사에 머무르면서 매일매일 법화경(法華經)을 7일간 전하는 설법을 하였는데 구름처럼 사람들이 모여들어 스님의 법문을 경청하였다. 법회가 3일째 되던 날부터는 백양(白羊) 한 마리가 스님의 설법을 듣기 시작하였다. 그러던 중 7일 법회가 끝나고 그날 밤에 스님의 꿈에 백양(白羊)이 나타나서 현몽(現夢)하여 말하였다. 저는 천상에서 죄를 짓고 추방당하여 그 죄보로 말미암아 축생의 몸을 받았는데 이제야 스님의 법화경 법문을 듣고 그동안 지은 바 모든 업장이 소멸하여 다시 천상으로 환생하게 되었다며 감사한 마음으로 절을 올렸다.

이튿날 선사가 영천암(靈泉巖)에 가보니 영천암 아래에 백양 한 마리가 죽어 있었다고 한다. 이러한 사연으로 절 이름을 백양사(白羊寺)로 부르게 되었으며 스님 또한 법명(法名)을 환양(喚羊)이라고 부르게 되었다고 한다. 영천암은 지금의 백양사 산내 암자인 약사암(藥師庵)을 말하며 거기에 영천굴(靈泉窟)이 있다.

또 다른 일설에는 환양 스님이 날마다 법화경을 독경할 때 산중에 서식하고 있던 백양들이 스님 앞에서 엎드려 독경 소리를 들었으므로 이때부터 절 이름을 백양사라고 하고 스님의 법명을 환양(喚羊)이라고 부르게 되었다고 전하기도 한다.

조주(趙州) 선사의 발우는 씻었느냐?

전남 담양 용흥사

직지심경(直指心經)에 보면 조주종심(趙州從諗, 778~897) 선사에게 어떤 선객이 찾아와서 여쭈었다. 저는 이제 총림에 들어왔습니다. 큰스님의 지도를 부탁드립니다. 그래 죽은 먹었는가? 예, 죽은 먹었습니다. 그럼 발우나 씻어라. 이 말에 선객은 크게 깨달음을 얻었다. 선객(禪客)은 어떻게 하면 견성하여 성불할 수 있을까 하고 당대의 선지식인 조주 스님에게 여쭈었더니 조주 선사는 간단한 일상사로 선객의 안목을 열어 주었다.

수행이라는 것이 뭐 특별한 것이 있는 게 아니라 우리들의 일상사가 곧 진리이며, 불법이며, 도(道)이며, 수행이라는 가르침이다. 부처님의 가르침이 이와 같은데 이를 착각하면 명산대찰을 찾거나 외물(外物)에 집착하여 기웃거리게 되는 것이다. 그러므로 불법은 생활 속에 있는 것이다.

다시 다른 가르침을 살펴보자. 하루는 조주 선사가 어떤 학인에게 묻기를 전에 여기에 온 일이 있느냐? 아니요. 저는 처음입니다. 그럼 차나 한잔 마셔라. 조주 스님이 또 다른 학인에게 묻기를 여기에 온 일이 있었느냐? 예. 저는 이미 온 적이 있었습니다. 그럼 차나 한잔 마셔라. 이를 지켜보던 원주(院主) 스님이 조주 스님에게 여쭙기를 처음 온 학인이나 한번 다녀간 학인에게도 차나 한잔 마시고 가라고 하셨는데 이는 무슨 뜻입니까? 그러자 조주 스님이 다소 큰소리로 원주 스님! 예. 그대도 차나 한잔 마셔라.

이는 조주끽다거(趙州喫茶去)라고 하여 선문의 중요한 공안 가운데 하나다. 그리고 여기서 거(去)라는 표현은 가다의 뜻이 아니고 그냥 명령을 조금 강조한 조사(措辭)일뿐 별다른 뜻이 없다. 더러 한역(漢譯)할 때 오류를 범하기 쉬운 부분이다. 조주 선사는 차를 대접함에도 한번 보았든 안 보았든, 그리고 사중(寺中)의 소임을 맡은 원주(院主)이든 차별하지 아니하고 모두 평등하게 대하고 있다. 그러므로 불문으로 들어오는 데 있어서 특별한 문이 따로 있는 것이 아니다. 선이라는 것은 어렵게 생각하면 한없이 어려워져서 종잡을 수가 없다. 그저 차나 한잔 마시듯이 평범한 일상에서 진리를 찾으라는 가르침이 숨어 있는 것이다.

이러한 선문답은 대혜보각선사어록(大慧普覺禪師語錄), 선종송고연주통집(禪宗頌古聯珠通集), 무문관(無門關), 전등록(傳燈錄) 등에도 서술되어 있다.

조주(趙州) 선사의 끽다거(喫茶去)

제주 제주시 월영사

중국 당나라 시대의 선승이었던 조주종심(趙州從諗, 778~897) 선사는 끽다거(喫茶去)라는 유명한 화두를 남긴 장본인이다. 여기서 끽(喫)은 '마시다'라는 뜻이며, 다(茶)는 두말할 나위도 없이 '차(茶)'를 말한다.

송나라 때 혜명(慧明) 스님 등이 편찬한 오등회원(五燈會元) 조주종심장(趙州從諗章)에 보면 조주 선사가 처음 찾아온 이에게 묻기를 이곳에 와본 적이 있느냐고 물었다. 그러자 선객은 와본 적이 없다고 하자 조주 선사가 이르기를 그럼 차나 한잔 마시라고 하였다.

그리고 참방(參訪)한 적이 있는 선객에게도 이곳에 와본 일이 있냐고 묻고 선객이 와본 적이 있다고 하자 선사가 이르기를 그럼 차나 한잔하게나라고 말하였다. 이를 물끄러미 지켜보던 원주(院主) 소임을 맡아보던 스님이 물었다. 스님은 어째서 와본 적이 있는 선객에게도 차를 한잔 마시라고 하고, 와본 적이 없는 선객에게도 차를 한잔 마시라고 하시면서 똑같이 응대하십니까? 그러자 조주 선사가 원주 스님 하고 부르자 원주가 얼떨결에 예 하고 대답하자, 자네도 차나 한잔 마시게나라고 하였다. 여기에서 나온 화두가 바로 끽다거(喫茶去)다.

이 화두는 각자의 근기에 응하여 중생을 제접(提接)하여 깨달음을 지시하는 선종의 교화법이다. 다시 말해 차를 마시는 일과 같은 다반사적인 일상의 정황(情況) 속에서도 본심이 작용하고 있음을 일깨워주려는 조주 스님의 속 깊은 의도가 숨어 있는 것이다.

이러한 방편을 응기접물(應機接物)이라고 한다. 또한 이를 다르게 표현하여 수기설법(隨機說法), 수기산설(隨機散說), 대기설법(對機說法)이라고도 한다. 이는 듣는 사람의 이해 능력에 따라서 진리를 해설하는 일을 말한다. 또한 이를 응병여약(應病與藥)이라고 하여 환자의 병에 따라 그에 적합한 약을 주는 것에 비유하기도 한다.

부처님의 교설(敎說)은 때에 따라서 서로 모순되는 점이 있는데 그것은 중생의 근기에 따라 그에 상응하는 적절한 내용(처방)으로 말씀하셨기 때문이다. 그러기에 대승불교에서는 부처님의 교설을 방편으로 보아 여러 가지로 분류하여 구분하는데 이를 교판(敎判) 또는 교상판석(敎相判釋)이라고 하는 것이다.

끽다끽반(喫茶喫飯)이라는 말이 있다. 이는 차를 마시고 밥을 먹는 것을 말한다. 이는 평상심(平常心)이 곧 도라는 것을 가리키는 말로 일상의 모든 일이 곧 도(道)라는 것을 의미하는 말이다. 그러므로 평상시(平常時)의 모든 일거수일투족(一擧手一投足)이 곧 불법의 진리를 구현하는 것이라는 뜻이다.

경청(鏡淸) 선사의 줄탁동시(啐啄同時)

전남 담양 용흥사

벽암록(碧巖錄) 제16칙에 보면 다음과 같은 내용이 있다.

경청도부(鏡清道怤) 선사에게 학인이 찾아와 저는 이미 불법의 대의를 체득하여 곧 대오(大悟)의 경지에 다다른 입장이라고 자만하며 말하였다. 저는 이미 껍질을 깨트리고 부화하려는 병아리와 같으니 부디 선사께서는 달걀 껍데기를 쪼아서 깨트려 주시기를 청합니다. 그러나 경청 선사의 눈에 그는 아직 분별심에 떨어져서 풀밭에서 헤매고 있는 안목이 형편없는 학인에 불과하였다. 경청 선사가 말하였다. 음, 그래서 과연 살 수가 있겠는가 없겠는가? 학인이 말하기를 만약 살아나지 못한다면 많은 사람에게 비웃음거리가 될 것입니다. 경청 화상이 대꾸하며 꾸짖기를 '이런 멍청한 밥도둑 놈'이라고 하였다.

그렇다면 경청 선사는 왜 학인을 멍청한 밥도둑 놈이라고 꾸짖었을까? 부화하려는 병아리는 달걀 껍데기를 깨트려 나오기 위하여 스스로 달걀 껍데기를 쪼아대는 법이다. 그러할진대 어찌 어미가 먼저 껍질을 쪼아 줄 것인가? 부화는 누가 알아서 함께 쪼아서 태어나기를 바라는 것이 아니다. 저 스스로 톡톡 쪼아서 자신을 둘러싼 껍데기를 깨트리고 나와야 하거늘, 학인은 아직도 껍질 속에 갇힌 신세를 면치 못하고 있다.

경청 선사의 제자 가르침은 참으로 멋지다. 스승이 제자를 가르치려면 적어도 이 정도는 되어야 한다. 그러므로 공안은 알음알이로는 절대 풀어나갈 수 없는 것이다. 참고로 이와 같은 일화는 경덕전등록(景德傳燈錄)에도 실려 있다.

위의 내용을 경청줄탁기(鏡清啐啄機) 또는 경청초리한(鏡清草裏漢)이라고도 하며, 이는 깨치기 위해서는 수행자와 스승이 하나로 계합해야 된다는 말이다. 경청 선사가 선의 개오(開悟)에 대하여 마치 달걀이 부화(孵化)가 되는 모양에 비유하면서 문답을 나눈 것에서 나온 말이다. 병아리가 안에서 껍질을 쪼는 것을 줄(啐),

어미 닭이 밖에서 껍질을 쪼아 깨주는 것을 탁(啄)이라고 한다. 이는 동시에 호응하는 것을 말한다. 또한 초리한(草裏漢)이라고 하는 것은 번뇌의 풀숲에서 벗어나지를 못했다는 말이다. 그러므로 선의 본분과 거리가 멀다는 표현이다. 이는 경청 선사가 어떤 납자에게 한 말이다.

경청도부(鏡清道怤, 864~937) 스님의 속성은 진(陳)씨며 중국 저장성 영가현(永嘉縣) 출신으로 어려서 출가하였다. 그 후 민천(閩川)으로 가서 설봉의존(雪峰義存) 스님의 법을 이어받았다. 훗날 절강성 월주(越州)의 경청사(鏡清寺)에 머물면서 설봉 선사의 종풍을 선양하며 많은 선객을 지도하였다.

동산(洞山) 선사와 스승의 진영(眞影)

전남 담양 용흥사

종용록(從容錄) 제49칙과 선문염송(禪門拈頌) 681칙에 보면 같은 줄거리의 선문답이 있다. 여기서는 선문염송으로 그 문답의 대략을 살펴보고자 한다.

어느 날 동산양개(洞山良介) 스님이 운암담성(雲嵒曇晟) 선사에게 물었다. 스님께서 백년 뒤에 갑자기 누가 묻기를 스님의 진영을 그릴 수 있겠습니까? 한다면 무어라고 답을 하겠습니까?

이에 운암 스님이 묵묵히 있다가 이르기를, 그저 이것뿐이니라. 이에 동산 스님이 우두커니 생각에 잠기니 운암 스님이 되짚어 말하였다. 이 일을 알아들으려면 반드시 자세하게 살펴야 하느니라. 그래도 동산 스님이 아직 의심에 잠기어 깨어나지 못하였다.

그러던 어느 날 물을 건너다가 그림자를 보고 크게 깨달음을 얻으면서 다음과 같이 송하였다.

切忌從佗覓 迢迢與我疏 我今獨自往 處處得逢渠
절기종타멱 초초여아소 아금독자왕 처처득봉거

절대로 다른 곳을 쫓아다니며 찾지 말지니
그러하다면 나의 진면목(眞面目)하고는 거리만 멀어질 뿐이니
나 이제 누구에게도 얽매이지 아니하고 홀로 가지만
곳곳에서 그와 늘 마주치네.

渠今正是我 我今不是渠 應須恁麼會 方得契如如
거금정시아 아금불시거 응수임마회 방득결여여

그가 지금 바로 나 자신이요,
나는 이제 다시는 그가 아니로다.
응당 이렇게 바로 깨달아야
비로소 진여(眞如)하게 하나 되리라.

이렇듯 동산 스님과 운암 스님이 주고받은 문답을 동산공진(洞山供眞) 또는 동산사진(洞山師眞), 동산견영(洞山見影)으로 표현하고 있다. 이와 엇비슷한 선문답은 남양혜충(南陽慧忠) 선사와 남전보원(南泉普願) 선사 둘이서 마조도일(馬祖道一) 선사의 진영을 보고 문답한 남전마사(南泉馬師)의 공안이 있다.

동산양개(洞山良介, 807~869) 선사는 당나라의 선승이자 조동종(曹洞宗)의 개조이기도 하다. 스님은 출가하여 반야심경을 봉송하다가 무안이비설신의(無眼耳鼻舌身意) 대목에 이르러 자기 손으로 얼굴을 만지면서 내게는 분명 눈, 귀, 코, 혀가 있는데 왜 부처님 말씀에는 없다고 하시는 걸까? 하고 의심을 내었다. 그러자 스승은 그가 법기임을 알아차리고 영묵 선사에게 보냈다. 이후 스님은 운암담성(雲巖曇晟) 스님의 법을 이었다.

야운(野雲) 스님의 삼일수심(三日修心)

전남 순천 송광사

삼일수심천재보(三日修心千載寶)라는 말은 3일 동안 닦은 마음은 1천년의 보배가 된다는 경책(警責)이다. 여기서 3일은 짧은 시간을 말한다. 우리가 백년을 산다고 가정하면 3일은 극히 짧은 시간이니 이 촌음이라도 가벼이 여기지 말고 수행하라는 가르침이다. 그러나 대부분 사람들이 3일이라는 시간을 대수롭지 않게 여긴다. 하지만 생각해 보면 3일 동안 앉아서 염불이든, 참선이든, 그리고 주력이나 간경을 한 사람이 과연 몇이나 될까. 그것을 헤아려본다면 극히 적은 숫자라는 사실에 스스로 크게 놀랄 것이다. 그러기에 위의 글은 권문(勸文)이라기보다는 경문(警文)에 가까운 글이다.

여기서 재(載)라는 글자를 잘 살펴서 번역하여야 한다. 재(載)가 보통명사로 쓰였을 경우는 싣다, 쌓다, 쌓아두다, 적재하다, 충만하다 등등으로 풀이된다. 그리고 동사로 쓰일 경우는 시작하다, 기록하다 등의 뜻으로 사용된다. 그러나 명사로 쓸 경우는 년(年)이라는 뜻이 된다. 그러므로 여기서 천재(千載)는 천세(千歲) 또는 천년(千年)이라는 뜻으로 쓰인 것이다.

이어지는 문장은 백년탐물일조진(百年貪物一朝塵)이다. 백년 동안 재물을 탐한다고 하더라도 이를 다 지키지 못하고 하루아침에 알거지가 된다는 가르침이다. 이는 나옹(懶翁) 스님의 제자이며 고려 충렬왕 시대의 야운각우(野雲覺牛) 스님이 저술한 자경문(自警文)에 나오는 가르침이다. 여기서 자경(自警)이라고 하는 것은 '스스로 자신을 경계하라'는 표현이다. 자경문에 보면 다음과 같은 가르침이 있다.

來無一物來 去亦空手去 自財無戀志 他物有何心
내무일물래 거역공수거 자재무연지 타물유하심

이 세상을 옴에 한 물건도 없이 왔으며
갈 때도 또한 빈손으로 가느니라.

자기의 재물에도 탐심이 없어야 하거늘
남의 재물에 무슨 마음이 있으리오.

萬般將不去 唯有業隨身 三日修心千載寶 百年貪物一朝塵
만반장불거 유유업수신 삼일수심천재보 백년탐물일조진

비록 만 가지가 있다고 하더라도 가져가지 못하고
오직 지은 업만 가져가나니
사흘 동안 닦은 마음은 천년의 보배요,
백년 동안 탐착한 재물은 하루아침에 풍진(風塵)이라.

물질의 노예가 되면 스스로 자신을 구속하게 되고 사람이 눈에 안 들어오는 법이다. 러시아의 대문호(大文豪) 톨스토이(Leo Tolstoy)도 말하기를 부(富)라는 것은 마치 거름과 같아서 그것이 모이고 모이면 악취를 내며, 이를 땅에 흩으면 비옥하게 된다고 하였다.

보조지눌 스님의 정혜결사(定慧結社)

전남 순천 송광사

고려 시대 보조지눌(普照知訥, 1158~1210) 스님은 수행자가 수행을 등한시하고 너무나 세속화되고 믿음이 날로 미신화되는 것을 크게 염려하고 있었다. 불교는 원래 호국 불교(護國佛敎)라는 말도 없다. 특히 불교는 자칫 잘못하면 우상숭배에 자신도 모르게 빠지는 경우가 허다하다.

지눌 스님은 이러한 병폐를 철폐하고자 정법 불교 운동을 펼친 것이 곧 정혜결사(定慧結社)이며, 이를 실천하기 위하여 지은 문장이 정혜결사문(定慧結社文)이다. 정혜결사문은 가식(假飾)의 불교를 모두 걷어내고 부처님의 가르침으로 복귀하여 사문의 원래 출가 목적인 성불을 목표로 함은 물론이고, 전법하여 많은 중생을 제도하기 위한 슬로건으로 참다운 수행을 강조하였던 것이다. 호국 불교라는 교리적 가르침도 없거니와 이는 관권(官權) 불교로 가는 지름길이기도 하다. 우상(偶像) 불교가 성행하면 법당에 염불 소리는 없고 맨날 기와집 짓고 불상 조성하다가 세월을 허비하기 십상이다. 미신(迷信) 불교가 성행하면 허구한 날 점치다가 볼일 다 본다.

정혜(定慧)라는 표현에서 정(定)은 선정(禪定)을 말하며, 혜(慧)는 지혜를 말한다. 결사(結社)는 여러 사람이 공동의 목적을 이루기 위하여 단체를 만드는 것을 말한다. 정혜결사는 정(定)과 혜(慧)를 부지런히 수행하는 근수(勤修)를 하는 결사(結社)인 것이다.

정혜결사문은 고려 명종(明宗) 20년인 1190년 영천 팔공산 거조사에서 지었다. 그 후 고려 신종(神宗) 3년인 1200년에는 결사의 근본 도량을 순천 송광사로 옮겨서 정혜사(定惠寺)라는 이름에서 수선사(修禪寺)로 변경하고 이를 판각(板刻)하여 반포한 것이 권수정혜결사문(勸修定慧結社文)이다. 이를 줄여서 흔히 정혜결사문이라고 한다.

지눌 스님의 정혜결사운동은 불교 개혁 운동으로 지금도 아주 높이 평가받고 있다. 당시로써는 정혜결사문이 어찌 보면 시국선언문(時局宣言文)의 성격을 띠

었음으로 보아도 무방할 정도다.

정혜결사문의 주된 내용은 마음이 곧 부처라는 심즉시불(心卽是佛), 단박에 깨닫고 난 다음이라도 꾸준히 그 마음을 닦아야 한다는 돈오점수(頓悟漸修), 마음이 곧 부처라는 것을 깨닫기 위해서는 선정과 지혜를 함께 수행해야 한다는 정혜쌍수(定慧雙修), 참된 불교는 이타행을 실천해야 한다는 이타행(利他行), 교종(教宗)과 선종(禪宗)은 대립 관계가 아닌 서로 화합하여 소통한다는 원융회통(圓融會通), 각자의 근기대로 수행을 하다 보면 부처님의 가르침에 도달할 수 있다는 수기설법(隨機說法) 등으로 요약되고 있다.

해인사 백련암 백련(白蓮) 선사와 호랑이

경남 양산 주진동 불광사

경남 합천군 가야산 해인사 산내 암자에서 가장 높은 위치에 자리잡은 백련암(白蓮庵)은 근세에 고승인 퇴옹성철(退翁性徹, 1912~1993) 스님이 주석하셨던 곳으로 유명하다. 백련암에서 전해져 내려오는 백련 선사와 호랑이 일화는 해인사 환적(幻寂)대사 일화와 대동소이하다.

백련 스님이 가야산 깊은 골짜기에 암자를 짓고 백련암이라 이름하며 수행하던 어느 날이었다. 스님이 해인사에 내려갔다가 암자로 올라오는 길에 어디선가 호랑이 한 마리가 나타나 떡하니 길을 가로막고서는 스님을 보고 자기 등에 업히라는 시늉을 하였다. 스님이 호랑이 등에 올라타자 순식간에 암자에 내려놓고 사라져 버렸다.

그리고 그 이튿날 호랑이는 암자에 다시 나타나 머리를 조아리고 물러가지를 아니하였다. 스님은 동자를 시켜서 먹을 것을 주었는데 먹지를 아니하고 무언가를 애원하는 눈치였다. 이러기를 며칠이나 계속되자 스님은 호랑이가 함께 백련암에 살 것을 허락하였다. 그러자 호랑이는 기뻐서 어찌할 줄 몰라했고, 그렇게 암자에서 같이 살았다. 스님께서 산 아래에 내려가서 무거운 짐을 지고 올라오면 뒤에서 밀어주기도 하고, 땔감을 구하면 땔감을 스스로 물고 오곤 하였다.

어느 날 스님이 산 아래에 볼일을 보러 간 사이 저녁밥을 짓던 동자가 손을 다쳐서 피가 나자 이를 호랑이에게 핥아먹으라고 하였다. 처음에는 한사코 거절하더니 몇 번이고 청하자 피를 핥아먹었다. 그러자 그만 본성이 발동하여 동자를 잡아먹어 버렸다.

늦게 돌아온 스님이 이 일을 눈치채고서 노발대발하여 도끼로 호랑이 한쪽 발을 잘라버렸다. 그러자 호랑이는 슬피 울면서 백련암 근처에서 종적을 감추었다고 한다.

나청호(羅晴湖) 스님의 을축년 수해 구제

서울 강남구 봉은사

나청호(羅晴湖) 스님은 조선 고종 12년인 1875년에 경기도 고양(高陽) 땅 뚝섬에서 태어나셨다. 스님의 아버지와 어머니는 늦도록 대를 이을 아들을 낳지 못하자 경기도 연천군 보개산 심원사 석대암(石臺庵)에서 지장 기도를 무려 18년 동안을 한 뒤 현몽을 얻어 스님을 잉태하였다고 한다.

스님은 어려서부터 신동이라는 말을 들었다. 12세가 되던 어느 날 관상쟁이가 스님을 보더니만 이 아이는 출가하면 세상을 이롭게 할 것이지만 그러하지 아니하면 단명할 것이라고 하였다. 이 말을 들은 아버지는 1886년 열두 살짜리 아들을 강원도 양양군 오대산 명주사(明珠寺)로 출가시켰고, 스님은 월운해천(月運海天) 스님을 은사로 하여 축발을 하였다. 스님의 법명은 학밀(學密)이며 법호는 청호(晴湖)이다.

스님은 1912년 가을에 수도산 봉은사(奉恩寺) 주지로 주석하게 되었다. 당시 봉은사는 지금과는 판이해서 사찰 인근에 있던 황무지를 개간하여 일하면서 수행하는 자립 사찰로 실천적 불교를 지향하였다. 또한 사세를 넓혀 전답과 임야를 합쳐서 20여 만 평을 확보하였으나 세월이 흘러 1955년 불교 분규 와중에 지각(知覺) 없는 몇몇 불자들에 의하여 삼보정재(三寶淨財)가 탕진되고 말았다.

특히 1925(을축)년 5월에 3일 동안 큰비가 내려 한강이 범람하고, 잠실이 물에 잠기고, 지금의 송파구와 강남구 일대가 물바다가 되었다. 청호 스님은 말사와 더불어 인근의 80여 사찰의 800여 명의 승려를 동원하여 708명을 구제하였다. 이로써 스님은 활불(活佛)이라는 칭호를 듣게 되었다. 을축년 홍수 당시에 사망과 더불어 실종된 인원이 790여 명, 가옥 유실 10만 3천 391채에 달했다. 당시 잠실마을 196명, 부리도 200명, 신천리 4명, 둔지리 8명 등 목숨이 경각에 다다랐을 때 스님은 이들 모두를 구제하였다.

당시의 참상은 말로 형용하기가 어려울 정도였다. 포교지 불교 제26호에 실린 내용을 간추려 보면 봉은사 대안(對岸)에 있는 잠실, 부리, 신천의 세 마을은 홍수의 소용돌이에 포위되어 건물은 붕괴하고 거기에 있던 사람들은 다투어 나무 위로 올라갔다. 사나운 물결은 나무뿌리까지도 쓸고 내려가 나무는 금세 거꾸러지게 되었으니, 살려 달라고 통곡하는 소리와 구제를 바라는 울부짖음과 거센 물결만 천지를 진동하였다. 이러니 눈이 있는 자는 누군들 눈물을 흘리지 아니하리오, 귀 있는 자는 들리는 비명을 모두 들음이라. 그러나 저 물결을 건너가 인명을 구제할 생각은 아무도 엄두를 내지 못하였다. 마치 강 건너 불구경하듯이 팔짱을 끼고 바라볼 뿐이었다. 그러나 청호 선사는 저들을 구제하지 못한다면 불법의 본의(本意)가 자비라고 어찌 말할 수 있을 것인가? 하면서 절에 가서 대중을 독려하여 강가에 이르러 뱃사공을 불러서 혹은 의(義)로써 권하고 혹은 이(利)로써 유도하고, 혹은 눈물로써 슬피 호소하고, 혹은 성난 표정을 지으며 힐난(詰難)하면서 수많은 인명을 구제하는 데 앞장섰다.

이러한 스님의 큰 공덕을 기리기 위해 1929년에 주지 나청호대선사 수해구제공덕비(住持羅晴湖大禪師水害救濟功德碑)라는 이름으로 공덕비를 봉은사에 세웠으며, 다시 후일에 불괴비첩(不壞碑帖)이라는 책으로 발간되었다.

보조국사(普照國師)와 숯 굽는 노인

강원 춘천 삼운사

우리나라 승보종찰(僧寶宗刹)인 전남 순천 송광사(松廣寺)는 16국사(國師)를 배출하였는데, 그중 제일 첫 번째 국사는 불일보조국사(佛日普照國師)로 널리 알려진 보조지눌(普照知訥) 스님이다. 지눌 스님이 운수납자로 행각을 하던 어느 날, 날이 저물어 유숙(留宿)할 곳을 찾던 중 어느 산모퉁이에서 숯 굽는 움막이 있는 것을 보고 그곳에서 하룻밤 묵기를 청하였다. 움막 앞에서 주인장을 부르자 등이 구부정한 숯 굽는 노인이 응답하며 나왔다. 하룻밤 묵어가기를 청하자 누추한 곳임에도 스님께서 머무신다고 하니 흔쾌히 응하였다. 이윽고 노인은 객승에게 숯불에 감자를 구워 대접하고는 갈(葛)자리가 깔린 방을 한 칸 내주었다.

스님은 노인에게 물었다. 노장은 이곳에서 무엇을 하고 사십니까? 노인은 미천한 몸인지라 숯을 구워서 생계를 이어간다고 하면서 지금이야 비록 이렇게 살지만, 내생에는 만승천자(萬乘天子)가 되고 싶다고 하며 어찌하면 소원이 이루어지겠는가를 되물었다. 그러자 스님은 선업을 기쁘게 행하라 하고, 참선하는 방법을 일러주면서 하룻밤을 지낸 뒤 헤어졌다.

그리고 30여 년이 지난 뒤 스님은 길상사(吉祥寺)에 주석하게 되었으니 지금의 송광사(松廣寺)다. 이 당시 송광사는 퇴락하여 당우는 무너지고 외도들이 점령하고 있어서 스님에게 절을 순순히 내어주지 않고 오히려 절 앞의 냇가에서 고기를 잡아 매운탕을 끓여 스님에게 공양하기를 권하였다. 스님은 안색의 변함도 없이 매운탕 한 그릇을 다 먹고 나서 냇가에 가 다시 토하니 고기가 모두 살아서 돌아갔다. 그때부터 그 고기 이름을 중택이 또는 중피리라고 부르게 되었다고 한다.

그러던 어느 날 중국 천태산(天台山)에서 십육 나한이 금(金)나라 천자의 공양을 청하는 초청장을 가지고 스님을 친히 모시러 왔다. 스님은 거기가 멀 뿐만 아니라 승려가 왕가에서 공양하는 것은 불가하다고 하여 이를 거절하였다.

그러자 나한이 스님께서는 잠시 선정에 드시면 저희가 모시고 갈 것이라고 하며 간곡하게 청하니, 스님은 잠시 선정에 들었고 순식간에 중국 천태산 나한전에 도착하게 되었다.

잠시 후 대신들이 나타나 스님께 아뢰기를 천자가 우연히 등창이 났는데 백약이 무효하여 이 절에서 나한에게 100일 기도를 올렸더니 나한들이 신통력으로 스님을 모시고 왔노라고 하였다. 그때 스님은 과거사의 일이 불현듯 떠올랐다. 천자가 예전에 스님이 운수 행각을 할 당시 산중에서 하룻밤 유숙할 때 만난 만승천자의 원을 세웠던 숯 굽는 노인임을 직감하였다.

이에 스님은 천자의 환부를 어루만지면서 말씀하셨다. 내가 하룻밤을 잘 쉬어가기만 했지, 그대가 등 아픈 것을 몰랐구려. 그러니 이렇게 고생해서 되겠는가. 어서 쾌차하여 일어나셔야죠. 그러자 천자의 등창은 언제 아팠느냐는 듯이 쾌차하였다.

이에 천자는 스님께서 베푸신 전생의 인연법을 신기하게 생각하고 스님을 스승으로 모셨다. 그리고 스님에게 보은하고자 금란가사와 진귀한 물건을 공양 올리며 세자에게 시봉을 하게 하였다.

스님은 다시 송광사로 돌아와 송광사 인근에 천자암(天子庵)이라는 절을 지었다. 그리고 금나라에서 데려온 세자를 이곳에 머무르게 하면서 수행에 전념토록 하였으니 그가 바로 담당(湛堂) 국사라고 전한다. 지금도 천자암에는 보조국사와 세자가 짚고 온 향나무가 뿌리를 내려 두 그루가 있으니 천연기념물 제88호다.

혜소국사(慧炤國師)와 일곱 명의 도적

경기 안성 칠장사

고려 시대 혜소국사(慧炤國師)는 유가종(瑜伽宗)의 고승이며, 법호는 정현(鼎賢)이고, 혜소(慧炤)는 스님의 시호(諡號)다. 스님은 고려 광종 23년인 972년에 태어나셨으며 어려서 광교사(光教寺)에서 충회(忠會) 스님을 은사로 하여 출가하였다. 그 후 칠장사(七長寺)에서 융철(融哲) 스님에게 유가의 교지를 배웠으며 영통사

(靈通寺)에서 구족계를 받았다. 고려 성종 15년인 996년에 미륵사의 오교대선(五敎大選)에 급제한 뒤 다시 칠장사에 주석하셨다.

스님은 목종(穆宗) 2년인 999년에 대사(大師)가 되었으며, 헌종 때는 수좌에 올랐다. 그 후 덕종(德宗)이 즉위하자 왕명으로 법천사(法泉寺)에 주석하시다가 승통(僧統)으로 임명되어 현화사(玄化寺)에 주석할 당시에 왕이 가사(袈裟)를 하사하였다. 1046년 문종(文宗)이 즉위하자 내전(內殿)에서 금고경(金鼓經)을 설하였으며, 문종 2년인 1048년에 나라 전체에 극심한 가뭄이 들자 문덕전(文德殿)에서 금광명경(金光明經)을 설하였더니 영험스럽게도 많은 비가 내렸다고 전한다.

이러한 인연으로 1049년 문종의 왕사(王師)가 되었으며, 1054년에는 국사(國師)로 추증되었다. 그리고 다시 칠장사로 돌아와 많은 제자를 가르치다가 11월에 제자들에게 임종게를 남기고 앉아서 입적하셨다.

칠장사에 있는 칠장사 사적비에는 일곱 명의 도둑에 대한 또 다른 기록이 있다. 어느 날 그릇을 팔아서 생계를 유지하는 천민 일곱 명이 칠장사에 들렀다가 우물가에서 금으로 만든 표주박을 발견하고는 몰래 훔쳐서 달아났다. 그런데 그 다음날 보니 금으로 만든 표주박이 보이지 않았다. 그러자 도둑들은 궁금증을 참지 못해 표주박을 훔친 우물가로 갔더니 금으로 만든 표주박은 거기에 있었다.

그러자 표주박을 다시 훔쳐서 가져왔는데 다음 날 또 사라지고 없었다. 그들은 다시 우물가로 가보니 금 표주박이 거기에 있었다. 그제야 그들은 부처님의 뜻임을 알고 크게 참회하고 출가하여 일곱 명 모두 스님이 되었다는 이야기다. 그래서 칠장사 뒷산의 이름이 칠현산(七賢山)이다.

또 다른 설화에는 도적 일곱 명이 칠장사를 털려고 침입했다가 혜소 스님의 법문을 듣고 감화하여 출가해 스님이 되었다고 하기도 한다. 또한 칠장사 나한전에 일곱 분의 나한이 그들이라고 여기는 이도 있다.

또한 칠장사에는 보물 제488호인 혜소국사비(慧炤國師碑)가 있다. 여기에도 전하는 설화가 있다. 임진왜란 때 왜장 가토오 기요마사[加藤淸正]가 이 절에 와서 행패를 부리자 어디선가 한 노승이 나타나 크게 꾸짖었다. 화가 난 가토오가 칼을 빼들어 노승을 베었으나 노승은 홀연히 사라지고 갈라진 비석에서 피가 흘러나왔다. 이에 가토오 기요마사는 질겁해서 도망쳤다는 설화도 전해져 내려오고 있다.

궁예(弓裔)와 칠장사(七長寺)

경기 안성 칠장사

궁예(弓裔, 869?~918)는 성은 김(金)씨며 아버지는 신라 제47대 왕인 헌안왕(憲安王)이며 어머니는 헌안왕의 빈(嬪)이었으나 그 이름은 전하는 바가 없다. 또 다른 일설에는 신라 48대 왕인 경문왕(景文王)의 아들이라고도 한다. 궁예는 아버지가 왕이지만 궁궐에서 태어나지 아니하고 5월 5일 외가에서 태어났다고 한다. 그때 지붕에서 흰빛이 긴 무지개처럼 위로 하늘에 닿아 있었다고 한다. 이러한 이적(異蹟)이 일어나자 일관(日官)이 왕에게 이 아이는 오(午)자가 거듭 들어 있는 날[重午日]에 태어났으며, 또한 나면서부터 이(齒)가 있으며, 또한 광선과 흰빛이 이상하였으니 이는 장래 나라에 크게 해가 될 것이라고 고하였다.

그러므로 아기를 그대로 내버려 두면 국가에 크게 해로울 것이라 여겨 왕은 아기를 죽일 것을 명하였다. 왕명을 받든 사자가 강보에 싸인 아기를 빼앗아 누마루 밑으로 던졌는데 이때 유모가 아기를 받으면서 손가락이 아기의 눈을 찔러 그때부터 애꾸가 되었다고 하며 그 뒤부터는 유모의 손에서 키워졌다.

그 뒤 강원도 영월 세달사(世達寺)에서 출가해 선종(善宗)이라는 법명을 갖게 되었다. 당시 신라의 국력은 극도로 쇠약해져서 국운이 풍전등화와 같았다. 그러자 궁예는 초적(草賊)의 우두머리인 기훤(箕萱)에게 잠시 의지하였는데, 푸대접을 받다가 892년 원회(元會), 신훤(申萱) 등과 함께 원주에 있었던 양길(梁吉)의 부하로 들어가게 되었다. 이후 군사를 이끌고 강원도 전역과 경상도, 경기도 일대를 손에 넣으면서 양길과는 결별하고 경기도 일대를 점령하면서 왕건(王建) 부자의 투항을 받아내었다.

효공왕(孝恭王) 5년인 901년에 스스로 왕(王)이라 칭하고 고구려의 계승자임을 자처하기도 하였다. 그리고 904년에는 국호는 마진(摩震)이라 하고 연호를 무태(武泰)라고 하였다. 905년에는 수도를 철원(鐵原)으로 정하고 이때부터 연호를 다시 성책(聖冊)이라고 고쳐 불렀다. 그 후에도 멸도(滅都)라고 부르다가 다시 수덕만세(水德萬歲)라 고쳐 부르고 국호를 태봉(泰封)이라고 하였다. 913년에는 연호를 다시 정개(政開)라고 하였다. 그러나 왕건(王建)과 대립하여 왕건을 추대한 신하들에 의하여 918년 왕위에서 축출되어 부양(斧壤, 지금의 평강(平康))에서 백성들에게 피살되었다고 한다.

궁예는 스스로 미륵불(彌勒佛)이라고 자처하며, 머리에는 금책(金幘)을 쓰고 방포(方袍)의 가사를 입었으며, 두 아들을 청광보살(青光菩薩), 신광보살(神光菩薩)이라고 불렀다. 항상 백마(白馬)를 타고 말머리와 꼬리는 비단으로 장식하고 다녔다고 한다.

궁예는 열 살까지 칠장사에서 지냈다고 한다. 궁예는 안성에서 태어난 모양이다. 칠장사에는 어린 궁예가 활쏘기를 연습했다는 활터가 있다. 그리고 칠장사 부근에는 궁예가 태어났다는 태자리, 궁예의 부인 강씨 성을 딴 지명이 있으니 '강씨골'이다.

중국 구화산 교각(喬覺) 스님

전남 보성 대원사

중국 안휘성(安徽省)에 있는 구화산(九華山)은 중국 불교 4대 성지 가운데 하나이다. 이 산은 봉우리가 아홉 개로 예전에는 구자산(九子山)이라고 불렀다. 당나라 시인 이백(李白)이 구자산의 명승에 반하여 시를 지어 노래하기를 묘유분이기 영산개구화(妙有分二氣 靈山開九華)라 하여, 묘(妙)함은 두 가지 기운으로 갈라지고 영산은 아홉 송이에 꽃을 피웠네라고 하였다. 이로써 구자산은 구화산으로 고쳐 부르게 되었다고 한다. 여기에는 우리나라의 교각(喬覺, 705~803) 스님의 일화가 전해지고 있다. 교각 스님은 신라 후기의 스님으로 왕자 신분이었다고 전하나 어느 왕족인지는 전혀 전하는 바가 없다. 다만 속성이 김(金)씨며 이름은 교각(喬覺)이고, 호(號)는 지장(地藏)이다. 전하는 바로 마음은 아주 인자하고 자비로웠지만, 얼굴은 못생겼으며, 7척 거구의 체구로 열 명의 장부를 대적하였고, 재주가 뛰어났으며, 일찍이 불교에 귀의하여 24세 때 중국에 들어가서 여러 산을 둘러보다가 구자산을 보고 흡족하여 여기에 머무르게 되었다.

이때 산청이라는 삽살개와 황립도(黃粒稻)라는 볍씨, 금지차(金地茶)라는 차 종자, 신라 송이라고 하는 잣 열매, 조 씨앗 등을 가져가서 구화산에 전했으며 스님은 대중들과 함께 황무지를 개간하여 벼와 차(茶) 등을 심었다.

구화산에서 교각 스님이 독충에 물리자 이를 극복하기 위하여 무념 삼매에 들었는데, 홀연히 구화산 산신이 부녀로 변화하여 예배하고 약을 발라 주었다고 한다. 또한 스님은 네 가지 대부경(四大部經)을 갖고 싶어서 하산하여 남릉(南陵) 지방에 이르니 어떤 신자가 이를 필사하여 보시하였다. 다시 구화산으로 들어와서 이 경을 석실(石室)에 봉안하고 관법을 닦으며 바위틈에 있는 백토를 쌀에 섞어 공양하였다. 이에 몸이 바짝 마르자 대중들은 고고중(枯槀衆)이라 불렀다고 한다.

스님의 고행 수도를 보고 사람들이 이를 경탄하여 절을 지어 주려고 땅주인 민양화(閔諒和)가 불사에 필요한 땅을 묻자 스님께서 가사를 던지니 구화산 전체를 덮어서 그 땅을 얻는다. 청양헌의 장자 제갈절(諸葛節)이 구화산을 유람 왔다가 스님의 수행 모습을 보고 크게 감동하여 절을 지어 주었으며 장공암(張公巖)이 화성사(化聖寺)라는 현판을 써서 걸어 주었으니 이때가 780년경이다.

또한 어느 날 호랑이가 동자를 물고 와 죽이려고 하자 스님은 동자를 구하여 제자로 삼았으나 동자는 속가의 정을 잊지 못하여 다시 돌아가니 시 한 수를 지었다. 이는 당시집(唐詩集)에 동자를 보내며[送童子下山]라는 제목으로 실려 있다.

空門寂寂汝思家 禮別雲房下九華 愛向竹欄騎竹馬 懶於金地聚金沙
공문적적여사가 예별운방하구화 애향죽란기죽마 나어금지취금사

적적한 절에서 집 생각이 일어나니
이별의 예를 갖추고 구화산을 떠나려 하네.
집으로 돌아가면 친구들과 어울려서 죽마를 타거나
나태하여 불법 배우는 것을 하지 않겠지.

添瓶澗底休撈月 烹茗甌中罷弄花 好去不須頻下淚 老僧相伴有煙霞
첨병간저휴로월 팽명구중파롱화 호거불수빈하루 노승상반유연하

물속에 병을 담가서 달을 건지려 하지 말고
차 우리며 꽃잎 넣는 것, 별 의미가 없는 줄 알아라.
집에 간다고 좋은 날 눈물 흘리지 말아라.
노승은 안개와 구름을 도반으로 삼아 지낼 것이니라.

또한 스님은 구화산 동굴에서 오로지 수행에만 전념하였다. 산신이 스님을 시험하고자 아리따운 여인을 보내 유혹하였으나 흔들림이 없었다. 이에 산신이 감

동하여 바위에 구멍을 뚫어 샘물이 나오게 하였으며, 또한 스님은 구화산 천대봉(天台峰)에 올라서 49일간 오로지 정토삼부경을 독송하였다고 한다. 이때 스님의 두 발자국이 남아 있어서 고배경대(古拜經臺)라고 불렀다.

당시 스님을 지장보살 화신(化身)이라고 여겨서 신라에서도 찾아오는 이가 많았다고 한다. 소우와 소보라는 교각 스님의 숙부들과 모친이 바다를 건너 찾아와서 설법을 들었다고도 한다. 803년 여름에 대중을 불러놓고 유촉을 한 후 행적이 묘연하더니 산이 울고 돌이 떨어지면서 열반종을 울렸다고 한다. 그러자 가부좌를 튼 채로 7월 30일에 세수 99세 법랍 75세로 입적하였다. 이에 사람들이 가부좌한 그대로 석함(石函)에 안치하였다가 3년이 지난 다음 석함의 뚜껑을 열어보니 생시와 똑같았다고 한다. 그러자 재가 신도들이 교각 스님을 지장보살 화신이라 여겨서 육신에 금분을 입히고 3층 석탑에 받들어 봉안하였으니 지금의 육신보전(肉身寶殿)이며 이로부터 구화산은 지장 도량이 되었다.

교각 스님의 생몰에 대해 다른 기록에는 696~794년으로 보는 견해도 있다. 스님이 입적하자 대중들이 화성사 종을 아무리 쳐도 소리가 나지 않았다고 전하는 등 여러 가지 설화가 전해져 내려오고 있다.

삼국유사 연회(緣會) 스님의 시들지 않는 연꽃

강원 춘천 삼운사

삼국유사 피은편(避隱編)에 보면 신라 원성왕(元聖王) 때 연회(緣會) 스님은 울산 영축산(靈鷲山) 영축사(靈鷲寺) 용장전(龍藏殿)에서 은거하며 법화경을 읽고 이 경의 결경(結經)이라고 할 수 있는 관보현보살행법경(觀普賢菩薩行法經)에 의지하여 보현보살을 본존으로 삼고 법화삼매에 드는 관행법(觀行法)을 닦았다. 뜰의 연못에는 늘 연꽃 두세 송이가 있었으나 사철 시들지 않았다.

원성왕이 스님의 상서로움과 기이한 일이 있음을 알고 스님을 불러 국사로 삼으려고 하자 이 소식을 들은 스님은 절을 버리고 도망하였다. 이윽고 서쪽 바위 고개를 넘어가던 길에 한 노인이 밭을 갈고 있다가 스님을 보고 어디로 가시느냐고 물었다.

스님은 나라에서 잘못 듣고 관작(官爵)으로 나를 얽매려고 하여 이를 피해 가는 길이라고 하였다. 그러자 노인이 이곳에서 팔면 될 것을 어찌 수고스럽게 멀리 가서 팔려고 하는 것입니까? 보아하니 스님이야말로 이름 팔기를 싫어하지 않는다고 하겠소이까 하였다. 그러자 연회 스님은 자신을 업신여긴다고 불쾌하게 생각하여 노인의 말을 듣지 아니하였다.

다시 길을 재촉하여 몇 리를 더 가다가 시냇가에서 한 노파를 만났는데 노파가 스님은 어디로 가십니까? 하였다. 스님이 먼저처럼 대답하니 노파가 이 앞에서 사람을 혹시 만났습니까? 하고 물었다. 스님은 한 노인을 만났는데 나를 업신여겨서 심히 불쾌하여 그냥 지나쳐 왔노라고 하였다. 노파가 말하기를 그분은 문수대성(文殊大聖)인데 그분 말씀을 듣지 아니하시니 어찌하겠습니까?

이 말을 들은 연회 스님은 놀라고 또한 송구하여 즉시 되돌아가서 노인에게 고개를 숙이고 사과하였다. 제가 어찌 성인의 말씀을 거역하겠습니까? 제가 이제 다시 돌아왔습니다. 그리고 시냇가의 노파는 누구입니까? 라고 묻자, 노인이 노파는 변재천녀(辨才天女)라고 하였다. 이 말을 마치자 노인은 홀연히 종적을 감추었다.

이에 연회 스님은 다시 암자로 돌아오니 조금 후에 왕의 사자(使者)가 어명을 받들고 당도하여 스님을 불렀다. 스님은 진작 받아야 할 것임을 알고 이에 수긍하여 대궐로 가서 국사로 봉해졌다. 그 후 연회 스님이 노인에게 감동하였던 곳을 문수점(文殊岾)이라 하고, 노파를 만났던 곳을 아니점(阿尼岾)이라고 하고 이에 대해 다음과 같이 찬하였다.

倚市難藏久陸沈 囊錐既露括難琴 自緣庭下青蓮誤 不是雲山固未深

의시난장구륙심 낭추기로괄난금 자련정하청연오 불시운산고미심

속세에선 어진 이가 오래 숨어 살기 어렵고

주머니 속 송곳 끝은 감추기가 어렵네.

뜰 아래 핀 연꽃으로 인하여 세상에 나왔으니

운산(雲山)이 깊지 않은 탓은 아니라네.

인도 마라난타(摩羅難陀) 스님의 초전법륜(初轉法輪)

전남 나주 불회사

인도 스님 Malanda를 한역하여 마라난타(摩羅難陀)라고 하며, 이는 동학(童學)이라는 뜻이다. 마라난타 스님은 백제에 불교를 전파하기 위하여 백제(百濟)에 처음으로 입국한 스님이다.

해동고승전(海東高僧傳)에 보면 스님은 신비한 신통력을 소유하고 원력이 홍대(弘大)하여 국한된 지역에만 머무르지 아니하고 해외 포교를 위해 험준한 산길과 사막을 넘어 천신만고 끝에 진(晉)나라를 거쳐 백제로 들어와 처음으로 불교를 전파하였다 기록하고 있다.

삼국사기(三國史記)에 실려 있는 백제본기(百濟本紀)에 보면 백제 침류왕(枕流王) 1년인 384년 9월에 마라난타 스님이 진(晉)나라를 거쳐 입국하자 왕은 기꺼이 교외에까지 나아가 그를 영접하며 왕궁에 모시고 스님을 존경하며 불법을 들었다. 그러므로 불교의 원년(元年)은 384년이며 침류왕이 통치하던 시기다. 그리고 그 다음해인 385년 2월에 도읍 한산주(漢山州)에 절을 짓고 열 명의 스님을 득도시켰으니 이로써 백제 불교가 시작되었다.

일설에는 마라난타 스님이 불경과 불상을 가지고 진나라에서 곧바로 백제의 도읍으로 들어간 것이 아니라고 하기도 한다. 먼저 지금의 전남 영광군 법성면 해안에 있는 포구인 법성포(法聖浦)에 도착해 불갑사(佛甲寺)를 창건하고 나서, 다시 불회사(佛繪師)를 창건한 후에 도성으로 들어갔다는 주장도 있다.

법성포의 처음 이름은 아무포(阿無浦)였다고 한다. 이는 아미타불의 뜻이 담긴 지명이다. 그러나 마라난타 스님이 백제에 법을 전하기 위하여 이곳에 제일 처음 발을 디딘 곳임을 기념하기 위하여 법성포(法聖浦)로 바꾸어서 부르게 되었다고 한다.

만해 한용운(卍海 韓龍雲) 스님

강원 인제 오세암

만해용운(卍海龍雲, 1879~1944) 스님은 1879년 충남 홍성에서 태어났고 속명은 유천(裕天)이다. 향리에 있는 서당에서 한학을 수학하였다. 동학혁명(東學革命)에 가담한 후에 유랑길에 올랐다가 1896년 설악산 오세암(五歲庵)에 피신하게 되었다. 이것이 인연이 되어 1905년 백담사(百潭寺)에서 연곡(蓮谷) 스님을 은사로 하여 득도하였다.

유교의 이념을 앞세웠던 조선은 결국 국민을 도탄에 빠트리고 급기야 나라마저 일본에 빼앗기는 국욕(國辱)을 당하였다. 그때 스님은 분연히 일어나 독립운동을 하였다. 또한 1919년 3 · 1운동 당시에 스님은 33인의 민족대표로서 독립선언문을 낭독하고 일경에 체포되어 3년간의 옥고를 치렀다. 이후 일본의 회유와 협박으로 많은 인사들이 친일파로 훼절(毁折)하여 친일의 길을 걸었다. 스님은 오로지 나라와 민족을 위하여 자신의 신념을 굽히지 아니하고 지조를 지키며 독립운동과 당시 우리나라 불교에 대해서 혁신을 꾀하며 일생을 바치셨다. 만해 스님은 승려로서 독립운동가이며 또한 시문학에도 상당한 발자취를 남기셨다. 특히 스님의 시문(詩文) 가운데 '님의 침묵'은 아주 유명한 시로 지금도 암송되고 있다.

님의 침묵(沈默)

님은 갔습니다. 아아 사랑하는 나의 님은 갔습니다.
푸른 산빛을 깨치고 단풍나무 숲을 향하여 난 작은 길을 걸어서, 차마 떨치고 갔습니다.
황금의 꽃같이 굳고 빛나던 옛 맹세는 차디찬 티끌이 되어서, 한숨의 미풍에 날아갔습니다.
날카로운 첫 키스의 추억은 나의 운명의 지침을 돌려놓고, 뒷걸음쳐서 사라졌습니다.
나의 향기로운 님의 말소리에 귀먹고, 꽃다운 님의 얼굴에 눈멀었습니다.
사랑도 사람의 일이라, 만날 때에 미리 떠날 것을 염려하고 경계하지 아니한 것은 아니지만, 이별은 뜻밖의 일이 되고 놀란 가슴은 새로운 슬픔에 터집니다.
그러나 이별을 쓸데없는 눈물의 원천을 만들고 마는 것은 스스로 사랑을 깨치는 것인 줄 아는 까닭에, 걷잡을 수 없는 슬픔의 힘을 옮겨서 새 희망의 정수박이에 들어부었습니다.

우리는 만날 때에 떠날 것을 염려하는 것과 같이, 떠날 때에 다
시 만날 것을 믿습니다.
아아 님은 갔지마는 나는 님을 보내지 아니하였습니다.
제 곡조를 못 이기는 사랑의 노래는 님의 침묵을 휩싸고 돕니다.

나라와 민족을 위하여, 그리고 철저한 구도의 길을 걷던 만해 스님은 1944년 6월 29일 서울 성북구 심우장(尋牛莊)에서 입적하였다.

계파(桂波)대사와 구례 화엄사(華嚴寺)

강원 춘천 삼운사

전남 구례군 마산면 황전리 지리산 아래에는 화엄사(華嚴寺)가 있다. 특히 화엄사 각황전(覺皇殿)은 정면 7칸, 측면 5칸의 팔작지붕으로 지어진 중층(重層) 구조의 건물이다. 이 건물의 본디 이름은 장육전(丈六殿)이었지만 조선시대 숙종 임금이 각황전이라는 사액(賜額)을 내린 까닭에 그 후로부터는 각황전이라 이름하게 되었다고 한다. 화엄사도 여느 사찰과 마찬가지로 임진왜란 때 왜병들의 방화로 소실되었다. 그러자 당시의 주지 스님이신 계파(桂波)대사는 화엄사를 중창하는 원력을 세우고 기도를 이어가던 어느 날 밤 꿈에 한 도승이 나타나서 이르기를 내일 아침 날이 밝거든 아랫마을로 내려가서 맨 처음 만나는 이에게 절을 지어 달라고 간절히 부탁해 보시구려 하고 사라졌다.

꿈에서 깨어난 계파 스님은 긴가민가하는 마음으로 아랫마을로 내려갔다. 과연 한 사람이 보이기에 가보았더니 다름 아닌 화엄사를 들락거리면서 잔심부름하던 노보살이었다. 그러나 간밤의 꿈이 하도 생생한지라 스님은 노파에게 화엄사를 지어 달라고 간청하였다. 그랬더니 노파는 어이가 없다는 듯이 들은 체 만 체하였다. 그러자 스님은 다시 간청하였다. 이번에도 별 반응이 없이 황급히 자리를 피하자 스님은 노파를 기어코 따라가서 다시 절을 지어 줄 것을 간청하였다.

그러나 노파는 자기 재산으로는 절을 지을 재력은커녕 호구지책 하기가 바쁜 몸이었던지라 그만 자신의 신세를 한탄하고 섬진강에 몸을 던져 자결(自決)하고 말았다. 이에 소문은 이상하게 퍼져 스님은 결국 쫓기는 신세가 되어 운수납자처럼 돌아다니다가 청나라에까지 들어가게 되었다.

당시 청나라 황제는 늦게 공주를 두었는데 태어나자마자 울기를 멈추지 않았다. 날이면 날마다 울어대는 공주를 보고 황제는 칙명을 내려 내다 버리라고 하였다. 그래도 피붙이인지라 몰인정하게 할 수가 없어 궐 밖에 있는 누각 위에 데려다 놓고선 시녀들에게 공주의 신변을 감시토록 하였다.

그러자 여러 사람이 울보 공주 앞에서 별의별 짓을 다 하여도 공주의 울음은 그치지를 않았다. 이때 계파대사가 인파를 헤집고 들어가서 공주 가까이 가자 그만 울음이 뚝 그쳤다. 계파대사가 공주 가까이 더 다가가자 공주는 환하게 웃음을 보였다.

이 소식이 궁궐까지 전해지자 황제는 공주와 스님을 궐내로 모셨다. 그리고 며칠이 지난 후에 스님이 궁궐을 떠나려고 하자 다시 공주는 울기 시작하였다. 그러자 황제는 스님에게 궐 안에 머물러 달라고 간청하였고, 당분간 궐 안에 더 머무르게 되었다. 황제는 스님의 청이 있는지 묻자 스님은 화엄사를 재건하는 일이라고 하였다. 황제가 이를 흔쾌히 허락하여 화엄사로 돌아와 다시 법당을 중수하고, 청나라 황제의 은혜에 감사한다는 뜻으로 각황전(覺皇殿)이라고 이름을 지었다고 전한다.

또 다른 설화로는 계파 스님이 한양에 있는 창덕궁 앞을 지나다가 마침 유모와 함께 궐 밖으로 산책을 나온 공주와 마주치게 되었다. 공주는 태어날 때부터 한 손을 펴지 못하는 신세였는데 계파대사가 공주의 손을 어루만지자 신기하게도 손이 펴지게 되었는데 손바닥에는 각황전이라는 글씨가 선명하게 새겨져 있었다. 그러자 숙종은 각황전을 중창하게 하고 사액(賜額)하기를 각황전이라고 하였다고 한다.

이 설화는 노파가 죽어서 공주로 환생했다는 이야기다. 그러나 청나라 황제의 은혜로 각황전이라 이름하였다고 함은 크게 잘못된 것이다. 왜냐하면 부처님을 다르게 표현하여 각황(覺皇)이라 하기 때문이다. 그리고 숙종 임금은 공주가 없었다. 다만 숙종 임금 시대에 숙빈궁(淑嬪宮)의 시주로 중창되었다는 점을 눈여겨볼 필요가 있다.

법주사(法住寺) 벽암대사가 승병을 일으키다

충북 보은 법주사

충북 보은군 내속리면 사내리 속리산(俗離山) 아래에는 법주사(法住寺)가 있다. 법주사는 진흥왕 14년인 553년에 의신(義信) 스님이 창건하였다고 전하며 그 후 진표율사(眞表律師)가 크게 중창하였다. 법주사라는 사명을 갖게 된 것은 의신 스님이 서역에서 돌아올 때 나귀에 불경을 싣고 와서 이곳에서 머물렀다고 하여 붙여진 이름이라고 한다.

법주사는 진표율사의 제자들에 의하여 미륵 도량으로 크게 성장을 하여 대찰의 규모를 갖추게 된 절이다. 그러기에 조선 제19대 숙종(肅宗) 임금이 그의 아우인 대각국사(大覺國師)를 위하여 이곳에서 인왕경(仁王經) 법회를 베풀기도 하였던 도량이다. 고려 제25대 충렬왕(忠烈王)도 법주사 산호전(珊瑚殿)에 배례하였다. 그리고 고려 제27대 충숙왕(忠肅王), 고려 제31대 공민왕(恭愍王), 조선시대에는 태조(太祖) 이성계(李成桂)와 조선 제7대 세조(世祖)도 요양하기 위하여 법주사를 다녀갔을 정도로 대찰(大刹)에 속하는 도량이다. 법주사는 대한민국 사적 제503호로 지정되어 있다.

법주사 입구 수정교(水晶橋) 앞 한편에는 비석이 하나 있다. 이 비석은 조선 현종(顯宗) 5년인 1664년에 세운 비석으로 벽암당 각성대사(碧喦堂 覺性大師) 비문이다. 글씨는 선조(宣祖)의 손자인 낭선군 이우(郎善君 李俁)가 썼다.

비문에 보면 스님의 성은 김(金)씨이며 휘(諱)는 각성(覺性)이다. 자(字)는 징원(澄圓)이며 벽암(碧巖)은 스님의 또 다른 별호(別號)다. 스님은 보은(報恩) 사람이다. 어머니 조(趙)씨는 슬하에 자식을 얻지 못하여 북두칠성에 기도하던 중 옛 거울[古鏡]이 몸으로 들어오는 태몽을 꾸고서 스님을 잉태하였다. 스님은 선조(宣祖) 8년인 1575년 12월 23일에 태어나셨다. 9세 때 아버지가 돌아가시자 14세 때 설묵(雪黙) 스님을 은사로 하여 축발하였으며, 그 후 부휴(浮休) 스님을 뵙고 스님을 상족(上足)으로 삼아서 수행하였다.

어느 날 여러 스님과 더불어 밤길을 나섰다가 커다란 호랑이가 나타나서 포효(咆哮)하자 모든 스님은 크게 공포에 떨었다. 그러나 스님은 여러 스님들 앞으로 나아가 전혀 두려움 없이 20리를 인도하여 호랑이를 앞세우고 절 문 앞에 이르렀다. 스님은 고개를 돌려 호랑이를 보고 먼 길을 나와 함께 따라오느라고 너도 피곤할 터이니 빨리 가서 쉬라고 말하자, 호랑이가 스님의 주위를 세 번이나 돌더니 다시 포효하며 사라졌다. 이에 사중의 대중들이 스님을 크게 경이(驚異)롭게 생각하였다.

스님은 임진왜란 때에는 해전(海戰)에 참여하였고, 그 후 인조 대왕이 남한산성을 쌓을 때 팔방도총섭(八方都摠攝)으로 임명되어 승려들을 이끌고 3년 만에 공사를 완성하였다. 인조 14년(1636) 겨울에 병자호란이 일어나 왕이 남한산성으로 천도하자 승려 수천 명을 모아서 항마군(降魔軍)을 조직하여 호남의 군사들과 함께 청나라 군사들을 섬멸하였다.

다시 남한산성으로 향하던 중 전쟁이 끝나 승려들을 돌려보내고 지리산으로 들어갔다. 그 후 화엄사로 들어가 지내다가 현종 1년(1660) 86세의 나이로 좌탈입망(坐脫立亡)하여 다비하였고, 오색영롱한 사리 3과를 수습하였다. 스님의 사리는 조계산 송광사, 두류산 화엄사, 종남산 송광사에 봉안하였다.

경허(鏡虛) 스님과 초동(樵童)과의 문답

충남 서산 천장사

경허성우(鏡虛惺牛, 1846~1912) 스님은 철종 12년에 전북 전주읍 자동리(지금의 전주시 교동 향교 근처)에서 태어났으며 속명은 송동욱(宋東旭)이다. 일찍 아버지를 여의고 9세 때 지금의 경기도 의왕시 청계사(淸溪寺)에서 계허(桂虛) 스님을 은사로 하여 출가하였다. 얼마 되지 않아 은사가 환속하면서 스님의 자질을 안타까이 여겨 당대의 대강백이었던 계룡산 동학사(東鶴寺)에서 만화관준(萬化寬俊) 화상에게 편지를 보내 스님을 맡아 달라고 청하여 만화 스님의 문하로 들어가게 되었다.

어느 한 여름날 강원에서 경을 보는데 땀이 줄줄 흐르자 스님은 혼자서 옷을 벗어버리고 태연자약하게 경을 보고 있었다. 일우(一愚) 강사가 이를 보고 문인들에게 이르기를 과연 대승의 법기(法器)이니 너희들은 도저히 미칠 수가 없다고 하였다고 한다.

그 후 31세 때인 1876년 고종 13년인 어느 날 옛 은사이신 계허 스님을 찾아뵈려고 가는 도중에 비바람이 몰아쳤다. 급히 어느 처마 밑에 피했더니 집주인이 쫓아내는지라 다시 다른 집으로 옮겼으나 마찬가지였다. 이렇듯 여러 가구를 들러도 모두 영문도 모른 채 쫓아내거늘 어느 한 집에 이르니 지금 이곳에 전염병이 크게 돌아 금방 멀쩡하던 사람도 죽어나가는데 왜 이곳을 찾아왔느냐고 호통을 쳤다. 그 순간 갑자기 모골이 송연함을 느꼈다.

이에 스스로 생각하기를 이승에 차라리 바보가 될지언정 문자에 구속되지 아니하고 조사관(祖師關)을 타파하여 삼계를 벗어나리라고 발원하였다. 그리고 장경혜릉(長慶慧陵) 선사와 영운지근(靈雲志勤) 선사와의 문답에 등장하는 나귀의 일이 끝나지 않았는데 말의 일이 닥쳐왔구나! 하는 공안을 들어 참구를 하였다. 驢事未去 馬事到來

스님께서 장좌불와(長坐不臥)로 용맹하게 정진할 때 시봉을 들던 사미의 스승이 찾아왔다. 그가 전일(前日) 사미의 아버지인 이(李) 처사와 나누었던 문답 가운데 '시주받은 음식을 먹으면서 공부하지 아니하면 죽은 후에 콧구멍 없는 소로 태어난다'는 말을 듣고 확연하게 깨우쳤다. 이때가 1879년 10월 15일이다.

그리고는 조실 방에 들어가 반듯이 드러누워 있으면서 출입하는 사람에 전혀 개의치 않았다. 이에 만화 강백이 들어가도 전혀 개의치 아니하고 드러누워 있으니 강백이 말하기를 무슨 연유로 그렇게 무례하게 누워있느냐고 하자, 일대사(一

大事)를 마치고 일이 없는 사람은 본래 이러한 것이라고 하였다.

그리고 다음 해인 1880년에 속가의 형님인 태허(太虛) 스님이 모친을 모시고 서산 천장암(天藏庵)에 계시자 자신도 노모를 모시고자 천장암으로 들어왔다. 여기서 스님은 자신의 깨달은 바를 시로 나타내었다.

忽聞人語無鼻孔 頓覺三千是我家 六月鷰巖山下路 野人無事太平歌
홀문인어무비공 돈각삼천시아가 육월연암산하로 야인무사태평가

홀연히 사람에게서 고삐 뚫을 구멍이 없다는 말을 듣고
문득 깨닫고 보니 삼천 대천세계가 모두 내 집임을 알았네.
유월 염천의 연암산 오솔길에서
나는 일 없이 태평가를 부르네.

스님은 32세 때 천장암에서 용암혜언(龍巖慧彦) 선사의 법을 이어받았다. 그 후 1903년 범어사에서 해인사로 넘어가면서 금산재(錦山嶺)에 이르러 은적시(隱迹詩)를 남기고 자취를 감추었다. 구전에 의하면 머리를 기르고 유관(儒冠)을 쓰고 함경북도 삼수갑산(三水甲山) 등을 유행하면서 촌로들과 술잔을 기울이거나 속인들과 어울리면서 스스로 박난주(朴蘭州)라고 하였다고 한다. 그리고 함경도 갑산 도하동에서 서당을 열어 학동들을 가르치다가 1912년 4월 25일에 입적하였으니 세수 67세요, 법랍은 58세였다. 스님의 제자로는 삼월(三月)로 불리는 혜월혜명(慧月慧明), 수월관음(水月觀音), 만공월면(滿空月面) 스님과 더불어 침운현주(枕雲玄住), 한암중원(漢巖重遠), 혜봉(慧峰) 스님 등이 있다. 그리고 1980년에 스님을 주인공으로 한 최인호(崔仁浩)의 대표작인 장편소설 '길 없는 길'이 출판되어 100만 부 이상 판매되기도 하였다.

위의 벽화는 충남 서산 천장암 외벽의 벽화로 흔히 경허몰매도(鏡虛乱棍圖)라고 한다. 여기에 관한 일화는 경허집(鏡虛集)에 실려 있는 마정령(馬亭嶺)에서 초동과의 문답(於馬亭嶺與樵童問答)을 바탕으로 하여 그려진 벽화다.

스님께서 마정령 아래에서 나무꾼 아이들이 무리를 지어 노는 것을 보고 묻기를 얘들아 내가 누군지 아느냐? 초동이 답하기를 모릅니다. 그러면 나를 보느냐고 묻자 초동이 보고 있다고 하였다. 그러자 스님은 너희들은 이미 나를 모른다고 하면서 어떻게 나를 보느냐? 하면서 초동에게 주장자를 내어주며 말하였다. 너희들 가운데 만일 이 주장자로 나를 치면 과잣값을 많이 줄 것이다고 하자, 그 가운데 똘똘한 녀석이 앞으로 나오더니 방금 하신 그 말씀이 참말입니까? 하였다. 이에 스님이 그렇다고 하자, 초동은 주장자로 스님을 쳤다.

그러자 스님이 말하기를 나를 쳐라 하니 또 치거늘, 어찌 나를 치지 않느냐? 만일 나를 친다면 부처도 치고 조사도 치고 삼세제불(三世諸佛)과 역대 조사할 것 없이 천하의 노 화상을 한 방망이로 치게 되리라.

이에 초동이 제가 쳤는데 스님께서는 치지 않았다고 하시니 스님이 우리를 속이고 왜 과잣값을 주지 않으려고 하십니까? 하자, 스님이 초동에게 돈을 주면서 이르기를 온 세상이 혼탁하여 나만 홀로 깨어 있구나! 남은 세월은 나무 아래서 그럭저럭 보내리라고 하였다.

무비공(無鼻孔)이라는 표현은 콧구멍이 없다는 말이다. 원오어록(圓悟語錄)에도 무비공이라는 표현이 실려 있다. 그렇다면 과연 무비공이란 무엇일까? 이걸 밝히는 것은 어디까지나 독자들의 몫이다.

경허(鏡虛) 스님이 어머니께 법문하다

제주 서귀포시 선덕사

경허 스님께서 깨달음을 얻은 후 이러한 소식은 사발통문처럼 번져나가 처음에는 호서지방에만 미풍처럼 번지더니, 바람은 더하여 경허 스님의 오도(悟道)가 조선 천하에 퍼지게 되었다. 그로 인하여 천장암(天藏庵)의 작은 암자로 사람들이 몰려오는데 경허 스님은 이를 모두 거절하고 주야장천(晝夜長川) 잠만 자고 있을 뿐이었다. 당시 천장암에는 경허 스님의 어머니와 함께 형이 되는 태허 스님이 주지로 있었다. 사람들은 경허 스님의 어머니나 형을 통해서라도 경허 스님의 법문을 듣고 싶어 간청하다시피 하였으나 경허 스님은 언제나 이를 물리치고 잠만 잘 뿐이었다.

그러자 어머니는 더욱 갑갑하였다. 아마도 그도 그럴 것이 자기 아들이 대오하여 전국의 사람들이 몰려와 법을 청하고 있으니, 누구보다도 어머니야말로 아들의 법문을 간절하게 듣고 싶었을 것이다. 하루는 어머니가 아들에게 법문을 하여 달라고 넌지시 요청하였다. 경허 스님은 마지못해 이를 수용하면서 어머니를 위한 법문을 한다고 하였다. 경허 스님이 법회를 열어 개당(開堂)한다는 소문이 전해지자 수많은 사람이 원근을 불문하고 법회에 참석하였다.

마침내 법회 당일이 되었다. 벌써 수많은 인파가 몰려와서 혼잡하였지만 경허 스님은 골방에서 아직도 잠을 자고 있었다. 어머니는 오늘에서야 아들이 오도한 후 처음 하는 법회인지라 모처럼 한복을 갈아입고 분단장하여 법당 맨 앞에 일찍부터 자리하고 있었다.

시간이 되어 경허 스님은 법상에 올랐지만 아무 말도 없으셨다. 대중들은 점점 정적으로 빨려 들어가는데, 경허 스님은 마침내 법상에서 일어나 수하고 있던 가사를 벗더니 이어서 장삼까지 벗었다. 대중들은 이를 의아해하고 있었지만 무슨 영문인지도 몰랐다. 이어 웃옷을 다 벗더니만 이내 아랫도리까지 모두 벗어 벌거숭이가 되어 버렸다. 아낙네들은 손으로 눈을 가리고 심지어는 비명을 지르며 법당을 황망하게 빠져나가는 사람도 있었다. 경허 스님은 태연하게 법석 제일 앞 어머니 면전에 벌거숭이로 마주섰다. 경허 스님의 어머니는 순간 화가 치밀어 대노(大怒)하여 도대체 무슨 법문이 이럴 수가 있느냐고 말하였다.

경허 스님은 어머니 제가 오줌 누고 싶습니다. 어머니 오줌 좀 뉘어주셨으면 합니다 하자, 참다못한 어머니는 그냥 법당을 박차고 나갔다. 그러자 경허 스님은 호탕하게 웃으면서 다시 옷을 차근차근하게 입더니 혼잣말로 말하기를, 저래서야 어찌 나의 어머니라고 할 수 있겠는가? 어렸을 때는 나를 발가벗기고 목욕도 시키고 오줌까지 뉘어주시더니 예나 지금이나 나는 변함없는 어머니의 아들인데 말입니다. 어머니는 나를 아들로 보지 아니하고 형상으로만 나를 보셨구나! 그리고 법상에 다시 올라 묵묵히 이르다가 법상에서 내려왔다고 전해지고 있다.

경허 스님이 경전으로 도배하다

제주 서귀포시 선덕사

눈 내리는 깊은 겨울밤 추위가 엄습해 오는데 경허(鏡虛) 스님이 혼자서 토굴에서 정진하면서 수행하고 있었다. 방은 낡고 헐어서 벽 틈새로 찬바람이 들어와 방은 늘 냉기를 면치 못하였다. 까닭에 벽지를 발라서 추위를 면하려고 경장(經藏)에 보관되어 있던 경을 뜯어 풀을 발라 도배하였다. 경허 스님을 뵙기 위하여 암자를 찾아갔던 제자들이 이 광경을 보고 깜짝 놀라 어안이 벙벙하여 스님 성스러운 경전으로 어찌 도배했습니까? 하고 묻자, 스님은 태연자약하게 말했다. 그리 걱정하지 말고 자네들도 이러한 경계에 이르면 이렇게 해보라. 곧 토굴을 찾아간 제자들은 스님께 삼배를 올리며 물러났다고 한다.

이러한 이야기는 진묵대사 행적에도 나타나 있다. 대사가 유명한 유학자 김봉곡(金鳳谷)에게 성리대전(性理大全)을 빌려서 절로 돌아가는 길에 한 권 한 권 읽으면서 그 내용을 다 알아버리자 책을 버렸다고 하는 이야기와 흡사하다.

금강경에 보면 다음과 같은 말씀이 있다.

그러기에 여래가 항상 말하기를, 너희 비구들은 나의 설법을 뗏목같이 여기라고 하였나니, 법상도 버려야 하거늘 하물며 비법상이겠는가. 以是義故 如來常說 汝等比丘 知我說法 如筏喩者 法尚應捨 何況非法

중아함경 권제54 아리타경(阿梨吒經)에서는 또 내가 너희들을 위하여 긴 세월 동안 뗏목의 비유를 설한 것은 그것을 버리게 하고 그것을 받지 않게 하려 했기 때문이라고 하였다. 我爲汝等長夜說筏喩法 欲令棄捨 不欲令受故

경허 스님의 상수제자

제주 서귀포시 선덕사

근대 한국불교를 일으킨 경허성우(鏡虛惺牛, 1849~1912) 스님은 전북 전주에서 태어나 9세 때 어머니를 따라 경기도 의왕 청계사에서 계허(桂虛) 스님을 은사로 하여 축발하였다. 그 후 은사 스님이 환속하면서 대전 동학사(東鶴寺)의 만화관준(萬化寬俊, 1850~1919) 강백에게 편지를 보내 경허 스님을 맡아서 지도해 달라고 요청하였다. 23세 때는 대중의 추대로 강주(講主)가 되었다. 31세 때는 계허가 환속하기 전에 자신을 보살펴 준 은혜를 잊지 못하여 만나러 가는 도중에 폭풍우를 만나 이를 피하고자 어느 집 처마 밑으로 들어갔으나 영문도 모르는 채 쫓겨났다. 이후 여러 집을 돌아다녀도 마찬가지였는데 이는 전염병인 천연두(天然痘)가 심하여 집집이 사람이 죽어나간다는 것을 알고서는 모골이 송연하였다. 잠시 후 삶이 호흡지간(呼吸之間)에 있음을 알아차리고 다짐하기를 조사관을 타파하여 생사를 벗어나고자 하였다.

스님은 동학사로 다시 돌아와 평소 들고 있던 공안인 장경혜릉(長慶慧陵)과 영운지근(靈雲志勤) 사이에 등장하는 문답 가운데 여사미거 마사도래(驪事未去 馬事到來)라는 공안을 아직 타파하지 못함에 이를 타파하고자 동학사 학인을 모두 해산시켰다. 빗장을 걸어 잠그고 용맹정진하는 도중 3개월이 지났을 무렵 자신을 모시던 사미(沙彌)의 스승이 찾아왔다. 사미의 아버지인 이(李) 처사와 나누던 대화 가운데, '시주받은 음식으로 공양하면서 공부는 하지 아니하고 허송세월한다면 죽어서는 콧구멍 없는 소가 된다'는 이야기를 듣고 고불미생전(古佛未生前)의 소식을 확연히 깨달았다. 이때가 조선 고종 16년인 1879년 10월 15일이었다.

그 후 조실 방에 반듯이 누워 사람이 들어와도 일어나지 아니하였다. 만화(萬化) 강백이 들어와도 일어나지 아니하니 강백이 무례하다고 하자, 이는 일대사(一大事) 일을 마친 무사인(無事人)의 본래 모습이라고 하였다. 다음 해인 1880년 여름 천장암에 있는 노모를 모시고자 왕래하면서 오증(悟證)의 경계를 읊었다.

忽聞人語無鼻孔 頓覺三千是我家 六月燕岩山下路 野人無事太平歌
홀문인어무비공 돈각삼천시아가 육월연암산하로 야인무사태평가

문득 콧구멍 없다는 말을 듣고

온 우주가 내 집임을 알았네.
유월 몹시 더운 날에 연암산 천장암 오솔길에서
일없는 야인(野人)이 태평가를 부르네.

스님은 용암혜언(龍岩慧彦, 1783~1841)의 법을 이어받았으니 태고보우(太古普愚)의 제17세 법손이며, 청허휴정(淸虛休靜)의 제11세 법손이고, 환성지안(喚醒志安)의 제7세 법손이 되었다. 이후 여러 절에서 수행과 조실을 역임하다가 1903년 범어사에서 해인사로 가다가 금산재를 넘으면서 은적시(隱迹詩)를 남겼다.

識淺名高世危亂 不知行處可藏身 漁村酒肆豈無處 但恐匿名名益新
식천명고세위난 부지행처가장신 어촌주사기무처 단공익명명익신

헛된 이름만 높아 세상을 속이니
어느 곳에 숨어야 할지 알 수 없네.
어촌 술집 어찌 장소야 없으랴만
숨을수록 이름은 더욱 나타나네.

59세 때인 1904년에는 안변 석왕사(釋王寺)에서 오백나한의 개분(改粉) 불사에 증명 법사로 참석하였는데 이후 회적도광(晦迹韜光)하였다. 그 후 구전(口傳)에 의하면 머리를 기르고 유관(儒冠))을 쓰고 함경북도 삼수갑산과 강계(江界) 등지를 다녔다고 한다. 촌재(村齋)에서 노인들과 벗하거나 혹은 저잣거리에서 속인들과 어울려 술을 마시면서 탈속한 경지를 보였으며 자호(自號)를 난주(蘭州)라 하였다고 한다. 1912년 4월 25일 세수 67세 법랍 58세의 일기로 함경도 갑산 웅이방에서 입적하였다.

입적할 당시 동민의 말에 따르면 하루는 울타리에 앉아 학동(學童)들이 풀을 베

는 모습을 보다가 갑자기 누우면서 몹시 피곤하다고 하여 방으로 모셨는데 아무 말씀도 없으시고, 음식도 멀리하고, 신음(呻吟)도 하지 않으셨다고 한다. 그러다 이튿날 새벽 붓을 잡고서는 반산보적(盤山寶積) 선사의 게송 일부 구절을 임종게(臨終偈)로 삼고 입적하였다.

心月孤圓 光呑萬象 光境俱亡 復是何物
심월고원 광탄만상 광경구망 부시하물

마음 달 밝고 둥글어 그 빛으로 만상을 머금었도다.
빛과 풍경을 모두 잊었으니 이것은 또한 무슨 소식인가?

스님의 상수제자(上首弟子)로는 만공월면(滿空月面, 1515~1592), 혜월혜명(慧月慧明, 1862~1937), 수월관음(水月觀音, 1855~1928)이 있다. 따라서 제주 선덕사 벽화는 이를 나타낸 것이다.

고승전 혜공대사와 혜원대사의 수행비교

경남 통영 서광사

고승전(高僧傳)에 보면 중국 남북조(南北朝) 말기에 익주(益州)의 한 사원에 혜공(慧恭) 스님과 혜원(惠遠) 스님이 수행하고 있었다. 혜공 스님은 형주(荊州) 그리고 양주(揚州) 지방을 돌면서 수행을 이어갔으며, 반면 혜원 스님은 장안(長安)

으로 들어가서 불경 수업을 이어나갔다. 그리고 30여 년의 세월이 흘러 수(隋)나라의 시대가 되었다.

이에 장안으로 수행을 떠났던 혜원 스님은 경전에 달통한 스님이 되어서 익주(益州)로 돌아와서 경전을 강의하니 수많은 사람이 스님의 법분을 경청하였다. 그러던 어느 날 혜원 스님은 막 행각(行脚)에서 돌아온 혜공 스님을 만나게 되었다. 그리고 서로가 기쁜 마음으로 거처로 들어가 지난 30여 년 동안 각자 배운 바를 말하였다. 혜원 스님의 설명은 전혀 막힘이 없이 흐르는 물처럼 도도하게 이어져서 설사 며칠 밤을 지새워도 그칠 줄을 몰랐다. 다만 혜공 스님은 혜원 스님의 말을 묵묵히 경청하고 있었지만 아무런 말이 없었다. 이에 혜원 스님이 말하였다. 스님은 우리가 이렇게 어렵게 다시 만났는데 어찌 아무 말씀도 안 하십니까? 그러자 혜공 스님이 답하기를 난 스님이 말씀한 경전에 대해서 아는 바가 없으니 달리 말할 게 없다고 하였다. 혜원 스님은 불경을 강론할 수 없다면 스님은 어떤 경전을 보고 있느냐고 하자, 혜공 스님은 난 겨우 한 권의 경전을 볼뿐이라고 말하였다.

그러자 혜원 스님은 정좌하고 엄숙한 표정을 지으면서 우리가 함께 수행하면서 정과(正果)를 이루기를 서로 맹세하였던 사이인데 이렇게 긴 세월 동안에 겨우 한 권의 경전이라니 그건 우둔한 것이 아니라 게으른 탓이라고 호되게 질책하면서 이 절을 떠날 것을 권유하였다.

혜공 스님이 다시 말하기를 비록 이 경이 작다고 하더라도 부처님 말씀이라네. 이를 존경하는 자는 무량 대목이 있을 것이요, 업신여기는 자는 무간지옥에 떨어진다네. 그러니 부디 노여움을 푸시고 내가 이 경전을 말해 주겠노라 하였다. 그리고는 단(壇)을 설치하고 단위에 높은 의자를 올려놓았다. 그리고 부처님께 예의를 표하고 난 다음 의자에 앉아서 경을 외우자 혜원 스님은 처마 밑 큰 의자에 앉아 혜공 스님의 독경을 들었다. 혜공 스님이 경전의 제목을 읽을 때 갑자기 기이한 향내가 진동하고 천상에서는 오묘한 음악이 울리더니 네 가지 천화(天華)가 비처럼 떨어졌다. 그리고 스님의 독경이 마치자 이러한 상서들이 모두 사라졌다.

혜원 스님은 이러한 광경을 보고 혜공 스님에게 참회의 눈물을 흘리며 용서를 구하면서 저는 스님에게 비유하면 냄새나는 시체와 같습니다. 부디 여기에 머무시기를 바라고 스님의 가르침을 구하노라고 간청하였다. 이에 혜공 스님이 말하기를 이는 나의 능력이 아니라 부처님의 힘이라네. 그리고 혜원을 향하여 길게 읍(揖)한 후 어디론가 사라졌다.

삼국유사 밀본 스님이 선덕여왕의 병을 치료하다

경북 군위 법주사

자장(慈藏)율사의 외숙(外叔)인 명랑(明朗)법사는 선덕여왕 4년인 635년에 당나라로부터 귀국하면서 신인비법(神印秘法) 혹은 문두루비법(文頭婁秘法, Mantra)이라는 방위신(方位神)을 신앙 대상으로 삼고, 주술적인 신앙으로 하는 밀교(密教)를 신라에 처음으로 들여온 장본인이며 신라의 신인종(神印宗) 종조가 되었다. 밀교는 비밀 불교(秘密佛教)를 줄여서 부르는 말이며 이는 비밀스러운 가르침이라는 뜻으로 대승불교의 한 유파이다.

밀교는 이성적인 사유나 그것을 근거로 하여 수행하기보다는 신비적인 사유나 수단을 통하여 궁극적인 진리를 깨달아 얻을 수 있다는 것을 강조하고 있다. 그러나 밀교는 본래의 취지와는 다르게 주술적인 신앙을 통해 병귀(病鬼)와 악귀를 쫓고 또한 초자연적 힘을 구사하여 외적을 물리친다고 믿는 교파의 하나로 변모되어 갔다.

밀본(密本) 스님은 신라시대 중기 밀교 계통의 스님으로 금곡사(金谷寺)에 주석하면서 덕행(德行)으로 명성을 크게 얻었다. 삼국유사에 보면 밀본최사(密本催邪)라고 하여 밀본 스님의 신이한 행적을 두 가지나 소개하고 있다. 하나는 약사경을 봉독하여 선덕여왕의 병환을 치료한 것이고, 또 다른 하나는 재상 김양도(金良圖)의 병환을 치료한 것이다. 이러한 기록으로 보면 신라시대에는 밀교가 아주 깊숙이 뿌리를 내렸다는 것을 알 수 있다. 그리고 명랑(明朗)법사, 혜통(惠通) 스님 등은 신라시대 밀교승의 대표적인 인물이라고 할 수 있다.

삼국유사(三國遺事) 신주편을 보면 밀본(密本) 법사가 요사한 귀신을 물리치는 기록이 있다. 이를 밀본최사(密本催邪)라고 한다. 여기에 보면 선덕여왕이 우연히 병을 얻어 오랫동안 낫지를 않았다. 이에 흥륜사(興輪寺)의 법척(法惕) 스님이 임금의 부름을 받고 치료하였으나 별다른 효험이 없었다.

그러자 대신들은 장안에 덕행이 높기로 소문이 자자했던 밀본 법사를 청하기를 왕에게 아뢰었고 왕이 이를 윤허하여 밀본 법사를 궁중으로 맞아들였다. 밀본 스님은 왕의 자리 옆에서 약사경(藥師經) 봉독을 마치고 가지고 있던 육환장(六環杖)이 침전(寢殿) 안으로 날아 들어가서 늙은 여우 한 마리와 법척(法惕) 스님을 찔러 궁궐 뜰 아래에 거꾸로 내던지니 선덕여왕의 병환이 씻은 듯이 쾌차하였다. 이때 밀본 법사의 이마에서는 오색의 신비한 빛이 비치고 있었으니 이를 보는 사람들 모두가 크게 놀라워하였다.

단양 황정산 원통암(圓通庵) 전설

경남 김해 정암사

충북 단양군 대강면 황정리 산28번지에는 원통암(圓通庵)이 있다. 전하는 바로는 원통암은 공민왕 2년인 1353년에 건립되었다고 전하고 있다. 조선 선조 때 일어난 임진왜란 당시 병화를 입어 폐사가 되었으나 조선 순조 24년인 1824년에 대연(大淵) 스님이 중창을 하였다고 전한다. 그 후로도 여러 차례 중수하였으나 1997년 부주의한 화재에 동종(銅鐘)만 남고 모두 소실되었다.

원통암(圓通庵)은 청련암(青蓮庵)과 더불어 대흥사(大興寺)에 딸린 절이었으나 지금은 조계종 제5교구 본사인 법주사(法住寺)의 말사다. 원통암은 암벽 아래 반석 위에 자리잡고 있으며, 절 뒤편의 암벽 구멍에 파이프를 박아서 얻는 물을 식수로 이용하고 있다. 여기에 대해서 향리 노인들의 말에 의하면 예전에는 암혈(巖穴) 사이로 국수가 나왔다고 한다. 만약 암자를 찾아오는 이가 있으면 사람 수만큼 바위에 고하면 인분에 맞게 국수가 나왔다. 그런데 어느 날 욕심 많은 스님이 사람 수보다 더 많은 양의 국수를 요구하자 그때부터 국수는 안 나오고 물이 나오게 되어 그것이 원통(怨痛)하다고 하여 원통암이라 부르게 되었다고 전한다. 그러나 이는 그럴싸한 옛날이야기를 빌어서 스님들을 욕심 많은 사람으로 몰아가는 내용으로써 곧 불교를 깎아내리고자 하는 속뜻을 담고 있다.

이곳에는 칠성바위가 있다. 칠성바위 건너편에 있는 넓적한 바위는 칠성암(七星岩)을 보고 기도하며 절하는 곳이라고 하여 배석대(拜石臺)라고 한다. 또한 칠성암(七星巖)은 단양군에서 소개하는 단양 제2팔경 가운데 하나이기도 하다. 단양군지(丹陽郡誌)에 보면 칠성암은 70척이나 되는 일곱 개의 암자로 이루어져 있다고 소개하고 있다.

원통암이 있는 대강면 소재지에서 원통암을 찾아가려면 사인암리를 거쳐 수운정(水雲亭)을 지나게 된다. 이곳에서 직티리로 들어가는 갈림길에 있는 바위를 향리(鄉里)의 사람들은 흔히 남성의 고환을 상징하는 불알[睾丸]바위라고 하나, 이는 불암(佛巖)이 불알로 잘못 와전된 것이다. 그러므로 이 바위의 이름은 불암(佛巖)바위다. 또한 그 앞에 펼쳐진 뜰을 예전 사람들은 불바위 뜰(들판)이라고 하였는데 이 역시도 불암(佛巖)을 말하는 불바위 들판이라는 뜻을 갖고 있다.

그러므로 이 지역의 지명은 대흥사, 원통암, 청련암과 모두 관련이 있다. 지금의 사인암리에 있는 청련암은 황정리 원통암 인근에 있었다. 그러나 1954년을 전후하여 생긴 좌익 우익 싸움으로 인하여 산사가 있는 지역에 소개령이 내려지면서 청련암은 단양군 대강면 남천리 출신의 조성원(趙聖元, 1930~?) 스님에 의하여 사인암리로 옮기게 되었다. 또한 성원 스님은 원통암 주지도 역임하였다. 후일에는 사인암리에 있는 청련암 주지도 역임하시다 단양군 단성면 중방리에 있는 단양 포교당(보문선원)으로 옮겨서 수많은 사람을 포교하시다가 제천 상락사(長樂寺)에서 입적하셨다. 참고로 단양 대흥사(大興寺)는 조선 고종 13년인 1876년 병자년에 소실되었으나 최근 다시 복원하였으나 산내 암자인 망월암(望月庵), 굴암(掘庵) 등은 그 위치조차도 알 수가 없게 되어 버렸다.

연천 심원사(深源寺) 중창 이야기

경북 봉화 지림사

강원도 철원군 동송읍 상노리(上路里)에는 생지장보살도량(生地藏菩薩道場)으로 이름난 심원사(深源寺)가 있다. 심원사는 원래 경기도 연천군 신서면 내산리 보개산 아래에 있었다. 그러나 6 · 25 한국전쟁을 겪으면서 폐사되자 1955년 김상기(金相基) 스님이 지금의 철원 땅으로 옮겨 지어서 심원사라는 이름으로 다시 복원한 절이다. 그러므로 연천군에 있던 심원사와 철원에 있는 심원사를 구분하기 위하여 원(元)을 덧붙여서 연천군에 있는 심원사를 흔히 원심원사(元深源寺)라고 부른다. 지금의 벽화 내용은 원심원사(元深源寺)에 관한 이야기다.

연천 보개산 심원사에 입산한 지 얼마 되지 않은 수행승 묘선(妙善) 스님은 아주 의욕이 대단하였다. 묘선 스님은 어느 날 노스님에게 말하기를 절이 너무 오래되어 다시 지어야겠습니다. 그러자 노스님은 이 절의 형편이 지금 그러하지를 못하다고 하였다. 제가 백일기도(百日祈禱)하여 절을 지을 것이니 그리 염려하지 마시라고 하였다. 묘선 스님이 지극정성으로 기도하던 어느 날 비몽사몽간에, 네가 그토록 신심과 원력으로 기도하니 시주자가 나타날 것이다. 내일 아침 일찍 화주를 나가도록 하여라. 이같은 감응을 받고 날이 밝자 화주를 하기 위하여 나가는데 얼마 되지 않아 처음으로 나무꾼을 만났다. 묘선 스님이 다가가 보니 아랫마을 사는 머슴 박씨(朴氏)였다.

묘선 스님은 크게 상심하다가 그래도 부처님께서 일러주신 말씀인데 하고 다가가서 간밤의 일어난 일들을 말하였다. 이에 나무꾼이 말하기를 제가 나무꾼으로 사십 평생 모은 돈을 기꺼이 불사에 보태도록 하겠노라고 흔쾌히 수락하였다. 묘선 스님은 나무꾼의 화주를 받아 불사를 진행하였는데 박씨가 그날 밤부터 시름시름 앓기 시작하더니 회복하지 못하고 병석에 드러눕게 되었다. 가지고 있던 돈은 시주를 몽땅 하였는지라 수중에 돈이 한푼도 없었다. 그러자 마을 사람들이 박씨(朴氏)를 절로 올려보냈고 묘선 스님이 다시 극진한 간호와 기도를 하였으나 병은 더 악화하더니 얼마 지나지 않아 그만 죽고 말았다.

이러한 사실이 인근 마을까지 들불처럼 번져나가자 스님은 더는 심원사에 있을 수가 없었다. 그리고 부처님을 원망하기 시작하였다. 가피는커녕 시주를 죽게 만들었으니 그는 원망과 분노한 마음으로 가득 차서 도끼를 들고 법당에 들어가 부처님 이마를 도끼로 찍고 황급히 절을 등지고 도망갔다.

그로부터 30여 년의 세월이 흐르자 묘선 스님은 은근히 심원사가 보고 싶어서 남모르게 심원사를 찾아갔다. 불사는 멈춰있고 법당의 부처님 이마에 도끼도 그대로 박혀 있었다. 묘선 스님은 눈물을 흘리고 참회하면서 부처님 이마에 박힌 도끼를 빼려고 하였으나 도무지 빠지지 않았다.

그 무렵 새로 부임한 신심이 돈독한 사또가 이러한 소문을 듣고 자신이 도끼를 뽑겠다고 법당에 들어가 삼배하고 도끼를 힘들이지 아니하고 쉽게 뽑았다. 그 도끼를 들여다본 사또는 그만 깜짝 놀랐다. 도끼에 화주시주상봉(化主施主相逢)이라는 글자가 새겨져 있었기 때문이다. 그제야 묘선 스님은 크게 깨달음은 얻었으며 사또는 묘선 스님에게 큰절을 올렸다. 그리고 묘선 스님과 사또는 다시 불사를 시작하여 마무리하였다고 한다.

경북 봉화 지림사

용궁에서 온 강아지

경남 합천 해인사

옛날 옛적에 가야산 골짜기에 화전을 일구며 생활하던 부부는 슬하에 자식이 없이 그럭저럭 살고 있었다. 어느 날 아침 복슬복슬한 강아지 한 마리가 사립문으로 들어오는 것이었다. 마침 자식이 없던 부부는 이 강아지를 가족처럼 키웠더니 3년이 되자 어미개로 성장을 하더니 이윽고 사람의 말을 하기 시작하였다.

저는 본시 동해 용왕의 딸인 용녀(龍女)로 죄를 지어 인간 세계에 왔었으나 두 분의 보살핌으로 인하여 속죄의 3년을 보내고 다시 용궁으로 돌아가게 되었습니다. 용녀는 그동안 보살펴 주었으니 이러한 은혜를 생각하여 수양부모로 삼고자 한다고 하였다.

다시 말하기를 제가 용궁으로 돌아가면 아버지인 용왕님께 이 은혜를 고하면 사자를 보내어 수양부모님을 모시러 올 것인즉 그때는 극진한 대접이 있을 것입니다. 그리고 용궁에 있는 물건 가운데 마음에 드는 것 하나를 가져가라 하시면 용왕 의자에 있는 해인(海印)이라는 도장을 가지고 오시길 바랍니다. 이 도장은 기이하여 세 번을 똑똑 치고 나서 원하는 물건을 말하면 무엇이든지 들어줄 것이니 이것을 취하여 여생을 편안하게 보내시길 바랍니다. 이같이 말하고 이내 허공 속으로 사라졌다.

그 후 얼마 지나지 않아 보름달이 중천에 뜬 날에 사립문 밖이 웅성거려서 문을 열어보니 용왕의 사자가 문밖에서 옥 가마를 대령하고 있었다. 이에 가마에 올라타자 순식간에 용궁에 도착하였다.

그러자 공주가 버선발로 뛰어나오면서 아이코 제가 예전에 길러주신 강아지입니다, 하면서 반겨주었다. 그리고 생전에 한 번도 보지 못했던 으리으리한 대궐과 산해진미를 대접받았다. 이렇듯 용궁에서 한 달가량 머물렀을 때 문득 뭍에 두고 온 할머니 생각이 간절하여 다시 돌아가고자 하였다. 용왕은 떠나기 전에 용궁을 더 구경하다가 무엇이든지 마음에 드는 것 하나를 골라서 가져가라고 하였다. 예전에 용녀가 일러준 대로 해인(海印)이라고 글씨가 파인 도장을 하나 집었더니 용왕은 안절부절못하였다. 그러면서도 용궁의 옥새(玉璽)인 해인 도장을 약속대로 노인에게 주면서 말하기를 인간 세계에 나아가 해인의 신통력으로 절을 지으면 많은 중생을 제도하는 도량이 될 것이라고 하였다.

황금보자기에 용궁의 옥새인 해인(海印) 도장을 싸 들고나온 영감은 할머니 앞에서 용궁 음식 나와라 하고 외쳐 그동안 자신이 먹어 보았던 산해진미를 차려 할머니에게 대접하였다. 오붓하게 살던 두 부부는 세월이 흘러 기력이 쇠하자 이 도장으로 절을 짓기로 마음먹고 해인 도장을 톡 톡 톡 하고 세 번 두드리면서 절을 짓기를 원한다고 하였다. 그렇게 세운 절이 합천 해인사(海印寺)라고 전하는 민간의 전설이다.

대장경(大藏經)을 이운하다

경남 밀양 문수사

부처님 가르침을 결집한 모든 경전을 통틀어서 대장경(大藏經)이라고 한다. 그리고 그 양이 아주 많으므로 팔만대장경이라고 흔히 말하며, 대장경에는 여러 가지 가르침이 있기에 이를 팔만사천법문이라고 한다. 그러므로 경(經), 율(律), 론(論), 삼장(三藏)을 아울러서 일컫는 말인 것이다.

수(隋)나라 이전에는 일체중장경전(一切衆藏經典) 또는 일체경장(一切經藏)이라고 하다가 수나라 때에 이르러서 대장경이라는 용어가 등장하게 되었다. 대장경은 부처님 말씀만 있는 것이 아니라 인도의 고승이 지은 논(論)이나 소(疏)가 함께 들어 있다. 그러므로 아주 방대한 양을 자랑하고 있다.

현존하는 대장경으로는 팔리어 대장경, 산스크리트 대장경, 한역(漢譯) 대장경, 몽골어 대장경, 만주어 대장경 등이 있다. 팔리어 대장경을 일본어로 번역한 것을 남전대장경(南傳大藏經)이라고 한다. 우리가 흔히 범어(梵語)라고 하는 것은 산스크리트어를 말한다. 이는 당시에 인도의 귀족들이 사용하던 언어다. 팔리어는 그에 반하여 서민들이 사용하던 언어다. 그리고 티베트어로 번역된 대장경을 흔히 서장대장경(西藏大藏經)이라고 한다.

우리나라는 고려 현종 때 거란(契丹)의 침입을 부처님의 위신력으로 물리치고자 목판본으로 만든 고려 최초의 대장경이 있는데 초조대장경(初雕大藏經)이라고 한다. 그 규모는 약 6천 권 정도의 분량으로 당시 한역 대장경으로는 동양 최대의 방대한 양이었다. 초조대장경은 처음에는 강화도 선원사(禪源寺)에 보관되었다가 나중에는 대구 부인사(符仁寺)로 이운하였다. 그러나 몽골의 침입으로 모두 소진(燒盡)되었으니 참으로 통탄할 일이다.

지금 해인사(海印寺)에 있는 대장경은 고려 시대에 만들어져 이를 고려대장경(高麗大藏經)이라고 한다. 강화도로 천도한 고려 왕실은 대장경을 다시 조판하기 위하여 대장도감을 설치하고 판각하였다. 조선 초기에까지는 강화도 선원사에 보관하다가 잠시 지금의 서울 지천사(支天寺)에 이운을 하였으며, 조선 태조 7년인 1398년에 해인사로 다시 이운하여 봉안하면서 오늘에 이르고 있다. 고려대장경으로 인출(印出)한 무수한 자료가 일본에 엄청나게 많이 유출되었다.

일본은 명치(明治) 시대에 이르러 고려대장경을 모본(模本)으로 하여 독자적인 활자판으로 대장경을 간행하였다. 이를 대일본교정축각대장경(大日本校訂縮刻大藏經)이라고 하며, 줄여서 축책대장경(縮冊大藏經)이라고 한다. 그리고 일본은 더 많은 자료를 확보하고 이를 독자적으로 분류하여 다시 1924~1934년에 걸쳐 대정신수대장경(大正新修大藏經)을 만들었으나 이것 역시도 고려대장경을 모본으로 하였다.

강화 보문사 18나한과 석굴법당

인천 강화 보문사

전하는 말에 의하면 신라 선덕여왕 3년인 634년에 강화도 보문사 사하촌인 매음리 마을 어부들이 어느 봄날에 만선을 기원하며 아침 일찍 바다에 나가 고기잡이 그물을 건져 올렸다. 어찌나 무거운지 모두 기뻐하며 그물을 건져보니 고기는 없고 22개의 돌덩어리만 걸려 올라왔다. 그러자 어부들은 낙심하여 돌덩이를 모두 바다에 던져 버렸다. 그리고 다시 고기를 잡기 위하여 오후 늦게 다시 그물을 건져 올렸더니 또 오전에 본 돌덩어리만 올라왔고 그것들을 어민들은 다시 바다에 던져 버렸다.

그날 밤 어부들은 하나같이 꿈을 꾸었는데 어떤 노승이 나타나서 일러주는 말씀이 그대들은 어찌하여 귀중한 보물들을 다시 바다에 던졌느냐 하며 책망하였다. 내일 다시 바다에 나가서 그물을 던지면 너희들이 던져 버린 돌덩어리가 올라올 테니 그 돌을 명산에 잘 봉안하라. 이에 어부들은 다시 바다에 나가 그물을 걷어 올리니 과연 어제 버린 돌덩이가 다시 올라왔다.

어부들은 간밤에 노승이 일러준 대로 돌덩이 22개를 정성껏 모시고 와서 보문사가 있는 낙가산이 제일 명산이니 그곳에 모시고자 하여 낙가산 보문사 앞에서

잠시 쉬었다. 그리고 다시 옮기려고 하니 돌덩이가 꼼짝도 하지 않았다. 이에 이 자리가 곧 길지임을 알고 석굴 속에 봉안하였다. 이것을 유래로 하여 보문사 굴법당에 삼존불상과 18나한과 나반존자를 봉안하게 된 것이다.

돌덩이를 봉안한 동굴에서 많은 신이(神異)함이 일어나자 사람들은 이 굴을 신통굴이라고 불렀다. 신통굴에는 옥 등잔이 있었는데 어느 사미승이 기름을 보충하고자 굴법당으로 들어가 기름을 더하고 올려놓다가 미끄러져서 그만 깨트리고 말았다. 이에 사미승이 울음을 터트렸고 사중의 보물인 옥 등잔을 깨트리자 대중들은 황급히 법당으로 들어가 보니 옥 등잔은 멀쩡하게 그 자리에 있었다고 한다.

또 다른 전언에 의하면 어느 날 사중에 도둑이 들어 향로, 다기, 촛대 등 유기를 훔쳐 밤새 도망치듯이 달아났다. 그리고 이제는 괜찮겠다 싶어서 한숨을 돌리는데 발아래서 범종 소리가 들렸다. 밤새 있는 힘을 다해 달아났지만 경내를 벗어나지 못하였다. 그러자 다시 도망치려고 하는데 새벽 도량석에 나온 스님에게 잡혀서 참회하고 불제자가 되었다고 전하고 있다.

신통굴은 천연 동굴법당으로 지방문화재 제57호로 지정되어 있다. 이 안에 감실(龕室)을 마련하여 높이 30cm 정도의 18나한과 더불어 석불을 봉안하고 있다. 여기에 소개한 벽화는 모두 강화 보문사에 있는 벽화다.

느티나무를 맴도는 도둑

인천 강화 보문사

알 수 없는 오래전 강화도는 흉년이 들고 괴질까지 번져서 무척 살기가 곤란하였다. 그때 보문사에도 도둑이 들어 불기들을 훔쳐 산을 넘어 밤새 도망을 갔다. 도둑은 이제 100리 정도는 왔겠지 하고 짐을 내려놓고 널따란 바위에 앉아서 땀을 훔쳤다. 그런데 어디선가 풍경소리가 들려와 어디인가 싶어 어둑어둑한 주위를 살펴보니 산사가 있었다. 도둑은 낙가산에 또 다른 절이 있었구나 하고 다시 짐을 둘러메고 큰 나무 밑을 향해 달렸다. 도둑 스스로는 모르고 있었지만 헉헉거리며 느티나무 밑을 맴돌고 있었다.

스님이 도둑을 잡고 보니 어제저녁에 하룻밤 유숙하기를 청하였던 길손이었다. 스님은 그를 잡아 방으로 데리고 와서 그의 잘못을 타이르자 도둑은 깊이 참회하며 용서를 빌었다. 그러면서 하는 말이 양식을 구하러 나왔다가 배고프고 고단하여 절에 유숙을 청하면서 공양도 대접받았으나 집에 있는 굶주린 가족 생각이 나서 이러한 일을 저지르게 되었다고 하였다. 또 이어서 하는 말이 스님 참으로 희한한 일입니다. 제가 밤새 도망을 쳤는데 어찌 된 영문인지 밤새 절 안에 있는 느티나무만 빙빙 돌고 있었습니다. 스님은 도둑에게 인과응보를 설명해 주고 먹을 양식을 마련하여 그를 돌려보냈다. 후에 그는 부자가 되어 보문사 불사에 많은 도움을 주었다고 한다.

보문사 화산(華山) 스님의 묘책

인천 강화 보문사

일제강점기에 화산(華山) 스님이 보문사 주지로 주석하실 때의 일화를 바탕으로 그려진 벽화다. 예전에는 땔감을 마련하여 취사와 더불어 군불을 지펴서 난방하던 때라 보문사가 있는 낙가산에도 사하촌 사람들이 올라와 몰래 나무를 베어가기도 하고 더러는 보란 듯 버젓이 벌목하였다. 그러자 절에서는 산감(山監)을 지정하여 관리하였는데 주민들과 시시비비가 자주 일어나곤 하였다.

벌목하는 사람들을 아무리 만류하고 설득하여도 별다른 효과가 없자 묘책을 내어서 이를 저지하려고 하였다. 이는 다름 아닌 신통굴의 나한을 나무를 상습적으로 베어가는 집 대문 앞에 한 분씩 내려놓았다. 보문사 나한의 신통에 대해서 마을 사람들은 익히 잘 알고 있었다. 대문 앞 나한을 확인하고 어찌할 바를 모르고 있던 벌목꾼들은 절로 올라가 화산 스님에게 나무를 다시는 베지 않을 터이니 제발 대문 앞의 나한을 절로 다시 이운해 갈 것을 정중히 청하였다. 스님은 이들에게 확약을 받고 다시 나한을 절로 모셨으며 이로부터 낙가산은 울창한 숲이 보존되었다고 한다.

강릉 주문진 동명사(東明寺) 창건

경남 김해 정암사

근세 우리나라 불교에 큰 발자취를 남기신 지암종욱(智庵鍾郁, 1884~1968) 스님은 1884년 강원도 양양에서 태어나 13세 때인 1896년에 양양 명주사(明珠寺)에서 백월병조(白月炳肇) 스님을 은사로 하여 득도하셨다. 제방의 강원을 두루 섭렵하시고 25세 때인 1908년에 인제 백담사 오세암에서 설운봉인(雪耘奉忍) 스님의 법맥을 이어 사승(師承)하였다. 그 후 독립운동과 오대산 월정사 주지, 그리고 1934년에 천도교가 운영하던 보성고보(普成高普)를 인수하였다. 그리고 그 자리에 1937년에 초석을 놓아 세운 절이 당시 태고사(太古寺)다. 이후 스님은 종단 안팎의 크고 작은 일들을 도맡아 하시며 종단의 기틀을 마련하고 1954년에 교단의 명칭을 조계종(曹溪宗)으로 변경하고 총무원장직에서 물러나셨다.

1960년 당시 스님은 77세의 노구를 이끌고 강릉 주문진으로 거처를 옮기셨다. 이는 월정사 산하 읍(邑), 면(面) 중에서 유독 주문진에만 포교당이 없음을 늘 안타깝게 여기셨기 때문이다. 이를 생전의 숙원처럼 여기시다가 마지막 불사를 회향하고자 초암(草庵)에 머물면서 동명사를 창건하셨다. 그 까닭은 어부들이 유독 많은 주문진에 산문을 열어서 자비문(慈悲門)으로 인도하고자 하는 스님의 남다른 속심이 있었기 때문이다.

당시 16세 어린 나이로 지암종욱(智庵鍾郁) 스님을 직접 모셨던 성담대석(性潭大石) 스님은 7년 동안 지암 스님 곁에서 큰 감화를 받으셨다고 늘 회고하셨다. 성담 스님의 회고에 의하면 지암 스님은 언제나 금강경(金剛經)을 1일 4독하셨다 하시니 그 신심은 타인이 추종을 불허할 정도였다.

스님은 동명사를 창건하시고 양조모와 부모님을 위하여 늘 기도하셨으며 또한 1962년 79세가 되던 백중(百中)을 맞이하여 위국선열지사인 도산 안창호(島山 安昌鎬, 1878~1938), 백범 김구(白凡 金九, 1876~1949), 성재 이시영(省齋 李始榮, 1868~1953) 등의 천도재를 직접 거행하셨다. 그 후 스님은 미질(微疾)이 있으시어 상좌인 천운상원(天運尙遠, 1932~2010) 스님이 구례 화엄사(華嚴寺)로 모셔 시봉을 받으시다가 1969년 11월 3일 입적하시니 다비 후 사리 96과를 수습하였다. 이에 탄허택성(呑虛宅成) 스님이 비문을 쓰고 월정사 부도전에 안치하였다.

지암 스님께서 동명사를 떠나셔서 화엄사로 자리를 옮기시자 상좌인 목운영길(木雲永吉) 스님이 주지로 주석하시고, 다시 가람을 일신하고 포교에 전념하시다가 세연이 다하여 2004년에 입적하셨다. 후에 비구니 지현(知賢) 스님이 뒤를 이어 포교에 전념하고 있다.

사명대사(四溟大師)의 시묘살이

경북 울진 불영사

사명대사 유정(四溟大師 惟政, 1544~1610)은 1544년 밀양시 무안면에서 아버지 수성(守成), 어머니 달성 서씨 사이에서 태어나셨다. 속명은 응규(應奎)이고 속성은 풍천 임씨(豊川 任氏)다. 사명대사는 어린 나이에 조부에게 사략(史略)을 배우고 13세 때는 황여헌(黃汝獻)에게 맹자를 배웠다. 그리고 밀양 백일장에 나가서 장원급제하였다. 14세 때 어머니를 여의고, 그 후 몇 년 지나지 않은 16세 때 아버지마저 여의자 당시 풍습에 따라 시묘살이를 하였다.

시묘살이는 유교의 법도로 부모의 상을 당하면 봉분을 만들고 무덤 근처에 움막을 짓고 상주로서 3년 동안 묘를 돌보는 것이기에 시묘(侍墓)라고 한다. 시묘 제도는 중국의 한(漢), 후한(後漢), 진(晉)나라 당시에 행해지던 풍습으로 우리나라에서는 정몽주(鄭夢周)에 의하여 시작되었다는 설이 가장 지배적이다. 그리고 당시로써는 시묘가 사후의 가장 큰 효도 행위 가운데 하나로 사명대사도 아버지를 여의자 시묘를 하였다.

사명대사가 많지 않은 나이 16세로 시묘살이를 하고 있을 때 묘 앞을 지나던 한 스님이 와서 어린 나이에 참으로 대견하고 효도가 지극하다고 하면서 망자를 위하여 목탁을 두드리며 극락왕생을 빌어주었다. 염불이 끝나자 스님은 아무런 말씀도 안 하시고 목에 걸고 있던 염주 1개와 경책 한 권을 주고 떠나 버렸다.

세월이 흘러 시묘살이를 마친 사명대사는 평소 조부와 면식이 있던 스님을 뵙기 위하여 묘향산으로 찾아갔다. 불문에 들고자 스님께 인사를 올렸는데 그 스님

경북 울진 불영사

은 자신이 시묘살이를 할 때 염주와 경책을 주셨던 스님이었다. 그 스님은 조선의 고승 서산대사(西山大師)였다고 한다. 그러나 이는 민간에서 전해지는 구전설화로많은 이야기가 가미된 채 전개되고 있다. 사명대사는 김천 직지사에서 신묵(信默) 스님을 은사로 하여 출가하였다. 그리고 서산대사는 사명대사의 법은사(法恩師)이기 때문이다.

선조의 어명을 받들어 일본으로 떠나가는 사명대사

임진록 임진왜란과 사명대사(四溟大師) 설화

경북 김천 직지사

사명대사는 1544년인 조선 중종 39년에 경남 밀양시 무안면 고라리에서 태어나셨다. 1558년 15세 나이로 김천 직지사(直指寺)에서 신묵(信默) 화상을 은사로 득도하였다. 이때 받은 법명이 유정(惟政)이며 사명(四溟)은 법호다. 1575년 32세 때에는 선종의 수종찰(首宗刹)인 봉은사(奉恩寺) 주지에 천거되었으나 이를 사양하였다. 그 후 묘향산 보현사(普賢寺)에 주석하시는 서산대사를 찾아뵙고 선리(禪理)를 참구하면서 법제자가 되었다. 오대산 월정사(月精寺) 영감난야(靈鑑蘭若)에 머무르면서 5년 동안 월정사 복원 불사를 할 당시에 정여립(鄭汝立)의 기축옥사(己丑獄事)에 연루되어 강릉부의 옥사에 갇혔다. 이에 유생들이 나서서 억울함을 상소하여 무고로 풀려나와 월정사 중창 불사를 회향하기도 하였다.

당시 조선은 하루도 바람 잘 날 없이 당쟁으로 얼룩지다 1592년인 선조 25년 임진년 4월에 왜란이 일어났는데 이것이 임진왜란이다. 나라가 풍전등화의 위기에 처하자 사명대사는 은사인 서산대사(西山大師)와 더불어 기허(騎虛) 스님, 뇌묵(雷黙) 스님 등 모든 의승(義僧)과 더불어 호국 승병을 모집하여 스스로 동참하였다. 이때 선조로부터 선교양종 팔도도총섭(禪敎兩宗 八道都摠攝)으로 제수받았다.

1597년에 왜장 가토오 기요마사[加藤清正]가 사명대사를 만나 조선의 국보가 무엇이냐고 물었다. 이에 사명대사가 말하기를 그대의 목이 조선의 국보라고 답하여 가토오 기요마사의 간담을 서늘하게 하였다. 1604년 사명대사는 스승인 서산대사의 부음을 받고 묘향산으로 가던 중 선조의 국서를 받들고 그해 8월에 일본으로 건너가서 8개월 동안 각고의 노력으로 포로 3천 명을 데리고 귀국하였다. 이때 일어난 여러 가지 일화가 오늘날까지 회자(膾炙)되고 있다.

경북 김천 직지사

왜놈들은 조선의 유명한 고승이며, 조선의 생불이신 사명대사가 조선의 사신으로 온다고 하자 처음부터 기를 죽이려고 술책을 부렸다. 사명대사가 오는 길에 1만 8천 9백 장의 병풍으로 시문을 써서 붙이고 이를 펼쳐 놓았으니 짐짓 5리가 넘었다. 이윽고 사명대사가 왕궁으로 들어가자 왜왕이 하는 말이 오시는 길에 병풍은 보셨겠지요. 그리고 이러한 시문을 어디 한 번이라도 본 적이 있느냐고 다소

경북 김천 직지사

조롱 섞인 어투로 말하였다. 그러자 사명대사는 그까짓 정도야 조선에서는 삼척동자도 다 아는 내용이라며 병풍의 내용을 술술 외웠는데 단 한 글자를 몰랐다고 한다. 그러자 글 한 자는 어찌 모르느냐고 하자 사명대사가 말하기를 보이지 않는 한 글자를 어찌 알겠소. 이렇게 반문하자 왜놈들은 내심 탄식하면서 아예 조선으로 돌려보내지 아니하고 죽이기로 작정하였다.

왜놈들이 술책을 부리기를 사명대사가 머무를 방에 구리 철판을 깔고 그 위에 흙으로 살짝 미장하여 위장하였다. 그리고 사명대사가 잠을 잘 때 장작을 많이 지펴서 죽이기로 하였다. 그러나 사명대사는 이를 이미 간파하고 사방의 벽에다 서리를 뜻하는 상(霜)을 써 붙이고, 방석 밑에는 얼음을 뜻하는 빙(氷)자를 써놓은 후 선정삼매에 들었다. 이를 모르고 왜놈들은 쾌재를 부르며 밤새 군불을 땠다. 아침이 되어서 방문을 열어보니 사명대사가 기침을 하고 콧수염에는 하얀 고드름이 맺혀 있었다. 그리고 하는 말이 듣자 하니 왜국은 남방이라 따뜻하다고 하더니 이렇게 추울 수가 있느냐. 너희들은 조선에서 귀한 손님이 오셨으면 제대로 대접해야지 밤새 이렇게 떨게 했느냐고 오히려 호통을 치면서 내일부터는 불을 좀 더 많이 지피라고 점잖게 타일렀다고 하는 일화가 전해지고 있다.

간밤에 자신을 죽이려고 하였던 방에서 사명대사는 문을 열고 나오며 헛기침하면서 침을 세 번 뱉으니 한 조각 검은 구름이 떠오르면서 순식간에 천지를 뒤덮었다. 그리고 이내 뇌성벽력을 하면서 엄청난 비가 쏟아지기 시작하였다. 그리고 얼마 가지 않아 왜국의 장안이 마치 바다처럼 되어 묻힐 듯하였다. 그러자 왜왕이 크게 겁에 질려 옥새(玉璽)를 끌러서 목에 걸고 용포(龍袍)를 벗어 목에 걸치면서 사명대사에게 머리를 조아리고 절을 올리며 사죄하면서 애걸하였다. 신령하신 생불이시여, 저희의 남은 생명을 보존케 하소서. 그제야 사명대사는 비를 그치게 하였다고 한다. 그 후부터 왜왕은 사명대사에게 아주 고분고분하였다는 설화를 바탕으로 그린 벽화다.

경북 김천 직지사

사명대사는 왜국에서 8개월 동안 각고의 노력 끝에 임진왜란 때 강제로 왜국으로 끌려간 동포 3천여 명을 데리고 1605년에 조선으로 귀국하였다. 그러자 선조는 사명대사를 가의대부(嘉義大夫)로 승급시키고 석장(錫杖)과 옷감 등을 하사하였다. 그리고 10월이 되어서야 스승의 영전에 분향하였다. 사명대사는 수행을 계속 이어가시다가 1610년 가야산 해인사(海印寺)에서 세납 67세, 법랍 53세의 일기로 입적하셨다.

강원 평창 월정사

사명대사가 왜국으로 가다

충북 제천 신륵사

벽화의 화제는 사명대사행일본지도(泗冥大師行日本之圖)다. 임진왜란 당시에 조선과 강화(講和)를 위해 일본으로 건너가 활약하는 장면을 그린 벽화다. 사명대사는 지금의 경남 밀양시 무안면에서 태어나 김천 직지사(直指寺)에서 신묵(信黙) 스님을 은사로 하여 출가하였다. 1592년 4월에 임진왜란이 일어나자 선조로부터 선교양종 팔도총섭(禪敎兩宗 八道摠攝)을 제수받았다. 1597년 왜장이었던 가등청정(加藤清正)이 스님에게 조선의 국보가 무엇이냐고 묻자 바로 그대의 목이라고 하여 적장의 간담을 서늘하게 하였다.

1604년 8월에 왜국으로 건너가 8개월 동안 적장과 담판하여 그 다음해인 1605년 4월에 포로로 잡혀간 우리 동포 3천여 명을 데리고 귀국하였다. 이에 선조는 스님의 품계를 가의대부(嘉義大夫)로 승급시키고 석장(錫杖)과 가사를 하사하면서 스님의 공훈을 치하하였다. 경남 밀양 무이정사(無二精舍)에 주석하시면서 사명대사와 서산대사 어록의 목판본을 번역하여 출판하신 무이거부(無二巨芙) 스님은 사명대사의 한자 표기를 사명당(泗溟堂)으로 쓰고 있으나 이는 명백한 오류라고 지적하고 있다. 왜냐하면 목판 원문에는 콧물 사(泗)자는 단 한 글자도 나타나지 않음을 지적하면서 사명당(四溟堂)이 바른 표현이라고 밝히고 있다.

왜국에서 백마가 이끄는 가마를 타고 왜군들의 호위를 받으면서 도쿠가와 이에야스[德川家康]를 만나기 위하여 가는 장면으로 여겨진다. 그러나 사명대사가 일본을 향하기 직전에 조선에서 행렬하는 모습을 나타낸 것이라는 견해도 있다.

충북 제천 신륵사 벽화의 일부분

조총(鳥銃)으로 무장한 왜군들을 무장 해제시키는 모습과 왜군들을 사로잡아 포승줄로 묶은 모습, 그리고 한쪽에서는 도끼로 조총을 부수는 장면 등을 실제 모습을 보는 듯이 표현한 벽화다.

서산대사의 법제자인 해안(海眼, 1568~?) 스님이 찬(撰)한 유명조선국자통광제

충북 제천 신륵사 벽화의 일부분

존자사명당송운대사행적(有明朝鮮國慈通廣濟尊者四溟堂宋雲大師行蹟)에 보면 스님의 담대함을 엿볼 수 있는 문장이 있다. 이를 살펴보면 다음과 같다.

명나라 총병(摠兵) 유정(劉綎, 1558~1619)이 대사에게 명하기를 부산에 있는 왜의 진영(陣營)에 들어가 가등청정(加藤清正)을 만나서 회유하라고 하자 대사는 무룻 세 번이나 드나들었다. 이때 가등청정이 대사에게 묻기를 조선에는 무슨 보배가 있느냐. 대사가 답하기를 근년에 와서는 우리 조선에는 별다른 보배가 없지만 다만 그대의 머리를 보배로 여긴다. 가등청정은 무릎을 치고 크게 탄식하였다고 한다. 劉摠兵綎命 師入釜營諭清正凡三返 正問朝鮮之寶大師對曰 近年朝鮮無以爲寶 唯汝頭以爲寶 正擊莭驚嘆

마곡사 세조(世祖)와 김시습(金時習)

충남 공주 마곡사

충남 공주시 사곡면 운암리에는 마곡사(麻谷寺)가 자리잡고 있다. 마곡사라는 사명에 대해서는 여러 가지 설이 있다. 세속 사람들은 무염(無染) 스님이 당나라에 유학 가서 마곡보철(麻谷寶徹) 스님의 법을 이어받고 귀국하여 창건하였기에 마곡사라고 이름지었다고 한다. 또는 이 절에 참배하려는 사부대중이 삼[麻]과 같이 많았으므로 마곡사라 부르게 되었다고도 한다. 또 다른 일설에는 사방에서 운집해 오는 사람들이 마치 삼[麻]이 서 있는 것과 같다고 하여 마곡사라 이름지었다고 전하기도 한다.

마곡사에서 가장 오래된 영산전(靈山殿)은 조선 후기의 건물로 보물 제800호로 지정된 성보다. 이 건물의 현판인 영산전은 전하는 말에 의하면 세조(世祖)의 어필이다. 세조는 조선국 제7대 임금으로 등극하였다. 그는 세종의 둘째 아들로 태어나 수양대군(首陽大君)에 봉해졌다. 그러나 형인 문종(文宗)이 붕어하자 겨우

12살의 어린 조카가 단종(端宗) 임금으로 즉위하였으나 무력으로 제거하고 왕위를 찬탈한 후 강원도 영월로 유배를 보내 사약을 내려 죽였다. 그뿐만 아니라 자기 동생인 안평대군(安平大君)도 강화도로 유배를 보낸 뒤에 사사(賜死)시킨 후안무치한 인격의 소유자다.

세조의 역모에 반기를 들고 다시 단종의 보좌 세력은 단종을 복위시키려다 발각되었다. 이 일로 죽음을 면치 못한 성삼문(成三問), 박팽년(朴彭年), 하위지(河緯地), 이개(李塏), 유성원(柳誠源), 유응부(兪應孚) 등 여섯 명을 사육신(死六臣)이라 하고, 목숨은 건졌으나 벼슬에 나가지 아니하고 평생 초야에 묻혀 살았던 김시습(金時習), 원호(元昊), 이맹전(李孟專), 조려(趙旅), 성담수(成聃壽), 남효온(南孝溫) 등을 생육신(生六臣)이라고 한다.

충남 공주 마곡사 영산전 세조 어필

벽화를 다시 살펴보자. 세조는 평소 김시습을 흠모하였던지라 김시습이 마곡사에 머무른다는 것을 알고 그를 찾아 마곡사까지 왔으나 이를 통보받은 김시습은 마곡사를 떠나버렸다. 김시습을 끝내 만나지 못한 세조는 영산전 현판 글씨를 하나 남겼다고 전한다. 또한 김시습이 나를 버리고 떠났으니 연(輦, 가마)을 타고 갈 수 없다며 소를 타고 돌아갔다는 일화가 전해진다. 마곡사에는 이러한 연유로 세조의 연(輦)이 보관되어 있다. 벽화를 보면 세조가 연을 타고 오는 날에는 을씨년스럽게 바람이 몹시 부는 모습으로 재현하여 놓았으며, 사슴이 끄는 수레를 타고 있는 매월당 김시습은 아주 도도하게 그려놓아 두 사람 간의 이미지를 사뭇 다르게 표현하였다.

임제(臨濟) 스님의 탁발

제주 서귀포시 선덕사

임제의현(臨濟義玄, ?~867) 스님은 중국 당나라의 선승(禪僧)이다. 그리고 선종의 일파(一派)인 임제종(臨濟宗)의 시조이기도 하다. 임제(臨濟) 선사가 어느 날 탁발을 나가서 어느 집의 대문을 두드리니 한 노파가 문을 열고 물었다. 스님은 어쩐 일로 오셨습니까? 임제 스님이 답하기를 탁발하러 왔노라 하자, 말 끝나기도 무섭게 노파가 참으로 염치없는 중이라고 대꾸하였다. 이에 임제 선사가 말하기를 한 푼의 시주도 하지 아니하고 어째서 염치없다고 하십니까? 노파는 더이상 아무런 대꾸도 하지 않은 채 문을 닫고 집안으로 불쑥 들어가 버렸다. 그러자 임제 스님은 아무 말도 못하고 절로 돌아왔다. 이것이 선가에서 흔히 말하는 임제탁발(臨濟托鉢)이라는 내용의 줄거리다.

이러한 내용은 화산초종방선사어록(禾山超宗方禪師語錄)에도 나온다.

상당하여 이르기를 임제 스님이 어느 날 탁발을 나갔다가 어느 집에 이르러 문을 두드리며 탁발을 나왔다고 하자, 한 노파가 문을 열고 나오더니 염치없는 중이라고 하였다. 그러자 임제 스님이 대꾸하기를 밥도 주지도 아니하면서 어찌 그런 말을 하느냐고 하자, 다시 염치없는 중이라고 말하며 노파는 문을 닫고 들어가 버렸다. 선사가 말하기를, 사람들은 모두 임제 스님이 노파에게 당했다고 하였다. 옳고, 그르고, 달고, 쓴 것도 모르면서 많은 사람은 마음의 문을 닫아 버린다. 진보는 드러났는데 아무도 감히 받아들이지 못하고 모두 다 문을 닫아 버린다. 한참 있다가 탁자를 치며 내려왔다. 上堂 擧臨濟一日托鉢 至長者家云 家常添鉢 有婆至門云 太無厭生 臨濟云 飯也未曾夢見 說什麼太無厭生 婆遂掩却門 師云 人人皆謂 臨濟落在這婆陷穽 然不是苦辛人不知 殊不知掩却門處 珍寶已露 敢門諸人 旣是掩却門 珍寶在什麼處 良久云 拶

남전참묘(南泉斬猫)

제주 서귀포시 선덕사

남전보원(南泉普願, 748~834) 스님의 속성은 왕씨(王氏)이고 이름은 보원(普願), 법호는 남전(南泉)이다. 처음에는 대외산(大隗山)에서 수행하던 대혜종고(大慧宗杲) 스님의 문하에서 가르침을 받다가 나중에는 마조도일(馬祖道一) 스님의 문하에서 대오하여 마조 선사의 법통을 이었다.

남전 스님은 여러 가지 화두에 대한 일화를 남겼다. 남전견우(南泉牽牛)는 남전 스님이 소를 끌고 와 법당을 도는 것을 보고 수좌 조주종심(趙州從諗)의 반응을 살펴본 내용으로부터 생긴 공안이다. 남전견호(南泉見虎)는 다른 스님과 함께 길을 가다가 호랑이를 만난 인연에서 비롯된 공안이며, 남전겸자(南泉鎌子)는 남전 스님이 낫을 가지고 학인을 가르치던 일을 들어서 생긴 공안이다. 이외에도 남전매신(南泉賣身), 남전사구(南泉四句), 남전석교(南泉石橋), 남전석불(南泉石佛) 등 여러 공안이 전해오고 있다. 위의 벽화는 남전참묘(南泉斬猫)라는 내용을 담은 벽화다. 남전 스님의 문하에서 수행하는 납자들이 동당(東堂), 서당(西堂)에 나누어서 기숙하며 화두 타파에 몰두하고 있었다.

무문관(無門關) 14칙에 보면 동당과 서당의 납자들이 고양이를 두고 언쟁을 벌이고 있었다. 그러자 남전 스님이 고양이를 잡아 들고는 대중에게 말하기를 그대들이 제대로 말을 한다면 고양이는 살 수 있을 것이고 그렇지 아니하면 고양이 목을 베어버릴 것이다. 대중들이 아무 말도 못하자 남전 스님은 칼로 고양이 목을 베어버렸다. 날이 저물고 외출했던 조주 스님이 돌아오자 남전 스님은 앞의 상황을 이야기하니 조주 스님은 자기 짚신을 머리에 이고 나가버렸다. 그러자 남전 스님이 말하기를 만약 그대가 그 자리에 있었다면 고양이를 구할 수 있었을 것이라고 하였다. 南泉和尙 因東西堂爭猫兒 泉乃提起云 大衆道得即救 道不得即斬卻也 衆無對 泉遂斬之 晚趙州外歸 泉擧似州 州乃脫履 安頭上而出 泉云 子若在即救得猫兒

위 내용은 벽암록(碧巖錄) 제63칙에도 나온다. 동당, 서당의 수행자들이 고양이 한 마리를 두고 서로 자기들 것이라고 언쟁하였다는 얘기다. 격식 있게 말하자니 언쟁이지 그냥 말싸움하고 있었다는 것이다. 그러나 그것은 비본질적이다. 그까짓 고양이 한 마리가 이 집 거면 어떻고 저 집 거면 어떻겠는가? 어차피 함께 모여 사는 수행자들에게 누구의 고양이라고 선을 그어 따진다는 것은 그만큼 형편

없는 안목을 가지고 있었음을 보여주고 있다. 그러니 남전 스님이 보검을 빼들어도 아무도 그 뜻을 모르기에 꿀 먹은 벙어리가 된 것이다. 그러므로 양당의 선승들은 말로만 나는 선승이라며 거드름을 피우고 있는 사이비 선승인 것이다.

그렇다면 남전 스님은 진짜 고양이 목을 베었을까? 여기에 속지 마라. 그건 그냥 상징일 뿐이다. 남전 스님이 파놓은 함정에 빠진다면 그대도 양당의 머저리 같은 무리의 말싸움에 빠져들어 입에 침이 튀도록 격한 감정을 내세우고 있는 것이다. 아직도 고양이가 자기 것이라고…….

오대산 상원사(上院寺)와 한암 스님

강원 평창 사자암

한암(漢巖) 스님은 1876년 강원도 화천에서 태어나 22세 때에 금강산을 유람하다가 장안사(長安寺)에서 행름(行凜) 스님을 은사로 하여 출가하였다. 법명은 중원(重遠)이며 법호는 한암(漢巖)이다. 그 후 수행 정진하시다가 경허 스님의 법맥을 이었다.

지금의 강원도 평창군 진부면 동산리에 있는 오대산 상원사는 광복 후인 1946년에 실화로 인하여 건물이 전소되었다. 그 이듬해인 1947년에 당시 월정사 주지였던 지암종욱(智庵鍾郁, 1884~1969) 스님이 강원도 회양군 내금강면 장연리 내금강산 만폭동 법기봉(法起峰) 아래에 있던 표훈사(表訓寺) 산내 암자였던 마하연선원(摩訶衍禪院)을 본떠서 중창하였다.

한국전쟁이 한창 치열하게 전개되던 1951년 중공군의 개입으로 국군은 1 · 4 후퇴를 할 수밖에 없게 되자 인민군이 월정사와 상원사를 근거지로 하여 주둔하지 못하도록 사찰을 불태우라는 명령이 하달되었다. 그러자 모든 스님은 뿔뿔이 흩어져 피난을 갔지만 한암 스님은 홀로 남아 상원사를 지키고 있었다.

강원 평창 월정사

때는 1월 3일. 오대산 상원사에서는 세납 76세의 한암 스님과 손자뻘 되는 20대 초반의 육군 중위가 서로 물러설 수 없는 담판을 벌이고 있었다. 장교는 군명을 받았으니 절을 불태워야 하고 스님은 부처님의 제자로서 절을 지켜야 하는 상황에 놓인 것이다. 이에 명령을 하달받은 장교가 법당에 불을 지르려고 하자 한암 스님은 법당에 남아 가부좌를 한 채로 요동도 하지 않았다. 장교는 빨리 나오시라고 재촉하였지만 스님은 들은 체도 하지 않았다.

다급한 목소리로 장교가 다시 큰소리로 나오시라고 거듭 말하자 스님께서 말하기를 본래로부터 중은 죽으면 다비하므로 소승은 이제 나이도 많으니 죽을 날도 얼마 남지 않았소이다. 오히려 잘된 일이니 불을 질러 자신을 화장하라고 하면서 끝까지 자리를 지키며 나오지 않았다. 이에 감동한 장교는 상원사 문짝만 뜯어 불태우도록 하였으니, 곧 한암 스님은 상원사를 화마로부터 구하셨다. 이로부터 3개월 정도 후 스님은 가부좌한 모습으로 좌탈입망(坐脫立亡)하셨다.

강원 평창 월정사

전쟁은 인류의 비극이다. 한국전쟁은 아직도 아물지 않는 생채기를 앓고 있다. 이러한 전쟁 속에서 해인사를 지켜낸 공군 조종사 장지량(張志良) 중령, 구례 화엄사를 지켜낸 차일혁(車一赫, 1920~1958) 총경 등도 한암 스님과 더불어 성보를 수호한 인물들이다.

하동 칠불암 아자방(亞字房) 이야기

대구 달성 용연사

칠불암(七佛庵)은 경남 하동군 화개면 범왕리 지리산 반야봉 아래에 있는 절이다. 칠불암에 전하는 설화에 의하면 조선 중기에 하동 군수로 새로 부임한 사또가 처음으로 고을을 둘러보기 위해 쌍계사(雙溪寺)에 들렀다가 쌍계사 가까이 있는 칠불암(七佛庵)에 아자방(亞字房) 선원이 유명하다는 소문을 일찍부터 들었던 터라 그곳을 꼭 찾아가 보고 싶었다. 그러나 때는 스님들이 안거 중이라 참선하는 스님 외에는 출입이 금지되었다. 사또는 굳이 아자방 선원을 보고 싶다고 하며 주지 스님의 제지를 물리치고 아자방 선원의 문을 열어젖혔다. 그러나 점심 공양을 조금 전에 마친 스님들은 식곤증으로 인하여 각양각색의 모습으로 졸고 있었다.

고개를 하늘로 치켜들고 조는 스님, 방바닥을 향하여 졸고 있는 스님, 고개를 좌우로 흔들며 졸고 있는 스님, 더군다나 방귀까지 뀌면서 졸고 있는 스님도 있었다. 이에 사또는 미간을 찌푸리며 어처구니가 없다는 표정으로 힐책하며 주지 스님에게, 이게 무슨 용맹정진한다는 아자방 선원이라는 말이요 하면서 주지 스님에게 호통치듯이 따져 물었다.

방안에서 하늘을 쳐다보고 졸고 있는 스님은 도대체 무슨 공부요. 그러자 스님이 말하기를 그것은 앙천성숙관(仰天星宿觀)이라고 하여 하늘의 별자리를 보아 일체중생을 제도하려는 공부입니다. 그러면 방바닥을 향하여 졸고 있는 스님은 뭐요. 그것은 지하망령관(地下亡靈觀)이라고 하여 사람이 죄를 지으면 그 죄업에 따라 지옥에 가게 되는데 이를 제도하기 위해 관(觀)하는 공부입니다.

그렇다면 자기 몸도 가누지 못하고 좌우로 졸고 있는 스님은 뭐요. 이는 춘풍양류관(春風楊柳觀)이라는 관(觀)으로 있음과 없음에 집착해도 안 되고 그러기에 전후좌우 어디에도 얽매여서는 안 된다는 공부라고 하였다. 그리고 방귀를 뀌면서 졸고 있는 스님은 뭐냐고 묻자 이는 칠통타파관(漆桶打破觀)이라고 하면서 무지한 사람들의 칠흑 같은 마음을 깨뜨려 주기 위한 관이라고 하였다.

그러자 사또는 과연 소문대로 열심히 정진하시는군요. 그러면 모두 신통이 있을 터이니 내일 동헌(東軒) 뜰에다 목마를 준비할 것이니 이놈을 한번 타고 달려보라고 하였다. 만약 말을 움직여 타지를 못한다면 선원의 문을 닫을 것이며, 또한 스님들이라 할지라도 크게 경을 칠 것이라고 하였다. 이윽고 사또가 떠나자 대중들은 여기에 대한 묘책을 마련하였으나 별다른 대안이 없어서 어쩔 줄을 몰랐다. 그때 사중에서 잔심부름하던 꼬마 녀석이 제가 내일 동헌에서 말을 타보겠다고 하였다. 그러자 사람들은 더러 동자를 꾸짖었으나 별다른 대책이 없었다.

경북 경주 용운사

다음 날 스님들이 관아의 동헌으로 몰려가 보니 과연 목마가 준비되어 있었으며 사또는 거드름을 피우며 기다리고 있었다. 그러자 동자가 목마를 타고 손바닥으로 목마의 엉덩이를 철썩하고 때리니 목마가 갑자기 히힝 소리를 내며 관아를 세 번 돌았다. 그러더니 목마는 푸른 사자로 바뀌고 동자는 문수보살로 변하여 허공으로 사라져 버렸다. 그러자 대중들은 문수동자가 사라진 허공을 향하여 합장하였다. 이러한 일이 있고 나서부터 사또는 지극한 신심을 내어 칠불암 아자방 선원의 스님들을 극진하게 보살폈다고 한다.

그러나 이 설화의 속내는 불교를 깎아내리는 내용으로 각색되어 있다는 것도 놓쳐서는 안 된다. 선원의 선승들을 먹고 잠만 자는 무위도식(無爲徒食)하는 집단으로 매도하고 있으며, 고을 사또가 스님을 호통치고, 선원 대중이 고을 관아까지 불려가는 수모를 당한다. 또 스님들이 해결 못하는 일들을 어린 동자가 해결하기도 하고 또한 사또의 권한으로 선원을 폐쇄할 수도 있다고 하는 으름장도 슬쩍 끼워놓고 있기 때문이다.

관정 스님이 법화경을 독송하여 병을 고치다

경북 경산 장엄사

장안관정(章安灌頂, 561~632)은 중국 수나라 때의 스님으로 속성은 오씨(吳氏)이고, 자(字)는 법운(法雲)이며 법호는 관정(灌頂)이다. 스님은 절강성 장안(章安) 출신이니 지금은 임해현(臨海縣)이다. 스님에 대해서 우리나라는 천태종 제2조(祖)로 추앙하고 있으나 중국에서는 제4조(祖)로 추앙하고 있다. 스님은 어릴 때 아버지를 여의었으며, 7세 때는 섭정사(攝靜寺)에서 혜증(慧拯)을 은사로 하여 출가하였다. 그리고 20세 때 구족계를 받았다. 583년에는 천태산(天台山)에서 지의(智顗, 538~597) 스님을 모시고 법제자가 되었으며, 584년에는 광택사(光宅寺)에서 지의 스님이 법화경을 개강(開講)하였을 때 이를 기록하고 정리하여 법화문구(法華文句)를 편찬하였다. 지의 스님이 형주(荊州)에 있는 옥천사(玉泉寺)로 자리를 옮기자 스님도 함께 따라나섰다.

591년 지의 스님이 양주(揚州) 선중사(禪衆寺)에 계실 때도 함께하였으며, 그 후 다시 지의 스님이 천태산으로 들어오자 역시 함께하였다. 597년에는 법화현의(法華玄義), 마하지관(摩訶止觀), 보살계의소(菩薩戒義疏) 등을 듣고 이를 편찬하여 1백여 권에 달하는 지자대사(智者大師)의 천태교관을 확실하게 세운 장본인이다.

지자(智者) 스님이 입적하시자 스님은 국청사(國淸寺), 청심정사(淸心精舍) 등에서 스승의 유지를 이어 강설할 당시에 가상사(嘉祥寺)의 길장(吉藏) 스님도 그의 가르침을 받았다. 632년 8월 국청사에서 향연 72세로 입적하자 세간에서는 스님을 장안(章安)대사라고 하였으며, 오월왕(五越王)은 총지(總持) 존자라는 시호를 내려서 스님을 기렸다. 스님의 저술로는 대반열반경현의(大般涅槃經玄義), 대반열반경소(大般涅槃經疏), 관심론소(觀心論疏), 천태팔교대의(天台八教大義), 수천태지의대사별전(脩天台智顗大師別傳), 국청백록(國淸百錄), 인왕경사기(仁王經私記), 인왕소(仁王疏) 등이 있으나 인왕경사기와 인왕소만 제외하고 나머지는 지금까지 전해오고 있다.

위의 벽화는 관정 스님이 국청사에 머무를 때 어떤 노인이 병이 들어 백약을 써도 차도가 없자 그의 아들들이 달려와 아버지를 살려 달라고 애원하였다. 관정 스님은 30리나 떨어진 병든 노인을 위하여 전단향(栴檀香)을 사르고 법화경을 설하였더니 노인은 이 향기를 맡고 병환이 말끔하게 치료가 되었다고 하는 설화를 바탕으로 그린 벽화다. 이외에도 낙안의 남쪽에 있는 안주(安州) 땅에 수풀이 우거지고 물살이 빠른 개울이 있어서 매년 익사자가 발생하였다. 그러자 관정 스님이 말씀하기를 만일 이 개울의 땅바닥이 평탄해지면 이곳에 와서 강의하리라 하고 떠났다. 그러자 열흘 정도쯤 흘렀을까? 개울 바닥의 모래가 고르게 솟아올라 와 거울처럼 평탄해지자 관정 스님은 이곳에 다시 와서 법화경과 금광명경(金光明經)을 설하였다고 한다.

또 전하는 말에 의하면 장안(章安)의 섭정사(攝靜寺)에 주석하실 때 열반경(涅槃經)을 강의하던 어느 날 해적들이 뭍으로 올라와 노략질하려고 하니 모든 승속이 섭정사로 몰려왔다. 그러자 관정 스님은 태연하게 종을 치며 강의를 다시 시작하였다. 해적들이 섭정사를 향해 달려오다가 키가 10척이 넘는 사람들이 나타나 활과 창을 들고 문 앞에 있는 것을 보고 기겁하여 줄행랑을 쳤다는 설화도 전해오고 있다.

관정 스님이 입적할 시간이 다가오자 제자들에게 약으로 자기 몸을 치료하지 말라는 엄명을 내리면서 부촉하기를 부처님께서 열반에 드실 때 좋은 향을 많이 피워서 연기가 구름처럼 일었다고 미륵경(彌勒經)에 기록되어 있으니 그대들도 나를 위한다면 향을 많이 사르라고 하였다. 이에 제자들이 슬피 우니 관정 스님은 자리에서 일어나 성인을 맞이하는 것처럼 합장 예배하고 아미타불을 세 번 부른 후 자리에 누워 손을 포개어 가슴에 얹고는 태연자약하게 입적하였다고 한다.

중국 천태종을 이어간 아홉 분의 스님을 천태구조(天台九祖)라고 한다. 이를 살펴보면 용수(龍樹)-북제혜문(北齊慧文, 1조)-남악혜사(南岳慧思, 2조)-천태지의(天台智顗, 3조)-장안관정(章安灌頂, 4조)-법화지위(法華智威, 5조)-천궁혜위(天宮慧威, 6조)-좌계현랑(左溪玄朗, 7조)-형계담연(荊溪湛然, 8조)-도수존자(道邃尊者, 9조) 순으로 그 계맥이 이어진다.

중국에서는 혜문 스님을 천태종 초조(初祖)로 혹은 용수 스님을 초조로 숭앙(崇仰)하고 있다. 그러나 우리나라에서는 실제로 천태학을 시창(始創)한 스님이 천태지의 선사라 여겨 지의 스님을 초조로 숭앙하고 있다. 이는 천태종 조사를 어느 기준으로 하느냐에 따라서 그 차이가 난다.

법화존자 지위(智威) 스님이 석장을 날리다

경북 경산 장엄사

법화지위(法華智威, ?~680) 스님은 당나라 때의 스님으로 속성은 장씨(蔣氏)이다. 중국 천태종 제6조로 추앙받고 있으며, 집안은 대대로 유학을 숭상하는 가문이었다.

18세 때 본군(本郡)의 당장(堂長)을 맡았고 이때 결혼하기 위하여 귀가하다가 범승(梵僧)을 만났다. 그대의 전생 이름은 서릉(徐陵)이며, 일찍이 출가하여 천태지자(天台智者) 스님의 문하에서 강의를 들었다. 그 당시에 그대는 다섯 가지 원을 세웠음이라. 임종시에 정념(正念)하기, 삼악도에 떨어지지 않기, 사람의 몸을 다시 받기, 동진 출가하기, 세속 승이 되지 않기였다. 어찌 그대는 지난날의 굳은 맹세를 어기느냐 하는 꾸지람을 들었다. 一願臨終正念 二願不墮三途 三願人中托生 四願童真出家 五願不爲流俗之僧

이 말을 듣자마자 천태산 국청사(國清寺)에 가서 관정(灌頂) 스님에게 구족계를 받은 뒤 심요(心要)를 얻고 정혜를 함께 갖추어 법화삼매를 증득하였다. 674년에 국청사를 떠나 교법을 전하기 위하여 승지(勝地)를 찾았는데 제일 먼저 창령(蒼嶺)에 있는 보통산(普通山)에 올랐다. 그 땅이 협소한지라 석장(錫杖)에게 말하기를 이 석장이 떨어지는 자리가 승지일 것이라고 염원하면서 석장을 날렸는데 오백 리 떨어진 헌원(軒轅)에 있는 연단산(煉丹山)에 떨어졌다.

가시덤불을 헤치고 그 자리를 법화지(法華地)라고 하였다. 이 자리에 사원을 세우자 선을 익히고자 하는 선승들이 3백여 명, 그리고 스님의 법을 청강하고자 하는 스님들 7백 명이 몰려들어 항상 아홉 곳으로 나누어 거처하게 하였다. 스님의 신장은 7척이며 용모가 준걸한지라 법상에 오를 때마다 자운(紫雲)이 이마를 덮어서 구름이 마치 보개(寶蓋)를 쓴 것 같았다. 사람들이 이런 스님을 공경하여 법화존자라고 불렀다. 스님이 거주하는 산비탈이 80리 길인데도 매일 왕복하였으며, 또한 재의식이 있을 때나 공양 시간, 그리고 법회가 있을 때도 시간을 조금도 어기지 않아 사람들은 스님을 신족통(神足通)이라고 불렀다.

스님은 다재다능하고 문장 또한 뛰어나서 요암사비(姚巖寺碑)와 두타사비(頭陀寺碑)를 지었다. 영륭(永隆) 원년인 680년 11월에 가부좌를 틀고 좌탈입망하였으며 세수는 알 수 없다. 사법(嗣法) 제자로는 혜위(慧威) 스님이 있는데 그도 뛰어나서 스님과 함께 이위(二威)로 칭송되었으며, 스님을 대위(大威) 그리고 제자는 소위(小威)라고 불렀다. 돈황(燉煌)에서 출토된 육문다라니경론광석(六門陀羅尼經論廣釋) 1권에 저자가 존자지위조(尊者智威造)라 되어 있지만, 스님의 저서인지는 확실하지 않다. 스님이 머물던 사지(寺址)는 지금은 잡초만 무성할 따름이다.

천궁존자 혜위(慧威) 스님이 은거하다

경북 경산 장엄사

중국 천태종 제7조인 천궁혜위(天宮慧威, 634~713) 스님은 당나라 때의 스님으로 무주(婺州) 동양(東陽) 사람으로 속성은 유씨(留氏)다. 스님은 유년 시절에 구족계를 받았으며, 처음에는 경사(京師) 천궁사(天宮寺)에 있었기에 세속 사람들은 천궁존자(天宮尊者)라고 불렀다. 중국 천태종 제6조인 법화지위(法華智威) 스님에게 천태학(天台學)을 익혀서 삼관법(三觀法)을 깨달았으므로 세속 사람들은 스님을 소위(小威)라고 불렀다. 스님은 참선을 게을리하지 않았으며, 항상 주야로 부지런히 수행하였다.

나중에는 고향인 동양(東陽)으로 돌아가 심산유곡에 은거하면서 세속의 인연을 끊었으나 찾아와 가르침을 청하는 이가 헤아릴 수가 없었다. 당나라 고종 때는 조산대부사대사(朝散大夫四大師)에 봉해지기도 하였다.

개원(開元) 원년인 713년에 세수 80세로 스님이 입적하자 오월왕(五越王)은 전진존자(全眞尊者)라고 시호(諡號)를 내렸다. 제자로는 좌계현랑(左溪玄朗) 선사가 있다. 스님의 법명은 혜위(慧威)라 하기도 하고 혜위(惠威)라 하기도 한다.

옛 지명인 무주(婺州)는 지금의 절강성 금화시(浙江省 金華市)를 말한다. 그러므로 동양(東陽)은 절강성에 있는 도시의 이름이다.

천태종에서 삼관법이라는 것은 공가중(空假中)을 말한다. 이를 천태종 삼제삼관(三諦三觀)이라 하기도 한다. 공(空)은 인연으로 난 모든 존재가 자성이 없음을 관하여 하나의 성품으로 통일시키는 것을 말한다. 가(假)는 공에 머물지 않고 연기의 차별된 세계로 전개하여 나가는 것을 말하며, 중(中)은 공과 가의 양단에 대한 집착을 넘어서는 것을 말한다. 이러한 공(空) · 가(假) · 중(中)의 개념은 용수(龍樹)가 중론(中論)에서 사용한 이후 삼론종(三論宗), 천태종(天台宗) 등에서 중요한 이론적인 근거로 자리잡았다.

좌계존자 현랑(玄朗) 스님의 이적

경북 경산 장엄사

중국 천태종 제8조인 좌계(左溪)존자 현랑(玄朗, 673~754) 스님은 당나라 천태종의 스님으로 무주(婺州) 오상(烏傷) 지방 출신이다. 호(號)는 좌계(左溪)이고 자(字)는 혜명(慧明)이며, 속성은 부씨(傅氏)이다. 일곱 살 때 출가하였으며 후일에는 광주(光州)에 있는 안율사(岸律師)에서 구족계를 받았다. 스무 살 때는 동양(東陽)의 청태사(淸泰寺)에 있으면서 율의(律儀)를 익히고 또한 열반경(涅槃經) 등 경론을 두루 연구하였다. 그리고 천태종 혜위(慧威) 스님에게 법화경(法華經), 유마경(維摩經), 지도론(智度論), 지관(止觀) 등을 배우고 관법(觀法)을 수행하였다. 또한 스님은 유교와 도교도 모두 섭렵하였다.

천성이 심산유곡을 좋아하고 세속을 싫어하여 지관(止觀)으로서 도에 들어가 안심을 얻는 방법을 수행하였다. 41세에 스승 혜위 스님이 입적하자 무주에 있는 좌계암(左溪巖)에서 30여 년 동안 은거하며 수행하였으므로 세상 사람들이 스님을 '좌계존자'라고 불렀다.

728년 무주자사(婺州刺史) 왕정용(王正容)이 여러 차례 법을 청하자 성에 머물렀다. 그러나 얼마 되지 않아 병을 핑계 삼아 다시 산중으로 들어갔다. 그 뒤 강론에 힘쓰다가 754년 9월에 세수 82세의 일기로 입적하였다. 그러자 오월왕(五越王)이 명각존자(明覺尊者)라고 시호를 하였다. 저서에는 법화경과문(法華經科文)이 있다. 그리고 스님의 문하에는 담연(湛然) 스님, 법융(法融) 스님, 이응(理應) 스님 등이 있다.

현랑 스님의 일화를 보면 매일 향을 사르면서 오로지 도솔천에 왕생할 것을 염원하면서 미륵보살을 친견할 것을 기원하였다. 그러던 어느 날 문득 오색광명이 비추더니 하늘에서 사리가 떨어지는 감응이 있었다. 이를 지켜보던 사람들이 기이한 일에 감탄하여 탑을 세워 사리를 봉안하였다. 그러나 당나라 무종(武宗) 때 자행된 회창폐불(會昌廢佛)로 인하여 탑이 파괴되자 한 승려가 사리를 몰래 숨겨

두었다가 송나라 시절인 973년에 천태산 동남쪽에 다시 사리탑을 세웠다. 현랑 스님이 발우를 씻으면 원숭이들이 몰려와서 서로 받쳐 들었고, 경전을 봉독할 때면 새들이 모여들었다고 한다. 어느 날 눈먼 개가 와서 슬피 울며 땅에 뒹굴자 현랑 스님은 이를 불쌍히 여겨 향을 피우고 개를 위하여 정성을 다하여 예참(禮懺)을 하였다. 그리고 한 열흘쯤 지나자 개가 눈을 뜬 일이 있었다고 전하고 있다.

여산혜원의 호계삼소(虎溪三笑)

경남 김해 정암사

여산혜원(廬山慧遠, 334~416) 스님의 도반이었던 혜영(慧永) 스님이 먼저 중국 강서성 구강현 서쪽에 있는 여산의 서림사(西林寺)에 머물렀다. 그러다가 혜원 스님이 여산으로 오게 되자 당시 자사(刺史)였던 환이(桓伊)에게 부탁하여 여산의 향로봉 아래 폭포와 계곡이 있는 동쪽에 절을 지어서 동림사(東林寺)라고 이름을 지었다. 혜영 스님이 머물렀던 서림사도 풍광이 뛰어나기에 소동파(蘇東坡)도 여산을 순례하다가 마지막으로 서림사를 참배하고 제서림벽(題西林壁)이라는 제목으로 시 한 수를 남겼다.

橫看成嶺側成峰 遠近高低各不同
횡간성령측성봉 원근고저각부동

不識廬山眞面目 只緣身在此山中
불식여산진면목 지연신재차산중

이리 보면 고갯마루 저리 보면 봉우리네.
멀고 가깝고 높고 낮고 모두가 다르네.
여산의 참모습 알기가 어려운 것은
다만 이 몸이 산중에 들어와 있기 때문이라네.

402년 7월에는 여러 스님과 더불어 유유민(劉遺民)을 비롯한 신도들 123명이 무량수불상(無量壽佛像) 앞에서 염불삼매로써 수행할 것을 결의하였다. 동림사(東林寺)는 정토종(淨土宗)의 발원지가 되어 일본 불교에까지 영향을 미쳤다. 일본 동림교(東林敎)는 혜원을 시조로 하고 있다.

동림사 앞에는 호계(虎溪)가 있었다. 혜원 스님은 호계를 경계로 하여 속계의 경계선을 정하고 자신을 찾아온 누구를 막론하고 그들을 배웅할 때 호계의 다리를 절대로 건너지 아니하였다. 그러던 중 여산 율리(栗里)에 살던 시인 도연명(陶淵明, 365~427)과 도교의 도사 육수정(陸修靜, 406~477)이 자주 동림사를 찾아와 담론하였다. 그런데 언젠가 담론을 마치고 마음이 서로 맞아 이들을 배웅하다 자신도 모르게 그만 호계를 넘어서고 말았다. 그랬더니 느닷없이 산중에서 호랑이 울음소리가 나더니 그치지 아니하였다. 이에 세 사람은 서로 마주보고 박장대소를 하였다는 이야기가 바로 호계삼소(虎溪三笑)다.

사찰에 가면 삼소굴(三笑窟), 삼소당(三笑堂), 삼소암(三笑庵)이라는 편액이 걸린 것을 흔히 볼 수 있는데, 이는 호계삼소에 그 어원을 두고 있다. 호계삼소에 얽힌 내용을 기록한 책으로는 여산기(廬山記), 연종보감(蓮宗寶鑑), 불조통기(佛祖統紀), 석씨계고략(釋氏稽古略) 등이 있다.

여기에 관하여 시성(詩聖)이라고 불리는 당나라 이백(李白)은 호계삼소라는 설화에 대하여 별동림사승(別東林寺僧)이라는 시제로 시를 지었다.

東林送客處 月出白猿啼 笑別廬山遠 何煩過虎溪
동림송객처 월출백원제 소별여산원 하번과호계

동림사에서 찾아온 손님을 배웅하는데
밝은 달 아래 원숭이가 우는구나!
웃으면서 헤어지는 여산의 혜원 스님
아뿔싸 그만 호계의 다리를 건너고 말았군.

중국에서는 호계삼소의 고사에 대한 그림과 시 여러 개가 전하고 있다. 여기에 등장하는 인물의 생몰을 보면 혜원 스님과 소동파는 만났을 것으로 보이지만, 육수정 도사와는 만났을 확률이 거의 없다는 것을 알 수 있다.

파자소암(婆子燒庵)

제주 서귀포 선덕사

파자(婆子)는 늙은 여인을 말하며, 소암(燒庵)은 암자를 불태운다는 뜻이다. 따라서 늙은 여인이 암자를 불태워 버렸다는 뜻으로 선종(禪宗)의 공안 가운데 하나다. 이를 다르게 나타내어 고목선파자소암(枯木禪婆子燒庵), 파자분암(婆子焚庵)이라 하며 오등회원(五燈會元) 권제6에 그 전거(典據)를 두고 있다.

옛날 한 노파가 암자 하나를 지어 암주(庵主)를 20년 동안 뒷바라지하면서 늘 딸을 시켜 먹거리를 보내 시봉(侍奉)하게 하였다. 어느 날 노파는 딸에게 스님을 꼭 껴안고 이럴 때는 어떠하십니까? 라고 물어보도록 하였다. 암주가 이르기를 마른 고목이 찬 바위에 기대었으니 삼동(三冬)에도 불구하고 따사로운 기운이 전혀 없다고 하였다. 昔有婆子供養一庵主 經二十年 常令一二八女子送飯給侍 一日 令女子抱定 曰 正恁麼時如何 主曰 枯木倚寒巖 三冬無暖氣

딸이 돌아와서 노파에게 그대로 전하니 노파가 말하기를 내가 20년 동안 성품이 저속한 사람에게 공양했다면서 자리를 박차고 일어나 암자에 올라가 암자를 불태워 버리고 내려왔다. 女子擧似婆 婆曰 我二十年祇供養得箇俗漢 遂遣出燒却庵

노파가 암자를 불태웠다고 하는 것은 아직 선(禪)이 추구하는 것이 무엇인지도 모르고 참선한다고 하는 암주를 질책하는 것이다. 마치 주금강(周金剛)[8]이라고 자부하던 덕산선감(德山宣鑑)이 자신이 주해(註解)한 금강경소초(金剛經梳鈔)를 짊어지고, 듣자 하니 남방의 위산영우(潙山靈祐)라는 스님이 참선인가 무엇인가를 한다니 이 스님을 확 뭉개버리고자 찾아갔다. 그러던 도중 점심때 만나게 된 떡 파는 노인에게 호되게 당하는 꼴과 같은 격이다.

선종에서 고목(枯木)이라는 표현은 마른 나뭇가지에 빗대어 무심(無心)한 상태를 비유한 말이다. 따라서 마음이 고요함의 극치에 이른 것을 말하는데 이 상태에서 본래의 작용이 일어난다. 전심법요(傳心法要)에 보면 지금 말법 시대에 접어들면서 참선의 도를 배우는 사람들 대개가 온갖 소리와 빛깔에 집착하고 있으므로 이래서야 어찌 자기 마음을 여의었다고 하겠느냐? 마음이 허공 같고, 마른 나무

8) 덕산선감 스님의 속성이 주(周)씨이기에 붙여진 이름이다.

와 바위 같으며, 또한 타고 남은 재와 꺼진 불과 같이 무심하여야 비로소 도에 조금 상응함이 있을 것이라고 하였다. 如今末法向去 多是學禪道者 皆著一切聲色 何不與我心心同虛空去 如枯木石頭去 如寒灰死火去 方有少分相應

무난기(無暖氣)는 따뜻한 기운도 느끼지 못한다는 것으로, 이는 번뇌 망상의 열기가 식었다는 것을 말한다.

여기서 줄거리를 다시 한번 살펴보자. 20년 동안 수선(修禪)하는 사문을 시험코자 딸을 시켜 교태(嬌態)를 부리고 유혹하려 하였는데 암주는 여인을 마른 나무나 식은 재처럼 대하며 말하기를, 나는 욕정(欲情)의 기운은커녕 바위처럼 미동도 하지 않는다고 하였다. 이에 딸은 기뻐서 어쩔 줄 모르고 암자에서 내려와 어머니에게 알렸건만 어머니는 오히려 크게 실망하여 암자로 올라가 암주를 내쫓고 암자를 불태웠다. 그렇다면 도대체 암주는 무슨 잘못이 있었던 것일까?

노파가 20년 동안 공양을 올렸다고 하는 것은 수선(修禪)하는 이가 20년이 다 되어 가도록 습기(習起)가 제거되지 아니하고 남아 있었기 때문이다. 그러므로 시험해 볼 수밖에 없는 신세가 된 것이다. 이러한 도리를 고가타쇄(敲枷打鎖)라고 하며 결국 20년 동안 헛짓했다고 스스로 자탄(自嘆)하는 것이다.

선(禪)이든 교(教)이든 살아서 팔팔하게 움직여야지, 그렇지 못하면 모두 사교(死教), 사선(死禪)이 되어 무용지물(無用之物)이 되는 것이다. 이를 선종에서는 죽은 선(禪)이라 하여 고목선(枯木禪)이라고 한다.

번뇌 망상을 모두 제거하고 청정한 마음이 되었더라도 이 청정심에서 지혜가 일어나 이를 발휘하여야지 빈 마음 지키기만 골몰한다면 이는 죽은 선이라고 폄칭(貶稱)하는 것이다. 따라서 슬기가 없는 선을 어리석은 선(禪)이라고 하여 치선

(痴禪)이라고 한다.

임제종의 송나라 대혜종고(大慧宗杲) 선사는 간화선의 입장에서 동림상총(東林常總)의 좌선법과 굉지정각(宏智正覺)이 고취한 묵조선(黙照禪)을 비판하였다. 이는 활발한 작용이 없는 고목선이라고 하여 비판한 것이다.

또한 금강경오가해설의(金剛經五家解說誼)에 보면 이른바 무념(無念), 무주(無住)라는 것은 가을날 맑은 물 위에 삼라만상이 저절로 비추어 드러나는 것과 아주 흡사하다. 어찌 식은 재와 고목처럼 한길로 생각만 잊는 선법과 어찌 같겠는가. 생각을 모두 잊는 것은 시커먼 귀신의 소굴에 빠지는 것이어서 또한 보살의 머무를 곳이 아니기 때문이라고 하였다. 所謂無念無住 正似秋天野水 森羅自顯 豈同寒灰枯木 一於忘懷者哉 忘懷沈鬼窟 亦非菩薩住處也

그러나 알고 보면 간화선(看話禪)의 입장에서 묵조선(黙照禪)을 비판하는 공안이기도 하므로 결국 이렇다 할 뚜렷한 설의(說誼)를 제시한 선사가 없다.

조계종의 산파 지암종욱(智庵鍾郁) 스님

강원 평창 월정사

지암종욱(智庵鍾郁, 1884~1969) 스님은 강원도 양양군 현북면 상광정리에서 차남으로 태어났다. 어릴 때 이름은 학순(學順)이고 커서는 윤응(潤應)이라 하였다. 흔히 지암 이종욱, 또는 이종욱 스님이라고도 하는데 스님의 법명은 종욱(鍾郁)이고, 법호는 지암(智庵)이다. 속성은 이씨(李氏)이며 본관은 전주(全州)다. 태어난

지 며칠 만에 어머니와 사별하자 이웃 마을인 하광정리에 자손이 없는 강릉 김씨 댁 양자로 가게 되었다. 그러나 여섯 살 때 양어머니가 갑작스러운 죽음을 맞고 일곱 살 때는 양아버지도 죽음을 맞게 되어 일곱 살에 다시 본가로 돌아왔다.

13세 때인 1896년 11월 13일 고향 마을 가까이에 있는 명주사(明珠寺)에서 백월병조(白月炳肇) 스님을 은사로 하여 출가해 종욱(鍾郁)이라는 법명을 받았다. 출가하여 얼마 되지 않아 은사 스님의 배려로 월정사 적멸보궁에서 해천월운(海天月雲)을 모시면서 행자 생활을 하였다. 해천월운(海天月雲)의 은사는 서울 봉은사 주지를 지낸 나청호(羅晴湖) 스님의 은사였다.

지암종욱 스님은 16세 때 월정사를 나와 황성 봉복사, 안성 칠장사 명적암, 공주 동학사, 순천 선암사, 순천 송광사, 서울 명진학교(明進學校), 범어서 청련암, 통도사 취운암 등에서 경학을 익혔다.

1908년 인제 백담사 오세암에서 설운봉인(雪耘奉忍) 선사로부터 지암(智庵)이라는 법호를 받고 건당하였다. 설운 스님의 법제자로는 지암 스님을 도와 월정사 총무를 역임하였고 정화 이후 조계종 총무원장과 동국대 이사장을 역임한 영암임성(暎巖任性, 1907~1987) 스님으로 지암 스님의 사제가 된다.

건당 이후에도 강원도 고성 건봉사, 문경 대승사, 보은 법주사 등에서 여러 강백을 찾아다니며 수학을 마치고 1912년 29세 때 월정사로 돌아왔다. 당시 월정사는 토지 문제로 인근 주민들과 분쟁을 겪고 있었다. 당시 주지 혜명(慧溟)이 늙고 병들어 이 문제를 해결할 수 없다고 주지를 사임하였다. 지암 스님이 자임하였으나 총독부에서 본산 주지는 40대여야 한다고 하여, 30대인 지암 스님은 주지 대리로 발벗고 뛰어 재판에서 승소하여 분쟁하던 땅 30여 정보(町步)를 월정사 소유로 확정하였다.

32세 때는 산중 어른 스님을 설득하여 월정사 불교전문강원을 설립하였다. 36세 때는 3 · 1 독립만세운동에 월정사의 용창은(龍昌恩) 스님과 함께 서울 탑골공원에 참가하였다. 이후 매국노를 암살하기 위하여 조직된 27결사대와 상해임시정부(上海臨時政府)에도 참여하였다. 이외에도 청년외교단, 애국부인회, 대한적십자사를 조직하였다. 상해 임시정부의 연통제(聯通制) 조직 책임자와 불교계 임시정부 모금 운동도 전개하였다. 1923년 의열단원 김상옥(金尙沃, 1890~1923)이 던진 폭탄 사건의 여파로 체포되어 함흥형무소에서 3년간 옥고를 치렀다.

지암 스님이 감옥에 있을 때 월정사는 일본 유학파 스님을 주축으로 하여 불교 현대화와 대중화 생산 불교를 내세워 강릉 포교당과 유치원, 관동권업주식회사(關東勸業株式會社)를 세웠다. 하지만 사업을 모르는 스님들은 곧 자본금을 탕진하고 식산은행(殖產銀行)에 사찰 토지를 담보로 하여 3만 원의 빚을 지게 되었다. 결국 재판에도 패소하여 월정사 법당과 불상, 토지, 적멸보궁 등을 모두 압류당하고 경매로 넘겨질 위기에 처했다. 이때 채무 금액이 12만 원이었다.

1925년 지암 스님이 출소하자 은사 스님이 계신 울진 불영사를 찾아가다가 모진 독감에 걸려 불영사에 몸져누웠다. 이때 스님을 병구완하던 젊은 청년이 스님의 인품에 감동하여 첫 상좌가 되었는데 재운상준(載雲像竣) 스님이다. 불영사에서 영암 스님을 처음 대면하게 되었으며 이후로 사형 사제가 되어 끝까지 서로가 의(義)를 지켰다. 다시 월정사로 돌아와 보니 사중(寺中) 형편이 말이 아니었다. 대중은 주지를 맡겼으나 막 감옥에서 나온 터라 총독부에서 이를 허락지 아니할 것이 분명하여 월정사사채정리위원장을 맡았다. 그 묘책으로 서울 봉은사에 계신 한암중원(漢巖重遠, 1876~1951) 스님을 월정사 조실로 모셔 왔다. 총독부와 합의하여 월정사 채무를 갚았다. 곧이어 월정사 강원을 재건하였다.

한국 불교 총본산을 제시한 이는 만해용운(卍海龍雲) 스님이며 이를 실천에 옮긴 이는 지암 스님이다. 지암 스님은 총본산 건설 운동을 주도하여 태고사[조계사]를 창건하게 된다. 그러므로 지암종욱 스님을 조계종의 산파(産婆)라고 하는 것이다. 그리고 일본에도 없는 종단의 이름을 찾고자 김영수, 권상로, 임석진 등 학승과 연구하여 찾아낸 것이 조계종(曹溪宗)이다. 이는 특정한 종맥을 지칭하는 것이 아니라 구산선문(九山禪門) 이래 선종을 통칭하는 의미를 담고 있다. 초대 종정에는 방한암 스님, 총무원장에는 이종욱 스님이 선출되었으며 월정사 주지도 겸직하였다.

1945년 8월 15일 광복이 되자 이내 총무원장직을 사임하였다. 광복 이후 첫 승려대회 때 부일 혐의로 3년간 승권(僧權) 정지를 당하게 된다. 그러나 임시정부 요인들이 귀국하면서 독립운동 자금을 매달 지원하였다는 것을 알게 되어 복권되었다. 이승만 정권 때는 불교를 홀대하자 제2대 국회의원으로 출마하여 당선되었으나 국회가 개원한 지 1주일 만에 한국전쟁이 일어나게 된다. 한국전쟁 때 방한암 스님이 좌탈입망하자 피난지인 부산 경남 교무원에서 조선 불교 교단 차원의 봉도식(奉悼式)과 49재가 거행되었는데 지암 스님이 법주가 되고 석암혜수(昔巖慧秀, 1911~1987) 스님과 자운성우(慈雲盛祐, 1911~1992) 스님이 독경사가 되어 의식을 거행하였다. 1951년 지암 스님은 다시 총무원장으로 선출되었다. 스스로 총무원장에서 물러난 지 6년 만의 일이다. 이후 1960년 77세 때 마지막 원력으로 포교당이 없던 강릉 주문진(注文津)에 오두막 빈집을 인수하여 부처님을 모시고 동명사(東明寺)라고 하였다. 이때 막내 상좌인 목운영길(木雲永吉) 스님과 손상좌(孫上佐)인 성담대석(性潭大石) 스님이 가까이서 모셨다.

1968년 85세 때 병환이 생기자 사제인 영암임성(暎巖任性) 총무원장 스님이 도반인 해인사 자운성우(慈雲盛祐) 스님과 상의하여 지암 스님의 상좌인 천운상원(天雲尙遠, 1932~2010) 스님을 구례 화엄사 주지로 임명하고 1969년 여름에 스님을 화엄사에서 모셨다.

스님이 갈 때가 다되었음을 알고 문도들에게 오대산 물이 먹고 싶다고 하여 그 물을 떠오게 하여 마셨다. 1969년 11월 3일 가을 천운 스님에게 나는 이제 가야겠다. 너무 오래 있었다고 하시며 조실채에서 법랍 74세, 세수 86세로 입적하였다. 화엄사에서 다비하였고 96과의 사리를 남기셨다.

사리의 일부는 동작동 현충원 애국지사 묘역에 안장하고 나머지는 월정사 부도전에 사리탑을 세우고 탄허택성(呑虛宅成, 1913~1983) 스님이 비문을 지었다. 이후 현충원 묘역에 안장된 사리를 수습하여 해남 대흥사로 모셔서 부도에 봉안하였다.

한글 창제를 도운 신미혜각(信眉慧覺)대사

충북 보은 법주사

신미대사(信眉大師, 1403~1480)는 충북 영동 출생이시다. 조선 초기의 스님으로 속명은 김수성(金守省)이며 아버지는 김훈(金訓, ?~1015), 동생은 문신이었던 김수온(金守溫, 1410~1481)이다. 출가하여 대장경을 열람하다가 범서로 된 경전을 보았다고 한다. 그 후 조선 제4대 왕 세종이 우리글을 만들기로 결심하여 집현전(集賢殿)을 확장하며 인재를 불러들였는데 속리산 복천사(福泉寺)에서 수행하던 신미대사도 초청받게 되었다고 한다.

강원 평창 월정사

신미대사는 불경(佛經), 범서(梵書), 유서(儒書)에 능하였다. 세종대왕이 우리글을 만들 때 뜻글자가 아닌 소리글자로 만들어야 한다고 말하며 수양대군(首陽大君), 안평대군(安平大君)과 협조하도록 하여 진행했다고 한다.

이에 신미 선사는 대자암(大慈庵), 진관사(津寬寺), 흥천사(興天寺), 예빈사(禮賓寺) 등에 머무르면서 집현전에 드나들었다. 그러나 최만리(崔萬理, ?~1445)의 반대가 심해지자 집현전이 아닌 밖에서 활동하였다고 한다. 4년 만에 우리글을 완성하여 해인사에서 미리 간인(刊印)해 온 법화경, 금강경, 반야심경, 지장경 등에 토를 달아보는 등 연구를 이어나갔다. 드디어 1446년 세종 28년 10월 29일에 우리 글을 훈민정음(訓民正音)이라고 반포하였다. 그러나 신미대사가 훈민정음 창제에 직접 관여했다는 사료(史料)나 기록은 없다. 하지만 세종실록(世宗實錄)에는 대사의 동생 김수온이 수양대군과 안평대군과 함께 불서를 번역했다는 기록이 있다. 또한 평창 상원사 중칭권신문에도 한글이 있는 것으로 봐서 신미대사가 불경의 언해본(諺解本)을 만드는 데에 관여했던 것으로 보인다.

신미대사가 속리산 복천사에서 입적하자 문종(文宗)은 선교종도총섭 밀전정법 비지쌍운 우국이세원융무애 혜각존자(禪教宗都總攝 密傳正法悲智雙運 佑國利世圓融無碍 慧覺尊者)로 임명하였다. 따라서 혜각존자(慧覺尊者)라는 존호(尊號)를 내렸으나 박팽년(朴彭年, 1417~1456), 하위지(河緯地, 1412~1456) 등이 주축으로 하여 반대하는 상소(上疏)가 이어졌다고 한다.

문신 하위지(河緯地)의 상소를 보면 간사한 중에게 존호(尊號)를 내리셨으니 바르지 못한 것이 이보다 더 큰 것이 없으므로 신(臣) 등은 놀라고 있사오니, 바라건대 이 명령을 거두어 달라는 내용이다.

세조가 왕위에 오르자 신미 선사는 왕사의 역할을 맡아 불교 중흥을 주관했다. 해인사 대장경 간행과 훈민정음의 보급에도 힘썼으며, 학승으로서 산스크리트어와 인도어, 티베트어에도 능해 금강경설의(金剛經說誼)를 교정하여 금강경오가해설의(金剛經五家解說誼)를 만들었다. 이 밖에도 여러 불전의 번역과 간행에도 관여했다. 사후 내려진 법호에 따라 혜각존자(慧覺尊者)라는 이름으로도 알려져 있다.

한글 창제에 대한 모든 공(功)은 세종에게 돌아갔으므로 어떤 문헌에도 신미대사에 대한 기록은 없다고 보는 견해가 있다. 다만 영산김씨(永山金氏) 족보에는 세종조수성이집현원학사득총어(世宗朝守省以集賢院學士得寵於)라고 기록되어 있으므로 이는 세종의 총애를 받아 집현전에 참석하였다는 기록이다.

세종이 승하(昇遐)하자 유생들은 우리글을 낮잡아 보아 언문(諺文)이라 하거나 글자가 몇 자 되지 않아 통시[화장실]에서도 익힐 수 있다고 하여 통시글이라면서 대장부가 배울 글은 못된다고 깎아내렸다.

수월음관(水月音觀) 선사

경남 진주 청곡사

수월음관(水月音觀, 1855~1928) 선사는 충남 홍성에서 태어나 일찍 부모를 여의고 어려서부터 남의 집 머슴살이를 하였다. 하루는 어느 탁발승(托鉢僧)이 그의 집에서 하룻밤 유숙하기를 청했다. 탁발승이 밤새 들려준 이야기를 듣고 나서 뜻을 세워 늦은 나이에 서산 천장암(天藏庵)에서 출가하였다. 그러나 배우지 못한 데다가 머리도 둔하여 불경을 제대로 익히지 못하자 땔나무를 하는 부목(負木)과 공양주(供養主) 소임을 3년이나 했다. 당시 천장암 주지는 경허성우(鏡虛惺牛) 선사의 친형인 태허성원(太虛性圓) 스님이었다. 따라서 스님의 은사는 태허 스님이다. 나중에는 경허성우 스님 문하에서 수행하였는데 이때는 수월(水月) 스님 뒤를 이어 혜월(慧月) 그리고 만공 스님이 함께하였다.

이 무렵 스님은 천수경(千手經)을 좋아하여 늘 천수경을 염송하였다. 1887년 어느 겨울날 절 아래 있는 물레방앗간에서 방아를 찧으면서 천수다라니를 외우며 일하다가 돌확 속에 머리를 박고 잠든 것을 태허 스님이 보고 급히 수월 스님을 밀어냈다. 그러자 곧 방앗공이 '쿵' 하면 다시 움직이기 시작하였다고 한다. 이를 목격한 태허 스님은 수월에게 경허 스님을 법사로 정해주었다고 한다.

스님은 무슨 일을 하든 천수다라니를 일구월심으로 염송하였다. 이것이 화두요 수행이었다. 1887년 어느 겨울날 골방으로 들어가 천수경을 외우면서 정진하다가 이레째 되던 날에 무명을 타파하고 깨침을 얻었다. 이에 경허 선사는 수월관음(水月觀音)에서 이름을 따 수월이라고 하였다. 1891년에는 경허, 제산 스님들과 함께 호서지방을 돌면서 수행하였다. 1892년 금강산 마하연사에서 스님을 조실로 모셨지만, 여전히 땔나무를 하고 다라니를 외우면서 수행하였다.

1896년에는 지리산 천은사(泉隱寺), 상선암(上禪庵), 우번대(牛翻臺) 등에서 수행하였다. 어느 날 천은사에서 수행할 때 방광(放光)하였다고 전한다. 1907년 오대산 상원사에서 6개월 정도 지내다 묘향산 중 비로암에서 3년간 주석하였다. 이후 갑산군 도화리에서 박난주 이름으로 신분을 감춘 경허 스님을 찾아갔으나 경허 스님은 사람을 잘못 찾았다고 문을 열어주지 아니하였다. 그러자 짚신 몇 켤레를 삼아 드리고 문밖에서 예를 올렸다고 한다.

1912년 경허 선사가 열반에 들자 두만강을 건너 북간도(北間島)로 들어가 백두산 근처에 있는 회막동(灰幕洞)에서 속인 모습으로 소먹이 일꾼을 하였다고 한다. 1915년 스님은 회막동을 떠나 만주와 러시아 국경지대에 있는 헤이룽장성의 수분하(綏芬河)로 들어가 관음사(觀音寺)라는 작은 절에서 신분을 감춘 채 6년간 보임했다. 1921년 봄 스님은 왕청현 나자구(羅在溝)에 들어가 동포들이 지어준 화엄사(華嚴寺)에서 날이 밝으면 종일 일했고, 탁발을 자주 다녔으며, 산짐승과 날

짐승과 어울려 놀거나 때때로 호랑이를 데리고 다녔다고 한다. 1928년 하안거를 마친 이후인 음력 7월 16일 스님은 절 뒤편 송림산에 올라 흐르는 개울물에 깨끗이 몸을 씻고, 잘 접어 갠 바지저고리와 새로 삼은 짚신 한 켤레를 가지런히 놓은 다음 맨몸으로 단정히 결가부좌를 하고 앉아 세상을 떠났다. 세수 74세, 법랍 45세였다.

보은 법주사(法住寺) 창건 설화

충북 보은 법주사

충북 보은 속리산 법주사(法住寺)는 신라 진흥왕 14년인 553년에 의신(義信, ?~?) 스님이 천축으로의 구법(求法) 순례 후 돌아와 창건한 절이다. 절 이름은 법주사를 세운 의신 스님이 서역으로부터 돌아올 때 불경을 나귀에 싣고 와서 이곳에 머물렀다고 하는 이야기에서 유래하였다.

이후 김제 금산사(金山寺)를 중창한 진표(眞表, 734~?)율사가 금산사를 떠나 속리산으로 가던 길에 소가 끄는 수레를 탄 사람을 만났다.

충북 보은 법주사

수레를 끌던 소가 앞으로 가지 않고 진표율사 앞에 무릎을 꿇고 울자 당황한 수레 주인이 스님은 어디서 오셨으며 소들이 왜 스님을 보고 이러는지 모르겠다고 말하였다.

이에 진표 스님이 말하였다. 나는 김제 금산사의 진표라는 중인데, 일찍이 변산

선계산(仙界山)의 의상봉 아래 깎아지른 벼랑에 있는 부사의방(不思議房)에 들어가 쌀 스무 말을 쪄서 말린 것으로 공양하며 3년 동안은 부지런히 미륵 부처님께 계법을 구하였지만 끝내 구하지 못하였다. 그래서 이 몸을 바꿔 다음 생에 성불하고자 벼랑에 몸을 던졌으나 푸른 옷을 입은 동자가 다시 바위 위로 올려주었다. 이후 정진하여 미륵보살과 지장보살로부터 친히 계법(戒法)과 점찰(占察) 패(牌) 두 쪽을 받고 절을 세웠는데 오랫동안 수행할 자리를 찾고자 이렇게 나선 것이다. 이 소들은 내가 계법을 받은 줄 알고 불법을 소중하게 여기기 때문에 무릎을 꿇고 우는 것이다.

수레 주인은 짐승도 신심을 내는데 나는 사람 몸 받았지만 짐승보다 못해서야 되겠는가 하고 그 자리에서 진표의 제자가 되었다.

자장율사(慈藏律師) 이야기

자장율사 출생, 강원 정선 정암사

자장율사(慈藏律師)의 속명은 선종랑(善宗郞)이며 진골(眞骨) 집안의 김무림(金茂林)의 아들로 태어났다. 아버지는 관직에 나가 청요직(淸要職)을 지냈으나 후사에 자식이 없어 부처님께 귀의하면서 아들을 얻으면 부처님의 아들이 되게 하여 법해(法海)의 나루와 다리가 되게 하겠노라고 천부관음(千部觀音)을 조성하여 기도하였다. 어느 날 부인의 꿈에 별이 문득 떨어지더니 품속으로 들어오는 꿈을 꾸고 태기를 느껴 부처님과 같은 날에 출산하였다.

그는 어버이를 여읜 뒤 처자를 버리고, 깊은 산속에 들어가 수행하였다. 신라 제27대 선덕여왕이 자장율사의 칭송을 이미 들은지라 자장을 재상(宰相)으로 삼고자 여러 차례 불렀으나 이에 응하지 않았다. 왕이 매우 화내며 이번에도 응하지 않으면 목을 베라며 관리(官吏)를 보냈으나 스님은 이번에도 거절하였다. 이에 관리가 목을 베려고 하자 스님은 태연하게 말했다.

吾寧一日 持戒而死 不願百年 破戒而生

오녕일일 지계이사 불원백년 파계이생

나는 차라리 계(戒)를 지키고 하루를 살지언정,

파계(破戒)하고 백년 살기를 원하지 않는다.

그러자 관리가 차마 베지 못하고 궁으로 돌아가 왕께 아뢰니 왕은 크게 기뻐하며 다시는 부르지 않았다.

스님은 정진을 위해 깊은 산속에 들어가 작은 오두막을 짓고 주변을 가시덤불로 막고 알몸으로 그 안에 앉아 수행하였다. 조금이라도 움직이면 찔리게 되었고 머리는 들보에 매달아서 혼미함을 쫓았으며 사나운 짐승을 피하지 아니하고 고골관(枯骨觀)을 수행하였다.

고골관 수행, 강원 정선 정암사

자장율사가 당나라로 들어감, 강원 정선 정암사

스님은 신라에 부처님 가르침이 크게 일어나지 못함을 안타까이 여겨 선덕여왕 7년인 638년 불법을 구하고자 당나라로 들어가 처음에는 태화지(太和池) 못가에 있는 문수보살 석상에 기도했더니 부처님이 네 구절의 게송을 일러주었다.

鉢羅佉遮那 縛哩吒伽耶 囊伽休哈喃 眵哩盧遮拏
발라거차나 박리타가야 낭가휴함남 다리노사나

꿈에서 깨어난 스님은 그 뜻을 전혀 알 수가 없었다. 이튿날 아침 노승이 붉은 깁에 금점(金點)이 있는 가사 한 벌과 부처님의 바리때 하나와 부처님 머리뼈 한 조각을 가지고 자장 스님 곁으로 와서는 무슨 일로 그리 수심이 가득하냐고 물었다. 이에 간밤의 꿈 이야기와 범어로 들려준 게송을 풀지 못하겠노라고 하였더니 그 스님이 이를 번역하여 주었다.

了知一切法 自性無所有 如是解法性 卽見盧舍那
요지일체법 자성무소유 여시해법성 즉견노사나

일체법을 깨달았으니 자성은 무소유 하도다.
이처럼 법성(法性)을 알았으니 노사나불을 곧 보노라.

해석을 마치고 노승은 가사와 발우, 정골(頂骨) 사리를 자장 스님에게 건네며 부탁하기를 이것은 본시 석가세존이 쓰던 도구이니 그대가 잘 보호해 지니라고 하면서 그대 나라 동북방 명주(溟州) 경계에 오대산이 있는데 1만의 문수보살이 늘 상주하고 있으니 그대는 가서 친견하라고 하면서 홀연히 자취를 감추었다.

태화지 용의 발원, 강원 정선 정암사

자장은 영험 있는 유적을 두루 순례하고 나서 고국으로 돌아가려고 하는데 태화지의 용이 나타나 재(齋)를 청하므로 이레 동안 공양을 올렸다. 이에 용왕이 자장에게 말하기를 전날 게송을 전하던 노승은 바로 문수보살이라면서 절을 짓고 탑을 세울 것을 간곡히 부탁하였다.

자장율사가 문수보살을 친견함, 강원 정선 정암사

643년에 신라로 돌아온 자장은 강원도 오대산에 이르러 문수보살의 진신을 보고자 하였으나 사흘 동안 날씨가 어둡고 흐려서 못보고 돌아왔다가 다시 원녕사(元寧寺)에 가서야 문수보살을 친견하였다. 자장율사가 꿈을 꾸었는데 당나라 북대에서 본 범승(梵僧)이었다. 범승이 말하기를 내일 대송정(大松汀)에서 너를 볼 것이라고 하였다. 꿈에서 깨어난 자장은 아침 일찍 대송정에 가보니 과연 문수보살이 온 것에 감응하여 법요(法要)를 물으니 다시 갈반지(葛盤地)에서 만나자고 말하고 사라졌다. 자장은 태백산에서 그를 찾았는데 큰 구렁이가 나무 아래 똬리를 틀고 있는 것으로, 이곳이 갈반지임을 깨달았다. 이에 석남원(石南院)을 창건하고 문수보살이 오기를 기다렸다. 하루는 어떤 남루한 차림을 한 거사가 칡으로 엮은 삼태기에 죽은 강아지를 담아 와서 문인에게 자장을 만나고자 왔다고 하였다. 이에 문인(門人)이 말하기를 나는 우리 스승님을 모신 이래로 아직 우리 스승의 이름을 부르는 자는 만나지 못하였다. 그대는 어떤 사람이기에 미친 말을 하는가 하였다. 이에 거사가 이르기를 너는 다만 너의 스승에게 알리기만 하라고 하였다.

문인이 들어가 자장에게 이를 전하니 아마 미친 사람인가 여겨서 나오지 않았다. 문인이 늙은 거사를 쫓으려고 하니 거사가 돌아가며 말하기를 아상(我相)을 가진 자가 어찌 나를 볼 수 있겠느냐고 하였다. 이에 삼태기를 뒤집으니 죽은 강아지가 곧 사자보좌로 변하였고 거사는 거기에 올라타고 사라졌다. 자장이 이를 듣고 비로소 문수보살임을 알고 남쪽 고개를 쫓아 올라갔으나 이미 행방이 묘연하였다. 이에 몸을 놓아두고 가면서 석 달 동안 방안에 그대로 몸을 두면 돌아올 것이라고 하였는데 그 몸을 다비해 버려 돌아오지 못하고 열반에 들었다고 한다.

자장율사가 당나라 태화사(太和寺)에 수행할 때 칡덩굴[갈반지, 葛盤地]이 있는 곳으로 가라고 하였지만 처음에는 그 뜻을 몰랐다. 탑의 토대(土臺) 위로 세 줄기 칡이 뻗어나와 탑 자리에서 멈췄는데 그 마을을 갈래(葛來)라고 하였다. 예전의 삼갈반(三葛盤)이 이것이다. 당나라 태종 19년인 645년에 수마노탑(水瑪瑙塔)과 사찰을 세웠으니 숲과 골짜기는 해를 가리고 멀리 세속의 티끌이 끊어져 깨끗하기가 비할 데가 없으므로 정암사(淨巖寺)라 이름하였다.

갈반지에 정암사 창건, 강원 정선 정암사

전하는 바로는 하늘이 처음 열릴 때 이 산 위에 세 개의 나무상자가 있었다. 미륵 부처님이 오셔서 용화 세상이 되면 상함(上函)에는 부처님의 이름이, 중함(中函)에는 경전의 이름이, 하함(下函)에는 사람의 이름이 나온다고 하였다. 또한 정암사 뒤편에는 세 봉우리가 있는데 동쪽은 천의봉(天倚峰), 남쪽은 은대봉(銀台峰), 북쪽은 금대봉(金台峰)이다. 그 가운데 보탑 셋이 있는데 첫째는 금탑(金塔), 둘째는 은탑(銀塔), 셋째는 수마노탑(水瑪瑙塔)이다. 수마노탑은 현재까지 보존되어 있으나 두 탑은 전하지 않는다.

52녀 감응 및 52지식수, 강원 정선 정암사

52녀 감응 및 52지식수(知識樹)는 자장율사가 태어난 마을의 집을 고쳐 원녕사(元寧寺)라는 절을 만들어 화엄경의 만 가지 게송을 강연하니 52녀(女)의 현신이 감동하여 들었다. 그러자 문인(門人)으로 하여금 그 수만큼 나무를 심어서 그 기이함을 나타나게 하고 이를 52지식수(五十二知識樹)라고 불렀다고 한다.

혜초(慧超) 스님의 왕오천축국전(往五天竺國傳)

충북 보은 법주사

혜초(慧超, 704~787) 스님은 통일 신라시대인 성덕왕 3년인 704년에 태어났다. 16세 때 당나라 광주(廣州)로 건너가 인도 출신의 밀교승인 금강지(金剛智)의 제자가 되었다. 금강지 스님은 720년경 당나라에 들어와 금강정경(金剛頂經) 등 경전을 한역하며 포교하신 스님이다. 혜초는 금강지의 권유로 천축국을 순례하고자 뜻을 세워 당나라 남쪽 바닷길을 통하여 동남아시아를 항해하여 각멸(閣蔑), 나신국(裸身國)을 거쳐 인도 동해안에 도착했다. 이후 스님은 동천축인 쿠시나가라, 중천축인 카나굽자, 남천축인 나시크, 서천축인 알로르, 북천축인 잘란다라를 거쳐 신두구르지나-카슈미르-우디아나-치트랄-바미안-토카리스탄-파사-니사푸르-토키리스탄-외칸-파미르-카슈가르-쿠차-카라사르-둔황-란저우--장안(長安)까지 순례하였다. 그 여행기가 왕오천축국전이다. 혜초는 출발할 때 해로(海路)를 이용하였지만, 733년 당나라 장안(長安)으로 올 때는 육로를 택하였다.

왕오천축국전은 1908년 프랑스의 동양 학자인 폴 펠리오(Paul Pelliot)에 의하여 중국 간쑤성의 둔황 막고굴에서 두루마리 형태로 발견되었다. 이 책은 원래 3권이었다고 하나 2권만 전한다. 이 책이 발견되고 난 뒤 7년 후인 1915년에 일본의 종교학자인 다가쿠스 준지로[高楠順次郎]와 서본원사(西本願寺) 주지인 오타니 고즈이[大谷光瑞]에 의하여 혜초 스님은 당나라가 아닌 신라 사람으로 밝혀졌다.

혜초 스님은 당나라의 광저우에서 시작해 수마트라와 스리랑카, 인도 전역과 북서부 이란(니샤푸르), 우즈베키스탄과 아프가니스탄, 파미르고원 부근 그리고 카슈가르라 불리는 카슈가르[喀什, 그 당시의 소륵국(疏勒國)]와 이곳 쿠차(庫車)[그 당시의 구자국(龜玆國)]를 마지막으로 하는 그의 8년간의 순례를 여행기 왕오천축국전으로 정리하였다. 기록상으로 보면 우리나라 사람으로서는 최초로 이슬람 문명권을 다녀온 사람이 된다. 787년에 중국 오대산(五臺山) 건원보리사(乾元菩提寺)에서 입적하였다.

불교의 호법신장(護法神將)

나라연금강(那羅延金剛)

경남 밀양 무봉사

나라연(那羅延)이라는 표현은 Narayana를 음사한 말이다. 원래 나라연은 리그베다에서 '나라'라고 하는 신과 함께 태양과 지상 사이에 머무는 12신 가운데 사트야신의 권속에 속하였다. 후대에 힌두교에서 비슈누 신과 동일시되었으며, 이를 다시 불교에서 받아들여 불법의 수호신으로 자리매김하였다. 나라연은 아주 큰 힘을 가진 존재로 여겨져서 후세에 밀적금강(密迹金剛)과 함께 인왕존(仁王尊)의 하나가 되어 주로 사원의 문짝에 그려지곤 한다.

구사론(俱舍論)에 보면 부처님의 힘이 마치 나라연과 같다는 표현도 있다. 佛生身力 等那羅延

나라연금강은 인왕존(仁王尊)의 다른 이름으로 인왕존의 힘이 나라연과 같이 뛰어나므로 이처럼 이름하는 것이다. 인왕존은 주로 사원의 출입구나 문, 그리고 수미단 좌우에 배치하기도 한다. 그러므로 사문(寺門)의 금강역사 가운데 오른쪽에 배치하며 입을 다문 모습을 한 형상이 우형(吽形)의 역사상(力士像)이다.

이러한 금강역사는 대부분 허리에만 옷을 걸쳐 입고 있으며, 날래고 용맹한 모습의 무사처럼 그려진다. 인상 또한 아주 험상궂게 표현한다.

밀적금강(密迹金剛)

경남 밀양 무봉사

밀적금강역사(密迹金剛力士)를 줄여 밀적금강(密迹金剛), 또는 밀적역사(密迹力士)라 하며 불법을 옹호하는 야차신(夜叉神)의 이름이다. 밀적역사는 집금강신, 밀적금강신, 밀적금강, 밀적금강역사, 금강밀적, 금강역사, 밀적사, 밀적 등으로 다양하게 불린다. 흔히 손에 금강저(金剛杵)를 들고 불법을 옹호하기에 금강신(金

剛神), 금강수(金剛手) 등으로도 부른다. 일반적으로 절의 문짝 양면에 그려지는 데 주로 웃옷을 벗은 채 손에는 무기류를 들고 있는 건장한 역사의 모습으로 표현된다. 이때 입을 벌리고 있으면 밀적금강(密迹金剛)이고, 입을 굳게 다물고 있으면 나라연금강(那羅延金剛)이다.

대보적경(大寶積經)에 보면 다음과 같은 말씀이 있다.

법의(法意) 태자가 서원하기를 사람들이 성불하였을 때 금강역사가 되어 항상 부처님을 친근하게 옹호하고 위엄 있는 모습으로 부처님을 항상 지키겠습니다. 그리고 여러 부처님의 비요(秘要)를 살펴서 언제나 의지하며 모든 부처님의 비결(秘訣)과 은밀한 자취와 관련된 일을 모두 믿으며 항상 즐거이 받들어 다시는 의심하지 않겠습니다.

증일아함경(增壹阿含經)에도 마제국(馬提國)에서 악한 용왕을 만났을 때 부처님을 옹호하는 밀적역사를 보고 악한 용왕은 스스로 부처님께 귀의하였다는 말씀이 있다.

사천왕(四天王)에 대해서

경남 밀양 문수사

사찰에는 문이 여러 개가 있다. 그 가운데 제일 먼저 만나는 문이 일주문(一柱門)이며, 일주문에는 사찰의 이름을 판각(板刻)하여 걸어놓은 현판이 있다. 다음 문으로는 금강문(金剛門), 천왕문(天王門), 해탈문(解脫門) 등이 있다. 천왕문에는 좌우로 천왕을 봉안하고 있는데 동서남북 각 방위의 천왕을 봉안하였으므로 이를 사천왕이라고 한다.

사천왕은 수미산(須彌山) 중턱에 있는 유건다라(由犍陀羅) 산의 사방에 머무는 제석천(帝釋天, indra)의 외신(外神)으로 유건다라산 정상의 사방에 각각 머물면서 하나의 세계를 도맡아 수호하기 때문에 호세사천왕(護世四天王)이라 부르기도 한다. 그러므로 그들이 머무르는 곳을 사천왕천(四天王天)이라고 하는 것이다. 사천왕천은 육욕천(六欲天) 가운데 첫 번째인 천계(天界)다.

동방을 담당하는 지국천왕(持國天王)은 비파(琵琶)를 들고 있는 모습으로 표현하는데 모두 다 그러한 것은 아니다. 불국사나 석굴암 등에서는 칼을 들고 있는 모습으로 나타내고 있지만 보편적인 것은 비파다.

경남 밀양 문수사

서방을 담당하는 광목천왕(廣目天王)은 용을 움켜잡고 다른 한 손에는 여의주를 들고 있는 모습이지만, 불국사는 창과 보탑을 들고 있는 모습으로 표현되고 있고 석굴암은 보검을 들고 있는 모습이다. 그렇지만 일반적으로는 용과 여의주로 표현하고 있다. 광목천왕은 중생들의 선악을 살펴서 사악하고 나쁜 것을 물리치고 굴복시킨다고 여기는 천왕이다.

남방 증장천왕(增長天王)은 보검을 들고 있는 모습이다. 그러나 불국사는 용과 여의주를 지물로 하고 있으며 하동 쌍계사는 창과 보탑을 들고 있는 모습으로 표현되어 있다. 증장천왕은 중생들의 지혜와 복덕을 날로 증장시켜 주며 또한 이익을 증장시켜 주어 중생들의 번뇌를 끊어준다고 여기므로 보검을 들고 있다.

북방을 담당하는 다문천왕(多聞天王)은 주로 보탑을 들고 있는 모습으로 나타내지만, 불국사는 비파를 지물로 하고 있으며 하동 쌍계사는 보검을 지물로 하고

경남 밀양 문수사

있다. 다문천왕은 부처님의 도량을 항상 옹호하며 불법을 항상 수호하는 선신(善神)이다.

지금까지 살펴본 바와 같이 사천왕의 지물은 각 사찰마다 다르게 나타내는 경우가 있다는 것도 알아두어야 한다. 그러나 사천왕의 지물은 비파, 보검, 용과 여의주, 보탑으로 국한되어 있다.

사천왕에 대해서 잡아함경(雜阿含經)을 보면 다음과 같은 말씀이 있다.

그때 부처님께서 천제석과 사대천왕에게 이르기를 여래는 오래가지 않아 무여열반에 들 것이니라. 내가 열반에 든 후에 너희들은 정법을 지켜야 하느니라. 그리고 부처님께서는 동방의 지국천왕에게 너는 동방의 정법을 지키라고 유촉(遺囑)하셨으며 그다음 남, 서, 북방 모든 천왕에게도 이처럼 각각 유촉하셨다. 爾時世尊 告帝釋天 及四大天王 如來不久 當於無餘涅槃 而般涅槃 我般涅槃後 汝等當護持正法 爾時世尊 復告東方天王 汝當於東方 護持正法 次告南方 西方 北方天王

그리고 수륙재(水陸齋)를 베풀 때 사천왕 단을 만들어서 사천왕에게 베푸는 작법을 사천왕단작법(四天王壇作法)이라고 한다. 사천왕은 또한 국가의 안녕과 수호를 기원하는 차원으로 발전하기도 하였다. 그 실례로 신라 문무왕 때 당나라 침공을 물리치고자 명랑(明朗)법사는 사천왕사를 창건하였다. 또한 고려 고종 4년인 1217년에는 고종이 궁궐 내 선경전(宣慶殿)에서 사천왕 도량을 개최하여 북방외적의 침입을 막아 줄 것을 기원하기도 하였다. 이러한 사상은 금광명경(金光明經)의 사천왕품(四天王品)을 바탕으로 하여 이루어지게 되었다. 천왕문 주련으로 쓰이는 주련 가운데 보편적으로 걸리는 주련은 다음과 같다.

四大天王威勢雄 護世巡遊處處通 從善有情貽福蔭 罰惡群品賜災隆

사대천왕위세웅 호세순유처처통 종선유정이복음 벌악군품사재륭

사대천왕 위세는 웅장하여서

세상 곳곳을 다니며 보호하시니

선함을 따르는 자는 복을 주시고,

악한 무리에게는 재앙을 내리시도다.

팔대금강(八大金剛)

경남 밀양 무봉사

八部金剛護道場 空神速赴報天王 三界諸天咸來集 如今佛刹補禎祥
팔부금강호도량 공신속부보천왕 삼계제천함래집 여금불찰보정상

팔부의 금강역사 이 도량을 옹호하고
허공신은 속히 와서 사천왕께 알리시어
삼천세계 모든 천신 빠짐없이 모두 모여
바로 지금 불국토의 상서로움 도우소서.

위의 게송을 옹호게(擁護偈)라고 한다. 여기서 팔부(八部)는 팔부중(八部衆) 또는 팔부신중(八部神衆)으로도 표현한다. 팔부는 다름 아닌 천(天), 용(龍), 야차(夜叉), 건달바(乾闥婆), 아수라(阿修羅), 가루라(迦樓羅), 긴나라(緊那羅), 마후라가(摩睺羅迦)를 말한다. 이러한 금강(金剛)은 도량을 옹호하라는 게송이다. 이러한 금강신(金剛神)은 신중작법(神衆作法)에도 등장하고 신중을 나타내는 104위 신중에도 나온다. 여기에서 팔부금강은 다음과 같다.

청제재금강(青除災金剛)은 중생의 오래된 재앙을 없애준다.
벽독금강(辟毒金剛)은 더위로 생기는 병의 고통을 없애준다.
황수구금강(黃隨求金剛)은 중생의 모든 소원을 얻게 하여 준다.
백정수금강(白淨水金剛)은 중생의 화나는 괴로움을 없애준다.
적성화금강(赤聲火金剛)은 광명을 얻어 부처를 볼 수 있게끔 해준다.
정제재금강(定除災金剛)은 삼재팔난의 고통에서 벗어나게 해준다.
자현신금강(紫賢神金剛)은 마음을 깨닫게 하여 보리심이 일어나게 한다.
대신력금강(大神力金剛)은 지혜를 성취하고 증장케 하여 준다.

이어서 사대보살이 나온다. 경물권보살(警物眷菩薩), 정업색보살(定業索菩薩), 조복애보살(調伏愛菩薩), 군미어보살(群迷語菩薩)이다. 이를 줄여서 흔히 금강권

(金剛眷), 금강색(金剛索), 금강애(金剛愛), 금강어(金剛語)보살이라고 한다. 그러므로 이를 합쳐서 팔대금강(八大金剛) 사대보살(四大菩薩)이라고 한다. 그러나 이러한 금강신(金剛神)과 보살들은 모두 밀교에서 나오는 보살들이다. 또한 금강들이 가지고 있는 지물(持物)은 그리는 자마다 다르게 표현한다. 그래서 지물을 가지고 판단하기 어렵기 때문에 그림을 그린 후 그에 해당하는 이름을 표기해 놓는 것이 일반적인 관례다. 우리나라에는 논산 쌍계사에 가면 볼 수 있는 벽화다.

가릉빈가(迦陵頻伽)

경북 예천 명봉사

가릉빈가는 호음조(好音鳥) 또는 묘음조(妙音鳥)라 한다. 이 새는 경전에 나타나는 상상의 새이지만 히말라야산맥에 사는 공작새의 일종인 불불조로 보기도 한다. 가릉빈가는 아름다운 소리를 내며 알 속에 있을 때부터 그러한 소리를 낸다고 전해진다.

또한 이 새를 극락조라 하기도 한다. 이는 극락정토에 사는 새라는 뜻이다. 정토만다라(淨土曼荼羅)에서는 인두조신(人頭鳥身)으로 나타내기에 우리나라에서도 주로 이를 토대로 하여 그림으로 표현한다. 머리와 팔은 사람의 형상으로 나타내고 몸체는 비늘이 있으며 머리는 새의 깃털이 달린 화관을 쓰고 악기를 연주하는 모습으로 나타내는 것이 일반적이다. 그러나 원래의 형태는 상상 속의 봉황새가 좀 더 발전한 형상이라고 보는 견해도 있다. 가릉빈가는 부처님의 범음(梵音)으로 비유하기도 하며 여러 논소(論疎)에는 법음(法音)으로 등장하기도 한다.

대방광보협경(大方廣寶篋經) 권제1에 보면 다음과 같이 말씀하고 있다.

문수사리여, 가릉빈가(迦陵頻伽)의 알[卵] 속에서 갓 깨어난 새끼는 그 입 부리가 아직 야물지 못하였어도 바로 가릉빈가의 묘한 소리를 내게 된다. 그러므로 문수사리여, 불법의 알 안에 있는 모든 보살은 아견(我見)을 무너뜨리지 못하였고, 삼계를 벗어나지 못하였어도 능히 불법의 묘한 소리를 내니, 즉 공(空)과 무상(無想)과 무작행(無作行)의 소리를 말한 것이다. 文殊師利 猶如迦陵頻伽鳥王卵中鳥子 其嘴未現便出迦陵頻伽妙聲 如是 文殊師利 佛法卵中諸菩薩等 未壞我見未出三界 然能演出佛法妙音 謂空 無想 無作行音

화엄경 권제14 정행품(淨行品) 제11에는 다음과 같은 말씀이 있다.

迦陵頻伽美妙音 拘耆羅等妙音聲 種種梵音皆具足 隨其心樂爲說法
가릉빈가미묘음 구기라등묘음성 종종범음개구족 수기심락위설법

가릉빈가 아름답고 화평한 소리
구기라 온갖 새의 미묘한 음성
가지가지 범음을 다 구족하여
그들의 마음 따라 법을 말하네.

용(龍)

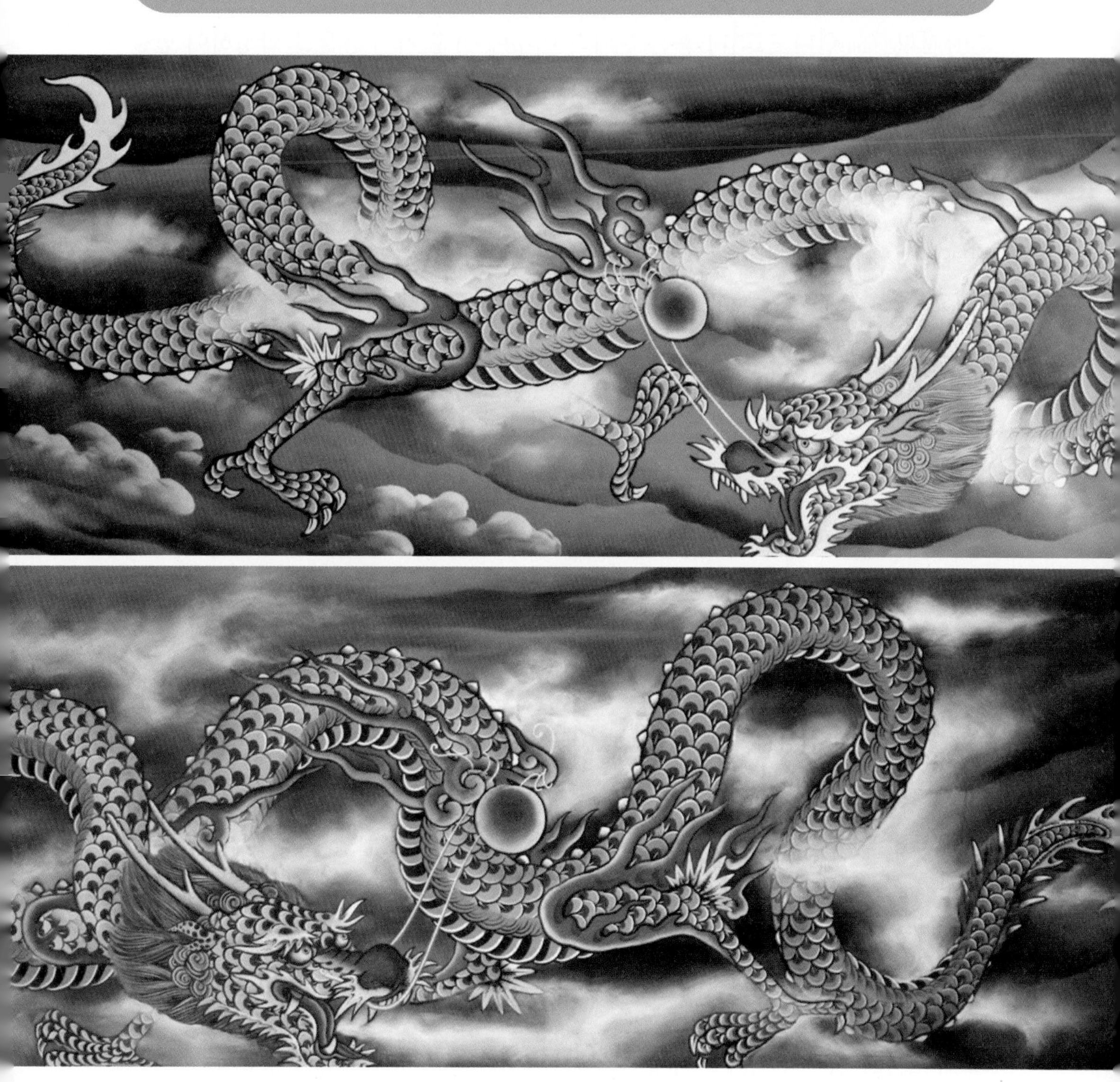

경북 예천 용문사

용(龍)은 동아시아 문화권 그리고 불교에 나타나는 상상의 동물로 아주 신성하게 여겨 영수(靈獸)라고 한다. 꿈에서라도 용을 보면 용꿈이라 하여 아주 길상으로 여겨지기도 한다. 그러나 용은 한나라 이후에 아홉 가지 동물을 합성하여 만들어진 것이 지금까지 모본(模本)이 되고 있다. 얼굴은 낙타, 뿔은 사슴, 눈은 토끼, 몸통은 뱀, 머리털은 사자, 비늘은 물고기, 발은 매, 귀는 소와 닮았다. 입가에 긴 수염이 나 있는 모습이며 하늘을 자유자재로 날고 입에서는 불을 내뿜고 기이한 구슬인 여의주가 있어서 이를 통해 조화를 부린다고 여기고 있다. 그래서 그런지 옥황상제의 시자로 여기기도 한다. 중국은 황제의 모습을 용으로 나타내어 얼굴을 용안(龍顔), 황제의 옷을 용포(龍袍), 황제의 보좌를 용좌(龍座), 황제의 눈물을 용루(龍淚), 황제의 덕을 용덕(龍德), 황제가 타는 수레를 용거(龍車)라고 부르게 했던 이유도 여기에 있다. 우리나라 조선 세종 때 편찬된 조선왕조의 창업을 노래한 용비어천가(龍飛御天歌)의 제목 역시 여기에서 비롯된다.

용은 불교와도 밀접한 관계를 맺고 있어서 북방불교에서는 용은 불법을 수호하는 팔부신중(八部神衆)의 하나가 되어 불법을 옹호하는 존재로 받들어지고 있다. 북방불교의 팔부신중에 대해서는 송나라 법운(法雲)이 편찬한 번역명의집(翻譯名義集) 제2권 팔부편(八部篇)에 천, 용, 야차, 건달바, 아수라, 가루라, 긴나라, 마후라가 등이라고 서술되어 있다. 一天二龍 三夜叉 四乾闥婆 五阿脩羅 六迦樓羅 七緊那羅 八摩睺羅伽 原夫 佛垂化也

흔히 팔부신중을 천룡팔부(天龍八部)라고도 하는데 이는 팔부신중 가운데 천(天)과 용(龍)이 가장 으뜸이기에 천룡팔부라고 칭하는 것이다. 부처님이 탄생하셨을 때 아홉 마리 용이 나타나 부처님을 목욕시켰다는 구룡토수(九龍吐水)도 용을 숭앙하는 중국에서 각색된 것으로 어느 경전에도 그러한 말씀은 없다.

북방불교에서 용은 신령스러운 영물로 중생을 지혜의 세계로 인도하는 동물이라 여겨 반야용선(般若龍船)으로 나타내기도 한다. 부처님이 탄생할 때 용왕 난타와 우파난타가 공중에서 물줄기를 품어서 싯다르타 태자의 몸을 씻어 주었다고 하기도 한다.

부처님이 법화경을 설하실 때 팔대용왕이 법회에 참가해 법문을 듣고 부처님을 찬탄하는데 그 팔대용왕이 곧 용이다. 또한 용은 강과 바다를 지키는 수호신으로 여겨서 용왕을 받드는 신으로 발전하여 단(壇)이나 각(閣)을 짓고 악한 기운을 몰아내는 호법신(護法神)으로 자리하고 있기도 하다.

가루라(迦樓羅), 금시조(金翅鳥)

경북 영주 동천사

금시조는 인도 신화에 나오는 상상의 새다. 그러나 불교에서는 불법을 보호하는 여덟 가지 신 팔부신중(八部神衆)의 하나다. 금시조를 다르게 표현하면 가루라(迦樓羅) 혹은 가유라(迦留羅)로 음사(音寫)하기도 하고, 한역하여 묘시조(妙翅鳥)라고도 표현한다. 양날개 폭이 360만 리이며 수미산 아래에 살면서 용을 먹이로 한다는 새다. 대지도론에서는 부처님을 금시조왕(金翅鳥王)이라고 표현하여 나타내기도 하였다.

대지도론에서는 비유하건대 마치 금시조왕이 수명이 다한 용들을 두루 관찰한 뒤 날개로 바다를 쳐서 바다가 갈라지게 하고 잡아먹듯이, 부처님도 역시 그와 같아서 불안(佛眼)으로 시방세계의 지옥, 아귀, 축생, 인간, 천계 중에서 누가 제도될 수 있는지를 관찰하시고 처음에는 신통을 나타낸 뒤 그를 위해 그 마음이 나아갈 바를 보이신다고 하였다.

전남 순천 선암사 관음전

긴나라(緊那羅)

전남 순천 선암사 관음전

불법을 수호하는 팔부중(八部衆)의 하나로 건달바(乾達婆)와 함께 제석천(帝釋天)에서 음악을 맡아 곡을 연주하는 음악의 신이다. 산스크리트어로는 Kimnara이며 이를 음사하여 긴나라(緊那羅)라 한다. 가신(歌神), 가락신(歌樂神), 음악천

(音樂天) 등으로 나타낸다. 고대 인도 신화에 나오는 신으로 나중에 불교에 흡수가 되어 팔부중의 하나가 되었다.

긴나라는 대개 여신(女神)으로 나타내므로 긴나라녀(緊那羅女)라고 하며, 긴나라 여신의 음악 소리를 긴나라녀가성(緊那羅女歌聲)이라고 한다. 또한 대승장엄경론(大乘莊嚴經論)에서는 부처님의 60가지 불가사의 음성의 하나로 긴나라성(緊那羅聲)이라고도 한다.

군다리명왕(軍荼利明王)

부산 금정구 범어사 청련암

명왕(明王)은 악마를 굴복시키는 무서운 얼굴을 한 신장을 말한다. 군다리명왕은 5대 명왕 가운데 남쪽을 지배하는 존(尊)이다. 군다리명왕은 모든 장해를 제거하는 존(尊)이며 환희천(歡喜天)을 지배하는 존(尊)으로 여기기도 한다.

이 명왕의 특징은 손과 발 등에 수많은 뱀이 똬리를 틀고 있다는 것이다. 여기서 뱀은 아치(我痴), 아견(我見), 아만(我慢), 아애(我愛) 등을 나타낸다고 한다. 모습으로는 한 개의 몸에 여덟 개의 얼굴을 가진 일면팔비상(一面八臂像)이다. 얼굴 하나에 눈이 세 개이고, 팔은 여덟 개로 주로 나타낸다. 손에는 금강저(金剛杵), 금륜형(金輪形), 극쇄(戟鎖), 금강구(金剛鉤) 등을 쥔 모습으로 표현되고 있다.

밀교에서는 군다리명왕을 본존으로 하여 재난을 없애거나 막기 위하여 닦는 비법(秘法)을 군다리명왕법(軍荼利明王法)이라고 한다. 천수경(千手經)에 나무군다리보살마하살(南無軍荼利菩薩摩訶薩)은 곧 군다리명왕을 말하며 그 본지(本地)는 허공장보살 또는 관세음보살이라 여기기도 한다. 군다리명왕을 한역하여 감로병(甘露甁), 감로존(甘露尊), 길리(吉利) 명왕이라고 한다.

그 외 벽화 이야기

비익조(比翼鳥)

남양주 흥국사

비익조(比翼鳥)는 불교와 전혀 관계가 없는 남녀 사이의 두터운 사랑을 주제로 하는 이야기다. 그러나 일부 사찰에서 이러한 벽화를 만날 수가 있다. 비익조는 중국 숭오산(崇吾山)에 산다고 전해지는 새로 날개와 눈이 하나뿐이어서 암수가 몸을 합쳐야만 날 수 있다. 그리고 남녀 간의 지극한 사랑이나 부부애(夫婦愛)의 두터움을 표현한다.

그러나 중국 사람들의 생각은 좀 다르다. 비익조는 중국 고대의 전설적인 동물이며 이를 다르게 표현하면 겸겸(鶼鶼) 또는 만만(蠻蠻)이라고 한다. 전설에 의하면 비익조는 각자 하나의 눈과 하나의 날개를 가지고 있어서 반드시 암수가 서로 합해야만 날 수가 있다고 한다. 전해오는 말에 의하면 이 새가 출현하면 큰 홍수가 일어난다고 믿고 있다. 참고로 나무가 이처럼 서로 이어져 있으면 연리지(連理枝)라고 한다.

안녹산(安祿山)의 반란으로 인하여 양귀비(楊貴妃)를 먼저 떠나보낸 현종(玄宗)이 자신의 심정을 애달파하던 중 어느 날 꿈에서 묘령의 선녀를 만났는데 양귀비였다. 이에 둘이서 만나 밀월(蜜月)의 시간을 보냈고 다시 헤어질 때, 장생전(長生殿)에 둘이서 그토록 약속했던 맹서(盟誓)의 말을 떠올리며 내세에 다시 재회하기를 빈다.

당나라 시인 백낙천(白樂天)이 장편시로 노래한 내용의 그 이야기가 장한가(長恨歌)다. 그 가운데 일부를 살펴보면 비익조와 연리지에 관한 내용이 있다.

臨別殷勤重寄詞 詞中有誓兩心知 七月七日長生殿 夜半無人私語時
임별은근중기사 사중유서양심지 칠월칠일장생전 야반무인사어시

이별이 다가옴에 은근히 다시 전하는 말이

두 사람의 마음에 간직한 맹세의 말이 있었으니,
견우와 직녀가 만나는 날인 칠월칠석 장생전에서
야심한 밤에 아무도 모르게 둘이서 맹세했었지.

在天願作比翼鳥 在地願爲連理枝 天長地久有時盡 此恨綿綿無結期
재천원작비익조 재지원위연리지 천장지구유시진 차한면면무결기

우리 서로 하늘에서 만난다면 비익조가 되고
땅에서 만난다면 연리지가 되어 함께 있기를 원했었지!
하늘과 땅이 장구하다 해도 끝내는 다할 때가 있겠지만
우리 사랑의 한(恨)은 면면히 이어져 내려가리.

맹종(孟宗)의 효도

제주 서귀포시 법화사

雪裏求筍 孟宗之孝 剖冰得鯉 王祥之孝
설리구순 맹종지효 부빙득리 왕상지효

눈 속에서 죽순을 구한 것은 맹종의 효도요,
얼음을 깨고 잉어를 구한 것은 왕상의 효도라.

사자소학(四字小學)에서 말하는 눈 속에서 죽순을 구했다는 맹종(孟宗, 218~271)의 설화를 살펴보자. 오(吳)나라에 사는 맹종에게는 늙고 병든 어머니가 계셨다. 엄동설한의 어느 날 맹종의 어머니는 맹종에게 죽순이 먹고 싶다고 하였다.

맹종은 이 말씀을 거역하지 아니하고 온 대나무밭을 헤매고 다녔지만 눈 쌓인 대밭에서 도저히 죽순을 구할 수가 없었다. 맹종은 대밭에 앉아서 어머니에게 죽순을 구하여 드리지 못함을 한탄하며 울었다. 그때 대밭에서 죽순이 솟아올랐다. 맹종은 어쩔 줄 몰라 하며 죽순을 채취하여 얼른 집으로 돌아와 어머니에게 죽순으로 반찬을 정성스럽게 해드려 올렸더니 어머니의 병은 신기하고 기이하게도 나아버렸다. 그러자 마을 사람들은 맹종의 효성이 하늘을 감동시켰다 하여 그 후부터 맹종죽(孟宗竹)이라는 이름이 생겨났다. 이러한 일화로 생긴 고사성어로 맹종지효(孟宗之孝), 효순(孝筍), 곡죽생순(哭竹生筍), 읍죽(泣竹), 한림순출(寒林筍出), 맹종곡죽(孟宗哭竹) 등의 표현이 있다.

더불어 왕상(王祥, 180~268)의 효도에 대해서 살펴보면 왕상은 서진(西晉) 사람이다. 어릴 적에 어머니를 여의자 아버지는 계모 주씨(朱氏)를 맞이하였다. 그리하여 왕상은 어린 나이에 계모 밑에서 자라게 되었다. 계모는 심성이 포악하여 왕상은 온갖 구박을 받고 자라났다.

세월이 흘러 왕상이 어른이 되었을 때 계모가 병이 들자 약을 달여 올리는 등 극진하게 간호를 하였다. 어느 날 한겨울에 계모가 병상에서 잉어가 먹고 싶다고 하자 왕상은 강으로 나아가 옷을 벗고 자신의 체온으로 얼음을 녹여 잉어를 잡고자 하였다. 이윽고 얼음이 다 녹아서 잉어를 잡으려고 하자 갑자기 잉어 두 마리가 펄쩍 뛰어올라서 이를 가지고 와서 계모에게 음식을 올렸다는 일화다. 여기서 생겨난 단어가 쌍리(雙鯉), 빙리(氷鯉), 와빙구리(臥氷求鯉), 동포어경(凍浦魚驚), 왕상부빙(王祥剖氷) 등이다.

하마선인도(蝦蟆仙人圖)

충남 공주 마곡사

하마선인(蝦蟆仙人)이란 하마(蝦蟆)와 선인(仙人)을 말하는 것이다. 여기서 하마는 두꺼비를 말하며 선인은 신선을 말한다. 이는 다분히 중국 특유의 도교적인 내용을 바탕으로 그린 벽화다. 중국 고사(故事)에 유해희섬(劉海戲蟾)이라는 표현이 있다. 이는 유해(孺孩)라는 사람이 두꺼비와 희롱한다는 뜻이다. 유해는 실존적인 인물이지만 끝내는 신선이 되었다고 전하는 중국 특유의 신선 사상을 농도 짙게 가미하고 있다. 10세기경 유해(劉海)는 흔히 유해섬(劉海蟾)이라고 하며 그의 이름은 조(操)이며, 자(字)는 종성(宗成)이고 도호(道號)는 섬해자(蟾海子)이다. 후대에 이르러 세상 사람들은 그를 유해(劉海)라고 흔히 부른다. 오대십국(五代十國) 시기에 광양(廣陽)에서 태어났다고 기록하고 있으므로 지금의 북경(北京) 근처를 말한다. 그의 고향 지명을 따서 광양선생(廣陽先生) 또는 광양유진인(廣陽劉眞人)이라고도 불렀다. 그는 전국을 방랑하면서 유희하다가 신선이 되어 동천(洞天)으로 들어갔다는 전설이 전해지고 있다. 그리고 하마선인도에 나타나는 두꺼비는 세 발 달린 두꺼비다. 중국인들은 세 발 달린 금두꺼비를 그려서 집에 걸어두면 재복(財福)이 도래한다고 지금도 여기고 있다. 우리나라 사찰에서도 이를 반영한 것이다.

다만 우리나라에 전하는 설화와 중국에 전하는 설화는 아주 차이가 크다. 우리나라 유해 설화에는 세 발 달린 두꺼비가 있었는데 이 두꺼비는 서유기(西遊記)에 나오는 손오공(孫悟空)의 근두운(觔斗雲)처럼 신통이 있어서 유해를 세상 어느 곳이든 데려다주곤 하였는데 가끔 우물 속으로 도망치곤 하였다. 그럴 때마다 유해는 엽전 다섯 개를 끈에 매달아 두꺼비를 유인하여 끌어올렸다고 한다.

중국에서는 유해(劉海)가 금두꺼비를 희롱하였는데 그 금두꺼비가 걸음마다 금전을 토해 냈다고 한다. 전하는 말에 의하면 유해와 친한 사람이 관직에 있었는데 아주 욕심이 많았다. 그렇지만 그는 예불(禮佛)을 알고 도를 닦았다는 이유로 죽은 후 지옥에 가지 않고 세 발 달린 금두꺼비로 변하게 하여 동해에 던져 넣어 용

경기 파주 보광사

왕이 관할하게 하였다. 유해는 도가 트인 다음 예전에 친한 사람이었던 금두꺼비를 구하려고 그가 그토록 좋아하던 금전이 주렁주렁 달린 낚시로 세 발 달린 두꺼비를 낚았다고 한다.

중국 사람들은 예로부터 달나라에는 두꺼비가 살고 있다고 믿었다. 중국 신화에 보면 예(羿)가 서왕모(西王母)로부터 불사약을 받았는데 이것을 알아챈 부인 항아(嫦娥)가 혼자 마시고 달나라로 도망가서 두꺼비가 되었다고 믿고 있다. 그러기에 중국 사람들은 월식(月蝕)이 일어나면 두꺼비가 달을 삼켰기 때문이라고 여겨 꽹과리나 북을 두드려 두꺼비가 다시 달을 토해 내도록 하는 풍습이 생겨나기도 하였다.

사찰에서 하마선인도는 좀처럼 보기가 어려우나 경기도 파주 보광사 대웅전의 하마선인도가 아주 현실감 있게 그려져 있다. 그리고 강원도 양양 낙산사의 해수관음상 복전함(福田函) 밑을 유심히 살펴보면 삼족섬(三足蟾)으로 조각하여 놓았음을 알 수가 있다. 그러므로 하마선인도는 재화(財貨)가 들어오라는 뜻으로 그려졌다고 보아도 무방하다.

우리나라에서는 위 그림을 하마선인도(蝦蟆仙人圖)라 하지만 중국 사람들은 그렇게 부르지 않는다. 유해에 얽힌 내용을 유해희금섬(劉海戲金蟾)이라 하는데 이는 유해(劉海)가 금두꺼비를 희롱하였다는 뜻이다. 이를 다시 그림으로 나타내면 유해희섬도(劉海戲蟾圖)라고 한다.

도교의 신선 철괴리(鐵拐李)

충남 공주 마곡사

도교에는 여덟 명의 신선이 있다. 이를 팔대선인(八大仙人)이라 한다. 도교의 여덟 신선을 살펴보면 종리권(鍾離權), 장과로(張果老), 한상자(韓湘子), 철괴리(鐵拐李, 李鐵拐라고도 함), 여동빈(呂洞賓), 남채화(藍采和), 하선고(何仙姑), 조국구(曹國

甥) 등이다. 문헌에 따라서 그 이름이 달라지기도 한다. 그리고 여기에 따른 각자의 설화가 전해지고 있다. 철괴리는 손에 항상 쇠지팡이를 들고 다녔기에 사람들은 그를 철괴리 또는 철괴 선생이라고 불렀다. 그가 지팡이를 들고 다니는 것은 절름발이였기 때문이라고 한다.

그는 수만 권의 책을 읽어도 마음은 항상 미진하여 암굴(巖窟)에 들어가 홀로 수행하였으나 별반 소득이 없었지만, 노자(老子)와 완구(宛丘) 선생의 도움을 크게 받았다고 한다. 여기에 대한 설화를 살펴보면 다음과 같다.

철괴 선생이 바위굴에서 홀로 도를 닦을 때 나무꾼으로 변장한 노자가 찾아와서, 수도하는 사람은 장수하며 또한 득도하게 되면 선적(仙籍)을 얻어 선계에 태어난다고 하는데 그게 사실이냐고 물었다. 그러자 철괴리는 답하기를 도는 오묘한 세계에 들어가는 것이거늘 그까짓 장수하는 게 목적이 아니며, 또한 가족이라고 할지라도 수행하지 아니하면 선적을 얻을 수 없다고 하였다.

그러자 나무꾼은 자기 딸을 제자로 삼을 것을 종용하였으나 아직 제자를 받을 경지가 못된다고 사양하였다. 그날 저녁에 나무꾼은 자기 딸을 데리고 나타나 딸을 맡기고 가버렸다. 딸은 온갖 아양을 떨며 철괴리를 유혹하였으나 철괴리는 요지부동이었다. 다음 날 아침 나무꾼이 나타나 딸이 보이지 않자 다그치기를 남의 여식을 겁탈하려다 안 되니까 죽이지 않았느냐고 하자, 철괴리는 그러한 일이 조금도 없다고 하였다.

그러자 나무꾼은 본래의 모습인 노자로 변하여 말하기를 나는 그대가 여색을 여의었는지 시험하려고 하였다고 말하며, 환약(丸藥)을 하나 주더니 먹게 하였다. 이로부터 철괴리는 인간 세상의 음식을 먹지 아니하였다고 한다.

철괴리는 제자를 한 명 두었는데 어느 날 노자를 만나러 떠나면서 제자에게 이르기를, 내 몸은 이곳에 두고 혼령만 다녀올 테니 며칠 후에 돌아오지 않으면 속세를 떠난 것이니 이 몸의 껍데기는 화장하라 말하고 길을 떠났다. 육신을 남겨둔 스승이 며칠이 지나도록 돌아오지 않자 제자는 스승이 선계로 떠났다고 생각하고 스승의 육신을 화장하였다.

바로 그때 제자의 집에서 어머니가 위독하다는 전갈이 와 화장을 급히 마치고 산길을 내려오는데 못생긴 얼굴에 귀걸이를 한 거지가 죽어 있었지만, 워낙 시간이 다급하여 묻어주지도 못하고 급히 갈 길을 재촉하였다.

제자가 떠난 지 얼마 되지 않아 철괴리가 돌아와 보니 자신의 육신은 이미 화장되어 없어졌음을 알고 오다가 보았던 산 아래 거지의 몸으로 들어가게 되었다. 이때부터 철괴리는 못생긴 얼굴에 절름발이가 되었다고 한다.

또 다른 일화에 의하면 팔선(八仙)들이 서왕모(西王母)의 반도대해(蟠桃大會)에 참석하여 거나하게 술에 취하여 돌아오는 길에 조국구(曹國舅)가 바다를 건너가자는 제안을 하였다. 이에 모두 흔쾌히 동조하여 각자의 재주로 바다를 건너게 되는데 철괴리는 쇠지팡이를 바다에 던져놓고 타고 갔다고 한다. 그러므로 벽화를 보면 쇠지팡이로 바다를 건너는 철괴리의 모습이다.

철괴리에 대해서는 여러 가지 이설(異說)이 있지만 모두 중국 특유의 만담(漫談)이기에 더는 소개하지 않고 생략하고자 한다.

마곡사 대광보전 신선도(神仙圖)

충남 공주 마곡사

혹시 이 그림이 도교의 신선 한상자(韓湘子)가 아닐까 하고 무리한 추측을 해보았다. 파도가 일렁이는 물결 위에 솟아난 나뭇등걸에 아주 편안하게 걸터앉은 이는 누구일까? 옥색 상의와 백색 하의, 그리고 연녹색 두건을 쓰고 어깨에는 나뭇잎 모양의 녹색으로 만들어진 견갑(肩甲)을 두르고 있는 모습이다. 또한 오른손에는 두루마리 경책을 들고 나무에 걸어놓은 단봇짐에는 파초선, 호리병 등이 있고 뒷짐에는 경책을 가득 담은 모습이다.

참고로 중국 도교의 팔선(八仙) 중 한 명인 한상자(韓湘子)는 여동빈(呂洞賓)을 스승으로 삼아 선도를 배웠다고 한다. 그는 퉁소를 잘 불어 음악을 수호하는 신선이 되었다고 하며, 그러기에 도교의 음악인 천화인(天花引)은 한상자가 만든 것이라고 전해지고 있다. 그리고 중국 사람들은 한상자는 당나라의 문학가이며 예부시랑을 역임하였던 한유(韓愈)의 조카로 여기고 있다. 전하는 말에 의하면 성은 한(韓)이고 이름은 상(湘)이며, 자(子)는 그를 존칭하기에 붙여진 것이라고 전한다. 한상자는 한유에 의하여 글을 익히기 위하여 서당에 갔으나 글공부를 전혀하지 않자 한유는 화가 나서 조카를 호되게 꾸짖으며 시정잡배도 한 가지 기술이 있어야 생계를 유지하거늘, 너는 도대체 어쩌려고 그러느냐고 야단쳤다. 이에 한상자가 말하기를 저도 재주가 있사온데 화단에 목련꽃을 숙부님의 의견대로 피우겠노라고 하자 숙부가 청색, 황색, 적색, 백색이 되기를 바란다고 조롱하였다. 며칠 뒤에 목련 한 그루에 네 가지 색의 꽃이 피었다고 한다.

한상자는 곡식을 전혀 사용하지도 않으면서 술을 빚기도 하고 흙덩어리로 꽃을 피우는 등 기이한 행동을 보였다고 한다. 한상자는 역사적으로 실존했던 인물로 피리를 들고 있는 모습으로 나타내는 경우가 일반적이다.

숙부인 한유(韓愈)가 황량한 땅 조주(潮州)로 좌천되어 갈 때 겨울 한파와 눈바람까지 세차게 불고 눈이 쌓여서 걷기조차 힘들었다. 그러자 한상자가 달려와서 눈과 바람을 멈추게 하니, 그 난관을 헤쳐나갈 수 있었다고 하는 도가 특유의 일화도 있다.

마곡사 대광보전의 벽화는 방제(傍題)가 없으므로 신선도(神仙圖)라고 부르고 있다.

사슴을 타고 다니는 청오공(靑烏公)

충남 공주 신원사

청오공(靑烏公)을 그린 그림을 청오공도(靑烏公圖)라고 한다. 그는 팽조(彭祖)의 제자로 호음산(虎音山)에 들어가 도를 닦아서 471세까지 살았다고 하며, 마지막에는 금액(金液)을 마시고 승천하였다는 도교의 인물이다. 그리고 청오공과 흔히 등장하는 인물이 있는데 이를 수노인(壽老人)이라고 한다. 수노인이라는 표현은 수명을 관장한다는 수성(壽星)을 의인화하여 나타낸 것이다. 홍씨선불기종(洪氏仙佛奇蹤)이라는 책에는 청오공이 한 손으로 사슴 등을 만지는 모습으로 그려져 있기도 하다.

이태백(李太白)의 기경상천(騎鯨上天)

경북 상주 남장사

경북 상주시 남장동 노악산(露嶽山) 아래에는 신라 흥덕왕 7년인 832년에 진감국사 혜소(慧昭) 스님이 창건한 남장사(南長寺)가 있다. 남장사 극락보전(極樂寶殿) 내부 포벽에는 벽화 천국이라 할 만큼 많은 벽화가 그려져 있다.

여기에서 이백기경상천(李白騎鯨上天)이라는 화제(畫題)가 붙은 벽화가 위의 그림이다. 이는 이백(李白)이 고래를 타고 하늘로 간다는 뜻이다.

이백(李白, 701~762)은 당나라의 시인이며 또한 두보(杜甫)와 더불어 중국 최고의 시인으로 이름을 날려서 시성(詩聖) 또는 시선(詩仙)으로 추앙받는 인물이다. 그의 자(字)는 태백(太白)이며 호는 청련거사(青蓮居士)다. 그는 젊어서 도교(道教)에 심취해 산중에서 지낸 적이 많았다. 그래서 이백의 시에는 도교적인 색채가 아주 농후하게 깔린 것이 많다. 그리고 이백의 생애는 방랑으로 시작하여 방랑으로 일생을 마쳤다. 그만큼 방랑객의 삶을 산 그의 시 일면에도 이러한 점이 고스란히 녹아 있다.

그가 병사했다는 설도 있지만 또 다르게 전하는 말은 술이 거나하게 취하여 강물 속의 달을 건지러 들어갔다가 익사하였다고도 전한다. 모르긴 몰라도 후자는 로맨티시스트(romanticist)에 가깝다고 볼 수 있다. 그래서 그런지 수궁가, 홍보가, 장끼전, 백발가 등에도 이태백 이름이 거론되고 있다. 여기서 수궁가 한 구절을 살펴보면 자라가 토끼를 찾아와서 그대가 토(兎) 선생이냐고 묻는 구절에 '완월장취 강남태백 기경상천(玩月長醉 江南太白 騎鯨上天)'이라는 말이 있다.

이백은 술을 몹시 좋아했다는 것은 사실에 가까운 것 같다. 왜냐하면 세상 사람들이 그를 주태백(酒太白)이라 불렀기 때문이다. 게다가 이백의 시에는 술(酒), 협기(俠氣), 신선(神仙)이 삼박자로 어우러져 있다.

남장사 이백기경상천(李白騎鯨上天)이라는 벽화는 다소 도교적으로 불교적 벽화는 아니다. 이백(李白)이 채석강(採石江)에서 술이 거나하게 취하여 뱃놀이를 하던 중 강물에 비친 달을 잡으려다가 익사하여 고래를 타고 하늘로 갔다는 일화를 그린 것이다. 당시 사람들은 고래를 거의 본 적이 없지만 다만 큰 물고기라고 여겼기에 이렇게 표한 것이다. 고래 등 위에는 아직 다 마시지 못한 술병이 놓여 있음도 다소 해학적(諧謔的)이다.

그리고 상천(上天)에서 천(天)은 하늘나라를 의미하기보다는 신선들이 사는 동학(洞壑)인 동천(洞天)을 말한다. 그러므로 이태백이 고래를 타고 신선의 나라로 간다는 의미로 보아야 한다.

도교의 신(神) 적송자(赤松子)

경북 상주 남장사

경북 상주 남장사 극락보전 벽화에는 적송자(赤松子)라는 화제(畫題)를 기록한 벽화가 있다. 그러나 적송자는 불교와는 전혀 관계가 없다. 중국의 전설적인 세 명의 황제라고 하는 삼황(三皇) 가운데 신농씨(神農氏) 시대에 활약하였던 우신(雨神)이다.

그는 수정 분말로 만드는 영약(靈藥) 빙옥산(氷玉散)을 조제하는 술법에 아주 뛰어났다고 한다. 적송자가 만든 빙옥산은 복용하면 뜨거운 불 속에 있어도 전혀 화상을 입지 않는 일종의 선약(仙藥)이었으며, 이러한 술법은 신농씨에게도 전해졌다고 한다. 또 다른 일화에는 적송자는 항상 곤륜산에 있는 반인반수(半人半獸)의 신녀(神女)인 서왕모(西王母)의 거처에 드나들었다고 한다. 그리고 비바람을 타고 천상과 지상을 마음대로 오르내리면서 신농씨 딸에게 선술을 가르쳐 주었는데 마침내 딸이 이러한 술법을 모두 배우자 신선이 되어 하늘로 올라갔다고 한다. 다시 세월이 흐르고 흘러 황제의 증손자인 고신씨(高辛氏) 시대가 열리자 적송자는 다시 지상으로 하강하여 그 모습을 드러냈다고 하는 도가풍의 이야기이다. 이러한 이야기는 수신기(搜神記)와 열선전(列仙傳)에 모두 실려 있으나 그 내용에서는 별반 차이가 없다.

남장사 벽화를 보면 전형적인 중국식 복장에 적송자는 석벽에 무언가를 적고 있으며 그 옆에 시봉하는 동자가 벼루를 받쳐들고 있다. 그러나 적송자의 몰골은 거지처럼 남루하였다. 짚으로 만든 거적을 걸치고 가죽으로 만든 치마를 입고, 봉두난발(蓬頭亂髮)의 머리에, 짐승처럼 날카로운 손톱, 그리고 온몸은 털투성이로 있는 모습으로 그려진다. 하지만 남장사 벽화는 노사(老士)의 모습에 가깝다.

남장사에는 하우도강도(夏禹渡江圖)가 있었는데 이도 중국의 하(夏)나라를 개국한 전설적인 임금이기는 마찬가지다. 이로 비추어 보면 당시 불교에서는 도가의 사상이 아주 많이 유입되었음을 알 수 있다. 물론 지금도 도교의 내용이 마치 불교의 것처럼 둔갑한 것을 허다하게 볼 수 있다. 옥황상제(玉皇上帝), 우화루(雨化樓), 우화교(雨化橋), 칠성(七星), 장승, 청룡(青龍), 백호(白虎), 주작(朱雀), 현무(玄武), 십이지신, 팔괘(八卦), 세 발 달린 향로(香爐), 동방삭(東方朔), 복숭아 그림, 부적(符籍), 일월오봉도(日月五峯圖), 십장생(十長生) 등등 이루 헤아릴 수 없을 정도이다.

남장사 초입에는 돌장승이 있다. 그리고 포벽에는 이백기경상천도(李白騎鯨上天圖), 적송자(赤松子), 수궁가를 그린 그림과 더불어 내부에는 용(龍)이 몇 마리나 되는지 알 수 없을 정도다. 그만큼 도교 문화가 알게 모르게 유입되어 있었던 시대상을 잘 보여주고 있다. 그러나 하우도강도(夏禹渡江圖)는 아무리 찾아보아도 보이질 않았다. 아마 중수하면서 눈먼 사람이 지워 버렸을 것으로 추측만 할 뿐이다.

등용문(登龍門)

제주 서귀포시 덕산정사

등용문에서 등(登)은 오른다는 뜻이다. 그러므로 용문(龍門)에 오른다는 표현이다. 용문(龍門)은 중국 황하(黃河) 상류의 산서성(山西省)과 섬서성(陝西省)의 경계에 있는 용문이라는 협곡의 물살이 아주 센 삼급랑(三級浪)을 말한다. 이 협곡은 물살이 아주 세차고 급하게 흘러 어떠한 물고기도 여간해서는 대부분 거슬러 오르지 못한다. 이 협곡의 거센 물살을 거슬러 오르는 물고기가 있었으니 바로 잉어다. 그러나 잉어 또한 대부분 이 협곡을 오르지 못한다. 그래서 잉어가 여기를 오르기만 하면 용(龍)으로 변한다고 하여 붙여진 이름이 등용문이다. 이는 입신출세(立身出世)의 관문을 통과하는 경우를 말하기에 출세를 뜻하는 표현이다.

협곡의 거센 물살을 거슬러 오르지 못하고 바위에 부딪혀 이마를 깨거나 피를 흘리며 상처를 입는 경우를 점액(點額)이라고 한다. 이는 시험에 떨어진 낙방(落榜)한 자를 일컫는 말이다.

이를 그림으로 나타낸 것이 어변성룡도(魚變成龍圖)이다. 어변성룡은 물고기가 변하여 용이 되었다는 뜻이므로 우리가 흔히 말하는 개천에 용 났다는 말이다. 이는 곤궁하던 사람이 팔자가 확 바뀌어 부자가 되거나, 미천한 사람이 크게 성공한 것을 빗대어 한 말이기도 하다.

사찰의 전각에 보면 용을 조각하여 그 입에 물고기를 물려놓은 곳이 더러 있다. 이는 입신출세를 기원하는 것이 아니라 잉어가 거센 물살을 천신만고 끝에 거슬러 올라서 용이 되는 것처럼 수행자는 어떠한 어려움과 난관을 뚫고서라도 반드시 성불해야 한다는 의미로 장엄을 한 것이다.

소나무 아래서 동자에게 묻다

경북 영천 수도사

松下問童子 言師採藥去 只在此山中 雲深不知處

송하문동자 언사채약거 지재차산중 운심부지처

소나무 아래 동자에게 물으니 스승은 약을 캐러 가셨다고 하네.

다만 이 산중에 있지마는 구름 깊어 찾을 수 없다고 하네.

이는 중국 당나라 가도(賈島)가 지은 심은자불우(尋隱者不遇)라는 제목으로 전하는 시다. 심산유곡(深山幽谷)에 은자(隱者)가 산다고 하기에 그를 찾아 나섰다가 소나무 아래에서 은자를 시봉하는 시동(侍童)을 만나 너희 사부는 어디에 있느냐고 물었다. 시동이 손가락으로 구름에 가려진 깊은 산을 가리키며 말하기를, 스승은 저 산에 약초를 캐러 갔는데 구름이 가려서 어디에 있는지는 모른다고 한 내용의 벽화다.

어떤 책에는 지재(只在)라고 하지 않고 신재(身在)라고 하기도 했다. 이 시를 지은 가도(賈島)는 한때 사문의 길을 걸었지만 환속하였으며, 이 시는 다분히 도교적 풍미가 엿보이는 시작(詩作)이다. 그리고 송하문동자도(松下問童子圖)는 중국이나 우리나라 할 것 없이 그림으로 많이 그려져 전하고 있다.

달마도의 작품을 남긴 연담 김명국의 송하문동자도(松下問童子圖) 역시 지금도 전하고 있다. 역시 이 시도 불교와는 무관하지만 더러 이렇게 벽화로 만날 수 있다. 이와 비슷한 시로 송나라 위야(魏野)가 지은 심은자불우(尋隱者不遇)가 있다.

尋眞誤入蓬萊島 香風不動松花老 採芝何處未歸來 白雲滿地無人掃

심진오입봉래도 향풍부동송화로 채지하처미귀래 백운만지무인소

신선을 찾아 나섰으나 길을 잘못 들어 봉래도(蓬萊島)에 오니

바람도 없는데 향기로운 송홧가루만 날리네.

약초를 캐러 어디로 갔기에 아직도 돌아오지 않는가?

흰 구름은 땅바닥에 가득한데 쓰는 사람이 아무도 없네!

여기서 다시 청나라 시인 조관효(趙關曉)의 시 답설(踏雪)을 살펴보면 위의 시 내용과 대동소이하다.

踏雪訪山樵 山樵踏雪去 一路草鞋痕 尋入松深處

답설방산초 산초답설거 일로초혜흔 심입송심처

눈 밟으며 산중의 은자를 찾아갔더니

은자는 눈을 밟고 이미 떠나가셨네.

눈 위에 남겨진 짚신 흔적 따라

깊고 울창한 송림 속으로 나는 찾아들었네.

삼장법사와 손오공 일행

경남 하동 쌍계사

서유기(西遊記)는 명나라 때 오승은(吳承恩)이 지은 장편소설이다. 당나라 현장(玄奘) 스님은 유식(唯識) 불교에 심취해 있었다. 당나라는 자료가 크게 부족함을 느껴 실존 인물인 현장법사를 내세워 국경을 넘어 서역 천축으로 불법을 구하러 가는 구법 여정인 순례기를 소설로 한 것이다. 현장 스님은 홀몸으로 고봉준령을 넘고 살인적인 고비사막을 가로질러 갔다. 3년 만에 불교의 발상지인 천축에 도착해 부처님의 유적과 성지를 참배하고 나란다 대학에 들어가 계현(실라바드라) 스님 밑에서 수행하였다. 17년간 이곳에 머물면서 27개국을 직접 답사하면서 구법을 수행하고 다시 중국으로 돌아오는 여행기인 대당서역기(大唐西域記)를 저술하였다. 이것을 모체로 하여 발전한 것이 서유기다.

서유기에 나오는 백마는 원래 서해 용왕 오윤(敖閏)의 셋째 아들 옥룡(玉龍)이다. 불장난하다가 하늘 궁전의 명주를 태워버렸기 때문에 하늘나라 법도에 따르면 죽을죄를 지은 상태였다. 그런데 관음보살이 삼장법사가 서역으로 가는 길에 탈 용마(龍馬)로 쓰기 위해 옥황상제에게 청을 넣어서 살려 두었다. 이에 삼장법사는 천축으로 갈 때 백마를 타고 갔다.

서유기에 등장하는 손오공은 원숭이 나라의 왕이었으며, 요술에 아주 능해서 자신의 재능만 믿고 까불면서 옥황상제에게 싸움을 걸었다. 옥황상제는 그에게 제천대상(齊天大聖) 작위를 주며 달랬으나 그것을 계기로 더욱 오만하고 방자하게 되었다. 석가여래가 그를 오행산(五行山)에 감금하여 500년 동안이나 가둬두었으나 천축으로 구법을 떠나는 삼장법사의 도움으로 구출을 받게 되었다. 그러나 기고만장함이 여전하여 스님의 말을 잘 따르지 않자 손오공 머리에 근두운(觔斗雲)이라는 테를 씌워 통제하게 된다. 여기서 오행산은 색(色), 수(受), 상(想), 행(行), 식(識)의 오온을 말한다. 손오공이라는 이름의 의미는 '중생들(孫)은 공(空)의 이치를 알아야 깨달음(悟)을 얻을 수 있다'는 뜻이다.

저팔계(豬八戒)는 돼지로 그려지는 등장인물로 좀 어리석으며, 덤벙거리고, 욕심에 끝이 없고, 게으르며 나태하고, 식욕은 엄청나고 항상 낙관하며 살아가는 모습이다. 여기서 저(豬)는 돼지를 말한다. 인간의 요행심과 기고만장함을 손오공에 비유했다면, 저팔계는 어리석어서 항상 낙관하고 사는 또 다른 중생을 슬쩍 돼지에 비유한 것이다. 저팔계의 원래 이름은 저오능(猪悟能)으로 천생의 장군이었으나 그곳에서 죄를 짓고 쫓겨난 이후 삼장법사 현장 스님을 만나 팔계(八戒)라는 이름을 얻어 저팔계라고 부르게 된다.

팔계라는 이름은 불교에서 금하는 다섯 가지 음식으로 오신채인 마늘, 파, 부추, 달래, 홍거에서 기인한다. 그러면 절에서는 왜 이 음식을 금하게 되었을까? 그 이유는 오신채는 성질이 맵고 향이 아주 강하기 때문에 냄새로 인하여 자신과 옆 사람의 수행에 방해가 되기 때문이다. 도교에서는 세 가지 동물을 먹는 것을 금하였는데 이를 삼염(三厭)이라 한다. 하늘에서 부부간의 금실을 지켜주는 기러기, 땅에서 사람의 집을 지켜주는 개, 물속에서 충성과 공경의 도를 지킨다는 뱀장어이다.

이렇게 여덟 가지를 먹지 아니하고 수행하면 깨달음을 얻을 것이라고 하여 이름이 저팔계다. 저팔계의 세상은 욕심이 많은 아귀 세계를 말한다. 아귀는 항상 부족함을 느껴 남의 것을 탐내 자기 것으로 만들려는 것이다. 그러므로 항상 재물, 권력, 명예, 지위, 식욕 등에 혈안이 되어 살아가는 부류를 빗댄 것이다. 먹고 사는 데만 신경을 쓰며 앞만 보고 살아가는 저팔계는 바로 어리석은 우리들의 모습이다.

사오정은 저팔계와 마찬가지로 천상에서 죄를 짓고 쫓겨나 하천 근처에서 사는 인물로 손오공, 저팔계와는 달리 아주 조용한 성격의 소유자다. 삼장법사와 손오공을 충실히 모시는 충성스러움이 있는 인물이다. 사오정은 천상에서 권렴대장(捲簾大將)이었으나 천상에서 옥그릇을 깨트린 죄를 지어 유사하(流沙河)의 요괴가 되었다. 사오정에서 사(沙)는 곧 우리가 사는 사바세계인 중생들의 세상을 말한다.

오(悟)는 깨달음이라는 뜻이고, 정(淨)은 맑다는 뜻이다. 마음이 청정해야 깨달을 수 있다는 뜻이다. 맑음의 반대는 혼탁함이다. 아미타경에는 오탁(五濁)이 있다. 겁탁(劫濁), 견탁(見濁), 번뇌탁(煩惱濁), 중생탁(衆生濁), 명탁(命濁)이 그것이다.

이를 풀이하면 늘 욕심내고 화내고 어리석고 오만하고 의심하는 마음으로 번뇌가 일어나면(번뇌탁), 보는 것이 탁해지고(견탁), 생명이 탁해지며(명탁), 중생이 탁해지니(중생탁), 탁한 중생이 많이 모이게 되면 시대가 탁해져서(겁탁), 살기 힘든 세상인 오탁악세(五濁惡世)가 된다. 사오정이라는 법명은 오탁악세를 정화하라는 깊은 뜻이 담긴 이름이다.

사오정은 지옥의 중생이다. 이레마다 한 번씩 검(劍)이 날아와 옆구리를 백 번도 넘게 찔리고, 배고픔과 추위를 참을 길이 없는 괴로운 생활을 한다. 지옥은 땅으로 끌려 들어가는 것처럼 몸이 천근만근 무겁고, 사방팔방이 꽉 막혀서 꼼짝달싹도 못하면서 오로지 고통에 떨고 있는 상태다. 또한 지옥은 미움이고, 분노이며, 원한에 가득 차서 상대를 고통스럽게 해야 속이 풀리는 상태를 말한다. 그러나 사오정은 불도를 행하고 삼장법사를 도와 임무를 완성하는 공을 세워 금신나한(金身羅漢)이 된다.

정화수(井華水)

경북 김천 용화사

첫 새벽에 길은 우물물을 사발에 떠놓은 것을 정화수(井華水), 또는 정안수라고 부른다. 예전에는 정화수가 일종의 신앙의 대상이었다. 그래서 정화수 떠놓고 빌고 빈다는 말이 생겨나기도 하였다. 정화수는 곧 신에게 바치는 일종의 공물(供物)이다. 이러한 정화수를 우물가나 장독대 혹은 부엌에 놓고 각자의 소망을 기원하면서 치성(致誠)을 드렸다. 대부분 자식에 대해 발원하는 경우가 가장 많았다. 옛사람들은 물이 부정함을 쫓거나 더러운 것을 정화해 주는 힘이 있다고 믿어왔기에 정화수를 뿌리면서 주술적 효과를 기대하기도 하였다. 그리고 가정에 생일이나 잔치가 있으면 정화수와 더불어 떡, 그리고 간단한 제물을 올려 공을 들이기도 하였다. 그러나 지금은 이러한 민간신앙은 보기가 어렵다.

수궁가(水宮歌) 자라와 토끼

경북 예천 보문사

수궁가(水宮歌)는 토별가(兎鼈歌) 또는 토끼타령으로 불리기도 한다. 그러므로 자라와 토끼가 등장을 하나 언제부터인가 자라는 슬그머니 빠지고 거북이가 등장하여 흔히 토끼와 거북이로 굳어져 토착화하게 된다.

그 내용을 보면 남해 용왕이 어쩌다 병이 들어 용하다는 의원을 모두 불러 치료하였으나 별다른 효험이 없었다. 그러다 토끼의 간을 먹으면 낫는다는 말을 듣고 별주부(자라)를 시켜 뭍으로 나아가 토끼를 꾀어서 용궁으로 데려오는 내용이다.

아래 벽화는 별주부(鼈主簿)가 용케도 토끼를 꼬드겨서 용궁으로 돌아가는 장면을 그린 것이다.

전남 여수 흥국사

토끼는 별주부를 따라 용궁으로 들어갔으나 막상 자신의 배를 갈라 간을 꺼내어 용왕의 약으로 쓴다는 사실을 뒤늦게 알게 된다. 그래서 꾀를 부려 말하기를 자기 간은 뭍에다 떼어놓고 왔으니 뭍으로 다시 나가면 가져올 수 있다고 하였다. 자라는 이 말을 믿지 않았으나 어찌나 토끼가 말을 잘하는지 용왕이 그 말을 믿어 다시 자라의 등을 타고 뭍으로 나오게 된다. 뭍으로 나온 토끼를 놓친 자라는 용왕이 벌하여 쫓겨났다. 죽을 목숨에서 살아난 토끼는 좋다고 깡충깡충 뛰어다니다가 사람들이 쳐놓은 올가미에 걸렸다. 망연자실(茫然自失)한 토끼 옆으로 쉬파리 떼가 날아들자 토끼는 이내 잔꾀를 부려 자기 몸에 쉬파리의 오줌을 잔뜩 발라 달라고 부탁한다.

이내 아이들이 지나가다 올가미에 걸린 토끼를 보고 잡아먹으려고 했으나 지린내가 진동하여 썩은 줄 알고 그대로 가버리게 된다. 토끼는 올가미에서 빠져나와 좋아라고 달아나다가 이번에는 매한테 잡혔다. 토끼는 또다시 꾀를 내어 숨겨놓은 보물을 준다고 꾀어서 다시 도망을 치게 되고 그 뒤로는 잘 살았다고 하는 이야기가 수궁가의 내용이다.

전남 여수 흥국사

자라는 용왕에게 충성심을 보이고, 토끼가 용궁으로 잡혀간 것이나 용왕이 다시 토끼를 뭍으로 보낸 것은 모두 쓸데없는 명리를 추구하는 인간의 속물근성을 해학적으로 그려낸 것이다. 토끼는 벼슬에 오르기 위한 헛된 욕망으로 말미암아 용궁으로 가서 죽을 고비를 당하고, 용왕은 오래 살고 싶은 욕망에 다른 이의 생명을 취하려는 추잡함을 보인다. 그러나 알고 보면 우리의 현실에서 벌어지고 있는 일들이기도 하다.

수궁가의 원류는 불교에 있다. 경전에 나오는 원숭이와 악어의 비유를 보면 악어가 원숭이의 간을 먹고 싶어 한다는 내용에서 비롯한 것이다. 중국에서는 자라와 원숭이 또는 용과 원숭이로 비유되다가 우리나라에 와서는 우리와 친숙한 동물로 변형하게 된다. 삼국사기에는 자라와 잔나비로 소개가 되다가 조선시대에 와서는 자라와 토끼, 그리고 현대에 와서는 거북이와 토끼로 둔갑한 것이다.

마상청앵도(馬上聽鶯圖)

대구 동구 파계사

이러한 그림을 마상청앵도(馬上聽鶯圖)라고 하며 우리나라에서는 단원 김홍도의 그림이 유명하다. 다만 파계사에 있는 이 벽화는 나귀를 소로 나타냈었을 뿐이다. 길게 늘어진 수양버드나무 아래 소를 타고 가다가 갑자기 멈추어 서서 한 손가락 위에 올려진 꾀꼬리를 무심하게 바라보는 장면이다. 단원 김홍도의 마상청앵도에는 화제(畫題)가 수록되어 있다.

佳人花底簧千舌 韻士樽前柑一雙 歷亂金樽楊柳岸 惹烟和雨織春江
가인화저황천설 운사준전감일쌍 역난금준양류안 야연화우직춘강

아름다운 여인이 꽃 아래에서 천 곡조로 생황을 부니
시 짓는 선비가 주안상에 귤 한쌍을 올려놓았네.
어지럽다. 황금빛 베틀 북이 실버들 물가를 오고 가더니
안개와 비를 자욱하게 끌어다가 봄 강에 비단을 짜놓았구나.

버드나무는 예로부터 이별과 재회를 상징하는 나무다. 그리고 강인한 생명력을 상징하는 나무이기도 하다. 꾀꼬리는 무엇을 상징할까? 혹시 정든 사람을 상징하는 것은 아닐까?

파계사 벽화에 그려진 인물을 보면 선비도 아니고, 그렇다고 사문도 아닌 초동(樵童)의 모습으로 그려져 있다. 그리고 이러한 그림은 주로 도교풍이 아주 강한 부류의 그림에 속한다. 실제 마상청앵도를 그린 단원 김홍도 역시 그러한 풍의 그림이 지금도 전하고 있다.

동양화에서는 시선과 여백을 아주 중요시한다. 그러한 관점에서 본다면 이 그림은 일반적인 구도와는 반대다. 하지만 그 나머지는 기존의 화풍을 고스란히 간직하고 있다.

칠원성군(七元星君)

대구 동구 파계사

칠원성군(七元星君)은 도교에서 북두칠성을 신격화하여 표현한 것이다. 칠성과 불교는 아무런 연관이 없다. 그러나 아직도 우리나라 사찰에서는 칠성에 관한 그림이나 전각(殿閣)을 쉽게 볼 수 있어서 소개한다. 이 그림은 칠성(七星)을 인물로 그려 별자리처럼 표현한 것이다. 어쨌든 이 점은 높이 살 만한 그림이다.

칠성은 인간의 생로병사를 주관한다고 믿어서 불교는 물론 무속신앙에도 등장하는 신이다. 별자리 하나하나마다 그 의미를 붙여서 탐랑성군(貪狼星君)은 자손들에게 복을 주고, 거문성군(巨文星君)은 장애와 재난을 없애 주고, 녹존성군(祿存星君)은 업장을 소멸시켜 주고, 문곡성군(文曲星君)은 구하는 바를 모두 얻게 해 주고, 염정성군(廉貞星君)은 백 가지 장애를 없애 주고, 무곡성군(武曲星君)은 복덕을 두루 갖추게 해 주며, 파군성군(破軍星君)은 수명을 연장해 주는 역할을 한다고 믿는다. 여기서 군(君)은 존칭이다. 예를 들어 거문성(巨文星)이라는 별자리를 존칭하여 거문성군이라 하는 것이다. 또한 칠성을 부처화(化) 하여서 칠성여래라고 하지만 이는 어디까지나 잘못된 것이다.

또한 삼태(三台)라는 별자리는 큰곰자리에 속한 별로 자미성(紫微星)에 있는 자미대제(紫微大帝)를 지킨다고 하는 세 개의 별인 상태성, 중태성, 하태성을 말한다. 이 삼태성(三台星)은 자식을 점지한다고 믿는다. 삼신할머니가 아이를 점지한다는 것도 바로 여기에서 유인된 것이다.

그림에 나오는 노인은 태상노군(太上老君)이다. 이는 노자(老子)를 신격화한 것이다. 노자는 장자와 함께 도가의 시조다. 그는 어머니 뱃속에서 72년을 살다가 태어났으므로 머리카락이 이미 백발이었다고 한다.

신선전(神仙傳)에 나오는 노자의 이야기를 보면 어머니가 유성(流星)을 보고 기(氣)를 느끼는 순간 잉태되었다고 한다. 그리고 잉태된 지 72년째 되던 해에 노자를 낳았는데 노자가 태어날 때 어머니의 왼쪽 옆구리를 열고 나왔으며 태중에 오래 있었기에 애당초부터 흰머리여서 노자(老子)로 불렸다고 한다. 중국 사람들은 노자를 더더욱 신격화하여서 노자가 석가모니로 태어났다는 해괴한 이야기를 만들어 내어 서술하기도 하였다.

태을성군(太乙星君)

대구 동구 파계사

태을(太乙)은 태을성(太乙星)을 줄인 말이며 이를 신격화하여 태을성군(太乙星君)이라고 한다. 사기(史記) 천관서주(天官書註)에서는 태을(太乙)은 곧 천제(天帝)의 별호다. 태을성은 북쪽에 있는 별자리로 천문(天文), 역수(易數)를 따지는 음양가들은 병란(兵亂), 재화(災禍), 그리고 생사를 맡아 다스린다고 믿어왔기에 민간에서는 신격화되었던 별자리이다. 이 별자리로 점을 치는 것을 태을점이라고 한다.

고대 중국의 전설적인 임금인 삼황(三皇)으로 대비하여서 인황씨(人皇氏)가 하늘로 올라가 별이 된 것이 바로 태을성이다. 자미원(紫微垣)의 남문 입구에서 천을성과 더불어 천제(天帝)의 신이다. 우리나라 고전 소설에도 태을성이 등장한다. 우리나라에는 태을신에 관해 명시한 책이 있는데 태을통종보감(太乙統宗寶鑑)이라는 책이다. 그러나 작자는 미상이다.

견우(牽牛)와 직녀(織女)

대구 동구 파계사

중국의 고대 설화에 견우(牽牛)와 직녀(織女)가 까막까치들이 만들어 놓은 오작교(烏鵲橋)라는 다리를 이용해서 일 년에 한 번씩 만난다는 이야기가 있다.

전설에 의하면 먼 옛날 하늘의 옥황상제(玉皇上帝)에게는 직녀라는 어여쁜 딸이 하나 있었다. 직녀는 옷감 짜는 여신으로 온종일 베틀에 앉아 옷감에다 별자리, 태양 빛, 그림자 등을 짜넣었다. 그런데 그것이 얼마나 아름다웠던지 하늘을 도는 별들도 그녀가 하는 일을 지켜보기 위해 멈출 정도로 탁월한 능력을 갖추고 있었다. 그러나 세월이 흐르면서 직녀는 자신이 하는 베 짜는 일에 자주 싫증을 느끼곤 하여, 때때로 그녀는 베틀의 북을 내려놓고 창가에 서서 자주 서성거리게 되었다.

어느 날 그녀는 궁중의 양과 소 떼를 몰고 가는 한 목동을 보게 되었다. 그는 아주 잘생긴 젊은이였는데, 그들의 눈이 마주치는 순간 직녀는 목동에게 사랑을 느끼게 되었다. 직녀는 자신의 마음을 아버지인 옥황상제에게 이야기하고, 그 목동과 결혼시켜 달라고 한다. 그러니까 견우는 목동이고 직녀는 베짜는 여인이다. 견우에서 견(牽)은 끌어당긴다는 의미가 있으며, 직녀에서 직(織)은 베를 짠다는 의미다.

옥황상제는 견우란 이름의 이 젊은 목동이 영리하고 하늘의 소를 잘 돌본다는 사실을 익히 들어서 알고 있었으므로 딸의 선택에 반대하지 않고 이들을 혼인시켜 주었다. 그러나 혼인한 이들은 너무 행복한 나머지 사랑이라는 이름으로 자신들의 본업을 잊고 게을러지고 말았다.

화가 난 옥황상제는 이들을 몇 번이나 주의시켰지만 둘만의 사랑에 도취한 이들에게는 한낱 들리는 말에 불과하게 되었다. 이 일로 인하여 옥황상제의 분노는 극에 달했고 이들을 영원히 떼어놓을 결심을 하기에 이르렀다. 그 결과 견우는 은하수 건너편으로 쫓겨났고, 직녀는 그의 성(城)에 쓸쓸히 남아서 베틀을 돌려야 했다.

옥황상제는 일 년에 단 한 번, 즉 일곱 번째 달 일곱 번째 날의 밤에만 이들이 강을 건너 만날 수 있게 허락하였다. 이들은 음력 7월 7일이 되면 칠일월(七日月)

이라는 배를 타고 하늘의 강을 건너 만나게 되는데, 비가 내리면 강물이 불어 배가 뜨지 못하게 된다.

그래서 언덕에서 직녀와 견우가 둘이 보고 싶어 애타게 울고 있으면 많은 까막까치가 날아와 그들의 날개로 하늘의 다리를 만들어 이들을 만나게 해 준다고 전해진다.

그 다리가 바로 오작교(烏鵲橋)다. 오(烏)는 까마귀, 작(鵲)은 까치다. 그러나 칠성 신앙인 북두칠성(北斗七星), 삼태성(三台星), 견우직녀(牽牛織女) 등은 엄밀히 말해 불교와는 무관한 이야기다.

상산사호(商山四皓)

경남 하동 쌍계사

사기 유후세가(史記 留侯世家)에 보면 중국 진시황 말기에 난리를 피하여 산시성(陝西省)에 있는 상산(商山)에 은거하며 살던 동원공(東園公), 하황공(夏黃公), 각리선생(角里先生), 기리계(綺里季)를 가리켜서 상산사호(商山四皓)라고 한다. 이들 모두가 눈썹과 머리카락이 희어서 붙여진 별칭이며, 상산일노(商山逸老) 혹은 상산사로(商山四老)라고 하기도 한다.

진시황은 중국을 통일한 뒤 아방궁(阿房宮)을 짓고 많은 백성을 동원하여 만리장성(萬里長城)을 쌓고 서적을 불사르고 수많은 선비를 죽이는 등 포악한 정치를 펼쳤다. 그러자 세상을 등지고 심산에 들어 은둔하였던 실존 인물들이다.

진시황이 죽자 각처에서 영웅호걸들이 난(亂)을 일으켰으며, 초(楚)나라 항우와 한(漢)나라 유방이 패권을 다투다가 한나라가 승리하여 천하를 평정했다. 한고조 유방은 황제 지위에 오른 뒤 상산사호가 어질다는 소문을 듣고 사람을 보내어 초청했으나 상산사호는 부름에 응하지 않았다.

해당 벽화는 불교와는 아무런 관련이 없다. 하지만 산신각 혹은 삼성각 등에서 가끔 볼 수 있다. 참고로 호(皓)나 옹(翁)은 모두 노인을 가리키는 표현이다.

상산사호(商山四皓)가 지었다는 자지가(紫芝歌)의 내용은 다음과 같다.

莫莫高山 深谷逶迤 曄曄紫芝 可以療飢
막막고산 심곡위이 엽엽자지 가이료기

아득하고도 아득한 높은 산이여!
깊은 골짜기도 구불구불하도다.
붉은빛을 발하는 지초(芝草)여
그것으로 가히 요기를 할 수 있구나.

唐虞世遠 吾將何歸 駟馬高蓋 其憂甚大
당우세원 오장하귀 사마고개 기우심대

요순임금의 시대는 멀어졌으니

우리는 장차 어디로 돌아갈 것인가?
네 마리 말이 끄는 높은 수레를 타는 사람들이여
그 근심이 매우 크도다.

富貴之畏人兮 不如貧賤之肆志
부귀지외인혜 부여빈천지사지

부귀와 영화가 사람들을 붙들어 두지만
가난하고 천할지라도 자기 뜻 펴고 사는 것만 못하리라.

신선과 바둑 내기를 한 스님

경북 안동 동악사

바둑이라는 말은 한자 위기(圍碁)와 순수한 우리말, 바돌 · 바독 · 바둑 등으로 불리는데 광복 후부터 바둑으로 통일되어 오늘에 이르렀다. 바둑의 유래는 매우 오래다. 문자가 만들어지기 이전인 4,300여 년 전에 발생하였다고 전해지고 있으나 확실한 고증은 없다. 옛날 하(夏)나라 걸왕(桀王)이 석주(烏冑)에게 명하여 만들었다고 하고, 요(堯)임금과 순(舜)임금이 아들의 지혜를 계발해 주기 위하여 바둑의 오묘한 술수를 가르쳤다는 이야기도 있다.

옛날 어떤 스님이 바둑을 두고 한가로이 지내는 신선들이 있는 곳으로 가서 부처님 법을 포교하고자 하였다. 그러나 신선들은 바둑에 정신이 빠져 불법은 귀에 들어올 리가 만무하였다. 그래서 스님은 할 수 없이 신선들에게 바둑 내기를 하자고 하였다. 그러자 매일 바둑을 두는 신선들은 흔쾌히 응했다. 스님이 이기면 불법(佛法)을 배울 것이고 신선들이 이기면 선도(仙道)를 수행할 것을 서로 약속하였다. 신선들은 스님이 바둑 두는 것을 본 적이 없는지라 은근히 깔보고 스님과의 대국(對局)을 시작하였다.

그러나 그렇게 자신만만하던 신선들은 바둑 내기에서 몰패당하게 되었다. 아무리 온 힘을 다하여 계교를 부려 보았으나 끝내 한 집 차이로 지고 말았다.

그리고 승부를 판가름하기 위하여 신선은 이번만큼은 지지 않으려고 안간힘을 썼으나, 이번에는 두 집 차이로 지고 말았다. 이에 화가 난 신선들은 다시 한판을 더 요구하여 바둑을 두었고 이번에는 세 집 차이로 지고 말았다. 마침내 신선들은 스님에게 바둑 내기에 진 것을 인정하고 부처님의 말씀을 받들어 모시며 열심히 불도를 닦았다고 한다. 이때에 바둑을 둔 스님은 문수보살의 화신(化身)이라고 전해진다.

여동빈도(呂東賓圖)

충북 청주 월리사

여동빈(呂東賓)은 중국에서 전해 내려오는 기행(奇行)과 탈속(脫俗)하여 세속을 초월한 것으로 알려진 8명의 신선 중 한 명을 말한다. 이들을 일러 팔선(八仙)이라고 한다. 팔선은 종리권(鍾離權), 장과로(張果老), 철괴리(鐵拐李), 한상자(韓湘子), 여동빈(呂洞賓), 조국구(曹國舅), 남채화(藍采和), 하선고(女神仙)를 말한다.

여동빈은 당나라 산서성 영락현 사람이며, 당나라 덕종 정원(貞元) 12년(797) 4월 14일에 출생했다고 한다. 그의 모친이 여동빈을 낳을 때 기이한 향기가 방에 가득하고 자주색 구름이 하늘을 덮었으며, 한 마리 선학(仙鶴)이 하늘에서 내려와 침상으로 날아들다가 돌연 사라지는 태몽을 꾸었다고 한다.

여동빈의 본명은 경(瓊)이고, 자(字)는 백옥(伯玉)이며, 또 다른 이름은 소선(紹先)이다. 출가 이후에는 이름을 암(岩)으로 고쳤고, 자는 동빈(洞賓)이다. 여동빈은 태어나면서부터 관상이 남달랐다고 한다. 양쪽 눈썹이 길고 비스듬히 구레나룻과 이어졌으며, 광채 나는 봉황의 눈매에 코는 높고 단정하며, 왼쪽 눈썹과 왼쪽 눈 아래 검은 점이 있었다고 한다.

어느 날 그의 부친은 이 아이를 마조도일 화상에게 보이면서 아이의 앞날을 물었다. 마조 스님은 이 아이는 풍모가 맑고 기이하며, 골상 또한 평범하지 않으니 풍진을 벗어난 뛰어난 인물이다. 아이가 성장한 후 우여즉거(遇廬則居) 여(廬)를 만나면 머물고, 우종즉고(遇鍾則叩) 종을 만나면 두드리라는 말을 남기고 갔다고 한다. 나중에 마조대사가 예언한 것처럼 여동빈은 여산(廬山)에서 수행하였고, 종리권(鍾離權)을 만나 도를 배웠다고 한다.

여동빈은 과거에 응했으나 두 번이나 낙방하였다. 그는 두 번째 과거에 낙방하던 그 시기에 어느 주막에서 종리권(鍾離權)을 만났는데 그는 종리권의 인품에 반해서 그를 사모하게 되었다. 그의 이름에 종(鍾)자가 들어가 있자 예전에 부모님께 들은 우종즉고(遇鍾卽叩)하라는 말이 스쳤고, 종리권이라는 사람이 내가 두드릴 인물이라고 생각하였다.

여동빈에 관한 설화는 숱하게 많이 전한다. 여기 여동빈의 시 한 수를 소개한다. 아래 두 구절은 장엄염불에도 나오는 구절이다.

人身難得道難明 塑此人心訪道根 此身不向今生度 再等何時度此身

인신난득도난명 소차인심방도근 차신불향금생도 재등하시도차신

사람 몸 얻기 어렵고 도(道)를 밝히기도 어려워라.

사람 마음 따라 도의 뿌리를 찾나니

이 몸을 이 생애에 제도하지 못하면

다시 어느 때를 기다려 이 몸을 제도하리오.

유후세가(留候世家) 이교납리(圯橋納履)

경기 화성 용주사

중국 한(漢)나라 고조(高祖) 유방(劉邦)은 상해(上海)에서 그리 멀지 않은 패현(沛縣)에서 농부의 아들로 출생하였다. 유방은 어린 시절 큰형 집에 얹혀살았으며, 나이가 들어 젊은 시절에는 건달의 무리와 어울리며 전국을 떠돌아다녔다. 장년이 되어서 하급 관리로 생활하기도 하였으며, 진(秦)나라 말기에는 군사를 일으켜 진나라를 대파하고 수도를 장안으로 정하고 황제의 자리에 올랐다. 장량(張良)은 유방의 신하로 한나라 명문가의 출신이며, 하남성 박랑사(博浪沙)에서 창해역사(滄海力士)와 함께 진시황을 살해하려고 습격하였으나 실패하여 강소성 하비현(下邳縣)에 은신하였다. 그때 황석공(黃石公)으로부터 태공병법서(太公兵法書)를 물려받았다고 하며, 책략에 뛰어나 유방의 책사(策士)가 되었다.

황석공(黃石公)은 진나라 말기의 은사(隱士)이며 군사 이론가다. 장량이 진시황을 암살하려다 실패하여 하비(下邳)에 숨어 살 때 장량에게 병법을 전해 주었다고 하는 인물이다. 사마천(司馬遷)이 서술한 사기(史記)의 유후세가(留候世家)편에 보면 장량(張良)이 자신의 조국 한(韓)나라를 멸망시킨 진시황을 살해하려다 실패하여 하비현에 숨어 살던 시절이었다. 어느 날 이교(圯橋) 위를 산책하다가 삼베옷을 입은 한 노인이 다가오더니 자기 신발을 일부러 다리 밑으로 떨어트리고는 장량한테 이를 주워 오라고 하였다.

장량은 노인의 말에 화가 났으나 이를 참고서 별다른 대꾸를 하지 아니하고 나리 아래로 내려가서 신발을 주워서 갖다 주었다. 그러자 이번에는 신발을 신겨 달라고 하였다. 이에 장량이 무릎을 꿇고 신을 신겨 주자 노인은 너털웃음을 웃고 자리를 떴다. 장량이 그 노인을 바라보고 있자 노인은 다시 오더니 너는 참 가르칠 만한 녀석이구나 하며 닷새 뒤 새벽에 여기서 다시 만나자고 하고 서로 헤어졌다.

닷새 뒤 약속 시각에 장량이 도착하니 이미 노인이 먼저 도착하여 있었다. 그리고 화를 내면서 약속 하나도 못 지키는 사람이라고 타박하며 다시 닷새 뒤에 만나자고 말하고 떠나 버렸다. 다시 닷새 뒤 장량은 새벽에 서둘러서 다리로 나갔는데 이번에도 노인이 먼저 와서 다음에는 좀 더 일찍 오라고 말하고 헤어졌다. 또 다시 닷새 뒤에 장량은 새벽이 오기 전인 한밤중에 다리 위로 나갔다. 잠시 후 노인이 기쁜 얼굴로 나타나서 그럼 이처럼 해야지 하며 책을 한 권 주고, 이 책을 읽으면 왕의 스승이 될 수 있다며 아마 10년쯤 지나면 그렇게 될 것이라고 말하였다. 그리고 13년 뒤에는 제수(濟水)의 북쪽에서 나를 만날 수 있다고 하면서 곡성산(穀城山) 아래에 있는 황석(黃石)이 바로 나일 것이라고 일러주었다.

장량이 거처로 돌아와 책을 펴보니 태공병법서(太公兵法書)였다. 장량은 이를 부지런히 익혔고 과연 한나라 유방의 책사가 되었다. 그 후 유방을 따라 곡성산을 지날 때 보니 노인이 말한 대로 곡성산 아래 황석이 있었다. 장량은 이를 가지고 와서 보물처럼 받들며 제사까지 지냈다. 이를 바탕으로 그린 그림을 이교납리도(圯橋納履圖) 또는 장량진리도(張良進履圖)라고 한다.

위왕조조도(魏王鼂錯圖)

충북 제천 신륵사

위왕조조도(魏王鼂错圖)에서 착(错)이라는 표현은 꾸미다, 어긋나다, 그릇되다, 이러한 뜻이 있다. 반면에 조(错)라고 표현할 때는 허둥지둥하다, 당황하다의 뜻으로 쓰이며 조(措)와 같은 글자로 쓰이기도 한다는 것을 먼저 알아두어야 한다.

벽화를 보면 청룡언월도(青龍偃月刀) 앞에 굴복을 하는 그림으로 화제에 위왕조조(魏王鼂错)라는 화기(畵記)가 있어 위왕조조도라는 것을 밝히고 있다. 이는 삼국지연의(三國志演義) 가운데 화용도패주(華容道敗走)에 나오는 위왕의 조조

(曹操)와 사기(史記)의 오왕비열전(吳王濞列傳)에 등장하는 한나라의 관리인 조조(鼂錯)를 표현한 벽화다.

이를 염두에 두고 다시 벽화를 보면 하단에 무릎을 꿇고 있는 두 사람 가운데 좌측 인물은 위왕의 조조(曹操, 155~220)이고 우측에 엎드린 관리는 한(漢)나라 효경제(孝景帝)의 어사대부(御史大夫)인 조조(鼂錯, ?~156)다.

삼국지연의(三國志演義)를 대부분 사람은 삼국지(三國志)라고 부른다. 여기에서 삼국은 위(魏)나라, 촉(蜀)나라, 오(吳)나라를 말한다. 이 삼국의 역사를 바탕으로 하여 14세기에 나관중(羅貫中)이 장회소설(章回小說) 형식으로 편찬한 역사소설이다. 여기에 등장하는 주요 인물 유비(劉備), 관우(關羽), 장비(張飛) 등은 장군이며 지략가(智略家)로는 제갈공명(諸葛孔明) 등이 있다.

삼국지에는 숱한 싸움을 일으키면서 패권을 잡으려는 영웅호걸들이 등장한다. 그 가운데서 가장 유명한 것은 양자강(揚子江) 남안(南岸)에 있는 적벽대전(赤壁大戰)이다. 이 적벽대전 중 화용도(華容道)에서 패하여 달아나는 사건을 그림으로 나타낸 것이다. 여기서 화용도는 동정호(洞庭湖) 가까이 있는 지명을 말한다.

100만 대군을 거느린 위나라 왕 조조(曹操)는 적벽대전에서 주유(周瑜, 175~210)의 화공(火攻)으로 인해 크게 패해 거의 전멸하다시피 하였다. 이에 퇴각하던 위왕(魏王) 조조는 화용도 언덕에서 매복하며 적토마를 타고 청룡언월도를 들고 있는 촉나라 장수 관우(關羽)와 우연히 만난다. 예전에 관우는 허도(許都)에서 조조에게 각별한 대우를 받은 적이 있었다.

다급해진 조조는 허도에서 만났던 옛 추억을 들먹이며 살려 달라고 애원하자 관우가 말하기를 군명(軍命)이 있거늘 어찌 사사로운 정에 따를 수 있겠느냐고 하였다. 이에 조조가 말하기를 예전 관 장군이 여섯 명의 장수를 죽였음에도 나는 관 장군을 오히려 강을 건너게끔 한 일을 잊은 것은 아니겠지요. 나야 죽음을 맞이하는 것은 부끄러운 일이나 관 장군 손에 죽는다면 그래도 다행이다고 하자, 결국 관우의 마음이 움직여 조조에게 도망갈 길을 내주어 빠져나가게 함으로써 마음의 빚을 갚게 된다.

벽화에서 백마를 타고 청룡언월도(靑龍偃月刀)를 들어 무릎을 꿇고 있는 사람 앞에 바짝 대고 있는 인물은 관우(關羽)고, 무릎을 꿇고 살려 달라고 손을 모으고 애원하는 인물은 위나라 왕인 조조다.

백동자도(百童子圖)

부산 금정구 범어사

부산 금정구 범어사

부산 범어사(梵魚寺) 독성전 내벽에는 여섯 점의 동자도(童子圖)가 있다. 이는 백동자도를 나타낸 벽화로 많은 사내아이를 그려서 자손이 번성하고 가계를 이어가고자 하는 염원이 담겨 있는 그림이다. 이렇듯 다산을 상징하는 그림의 유행이 조선 시대에는 왕실에서부터 서민층에 이르기까지 널리 퍼져 있었다.

백동자도를 줄여서 백자도(百子圖)라고도 하는데 이는 중국 당나라 왕조를 일으킨 최고의 공신 가운데 곽자의(郭子儀, 697~781)가 행복한 삶을 그린 곽분양행락도(郭汾陽行樂圖)에서 유래되었다. 백자도의 그림은 주로 저택이나 정원, 그리고 신선들이 산다는 선경(仙境)을 배경으로 하여 제기차기, 연날리기, 장군놀이, 술래잡기, 닭싸움 등으로 나타내고 있다. 이는 가정이 순탄하고 자손이 번성하기를 바람과 동시에 남아선호사상이 짙게 깔린 그림이다. 중국 민간신앙에서는 재신(財神)으로 여기고 있다.

손오공변화령헌관음도(孫悟空變化鈴獻觀音圖)

대구 달성 용연사 극락전 내부 벽화

달성 용연사가 아니면 어디서도 볼 수 없는 벽화다. 너무 높은 곳에 있는 관계로 300mm 망원렌즈를 사용해야 했다. 이 벽화의 내용은 명나라 오승은(吳承恩, 1500~1582)이 지은 서유기(西遊記)에 나오는 내용으로 서유기는 총 100회로 이루어진 소설이다. 이 가운데 제68~71회 걸쳐 실린 이야기다.

제68회 제목

朱紫國唐僧論前世 孫行者施爲三折肱

주자국당승론전세 손행자시위삼절굉

주자국에서 당나라 승려는 전세(前世)를 논하고
손 행자는 삼절굉(三折肱)의 법으로 진맥한다.

제69회 제목

心主夜間修藥物 君王筵上論妖邪

심주야간수약물 군왕연상론요사

심주(心主)는 야간에 약을 짓고
군주는 연석에서 요괴를 논하다.

제70회 제목

妖魔寶放煙沙火 悟空計盜紫金鈴

요마보방연사화 오공계도자금령

요마는 보물로 사나운 불을 끄고
오공은 계략을 써서 자금령을 훔친다.

제71회 제목

行者假名降怪犼 觀音現像伏妖王

행자가명항괴후 관음현상복요왕

손오공은 이름을 빌려 요괴에게 항복 받고
관음보살이 나타나서 마왕을 굴복시킨다.

금빛 털을 가진 금모후(金毛吼)라는 마왕 새태세(賽太歲)는 원래 관세음보살이 타고 다니던 금빛 털을 가진 늑대였다. 목동이 낮잠을 자는 사이에 쇠줄을 입으로 끊고 인간세계로 도망가서 요괴가 되었다. 새태세는 주자국(朱紫國)이라는 나라 근처에 있는 기린산(麒麟山)의 해치동(獬豸洞)이라는 요괴 소굴에서 살았다.

서천으로 불경을 구하러 가던 삼장법사와 일행은 주자국에 도착하자 병을 치료하는 의사를 구한다는 방(榜)을 보고 손오공이 자원하여 왕을 만났다. 왕이 흉측하게 생겨서 치료하기를 거부하자 왕의 손에 실을 묶고 진맥하였다. 이를 삼절굉(三折肱) 진맥이라고 한다. 진맥 결과 쌍조실군증(雙鳥失君症)이라는 상사병이 걸려 있었다. 이에 손오공은 삼장법사가 타고 다니는 백마의 오줌을 섞어서 오금단(烏金丹)이라는 환약을 만들고, 무근수(無根水)라고 하여 땅에 닿지 않은 물을 구하고자 동해의 용왕이 공중에서 튀긴 침을 석 잔의 물로 받아서 오금단과 함께 복용케 하자 왕이 깨끗하게 나았다. 왕은 기이하여 병의 원인이 무엇이냐고 묻자 손오공이 답하기를 '쌍조실군증'이라고 하여 두 마리 새가 서로 헤어져 만나지 못하여 생기는 병이라고 하였다. 왕은 아연실색하며 3년 전 축제를 하던 중 새태세라는 요괴가 나타나 왕비를 납치하여 갔는데 그때부터 생긴 병이라고 하였다.

손오공이 파리로 변신하여 박피정(剝皮亭)에 붙어 있다가 문을 여는 순간 요괴의 소굴로 들어가 보니 왕비는 새태세의 아내가 되어 있었다. 이에 손오공은 왕비의 귀속에다 자신의 정체를 말하고 왕비를 구하고자 왔노라고 하였다. 새태세는 자금령(紫金鈴)이라는 세 개의 방울이 있었는데 하나는 방울을 한번 울리면 불길이 솟아나고, 다른 하나는 모래가 치솟으며, 나머지 방울은 연기가 치솟는 엄청난 위력을 가지고 있었다. 이 방울은 단 한 번만 울려도 이러한 위력을 발휘하기에 솜으로 그 구멍을 틀어막아 보관하였다.

손오공은 왕비를 이용하여 미인계를 써 새태세가 술에 취해 잠들게 한다. 이때 손오공은 새태세의 시종으로 둔갑하여 이 방울을 가짜와 몰래 바꿔치기하고 새태세와 싸움을 벌였다. 하지만 승부가 나지 않자 마왕이 세 개의 방울을 가지고 와서 방울을 흔들어 손오공을 태워 죽이려고 하였다. 세 개의 방울은 연기도 나지 않았다. 이때 손오공이 방울을 흔들자 삽시에 온천지가 불바다가 되었고 마왕은 도망치고 말았다.

그때 하늘에서 관음보살이 왼손에는 정병을 오른손에는 버들가지를 들고 나타나 몇 방울의 감로수로 순식간에 불을 끄자 손오공은 세 개의 방울을 급히 허리춤에 숨겼다. 이를 알아챈 관음보살이 세 개의 방울을 돌려 달라고 하자 시치미를 떼고 없다고 했다. 보살이 긴고주(緊箍呪)를 외우려고 하자 그제야 세 개의 방울을 두 손으로 받쳐 보살에게 돌려주었다.

주자국 왕은 왕자였을 당시에 사냥을 나가서 공작새 부부 중 수컷 공작을 활로 쏘아 죽였다. 그 과보로 인하여 왕이 되어 혼인하자 3년간 아내와 강제로 떨어지는 벌을 받게 되었다는 인과응보의 내용을 가지고 있다. 세 개의 방울은 관세음보살이 타고 다니던 금빛 털을 가진 늑대의 목에 걸려있던 것으로 이를 다시 금빛 털을 가진 늑대의 목에 걸고 홀연히 사라졌다는 내용이다.

삼국지연의 탄금주적도(彈琴走賊圖)

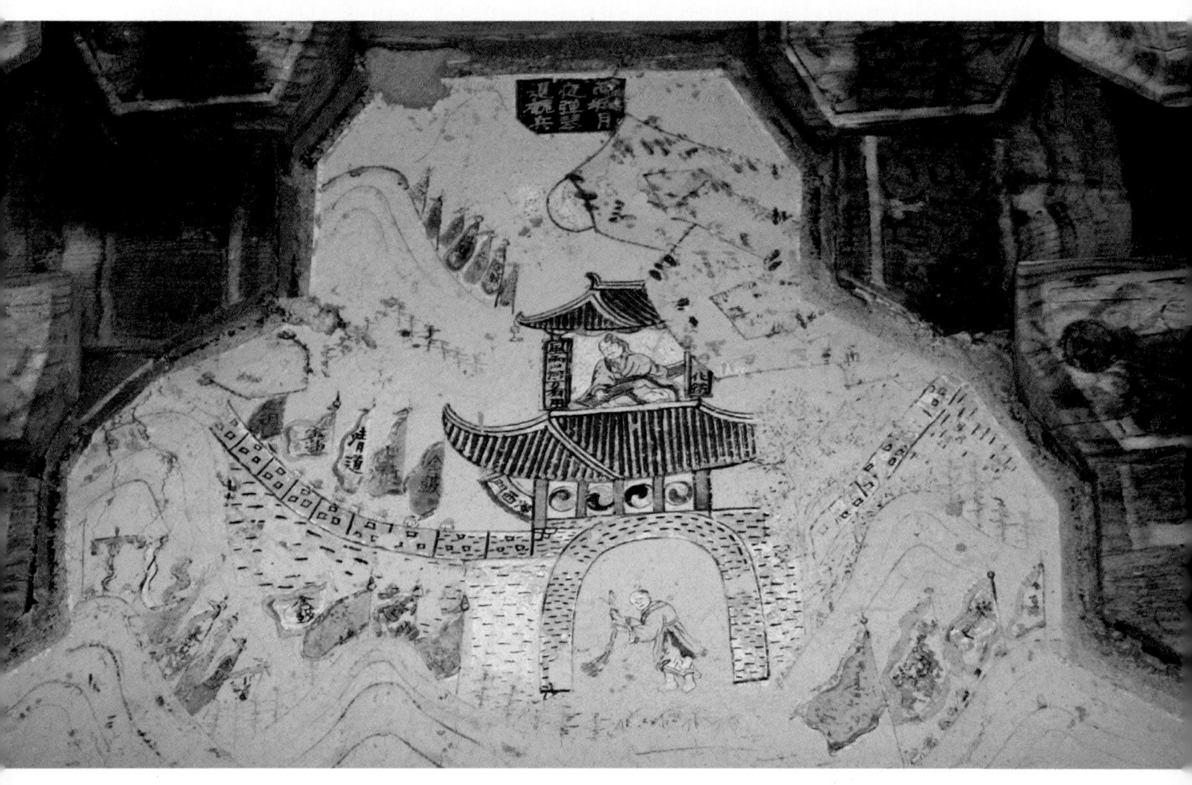

경남 양산 통도사 명부전

명나라 때 나관중(裸貫中)이 지은 삼국지연의(三國志演義)에서 촉(蜀)나라 승상(丞相)이며 지혜가 뛰어났다는 제갈량(諸葛亮)은 유비(劉備)가 죽자 북벌(北伐)을 단행하여 한중(漢中)을 손아귀에 넣은 다음 기산(祈山)을 차지하게 된다. 그러나 그가 그토록 신임하던 마속(馬謖)에게 명하여 전략적 주요 요충지이며 보급로인 가정(街亭)을 방어하도록 하였지만, 마속의 독단적인 판단으로 인하여 위(魏)나라에 빼앗기고 만다. 제갈량은 군대는 군율(軍律)이 엄격해야 한다며 그토록 신임하던 마속의 목을 베게 하였으니 이를 읍참마속(泣斬馬謖)이라고 한다.

통도사 명부전(冥府殿) 벽화 가운데 탄금주적도(彈琴走賊圖)라는 벽화를 보면 월야탄금퇴위병(月夜彈琴退魏兵)이라는 화제가 기록되어 있다. 이는 달밤에 거문고를 타서 위나라 병사를 물리쳤다는 내용이다. 벽화에 보면 한서문(漢西門)이라는 문루 위 2층의 누각에서 한 사람이 거문고를 타고 있으며 또 다른 인물은 성문을 활짝 열고 한가하게 빗자루질을 하고 있다. 또한 누각 위에는 달을 그려 놓아서 이 상황이 밤중임을 나타낸다. 성루 안에는 금고(金鼓), 순시(巡視), 청도(淸道) 등의 군기가 펄럭이고 있으므로 군영(軍營)을 나타내고 있다.

마속의 잘못된 판단으로 가정이 함락당하게 되자 제갈량은 5천의 군사를 이끌고 퇴각하여 서성(西城)으로 가서 군량미 확보에 힘을 쓰고 있었다. 이때 위나라 사마의(司馬懿)는 마속을 물리친 여세를 몰아 15만 대군을 지휘하여 밤새 서성(西城) 근처까지 다다르게 된다. 사마의는 제갈량을 사로잡으면 천하가 자신의 것이 될 것이라고 확신하였다. 한편 서성에 남아 있는 제갈량의 군졸들은 변변한 장수 한 명 없이 5천의 군사로 15만의 위나라 대군을 어찌 맞서 싸우겠는가 하고 큰 실의에 빠졌다. 이때 제갈량은 묘지(妙智)를 발휘하여 명하기를 성문을 모두 열고 무기와 기치(旗幟)들은 모두 감추어라. 그리고 제갈량은 학창의(鶴氅衣)를 입고 유건(儒巾)을 쓰고 태연하게 2층 망루에 올라가 거문고를 타기 시작하였다. 그리고 병사들은 한가하게 노닥거리거나 진중의 마당을 쓸고 있었다.

사마의(司馬懿)는 혼란에 빠지기 시작하였다. 천하의 지략가인 제갈량이 무슨 꿍꿍이가 있을 것이다. 분명 적군이 쳐들어와서 성 밖에까지 왔건만 성문은 오히려 열어 놓고, 거문고를 뜯고 있으며, 병사들은 창검을 멀리하고 유유자적하고 있으니 이는 필시 자신을 유인하고자 하는 함정이 있을 것으로 생각하여 군마를 돌려 후퇴하였다는 내용을 담은 벽화다. 이에 후세 사람들은 이를 두고 다음과 같이 노래하였다.

瑤琴三尺勝雄師 諸葛西城退賊時 十五萬人回馬處 後人指點到今疑
요금삼척승웅사 제갈서성퇴적시 십오만인회마처 후인지점도금의

석 자의 거문고로 대군을 이겼으니
제갈량이 서성에서 적병을 물리칠 때라네.
15만 군사의 말머리를 돌렸던 그곳에는
후세 사람들은 손가락 가리키며 아직도 의아해하네.

다시 벽화를 살펴보면 성 밖의 군기들은 위나라 사마의(司馬懿) 진영을 나타낸 것이다.

삼국지연의 삼고초려도(三顧草廬圖)

경북 청도 대적사

삼고초려(三顧草廬)는 유능한 인재를 얻기 위하여 최선을 다한다는 뜻이다. 이는 삼국지연의(三國志演義)에 나오는 말로 유비현덕(劉備玄德, 161~223)은 조조맹덕(曹操孟德, 155~220)에게 늘 패배당하였다. 유비는 조조하고 일전을 벌이다가 패배하여 달아나다가 그만 길을 잃고 말았다. 그때 우연히 만난 사람이 사마휘(司馬徽, ?~208)다. 유비는 사마휘에게 자신의 답답함을 털어놓았다. 사마휘가 말하기를 관우운장(關羽雲長, ?~220), 장비익덕(張飛益德, ?~221), 조운자룡(趙雲子龍, ?~229)은 천하무적의 장수라서 무술로는 당하기 어렵다. 다만 그대는 한 가지 부족한 것이 있는데 천하를 볼 줄 아는 통찰력과 지략을 품은 참모가 없어서 매번 패배했다고 일러주었다. 이어서 하는 말이 복룡(伏龍)과 봉추(鳳雛) 가운데 한 사람만 택하라고 하였다. 여기서 복룡은 제갈량을 뜻하는 말이다.

이 말을 들은 유비는 느끼는 바가 있어서 사마휘에게 그러한 인물을 한 명 천거해 달라고 부탁하자 사마휘가 말하기를 그 사람의 성(姓)은 제갈(諸葛)이며 자(字)는 공명(孔明)이라고 일러주었다.

다음 날 유비는 곧바로 제갈량을 수소문하여 관우(關羽), 장비(張飛)와 함께 그가 산다는 남양(南陽)의 와룡강(臥龍江) 근처에 그가 은거하고 있는 초라한 초가집을 찾아갔다. 제갈량은 이를 미리 알아채고 여행을 떠나 버렸다. 이때 제갈량의 나이는 27세였다. 제갈량에 비해 한참 나이가 많은 유비는 내심 자존심이 상하였지만, 여기에 아랑곳하지 않고 눈이 오는 겨울날 매서운 추위와 눈보라를 무릅쓰고 참아가며 그를 찾아갔다. 제갈량이 친구들과 출타하여 또다시 만나지 못하자 관우와 장비는 아주 불쾌하게 여겼는데 유비는 이들을 다독거렸다.

겨울이 지나고 봄날의 어느 날 유비는 다시 제갈공명이 사는 초가집을 방문하였다. 그날은 제갈량이 집에 있다는 것을 통보받고 그를 존경하는 마음으로 반리나 떨어진 곳에서부터는 말에서 내려 초당까지 걸어서 도착하였으나 제갈공명은 낮잠에 빠져 있었다. 유비는 공명이 잠에서 깨어날 때까지 기다리다가 그를 만나서 이야기를 듣자 멍하게 되어 나이가 어린 공명에게 몇 번이나 머리를 조아리며 자신의 참모가 되어 달라고 청하였다. 유비의 끈질긴 성품에 감동하여 유비의 참모로 들어가게 된다.

그로부터 10년 뒤 유비는 자신의 맞수인 조조와 일전을 벌이게 된다. 조조는 죽기 싫으면 항복하든가 아니면 물러서라고 하였다. 유비는 공명의 지략으로 대승을 거두게 된다. 그러므로 삼고초려는 인재를 얻기 위한 집념을 말한다. 물론 삼고초려에서 삼고(三顧)는 세 번이나 찾아왔다는 뜻이고, 초려(草廬)는 오두막집을 말한다.

경남 양산 통도사 명부전

이를 되짚어 말하면 삼고초려는 간절하고 절실하면 상대를 움직일 수 있다는 것을 의미한다. 또한 벽화 대부분은 삼고초려 가운데 세 번째 이야기를 표현하고 있다.

청도 대적사 대웅전의 벽화에 보면 제갈량은 초당에서 잠들어 있다. 그 아래에 문관의 복장을 하고 서 있는 이가 유비이며, 칼을 들고 무관 복장을 한 사람은 장비(張飛)로 보이며, 나무 아래에 있는 이는 제갈량의 시종(侍從)이다.

통도사 명부전 삼고초려도는 차간유복룡봉추한제삼고(此間有伏龍鳳雛漢帝三顧)라는 화제가 있다. 여기서 복룡(伏龍)은 제갈량을 말하고 봉추(鳳雛)는 방통(龐統)을 말하며, 이어서 한(漢)나라 황제가 세 번이나 찾아왔다는 뜻이다. 제갈량이 잠자고 있는 초가에는 남양초당(南陽草堂)이라는 서기(書記)가 있으므로 이곳이 제갈량이 머무는 집이라는 것을 나타내고, 사립문 안에는 푸른 옷을 입은 제갈량의 시종이 있고, 마당에는 흰 학(鶴)이 날갯짓하는 모습을 나타내어 제갈량의 고고한 인품을 표현하고 있다. 사립문 밖에는 유비와 갑옷을 입은 이가 동자에게 제갈량이 있는지 묻고 있으며, 동자는 손가락을 가리키며 제갈량이 계신다는 것을 나타내고 있다.

세조(世祖)와 정이품송(正二品松)

충북 보은 법주사

조선 제7대 왕 세조는 수행원을 이끌고 법주사 복천암에 수행하는 신미(信眉) 대사를 만날 겸 피부병 치료를 위하여 행차하였다.

세조는 비록 12세 어린 나이지만 조선 제6대 왕 단종(端宗, 1441~1457)의 숙부인 수양대군(首陽大君)이다. 단종은 세조에게 폐위(廢位)당하고 죽음으로 내몰린다. 왕위에 오른 세조는 피부병으로 고생하고 있었다.

1464년 한양에서 출발하여 청주에 이르러 말티재 아래에서 하루를 묵었다고 조선왕조실록은 기록하고 있다. 다음 날 출발하여 법주사로 향할 때 고갯길 넘어 법주사로 들어가는 길목에 멋진 소나무가 있었다. 세조가 그리로 다가가자 세조의 가마에 가지가 걸릴까 봐 소나무 스스로 가지를 들어올려 세조의 가마가 지나가게 되었다. 세조가 돌아오는 길에 소나기를 만나자 이 나무 밑에서 비를 피하였다고 한다.

이에 세조는 소나무의 덕을 기려 정이품(正二品)이라는 벼슬을 내렸다고 하여 정이품송(正二品松)이라고 한다. 그러나 조선왕조실록에는 여기에 관한 기록은 없다.

이 나무는 1993년 강풍으로 서쪽 큰 가지가 부러졌으며 여러 성상(星霜)을 겪다가 지금은 인위적으로 가지를 떠받들어 보호하고 있다.

벽화 찾아보기

(ㄱ)

가루라(迦樓羅), 금시조(金翅鳥) 1104

가릉빈가(迦陵頻伽) 1099

강릉 주문진 동명사(東明寺) 창건 1013

강화 보문사 18나한과 석굴법당 1005

거해지옥(鋸解地獄) 266

견우(牽牛)와 직녀(織女) 1155

경률이상 천민 전다라[旃陀羅]를 제도하시다 408

경전경 부처님과 농부의 만남 379

경전을 결집(結集)하다 167

경청(鏡清) 선사의 줄탁동시(啐啄同時) 931

경허 스님의 상수제자 984

경허 스님이 경전으로 도배하다 982

경허(鏡虛) 스님과 초동(樵童)과의 문답 975

경허(鏡虛) 스님이 어머니께 법문하다 979

계단도경 초건계단(初建戒壇) 491

계율(戒律)을 정하시다 131

계파(桂波)대사와 구례 화엄사(華嚴寺) 969

고령신찬(古靈神贊) 선사가 스승을 일깨우다 863

고승전 혜공대사와 혜원대사의 수행비교 988

고행림(苦行林) 수도 79

과거현재인과경 가섭구도(迦葉求度) 485

과거현재인과경 싯다르타 태자의 관정례(灌頂禮) 44

과거현재인과경 여래인지(如來因地) 465

과거현재인과경 정반성왕(淨飯聖王) 471

곽암(廓庵) 스님의 목우도 711

관무량수경 아미타내영도(阿彌陀來迎圖) 550

관불삼매경 노비득도(老婢得度) 502

관불삼매경 독룡(毒龍)을 제도하시다 366

관불삼매경 불구영아(佛救嬰兒) 520

관불삼매경 불류영상(佛留影像) 494

관세불형상경 욕불형상(浴佛形像) 473

관음자림집 조개 속에 나타난 관세음보살 601

관음정토본연경 무인도에 버려진 형제 332

관정 스님이 법화경을 독송하여 병을 고치다 1041

구정선사(九鼎禪師) 이야기 832

군다리명왕(軍荼利明王) 1108

궁예(弓裔)와 칠장사(七長寺) 954

금강경 인욕선인(忍辱仙人) 215

금강경(金剛經) 수달(須達) 장자 211

금광명최승왕경 금고참회(金鼓懺悔) 526

금정산 미륵암(彌勒庵)과 원효대사 호로병 663

금정산(金井山)과 범어사(梵魚寺) 640

긴나라(緊那羅) 1106

김수로왕의 일곱 왕자 573

김수로왕의 일곱 왕자가 부처가 되다 574

(ㄴ)

나라연금강(那羅延金剛) 1087

나주 불회사(佛會寺) 중창 설화 655

나청호(羅晴湖) 스님의 을축년 수해 구제 945

남악회양(南岳懷讓) 선사의 기와로 거울 만들기 913

남전참묘(南泉斬猫) 1031

노파의 기도와 온양온천(溫陽溫泉) 597

녹야원(鹿野苑)에서 최초로 설법하시다 121

녹왕본생(鹿王本生) 사슴에 얽힌 이야기 363

논산 관촉사 은진미륵불(恩津彌勒佛) 614

느티나무를 맴도는 도둑 1009

능가경 능가설경(楞伽說經) 528

능엄경 송추(誦箒)비구 주리반특가 368

(ㄷ)

다비 후 사리(舍利)를 분배하다 164

다비(荼毘) 417

단양 황정산 원통암(圓通庵) 전설 993

단하천연(丹霞天然) 선사가 목불을 불태우다 916

달마대사 면벽구년(面壁九年) 757

달마대사가 양자강을 건너다 755

달마대사와 송운(宋雲)의 만남 763

대반니원경 순타(純陀)에게 최후의 공양을 받다 151

대반열반경 구명부대(救命浮袋)와 나찰 317

대반열반경 설산동자(雪山童子)와 나찰 310

대반열반경 화중취자(火中取子) 499
대범천왕문불결의경 염화미소(拈華微笑) 358
대보적경 금강청식(金剛請食) 522
대승대집지장십륜경 불찬지장(佛讚地藏) 544
대애지옥(碓磑地獄) 268
대장경(大藏經)을 이운하다 1002
대장엄론경 초계(草繫) 비구 462
대전(大顚) 선사와 한유(韓愈) 822
대지도론 시비왕본생(尸毗王本生) 372
대집경 스스로 머리카락을 자르는 태자 70
덕산선감(德山宣鑑) 스님과 떡 파는 노파 875
도교의 신(神) 적송자(赤松子) 1132
도교의 신선 철괴리(鐵拐李) 1122
도림(道林) 선사와 백거이(白居易)의 만남 796
독사지옥(毒蛇地獄) 257
동사열전 진묵대사(震默大師)와 나한 동자 841
동산(洞山) 선사와 스승의 진영(眞影) 934
두운(杜雲)대사와 호랑이 878
등용문(登龍門) 1135
등은봉(鄧隱峰) 선사와 수레 919
등은봉(鄧隱峰) 선사의 물구나무 입적 921

(ㅁ)

마가다국 빈비사라왕(頻鞞娑羅王)의 귀의 139
마가다국에서 수행하다 74

마곡사 대광보전 신선도(神仙圖) 1125
마곡사 세조(世祖)와 김시습(金時習) 1026
마상청앵도(馬上聽鶯圖) 1149
마야부인을 위하여 도리천에서 법문을 하시다 428
마이산(馬耳山) 탑사(塔寺)의 내력 638
마하승기율 구도적인(救度賊人) 514
마하승기율(摩訶僧祇律) 달을 건지려는 원숭이 400
만해 한용운(卍海 韓龍雲) 스님 966
망산도(望山島)에 도착한 허황옥 571
맹종(孟宗)의 효도 1116
면연아귀경 시식연기(施食緣起) 517
목련경 목련구모(目蓮救母) 397
목어(木魚) 이야기 563
무착(無着) 스님과 문수보살 810
무학(無學)대사와 이성계(李成桂) 606
문수동자와 세조(世祖) 576
문수보살과 자장율사 836
미륵경 미륵 부처님의 삼회도인(三會度人) 432
밀적금강(密迹金剛) 1089

(ㅂ)

반야용선(般若龍船) 439
발설지옥(拔舌地獄) 259
방광대장엄경 관보리수(觀菩提樹) 480
방광대장엄경 물병을 움직이려는 마군(魔軍) 103

방광대장엄경 사천왕이 발우(鉢盂)를 바치다 119
방광대장엄경 싯다르타 태자의 출가(出家) 66
배휴(裵休)가 출가하는 아들을 떠나보내다 805
백동자도(百童子圖) 1171
백마(白馬) 칸타카를 준비하다 65
백양사(白羊寺)와 환양(喚羊) 선사 923
백장(百丈) 선사의 개전(開田) 903
백장(百丈) 선사의 일일부작 일일불식 908
백장야호(百丈野狐) 905
백장회해 선사와 황벽희운 선사 899
백제 의자왕과 삼천궁녀 579
법구비유경 도포엽인(度捕獵人) 511
법구비유경 부처님과 라후라 383
법구비유경 불도도아(佛度屠兒) 508
법구비유경 설고불래(說苦佛來) 505
법구비유경 훈습(薰習)에 대해서 453
법원주림 마갈어(摩竭魚) 445
법원주림 자식을 점지해 준 관세음보살 604
법원주림(法苑珠林) 뱃사공과 관세음보살 599
법주사(法住寺) 벽암대사가 승병을 일으키다 972
법화경 견보탑품(見寶塔品) 197
법화경 법사품 착정유(鑿井喩) 194
법화경 보문품 관세음보살 염불 공덕 206
법화경 보문품 풍랑을 만났을 때 202
법화경 보문품 화난(火難)에서 구제하시다 209

법화경 비유품 화택유(火宅喩) 173
법화경 신해품 궁자유(窮子喩) 177
법화경 안락행품 계주유(髻珠喩) 188
법화경 약초유품 약초유(藥草喩) 180
법화경 여래수량품 의자유(醫子喩) 191
법화경 오백제자수기품 의주유(衣珠喩) 186
법화경 화성유품 화성유(化城喩) 183
법화존자 지위(智威) 스님이 석장을 날리다 1045
보덕(普德)화상의 비래방장(飛來方丈) 680
보덕화상(普德和尙)의 신통 855
보명(普明) 스님의 목우도 731
보문사 화산(華山) 스님의 묘책 1011
보요경 급류분단(急流分斷) 483
보요경 유관농무(遊觀農務) 475
보은 법주사(法住寺) 창건 설화 1072
보은경(報恩經) 선우 태자가 쟁(箏)을 타다 442
보조국사(普照國師)와 숯 굽는 노인 948
보조지눌 스님의 정혜결사(定慧結社) 940
본생담 룸비니 동산에서 탄생하시다 [1] 31
본생담 룸비니 동산에서 탄생하시다 [2] 34
본생담 태몽을 꾸시는 마야부인 [1] 24
본생담 태몽을 꾸시는 마야부인 [2] 27
부모은중경 1 회탐수호은(懷躭守護恩) 278
부모은중경 2 임산수고은(臨産受苦恩) 281
부모은중경 3 생자망우은(生子忘憂恩) 284

부모은중경 4 연고토감은(咽苦吐甘恩) 286

부모은중경 5 회건취습은(回乾就濕恩) 288

부모은중경 6 유포양육은(乳哺養育恩) 290

부모은중경 7 세탁부정은(洗濁不淨恩) 292

부모은중경 8 원행억념은(遠行憶念恩) 294

부모은중경 9 위조악업은(爲造惡業恩) 297

부모은중경 10 구경연민은(究竟憐愍恩) 300

부모은중경 상계쾌락(上界快樂) 305

부모은중경 여래정례(如來頂禮) 276

부모은중경 주요수미(週遶須彌) 303

부산 마하사(摩訶寺) 나한의 영험 665

부설(浮雪)거사가 병(甁)을 치다 776

부왕(父王)을 위한 최후의 설법 426

부처님께 차(茶) 공양을 올리다 420

부처님께서 열반(涅槃)에 드시다 160

부처님께서 점성가를 제도하시다 423

부처님께서 환궁(還宮)하시다 134

부처님을 해치려는 제바달다(提婆達多) 58

부처님의 마지막 가르침 154

부처님의 십대제자(十大弟子) 125

부처님의 아들 라후라 최초의 사미가 되다 142

부처님의 여섯 번째 제자 야사(耶舍) 128

불교 제23대 조사 학륵나 존자(鶴勒那尊者) 583

불본행집경 뱃사공이 참회하다 390

불본행집경 세상사는 모습을 둘러보시다 46

불본행집경 수자타가 공양을 올리다 90
불본행집경 싯다르타 태자의 무술 시합 52
불본행집경 싯다르타 태자의 수학(受學) 42
불본행집경 싯다르타와 제바달다 55
불본행집경 아시타(Asita) 선인의 예언 40
불본행집경 야수응몽(耶輸應夢) 477
불소행찬 구담귀성(瞿曇貴姓) 468
비유경 무상을 비유하는 안수정등(岸樹井藤) 307
비익조(比翼鳥) 1113

(ㅅ)

사냥꾼과 가사(袈裟) 공양 695
사명대사(四溟大師)의 시묘살이 1015
사명대사가 왜국으로 가다 1023
사방 칠보(七步)를 걸으시다 36
사분율 말리부인(末利夫人)의 이야기 394
사슴을 타고 다니는 청오공(青烏公) 1128
사천왕(四天王)에 대해서 1091
삭발위승(削髮爲僧) 411
삼국유사 관세음보살과 청조(青鳥) 698
삼국유사 노힐부득과 달달박박 585
삼국유사 밀본 스님이 선덕여왕의 병을 치료하다 991
삼국유사 손순(孫順)이 아이를 매장하다 626
삼국유사 순교자 이차돈(異次頓) 886
삼국유사 연회(緣會) 스님의 시들지 않는 연꽃 961

삼국유사 자장율사(慈藏律師) 이야기 834
삼국유사 처용랑(處容郞)과 망해사(望海寺) 610
삼국유사 혜통(惠通) 스님이 화로(火爐)를 이다 800
삼국지연의 삼고초려도(三顧草廬圖) 1180
삼국지연의 탄금주적도(彈琴走賊圖)1177
삼장법사와 손오공 일행 1140
상산사호(商山四皓) 1158
서역에서 건너온 보리달마(菩提達磨) 753
석씨계고략 마랑부관음(馬郞婦觀音) 619
선문염송 곽시쌍부(槨示雙趺) 360
선문염송설화 다자탑전반분좌(多子塔前半分座) 355
선혜[수메다]와 연등 부처님 13
설산수도(雪山修道) 87
섬이 배로 변하다 581
성도를 방해하는 마왕 파순(魔王波旬) 100
세조(世祖)와 정이품송(正二品松) 1184
소나무 아래서 동자에게 묻다 1137
소에게 법문을 하는 한산습득(寒山拾得) 867
손가락을 자른 구지(俱胝) 화상 858
손오공변화령헌관음도(孫悟空變化鈴獻觀音圖) 1173
송고승전 비둘기가 죽어서 사람이 되다 684
수궁가(水宮歌) 자라와 토끼 1145
수월음관(水月音觀) 선사 1069
수행본기경 보리수 아래서 고타마의 깨달음 106
순천 송광사 혜린(慧璘) 선사의 수행 690

시주 공덕의 무거운 은혜 668
신라 진정법사(眞定法師)와 어머니 644
신라의 충신 박제상(朴堤上)과 은을암 622
신선과 바둑 내기를 한 스님 1161
십우도(十牛圖) · 심우도(尋牛圖) 709
싯다르타를 힐난하며 떠나는 다섯 명의 비구들 95
싯다르타와 어린양 76
싯다르타의 고행 정진과 거문고 줄 83

(ㅇ)

아귀지옥(餓鬼地獄) 254
아난존자(阿難尊者)의 교족(翹足)정진 323
아육왕경 흙을 보시한 어린이 218
앙굴마라경 앙굴리마라를 교화하시다 386
앵무경(鸚鵡經) 마납(摩納)의 집 흰 개 336
야운(野雲) 스님의 삼일수심(三日修心) 937
업경대(業鏡臺) 269
여동빈도(呂東賓圖) 1163
여산혜원의 호계삼소(虎溪三笑) 1053
연등 부처님과 선혜 20
연등불에게 꽃을 공양하는 수메다[Sumeda] 15
연등불에게 머리카락을 풀어서 공양하다 17
연소경 상두산(象頭山) 설법 414
연천 보개산 석대암(石臺庵) 전설 593
연천 심원사(深源寺) 중창 이야기 996

열반경 불지이석(佛指移石) 531

열반경후분 부처님의 마지막 제자 수발다라 157

열반경후분 응진환원(應盡還源) 535

열반경후분 조탑법식(造塔法式) 533

염불(念佛) 552

영원조사(靈源祖師)와 명학(明學) 스님 648

영험실화전설집 홍도 비구가 뱀이 되다 704

예수시왕생칠경 시왕(十王) 신앙의 발생 224

오대산 상원사(上院寺)와 한암 스님 1034

완릉록(宛陵錄) 배휴(裴休) 불상 이름 짓기 910

용(龍) 1101

용궁에서 온 강아지 999

용수보살 대해보궁 현세 출현도 893

울진 불영사(佛影寺)의 유래 677

원광법사(圓光法師)와 두 청년 808

원주 치악산 상원사 동종 이야기 701

원효 스님의 척판구중(擲板求衆) 634

원효 스님이 소를 타고 가며 경전을 쓰다 830

원효(元曉) 스님이 해골 물을 마시다 789

원효(元曉)대사와 의상(義湘)대사 793

위왕조조도(魏王鼂錯圖) 1168

유후세가(留候世家) 이교납리(圯橋納履) 1166

육도왕환(六途往還) 273

의상 스님과 법계도, 낙산사, 부석사 670

이성계(李成桂)와 오백나한(五百羅漢) 608

이태백(李太白)의 기경상천(騎鯨上天) 1129

인도 마라난타(摩羅難陀) 스님의 초전법륜(初轉法輪) 964

임제(臨濟) 스님의 탁발 1029

임진록 임진왜란과 사명대사(四溟大師) 설화 1018

(ㅈ)

자장율사(慈藏律師) 이야기 1075

잡보장경 귀자모신(鬼子母神) 320

잡보장경 장궁해불(張弓害佛) 496

잡보장경 제바달다와 술 취한 코끼리 다나팔라 136

정철지옥(釘鐵地獄) 265

정화수(井華水)1144

제6 선정처 무칠린다 연못의 사왕(蛇王) 109

제1전 진광대왕(秦廣大王) 226

제2전 초강대왕(初江大王) 228

제3전 송제대왕(宋帝大王) 230

제4전 오관대왕(五官大王) 232

제5전 염라대왕(閻羅大王) 235

제6전 변성대왕(變成大王) 237

제7전 태산대왕(泰山大王) 240

제8전 평등대왕(平等大王) 242

제9전 도시대왕(都市大王) 244

제10전 오도전륜대왕(五道轉輪大王) 247

조계종의 산파 지암종욱(智庵鍾郁) 스님 1060

조상공덕경 우전국왕이 최초의 불상을 조성하다 430

조선시대 용파(龍波) 스님의 원력 870

조주(趙州) 선사의 발우는 씻었느냐? 925

조주(趙州) 선사의 끽다거(喫茶去) 928

죄계존자 현랑(玄朗) 스님의 이적 1050

중국 구화산 교각(喬覺) 스님 957

중본기경 마하파사파제 최초의 비구니가 되다 147

중아함경 원후봉밀(猿猴奉蜜) 434

증일아함경 가섭전의(迦葉傳衣) 221

증일아함경 난다[難陀]의 음욕 328

증일아함경 난다[難陀]의 출가 326

지시경 말을 길들이는 조마사(調馬士) 340

지장보살과 지옥문전(地獄門前) 271

진묵대사 어머니의 묘 844

진묵대사(震黙大師)의 신통력 847

진묵대사가 석양에 누님을 50리를 가게 하다 854

진묵대사가 책을 버리다 850

진묵대사의 업신조복(業身調伏) 852

진표율사가 지장보살을 친견하다 590

(ㅊ)

찬즙(贊汁)대사와 관음바위 827

찬집백연경 악우몽도(惡牛蒙度) 541

창원 성주사(聖住寺) 곰 절의 유래 660

채화위왕상불수결경 채화헌불(採花獻佛) 538

처음으로 우바새가 탄생하다 112

처태경 불현쌍족(佛現雙足) 547
천궁존자 혜위(慧威) 스님이 은거하다 1048
천태지의(天台智顗) 스님이 사냥꾼을 제도하다 786
출요경 거짓으로 잉태하여 부처님을 비방하다 346
출요경 도산지옥(刀山地獄) 250
출요경 소띠야(Sotthiya)가 건초를 공양하다 93
출요경 죽은 아들을 살리려는 여인 457
치계전생담(雉鷄前生譚) 꿩이 사람의 몸을 받다 896
칠원성군(七元星君) 1151

(ㅌ)

태을성군(太乙星君) 1153
태자서응본기경 야수다라 공주와 결혼하시다 62
태자의 성불을 방해하는 무리들 97
태자의 출가를 만류하다 64
통도사 자장암(慈藏庵) 금개구리 839
통영 벽방산 해월 선사의 10년 장좌불와 687
투신아호경 전단마제(栴檀摩提) 태자 376

(ㅍ)

파자소암(婆子燒庵) 1056
팔대금강(八大金剛) 1096
포대(布袋)화상 890
포항 천곡사(泉谷寺)와 선덕여왕 693
풍간(豊干) 선사 819

풍도지옥(風途地獄) 261

(ㅎ)

하동 칠불암 아자방(亞字房) 이야기 1037
하마선인도(蝦蟆仙人圖) 1118
한글 창제를 도운 신미혜각(信眉慧覺)대사 1065
한빙지옥(寒氷地獄) 263
한산(寒山)과 습득(拾得) 815
해룡왕경 불의(佛衣)로 용왕의 어려움을 구제하다 557
해인사 백련암 백련(白蓮) 선사와 호랑이 943
해인사(海印寺)와 희랑대사(希朗大師) 888
허공에 달걀을 쌓은 서산대사(西山大師) 652
허황후를 안내한 신어(神魚) 569
허황후와 파사석탑(婆娑石塔) 566
현벽(玄璧) 스님의 법문을 들은 선학(仙鶴) 642
현우경 가난한 여인의 등불 353
현우경 노도차(勞度差)의 환술(幻術) 448
현우경 범천이 법문을 권청하다 117
현우경 부처님께 옷감을 공양하다 344
현우경 소아시토(小兒施土) 525
현우경 어부를 제도하시다 342
현우경 어인구도(漁人求度) 490
현우경 포금매지(布金買地) 487
현우경 환술에 능통한 노도차(勞度差) 350
현우경 흙으로 공양을 올린 소년 348

혜가(慧可) 스님이 팔을 자르다 759
혜공(惠空) 스님과 오어사(吾魚寺) 881
혜능(慧能) 스님과 도명 스님 774
혜능(慧能) 스님의 마지막 인사 771
혜능(慧能) 스님이 방아를 찧다 767
혜소국사(慧炤國師)와 일곱 명의 도적 951
혜초(慧超) 스님의 왕오천축국전(往五天竺國傳) 1082
호랑이를 타고 다녔던 환적(幻寂)대사 861
호명보살로 도솔천에 머무르시다 22
화엄경 발고여락(拔苦與樂) 554
화엄경 선재동자(善財童子)의 구도 행각 404
화탕지옥(火湯地獄) 252
황벽희운(黃蘗希運) 선사와 어머니 781
황해도 해주 속명사(續命寺) 중창기 629
회소(懷素) 스님이 파초(芭蕉)에 글을 쓰다 883
흑암지옥(黑暗地獄) 264

벽화에 등장하는 사찰

(ㄱ)

강릉 동명사 719

강진 금곡사 284

강화 보문사 1005. 1006. 1007. 1008. 1009. 1011

경산 경흥사 136. 789

경산 장엄사 351. 449. 1041. 1045. 1048. 1050

경주 기림사 420

경주 용운사 1039

곡성 태안사 358

곡성 태안사 봉서암 307. 563. 815. 863

공주 마곡사 1026. 1027. 1118. 1122. 1125

공주 신원사 1128

광주 문빈정사 161

광주 증심사 13. 34. 103. 160. 164. 252. 259

구례 연곡사 202. 209. 599

구례 화엄사 848

구미 자비사 206. 215

군산 은적사 218

군위 법주사 408. 847. 991

김제 금산사 310

김제 조앙사 850

김제 통천사 328

김천 계림사 20. 221
김천 고방사 346
김천 용화사 288. 1144
김천 직지사 1018. 1019. 1020. 1021
김해 동림사 566. 569. 571. 771. 774. 786
김해 연화사 573. 574
김해 오륜사 180. 183
김해 정암사 15. 55. 58. 76. 83. 93. 109. 112. 128. 139. 142. 147. 157. 336. 372. 400. 993. 1013. 1053
김해 홍덕사 893

(ㄴ)

나주 불회사 655. 658. 964
남양주 흥국사 1113
남원 대복사 731. 737. 897
논산 관촉사 614. 615. 616. 617

(ㄷ)

달성 용연사 1037. 1173
담양 용흥사 919. 921. 925. 931. 934
대구 관음사 717
대구 동화사 883
대구 반야정사 323
대구 파계사 884. 1149. 1151. 1153. 1155
동해 만리사 177. 186. 188. 191

(ㅁ)

마산 의림사 22. 42. 44. 62. 117. 119. 131. 326. 426. 428. 430

무안 법천사 87

무안 원갑사 100

문경 윤필암 448

밀양 무봉사 366. 1087. 1089. 1096

밀양 문수사 348. 886. 1002. 1091. 1092. 1093

밀양 표충사 324. 715

(ㅂ)

보성 대원사 759. 819. 957

보은 법주사 777. 794. 796. 810. 834. 858. 972. 1065. 1072 1073. 1082. 1184

봉화 지림사 434. 996. 998

부산 국청사 640. 642. 729

부산 마하사 665. 666

부산 범어사 465. 468. 471. 473. 475. 477. 480. 483. 485. 487. 490. 491. 494. 496. 499. 502. 505. 508. 511. 514. 517. 520. 522. 525. 526. 528. 531. 533. 535. 538. 541. 544. 547. 552. 636. 1108. 1171. 1172

부산 삼광사 36. 46. 254. 332. 342. 344. 360. 701. 836. 881

부산 선암사 587. 627. 631. 776. 783. 870. 903. 905

부산 홍국사 224

부여 고란사 579

(ㅅ)

산청 겁외사 417

산청 대원사 739

산청 수선사 727

산청 정각사 88. 684. 743. 871. 899. 901. 906

상주 남장사 1129. 1132

서산 개심사 594. 626. 733. 735. 741

서산 천장사 975

서울 경국사 619

서울 봉은사 755. 945

서울 조계사 40. 211

서울 청량사 908

성주 선석사 281. 294

순천 선암사 1105. 1106

순천 송광사 286. 297. 303. 397. 937. 940

(ㅇ)

안동 동악사 1161

안동 봉정사 768

안성 청룡사 593

안성 칠장사 951. 954

양산 노전암 635

양산 주진동 불광사 606. 867. 943

양산 통도사 197. 440. 753. 1177. 1182

양산 통도사 안양암 24

양산 통도사 자장암 698. 757. 839

양산 하북면 불광사 167

양양 낙산사 411. 670. 671. 673. 674. 675

여수 흥국사 1146. 1147

영덕 장육사 28

영주 동천사 151. 391. 558. 1104

영주 부석사 255

영주 비로사 713. 876

영주 흑석사 721

영천 수도사 725. 1137

영천 은해사 121. 305. 356

예천 명봉사 1099

예천 보문사 1145

예천 용문사 1101

예천 원명사 90

옥천 문수암 66

옥천 송림사 629. 746. 748. 750. 896

옥천 용암사 363

완주 봉서사 841. 844

울산 고헌사 31. 70

울산 망해사 610. 611. 613

울산 삼밀불원 827

울산 석남사 401

울산 은을암 622. 624

울진 불영사 680. 685. 872. 878. 1015. 1016

원주 영원사 37
인제 오세암 966

(ㅈ)

장성 약사암 923
장흥 보림사 257. 269
정선 정암사1075. 1076. 1077. 1078. 1079. 1080. 1081
제주 금룡사 604. 800
제주 금붕사 154
제주 덕산정사 1135
제주 문강사 173. 194. 695
제주 법화사 1116
제주 불탑사 711
제주 선덕사 175. 875. 916. 979. 982. 984. 1029. 1031. 1056
제주 선림사 634. 672
제주 약천사 353
제주 우리절 781
제주 월영사 276. 414. 913. 928
제주 월정사 588
제주 제석사 313. 761
제천 신륵사 439. 1023. 1024. 1025. 1068
진안 탑사 638
진주 보경사 271. 273. 763
진주 청곡사 462. 554. 668. 704. 842. 852. 854. 1069

(ㅊ)

창녕 관룡사 583. 832

창녕 법성사 581

창원 성주사 660. 662

천안 광덕사 48. 403

청도 대비사 445

청도 대적사 1180

청도 운문사 17. 134. 317. 404. 406

청도 죽림사 95

청주 용화사 432. 585

청주 월리사 1163

춘천 삼운사 97. 590. 597. 644. 648. 652. 663. 677. 687. 690. 948. 961. 969

칠곡 송림사 226. 228. 230. 232. 237. 240. 242. 244. 247. 261

(ㅌ)

통영 미래사 27. 550. 793. 830

통영 서광사 988

태백 장명사 29. 362

(ㅍ)

파주 검단사 250

파주 보광사 1120

평창 사자암 1034

평창 상원사 576. 910

평창 월정사 1022. 1035. 1036. 1060. 1066

포항 천곡사 693

(ㅎ)

하동 쌍계사 355. 1140. 1158

하동 칠불사 106

함안 장춘사 278. 290. 292. 300

함양 법화사 79

합천 영암사 423. 805

합천 해인사 320. 340. 354. 368. 376. 379. 383. 386. 390. 394. 453. 457. 557. 608. 767. 808. 822. 855. 861. 888. 890. 999

합천 황룡사 723

화성 용주사 1166

화순 쌍봉사 235. 263. 264. 265. 266. 268

[해외 벽화]

라오스 왓푸씨 사원 388

라오스 왓시므왕(Wat Si Muang) 사원 137

라오스 탓루앙 71. 80

미얀마 인레 파옹도우(Phaungdawoo) 사원 25. 49. 162

스리랑카 켈라니야 사원 64. 65

인도 몰라간다 꾸띠 비하르 사원 52

인도 바이샬리 산치 대탑 436

일본 선양밀사(善養密寺) 30

중국 돈황 유림굴 162

중국 돈황 막고굴 184. 199. 204. 213. 350. 364. 374. 437. 442. 450

중국 신장 위구르 투르판박물관 373

태국 수완나폼 공항 68

○○○

벽화 책을 마무리하면서

나모 따사 바가와또 아라하또 삼마삼붇다사

붓당 사르낭 가차미 . 담망 사르낭 가차미 . 상강 사르낭 가차미

3년간 시간을 쪼개어 제주도에서 휴전선 근처인 경기도 파주까지 참으로 많은 벽화를 찾아 헤매고 다녔다. 그러기에 절을 자주 비우고 다녔다. 그럼에도 카톡이라는 매개체로 법화경 전법을 끝냈다. 그리고 지금은 주심부(註心賦)를 꾸준하게 전법하고 있으니 그것 또한 모두 부처님의 가피라 여기며 감사한 마음으로 수행하고 있다.

벽화는 건축물이나 석굴의 외벽이나 내벽, 그리고 동굴 등에 그려진 회화(繪畵)를 말한다. 그러므로 그려진 대상에 따라 벼랑에 그려지면 애벽화(崖壁畵), 궁실(宮室)에 그려진 궁실벽화(宮室壁畵), 묘실에 그려진 묘실벽화(墓室壁畵), 석굴에 그려진 석굴벽화(石窟壁畵), 사원에 그려진 사관벽화(寺觀壁畵) 등의 다양한 형태로 우리에게 보여주고 있다.

이러한 회화는 고대부터 현대에 이르기까지 아주 오랜 역사와 전통을 가지고 있다. 벽화는 사원은 물론이고 궁실(宮室)이나 묘실(墓室) 등 다양하게 접목되어 그 시대의 생활상이나 추구하고자 하는 내용 등이 그려져 있어서 학술적으로도 가치가 매우 높다.

애벽화(崖壁畵)는 스리랑카 시기리야에 가면 미인도(美人圖) 등이 유명하고 우리 민족의 묘실 벽화로는 중국 길림성에 있는 고구려의 무용총(舞踊塚) 벽화, 각저총(角抵塚) 벽화와 발해의 정효공주 묘실 벽화, 영주 순흥면 읍내리 벽화, 고령 대가야읍 고아리 벽화, 거창 남하면 둔마리 벽화, 밀양 청도면 고법리 벽화 등이 있다.

우리나라 왕실 벽화로는 창덕궁 대조전(大造殿) 벽화 등이 있다. 석굴 벽화는 우리나라에서는 보기가 어려우나 인도의 아잔타(Ajanta) 석굴, 중국 투루판의 베제클리크(Bezeklik) 석굴, 쿠차의 쿰트라(Kumtura) 석굴, 스리랑카 마탈레(Matale)에 있는 담불라황금사원(Golden Temple of Dambulla) 등이 유명하다. 사관 벽화는 사찰을 비롯하여 도관(道觀) 등에서 흔히 볼 수 있는 벽화를 말한다. 이 책에서는 사관 벽화를 소개하고 있다. 그리고 사관 벽화는 그려진 위치에 따라 후불 벽화(後佛壁畵), 포벽화(包壁畵), 벽의 측면에 그려진 측벽화(側壁畵), 그리고 회벽(灰壁)이 아닌 판자에 그려진 판벽화(板壁畵) 등으로 구분하고 있다. 참고로 판벽화는 파주 보광사(普光寺) 등에 가면 볼 수가 있다.

특히 사원은 벽화의 보고라고 할 수 있다. 인도 아잔타 석굴, 중국 투루판의 베제클리크, 쿠차의 쿰트라 석굴 등이 유명하다. 중국은 이외에도 병령사(炳靈寺) 석굴, 맥적산(麥積山) 석굴, 돈황(燉煌) 등 여러 사원에서 아주 다양한 장르의 벽화를 지금도 고스란히 간직하고 있다. 우리나라에도 신라시대에 솔거(率居)가 그렸다는 분황사(芬皇寺)의 천수대비관음보살 벽화, 단속사(斷俗寺)의 유마상 등이 아주 유명하였다고 하지만 현재는 전하는 것이 없어 무척이나 아쉽다. 그러나 영주 부석사(浮石寺) 무량수전에 고려 시대에 그려진 사천왕도는 지금도 전하고 있으며, 조선 초기에 그려진 안동 봉정사(鳳停寺) 대웅전 벽화, 강진 무위사(無爲寺) 극락보전 벽화 등이 있다. 그 외에도 여러 사찰의 벽화가 전하고 있지만 우리나라가 많은 벽화를 보존하지 못하고 있는 것은 임진왜란과 한국전쟁으로 인하여 대부분 절이 파괴되고 소진(燒盡)되었기 때문이다.

벽화는 배움의 또 다른 장르다. 그런 점에서 벽화는 우리에게 많은 공부 거리를 제공하고 있다. 그러기에 사찰의 벽화 한 점이라도 소중히 보존하고 또한 그림에 깃들여진 내용을 알아두어야 한다. 이 책을 집필하면서 사진 수집과 원고 정리까지 홀로 하였기에 내용에 오류가 없지 않을 것이다. 그러나 혹여 있을 수 있는 그 오류를 찾아 수정하고 보완하는 것도 독자의 한 몫이라고 여긴다. 묻혀 있던 벽화들에 담겨 있는 옛 선사들의 이야기와 불교의 이야기를 나눌 수 있게 되어 감사할 따름이다.

『사찰에서 만나는 벽화』는 2019년 10월 정암사 입산설방을 통해 출간하였던 개인 출판물을 다시 정리하고 보완하여 공식적으로 재출간하게 된 책이다.

2023년 12월의 차가운 겨울날에
김해 정암사 고목당(枯木堂)에서
법상 합장

사찰에서 만난 벽화

초판1쇄 2023년 12월 24일

지은이 지홍 법상
펴낸이 정용숙
펴낸곳 ㈜문학연대

출판등록 2020년 8월 4일(제 406-2020-000088호)
주소 경기도 파주시 헤이리마을길 24, 2층
전화 031-942-1179
팩스 031-949-1176

ISBN 979-11-6630-104-9 (03810)

- 책값은 뒤표지에 있습니다.

- 이 책의 내용은 지홍 법상 스님의 화법을 최대한 헤치지 않고 그대로 옮긴 것으로, 다소 독자들의 이해 흐름을 끊어 불편할 수 있음을 미리 양해 부탁드립니다.

만든이들 편집공방, 허정인, 변영은